LES BORGIA

Du même auteur

Les aliénations du temporel ecclésiastique ordonnées par les rois Charles IX et Henri III de 1563 à 1588, particulièrement dans les diocèses de Limoges et de Bourges, Paris, 1957

Grégoire XIII et les guerres de religion en France. Essai sur les interventions militaires et financières de la papauté contre les protestants (1572-1585), Paris, 1961.

Urbain V (1362-1370). Lettres communes (en collaboration avec les membres de l'Ecole française de Rome), E. de Boccard, Paris, 1965.

Correspondance du nonce en France Anselmo Dandino (1578-1581), E. de Boccard, Rome et Paris, 1970.

Catherine de Médicis, Fayard, Paris, 1979.

Laurent le Magnifique, Fayard, Paris, 1982.

La vie quotidienne dans les châteaux de la Loire au temps de la Renaissance, Hachette, Paris, 1983.

Henri II, Fayard, Paris, 1985.

Charles VIII et le mirage italien, Albin Michel, Paris, 1986.

Les demeures royales : floraison artistique et courants littéraires dans la belle époque de la Loire (fin XVe-XVIe siècle), dans *La Loire*, Ramsay, Paris, 1986.

La Renaissance ou l'avènement de l'homme moderne, Dossier et livret de diapositives, n° 6087 de la Documentation photographique, Documentation française, Paris, février 1987.

Amboise au temps de François Ier, Radiovision, RVE n° 108 : dossier, livret de diapositives et commentaire sur cassette, Centre national de documentation pédagogique, Paris, 1987.

Ivan Cloulas

LES BORGIA

Fayard

« *Un prince, et surtout un nouveau prince, ne peut se plier aux règles et conventions qui font passer les hommes pour bons, car, pour maintenir son Etat, il lui faut sans cesse agir contre sa parole, contre la charité, contre l'humanité, contre la religion.*

Il doit être prêt à changer de comportement suivant les vents de la Fortune et la variation des choses — en somme ne pas s'écarter du bien, s'il le peut, mais savoir entrer dans le mal en cas de nécessité. »

MACHIAVEL, *Le Prince*, chapitre XVIII

Avertissement

Pour les personnages et lieux de notoriété moyenne les noms sont reproduits en espagnol et en italien, sous la forme même qui était la leur lors des événements narrés. Ainsi on trouvera Alonso Borja et Sinigaglia pour Alfonso Borgia et Senigallia.

Mais les noms des personnes et des lieux qui ont depuis longtemps atteint une grande notoriété auprès du public français sont transcrits sous la forme familière au lecteur : ainsi César Borgia, Lucrèce, François de Borgia, François de Gonzague, Guidobaldo de Montefeltre.

PROLOGUE
De l'actualité des Borgia

Les Borgia... ces trois syllabes, à peine prononcées, font jaillir, rutilant et farouche, un monde de luxe et de débauche, d'amour et de mort, où règnent en maîtres le poignard et le poison.

Des personnages, dont le nom résonne en fanfare, apparaissent : César, Lucrèce Borgia sont devant nous, vêtus de soie et d'or. L'inceste et le meurtre souillent le Vatican. Les forces du mal entraînent le Chef de l'Eglise de Dieu au fond du gouffre de l'Enfer...

Telle est la vision caricaturale de toute une littérature hostile, paradoxalement confortée par de maladroits essais de réhabilitation, contre lesquels l'érudition a pu confirmer que les excès dénoncés avaient été bien réels et les circonstances atténuantes, infimes. Le procès semble donc clos.

Or, si l'on examine le volumineux dossier grossi au cours des siècles, on s'aperçoit que des allégations, passées au fil de la critique, perdent leur caractère scandaleux. Replacés dans leur contexte, de soi-disant forfaits s'expliquent de façon naturelle. Il devient évident que de nouveaux éclairages sont à découvrir dans la perspective d'une longue histoire familiale.

La grandeur des Borgia est, en effet, l'aboutissement d'un patient effort collectif s'étendant sur plusieurs siècles. Brusquement, le hasard donne leur chance à de modestes hobereaux espagnols au moment du grand schisme qui déchire la Chrétienté occidentale, à la fin du XIVᵉ siècle.

Alonso Borgia, simple clerc du royaume de Valence, devient l'un des acteurs du drame. Il est élevé au pontificat suprême. Assis sur le trône de Saint-Pierre, il appelle ses parents et fonde une dynastie de prêtres.

Un demi-siècle plus tard, cette famille tient le pouvoir à Rome et dans plusieurs places d'Italie, de France et d'Espagne. Le pape Alexandre VI et ses enfants, César, Juan, Lucrèce et Gioffré, ne se différencient en rien des potentats de l'époque : Riario, Médicis, Sforza, Este, Gonzague. Mais ils restent étrangers, refusent l'hypocrisie et leur génie inspire Machiavel : c'est autant de traits que dénoncent leurs adversaires en les marquant du signe de l'infamie.

Toutefois la Providence veille : un demi-siècle encore, et les péchés du pape scandaleux sont rachetés par les mérites d'un saint authentique, son descendant.

L'histoire des Borgia, contée par le menu, est une aventure prodigieuse, aux multiples rebondissements. Intimement liée aux crises et aux ruptures que traverse l'Occident, elle en fournit le contrepoint humain. Elle nous informe sur les coutumes, les mentalités, les arts et les techniques qui ordonnent la vie dans le cadre des Cours ou dans les camps volants des prestigieux condottieres de la Renaissance.

Mais l'intérêt que nous y trouvons ne tient pas seulement au pittoresque et aux vives couleurs du tableau. Il plonge ses racines au plus profond de notre être. Nous nous sentons étrangement concernés par ce temps. La liberté des mœurs, la froide cruauté et la violence aveugle sont aujourd'hui de même actualité qu'à l'époque des Borgia : et le miroir que nous tendons vers eux nous renvoie notre image...

PREMIÈRE PARTIE

L'ascension
de la famille Borgia

CHAPITRE PREMIER

Valence et Aragon :
le berceau espagnol des Borgia

Les fils des conquérants

La fortune des Borgia a pris naissance en Espagne dans la petite ville de Játiva, située à l'extrémité méridionale de la *huerta* de Valence, sur les pentes de la *sierra de las Agujas* ou montagne des Aiguilles.

Après la conquête de Valence sur les Maures en 1238, le roi d'Aragon Jaime Ier le Fortuné avait lancé ses guerriers à l'assaut de cette place haut perchée sous des rocs acérés, protégée par de longs remparts et une massive forteresse. *Medina Xatibea* était la seconde ville du royaume de Valence. Elle avait été bâtie sur les vestiges de l'antique *Sœtabis*. Elle était commerçante et industrieuse : on y fabriquait du papier. Mais elle était surtout un délicieux lieu de séjour pour les grands seigneurs maures. Les sources et les ruisseaux captés y chantaient dans trois cents bassins autour de la reine des fontaines aux vingt-cinq jets bruissants. En contrebas, dans la plaine abondamment irriguée, protégée des vents par le mont Bernisa, prospéraient palmiers et orangers dont le vert moutonnement, alternant avec les taches claires des rizières, formait un heureux contraste avec l'âpreté de la sierra.

La conquête avait été facile, venant après celle de Valence. Le roi Jaime avait partagé les terres entre ses chevaliers. Parmi eux figuraient Estebán de Borja et huit de ses parents, venus d'une bourgade dont ils portaient le nom, située loin au nord, en bordure de la vallée de l'Ebre, à soixante kilomètres de Saragosse : leur famille y avait vécu cent ans depuis que le village, conquis en 1120 sur les Arabes, avait été donné à leur ancêtre, le comte Pedro de Atares, un bâtard descendant du roi d'Aragon don Ramiro Sanchez. Ils portaient sur leur blason un taureau dont la teinte héraldique était « de gueule », c'est-à-dire de couleur rouge : l'animal, symbole de leurs origines pastorales, était l'image de la vaillance redoutable de leur clan guerrier. Au XIVe siècle, la branche aînée des Borja avait émigré des terres de la conquête jusqu'au royaume de Naples. Mais les branches cadettes étaient restées en Espagne. Elles s'étaient rapprochées par des alliances matrimoniales qui préservaient l'intégrité de leurs propriétés où travaillait l'experte main-d'œuvre mauresque. A l'islam avait succédé le culte mozarabe, célébré notamment dans la magnifique chapelle gothique de San Feliu, bâtie à mi-côte, au-dessous du château, parmi les cyprès et les caroubiers touffus.

Naissance d'Alonso de Borja
La prédiction de saint Vincent Ferrier

Les années passent. Játiva s'est parée de belles demeures seigneuriales ou *solares*. A l'angle de la *calle de Ventres*, une maison cossue abrite Rodrigo Gil de Borja et son épouse Sibilla d'Oms, issue d'une des principales familles d'Aragon. Dans la *calle de la Triaca*, d'autres Borja occupent le *Palau*, ancien couvent musulman où étaient hébergés les *alfaquies*, ou fakirs, qui desservaient l'ancienne mosquée de Játiva. Plus loin, vers la collégiale, dans une rue aristocratique, *calle de Moncada*, un portail cintré, aux claveaux longs et minces, surmonté de l'écu familial, conduit à un patio fleuri, ombragé de palmiers, autour d'un bassin d'eau vive. La demeure appartient, croit-on, à Juan Domingo de Borja, de Canals, époux de doña Francisca Martín ou Martinez de Borja, de Valence. Le couple possède encore au village de Canals un manoir fortifié, la Torreta. C'est là que, le 31 décembre 1378, leur fils Alonso vient au monde. Il y grandit parmi plusieurs sœurs qui feront souche dans la petite noblesse locale. L'aînée, Catalina, y entrera en épousant don Juan de Mila, baron de Mazalanes. Isabel épousera son cousin, Jofré de Borja y Oms, fils de Rodrigo Gil de Borja et de Sibilla d'Oms. Deux autres sœurs, Juana et Francisca, connaîtront une destinée semblable.

En cette fin du XIVe siècle, les échos des tumultes de l'histoire mondiale parviennent jusqu'à Játiva. La naissance du jeune Alonso coïncide avec le déclenchement du grand schisme d'Occident, événement aux allures de catastrophe pour les croyants. Le 20 septembre 1378, les cardinaux, révoltés contre le pape Urbain VI, ont élu un pontife rival, Robert de Genève : il a pris le nom de Clément VII et a fixé de nouveau le siège de la papauté dans la ville d'Avignon, abandonnée peu auparavant par les papes après une occupation de soixante-dix années. La Chrétienté a éclaté. Rome et Avignon se disputent l'obédience des Etats. Le scandale est grand. Les esprits doutent et s'interrogent sur la légitimité de l'un et l'autre pontifes. L'active ville de Valence s'efforce, par la voix de ses « jurés », d'imposer la neutralité qu'a choisie son souverain, le roi d'Aragon Pierre IV le Cérémonieux. Le prince terrible sait se faire obéir, comme il le montre en réprimant férocement une révolte des nobles. Mais le pape d'Avignon dispose, par rapport à son adversaire, de partisans convaincus qui ne ménagent aucun effort pour lui rallier les populations.

Le plus efficace de ces hérauts est un quinquagénaire à l'ardeur juvénile, le cardinal Pedro Martinez de Luna. Il est lié à la famille royale : l'infant don Martin est marié à l'une de ses cousines. Le cardinal met au service de sa cause ses immenses connaissances juridiques. Il a été longtemps prévôt du chapitre de Valence, en même temps qu'archidiacre de Saragosse. Le pape d'Avignon, Clément VII, l'a nommé légat en terre d'Espagne. Il est assisté d'un dominicain d'une trentaine d'années, prieur du couvent de Valence, Vicente Ferrer, que la postérité connaîtra sous le nom de saint Vincent Ferrier. Le jeune religieux emploie dans la polémique l'esprit rigoureux dont il a fait montre naguère en enseignant la logique dans le

couvent de son ordre à Lérida, siège de l'université d'Aragon.
Pedro de Luna l'a ordonné prêtre en 1378. Il a aussitôt
distingué sa valeur. Vincent possède d'exceptionnelles qualités de parole. Pendant dix ans, toutes les paroisses du
royaume de Valence l'entendront prêcher. Il arrache des
larmes à son auditoire en ramenant brutalement les hommes à
considérer leurs fins dernières. Il est convaincu que le pasteur
légitime de l'Eglise se trouve en Avignon. Frère Vincent se
rend à Játiva et remarque la ferveur du jeune Alonso de
Borja. « Mon fils, s'écrie-t-il, saisi de l'esprit de prophétie, je
te félicite. Souviens-toi que tu es appelé à devenir un jour
l'ornement de ton pays et de ta famille. Tu parviendras à la
plus haute dignité qu'il soit donné à un mortel d'atteindre.
Moi-même, après ma mort, je serai de ta part l'objet d'une
vénération toute spéciale. Efforce-toi de persister dans la
vertu. » Ce compliment en forme de prédiction, qu'Alonso
n'oubliera pas, encourage ses parents à l'envoyer étudier à
Lérida où Vincent Ferrier a naguère commencé sa carrière.

Le juriste de Lérida et la pape aragonais

A quatre cent cinquante kilomètres au nord de Játiva,
Lérida se trouve à mi-chemin de Saragosse, la capitale de
l'Aragon — à cent quarante kilomètres à l'ouest — et de
Barcelone, le grand port et centre politique de la Catalogne,
à cent soixante kilomètres à l'est. Important carrefour de
routes, elle garde de grandioses témoignages de l'époque où
les ancêtres d'Alonso de Borja s'engageaient dans la reconquête sur les Infidèles. L'église San Lorenzo est une ancienne
mosquée qui a succédé à un temple romain ; le château arabe
est devenu au XIIe siècle un palais des comtes de Barcelone ; la
« vieille cathédrale » est un édifice imposant à la très belle
ornementation romane, et les *casas consistoriales* ont été
reconstruites et parées de fenêtres gothiques géminées : c'est
dans cet ensemble monumental que se réunissent de temps à
autre les *Cortes,* états généraux communs à la Catalogne et à
l'Aragon. On ne peut imaginer meilleur lieu d'éducation pour

le jeune homme que l'université située au cœur d'une telle ville. Il y trouve les glorieux témoignages de l'histoire de l'Aragon.

Alonso se voue avec passion aux études juridiques. Pendant qu'il prépare et obtient le grade de « docteur dans l'un et l'autre droits », le cardinal Pedro de Luna et Vincent Ferrier mènent leur infatigable campagne à travers la péninsule hispanique en faveur du pape d'Avignon. Le roi d'Aragon, Pierre IV le Cérémonieux, ne se laisse pourtant pas convaincre d'abandonner la neutralité commode qu'il a choisie à l'égard des deux papes. Mais, à sa mort en 1387, son fils Jean Ier se range sans réserve sous l'obédience d'Avignon. Or, l'artisan de ce rattachement de l'Aragon, le cardinal de Luna, est élu par les cardinaux avignonnais, le 28 septembre 1394, pour succéder à Clément VII : il devient le pape Benoît XIII. La joie est immense en Aragon. Maîtres et étudiants de Lérida envoient une adresse de félicitations à leur illustre compatriote.

En ce début du règne de Benoît XIII, les faveurs pleuvent sur les Aragonais. Alonso de Borja obtient une prébende. Il devient chanoine de la vénérable église cathédrale de Lérida. Mais l'avenir n'est pas sûr pour Benoît XIII : il a promis de s'entendre avec son rival de Rome pour terminer le schisme. En fait, les tractations poursuivies avec les successeurs d'Urbain VI — Boniface IX, Innocent VII et Grégoire XII — n'aboutiront pas. Par ailleurs, on ne peut départager les adversaires par la force. Le champion de la papauté avignonnaise, Louis Ier d'Anjou, oncle du roi Charles VI de France, est couronné roi de Naples par Clément VII, mais il échoue face à son adversaire Charles de Durazzo, champion du pape de Rome, comme échoue après lui son fils Louis II contre Ladislas, fils de Charles de Durazzo, un homme fort qui s'impose à Rome comme à Naples.

Les malheurs de Benoît XIII

En 1398, le nouveau roi d'Aragon, Martin Ier, apprend avec consternation que Benoit XIII est assiégé en son palais d'Avignon par le roi de France qui lui a retiré son obédience. Martin demande à ses sujets de l'aider à sauver leur pape. Les marchands de Barcelone se cotisent, comme l'ensemble des clercs réunis en concile à Tarragone, pour couvrir les frais d'une expédition vers la Provence. Mais la flotte qui porte les troupes est lamentablement dispersée par les Français.

Alonso de Borja se retrouve aux côtés de l'ardent Vincent Ferrier et de son frère Boniface, prieur de la Grande Chartreuse, qui soutiennent la cause du pontife prisonnier. Ils ont la satisfaction d'apprendre que le pape s'est échappé de son palais sous un déguisement, en mars 1403, et a trouvé refuge dans la Provence amie. Pendant les cinq années suivantes, Benoît rétablit sa situation et regagne même l'obédience de la France. Chacun est conscient de la nécessité d'œuvrer plus que jamais à l'unité de l'Eglise, car deux hérésies menacent. L'une, née en Angleterre, a pour protagoniste John Wiclef : il soutient une théorie de la prédestination absolue, présente le pape comme l'Antéchrist et rejette la plupart des sacrements. L'autre hérésie, née des idées de Wiclef, prend une extension considérable en Bohême, derrière Jean Huss, qui rejette pareillement les sacrements et la hiérarchie et revendique pour ses seuls fidèles le droit de posséder les terres et d'exercer toute fonction : une révolution religieuse et sociale semble en marche.

Or, le péril est incapable de réunir les adversaires. Les nombreuses tractations entre les deux cours de Rome et d'Avignon échouent. Pourtant, dans chaque camp, religieux, clercs et doctes personnages s'efforcent de trouver une solution. L'université de Lérida est sollicitée comme les autres, mais aucun résultat ne sort des consultations.

Il faut se résigner à l'emploi de la force. Encore une fois, la France prend l'initiative. Un concile, réuni à Paris sur convocation royale, constate que Benoît XIII n'a pas tenu la promesse qu'il avait faite de s'entendre avec son compétiteur romain. L'assemblée le condamne donc comme schismatique et hérétique. Mais cette sentence n'a aucun effet : Benoît se met sous la protection directe du roi Martin d'Aragon qui lui offre le refuge du château des rois de Majorque à Perpignan. Le pontife aux abois y convoque un autre concile auquel participent les docteurs de l'université de Lérida. Il y fait proclamer sa légitimité. En juin 1409, un nouveau concile réuni à Pise par les cardinaux des deux obédiences dépose à la fois Benoît XIII et le pape romain Grégoire XII. Un nouveau pape est élu : c'est Alexandre V, qui meurt bientôt, aussitôt remplacé par Baldassare Cossa sous le nom de Jean XXIII. On a atteint le comble de la confusion. Un juriste éminent comme Alonso de Borja se révèle incapable de discerner de quel côté penche le droit. Sur quarante années d'existence, il en a passé la moitié à travailler vainement à l'impossible conciliation entre les pontifes rivaux.

Le roi Martin imagine une nouvelle intervention en faveur de son pape. La Sicile, dont il occupait le trône avant celui de l'Aragon, peut fournir une base d'attaque contre Ladislas, qui règne à Naples et soutient le pape romain. Le roi d'Aragon décide de s'allier avec Louis II d'Anjou, compétiteur de Ladislas. Mais sa mort, le 31 mai 1410, interrompt l'entreprise commune. La flotte de Louis II est d'ailleurs dispersée en mai 1410 et l'Angevin est vaincu au passage du Garigliano.

Ces coups répétés du sort ne découragent pas Benoît XIII. Installé dans le palais royal de Barcelone, il garde sous son obédience de nombreux pays. La mort sans enfant du roi Martin l'oblige à s'occuper du règlement de la succession d'Aragon. Il lui importe au premier chef de faire élire un prince qui lui sera favorable et lui assurera l'asile dont il a besoin. Les parlements de Catalogne, Valence et Aragon nomment une commission de neuf sages qui doivent désigner le nouveau roi. Parmi eux siègent Vincent Ferrier ainsi que son frère le chartreux Boniface, fidèles partisans de Benoît XIII. La commission se réunit dans la forteresse de Caspe. Au terme d'un très long débat, le candidat soutenu par Benoît XIII, l'infant de Castille, petit-fils du roi Pierre III d'Aragon, Fernando de Antequera, est choisi le 25 juin 1412. Devenu roi sous le nom de Ferdinand Ier, il apporte son soutien au pape exilé et confirme sa faveur aux clercs et aux juristes grâce auxquels il a été élu : Alonso de Borja a dès lors ses entrées à la cour. Avec l'appui du nouveau roi, Benoît XIII peut refuser la convocation de l'empereur Sigismond qui le somme à comparaître devant le concile œcuménique de Constance. Il se maintient sur le trône pontifical alors que ses rivaux Jean XXIII et Grégoire XII sont contraints d'abdiquer en mai et juillet 1415. Sigismond se déplace lui-même à Perpignan, en septembre, pour tenter de convaincre Benoît XIII, mais il n'obtient rien de lui et doit repartir après trois mois de vaines palabres.

Malgré son assurance, le pape aragonais croit cependant prudent de se réfugier dans un lieu plus sûr. Avec les quatre cardinaux qui lui restent, il s'enferme dans le repaire fortifié de Peñiscola : il y apprend successivement le retrait d'obédience de l'Aragon en janvier 1416, sa condamnation par le concile de Constance en juillet 1417, et, enfin, le 11 novembre, l'élection d'un nouveau pape, Martin V. Le roi d'Aragon Alphonse V, successeur de son père Ferdinand Ier, a prié le vieillard de s'effacer. Mais, superbement détaché des contingences terrestres, Benoît XIII a excommunié Martin V et ses propres cardinaux qui se sont ralliés au nouveau pape ! Pendant six années, il va défier le monde du haut de son rocher.

Peñiscola est un refuge sauvage situé dans un site extraordinaire où le pape déchu est tout à fait à l'abri des coups de main. Pour y parvenir, on doit emprunter vers le sud, à partir de Castellón de la Plana, tantôt une plaine étroite, plantée d'orangers, coincée entre la mer et les sierras, tantôt les défilés d'une âpre région montagneuse, fief de l'ordre militaire de Montesa, le *Maeztrazgo*, semé de tours de garde sur les pitons rocheux. Nulle armée importante ne peut passer par cette route périlleuse. Au bout d'une centaine de kilomètres, la forteresse de Chivert indique le chemin de la mer. On descend vers Peñiscola. L'îlot n'est rattaché au rivage que par une langue de sable recouverte par la mer lorsque la tempête gronde. Les maisons s'étagent sur les pentes du rocher jusqu'au château établi par les templiers dans les ruines de constructions phéniciennes et grecques. Benoît XIII vit dans ce repaire qu'il a considérablement amélioré. Entre des visites aux églises de l'îlot, il vérifie l'état des remparts qu'il a fait consolider : il est résolu à continuer de gérer la Chrétienté envers et contre tous. Il a pourtant perdu ses plus fidèles soutiens, comme le dominicain Vincent Ferrier qui s'est exilé en Bretagne, à Vannes, où il est mort le 5 avril 1419. Le clergé d'Aragon le boude. Un seul territoire chrétien lui reste fidèle, l'Armagnac, dans le sud de la France : il y envoie un légat, Jean Carrier. Toujours soucieux de ménager Français et Aragonais, il nomme de nouveaux cardinaux, le 27 novembre 1422 : deux Français — dont Jean Carrier — et deux Aragonais à qui il fait prêter serment de lui donner un successeur après sa mort.

Officiellement, Alphonse V d'Aragon continue de solliciter la renonciation du vieux pontife. Mais il mène double jeu. Il a intérêt à maintenir la papauté schismatique. Elle lui sert à réaliser un projet qui lui tient à cœur : la conquête de Naples. En 1421, la reine Jeanne II de Naples a choisi Alphonse comme héritier, puis elle l'a écarté au bénéfice de Louis III d'Anjou. Comme celui-ci est soutenu par Martin V — le pape de Rome —, Alphonse d'Aragon ne fait rien pour inquiéter le vieux pontife rebelle.

Alonso de Borja, vainqueur du grand schisme

Le 23 mai 1423, l'obstiné vieillard Benoît XIII s'éteint dans son palais-forteresse. Tout aussitôt, trois des cardinaux récemment nommés se réunissent en conclave et élisent pape, le 10 juin 1423, Gil Sanchez Muñoz, prévôt du chapitre de Valence, qui prend le nom de Clément VIII. Le roi Alphonse est alors occupé à guerroyer avec la Castille. Son épouse, la reine Marie, ordonne la confiscation des biens de Sanchez Muñoz et soumet l'îlot de Peñiscola à un blocus en règle. Lorsqu'il l'apprend, Alphonse V annule les mesures prises par

sa femme. On met cette réaction au compte de la brouille qui
a éclaté entre la reine et roi. A cette époque, Alphonse V
entretient une relation publique avec la belle Marguerite de
Hijar, que la reine fera étrangler. C'est peut-être de cette
maîtresse, ou plutôt d'une obscure Castillane, Carlina Villar-
done, qu'il a, cette année-là, un bâtard à qui il donnera le
prénom de son propre père, Ferdinand — ou Ferrante. Mais
l'attitude du roi est davantage dictée par des considérations de
politique extérieure : il veut utiliser le nouvel antipape pour
faire pression sur Martin V qui appuie son rival dans le
royaume de Naples. Cependant, lorsque les forces aragonaises
sont vaincues en juin 1424 sous les murs de l'Aquila, le roi
Alphonse n'a plus intérêt à soutenir le pape fantoche. Il
charge Alonso de Borja, devenu son secrétaire particulier, de
trouver une issue honorable à la situation. Celle-ci frôle en
effet le ridicule : le quatrième cardinal de Benoît XIII, Jean
Carrier, retenu dans le Rouergue au moment du pseudo-
conclave, est revenu à Peñiscola et a élu *à lui seul,* le
12 novembre 1425, un nouvel antipape, Bernard Garnier,
sacriste de Rodez, qui a pris le nom de Benoît XIV ! Après la
défaite de l'Aquila, une négociation s'engage avec Rome.
Alphonse V refuse de recevoir le légat Pierre de Foix tant qu'il
n'a pas obtenu la certitude que Martin V lui sera favorable.
Jusque-là, il laisse Clément VIII mener comme au théâtre une
vie pontificale en miniature sur le rocher de Peñiscola, ouvrir
un procès contre Jean Carrier et, le 19 mai 1426, se faire
couronner pape au milieu d'une cour de vingt-deux dignitaires. Mais Alphonse, dès qu'il s'est entendu avec Rome,
met fin à la fiction. Il envoie à Peñiscola Alonso de Borja pour
exiger l'abdication du pseudo-pape.

Clément VIII ne se dérobe pas. Très dignement, il organise
la cérémonie qui se déroule le 26 juillet 1429. Assis sur son
trône, revêtu des ornements pontificaux, l'antipape révoque
solennellement l'excommunication portée par lui-même et son
prédécesseur contre le pape de Rome. Puis il fait lire la bulle
— *Incomprehensibilia Dei judicia,* « les jugements de Dieu
sont impénétrables » — dans laquelle il déclare se démettre
librement de la dignité papale. Il se dépouille des vêtements

pontificaux et revêt ceux de docteur séculier. Sur son invitation, ses derniers fidèles se réunissent alors en conclave et élisent le cardinal Otto Colonna — c'est-à-dire le pape de Rome, Martin V, déjà pape depuis douze ans... Deux semaines plus tard, l'antipape, devenu simple particulier, se rend à San Mateo, dans le palais du grand-maître de l'ordre de Montesa : il y prête serment d'obéissance entre les mains du légat Pierre de Foix. Réconcilié avec l'Eglise, il reçoit en récompense l'évêché de Majorque. L'heureux négociateur grâce auquel se termine le schisme, Alonso de Borja, obtient lui-même, le 20 août 1429, un bénéfice somptueux : le pape Martin V, en accord avec le roi Alphonse V, le nomme au riche évêché de Valence, vacant depuis deux ans.

L'évêque de Valence et la conquête aragonaise de Naples

A cinquante ans, Alonso a la satisfaction de revenir comme pasteur dans le diocèse de sa naissance. Sa nouvelle dignité ne l'éloigne pas du roi : en plus de sa fonction de secrétaire privé, Alphonse V lui confie celle de précepteur de son fils bâtard, Ferrante. Il a sans cesse recours à lui comme conseiller dans les querelles qui divisent les royaumes d'Aragon et de Castille. Dans l'intervalle de ses séjours à la cour, Alonso se rend à Játiva où il voit croître le nombre de ses parents. Le 1er janvier 1432, dans la maison de la *calle de Ventres,* vient au monde son neveu Rodrigue, fils de sa sœur Isabelle et de Jofré de Borja y Oms. L'évêque de Valence est très attaché à cette petite famille qui comptera au moins cinq enfants dont on parlera dans le monde. Outre Rodrigue — futur pape Alexandre VI —, Pedro Luís, l'aîné, deviendra duc de Spolète et préfet de Rome, et les filles s'uniront à des membres de la noblesse : Juana épousera Pedro Guillen Lanzol de Romani, Tecla un Vidal de Vilanova, et Béatrice, Jimén Perez de Arenas.

Un autre enfant, Francisco de Borja, né dix ans plus tard que Rodrigue, est élevé dans les environs de Valence. On l'appelle le « bâtard de Borja ». Relativement tenu à l'écart, il

n'accédera aux honneurs que très tardivement : évêque en
1495, il sera nommé cardinal en 1500. L'historien Alonso
Chacon (ou Ciacconius) le présente comme un enfant naturel
de l'évêque de Valence : mais le fait n'est pas avéré, bien qu'il
n'ait rien que de normal, compte tenu des mœurs de l'époque.

Alonso ne reste pas cantonné dans les affaires intérieures de
l'Espagne. Son maître l'associe à la reprise de son dessein
napolitain. Louis III d'Anjou étant mort en novembre 1434, la
reine Jeanne II a juste eu le temps, avant de mourir elle-même
le 2 février 1435, de désigner comme héritier René, le frère du
prétendant angevin. Comme René est prisonnier du duc de
Bourgogne, c'est sa femme Isabelle de Lorraine, aidée du duc
de Milan, Filippo Maria Visconti, qui vient vaillamment faire
face à Alphonse V. Elle est victorieuse. A Ponza, le 5 août
1435, Alphonse V essuie une grande défaite navale. Il est fait
prisonnier et détenu à Milan. Dans sa prison, il est vrai, il
réussit à séduire son geôlier qui devient son ami. Il se fait
libérer et reprend alors son offensive contre le royaume de
Naples.

L'évêque de Valence paie de sa personne et aide son roi sur
le terrain. La grande entreprise aragonaise contre Naples
prend l'aspect d'une expédition coloniale menée par tout un
peuple. Dans des campagnes successives, Alphonse lance sur
le royaume ses nobles à qui il promet de riches domaines, mais
il s'appuie aussi sur de grands seigneurs locaux, ennemis du
prétendant angevin — comme le prince de Tarente, Giovanni
Antonio del Balzo Orsini — et également sur les descendants
de familles catalanes venues s'installer à Naples au siècle
précédent — comme la branche aînée des Borja. En face de
lui, il trouve Giacomo Vitelleschi, un prélat condottiere que le
pape Eugène IV a envoyé aider Isabelle, la femme de René
d'Anjou, mais aussi le propre condottiere du prince angevin,
Giacomo Caldora. La disgrâce du premier, la mort du second
en 1439, sonnent le glas des prétentions angevines. Enfin, le
12 juin 1442, la capitale tombe entre les mains d'Alphonse
L'année suivante, il fait son entrée solennelle sur un char doré
tiré par quatre chevaux blancs. Il parcourt les rues semées de
fleurs, au milieu de scènes allégoriques qui montrent la

Fortune, les Vertus et César foulant aux pieds la figure du monde.

Dès lors, Alphonse entreprend d'organiser son royaume. L'anarchie est grande. Plutôt que de restaurer les anciennes libertés, le roi, ayant pris conseil de ses juristes, centralise le pouvoir. Les sept grands offices du royaume, les conseils, les magistratures sont mis entre les mains de familles catalanes et aragonaises, telles les Avalos, Guevara, Centelles, Cardona et Mila. L'évêque de Valence est la cheville ouvrière de cette réorganisation qui culmine avec l'institution du *Sacro Consiglio*, tribunal suprême auquel doivent faire appel les tribunaux des pays placés sous la domination d'Alphonse : Aragon, Catalogne, Baléares, Sardaigne, Sicile et, bien sûr, royaume de Naples.

Alonso, premier cardinal Borgia

Le roi d'Aragon et de Naples pourrait maintenant se venger du pape Eugène IV, actif soutien de René d'Anjou. Le pontife est en butte à l'hostilité du concile réuni à Bâle : le 25 juin 1439, l'assemblée l'a déposé et a élu à sa place, le 5 novembre, l'ancien duc de Savoie Amédée VIII, qui a pris le nom de Félix V. Comme à l'époque des antipapes de Peñiscola, Alphonse V n'a pas choisi entre les deux pontifes. Mais, après son triomphe napolitain, il n'hésite plus. Une alliance avec Rome lui paraît préférable. Elle mettra fin aux guerres continuelles entre Naples et Rome. Pour porter ses propositions pacifiques à Eugène IV, il choisit Alonso de Borja.

Le 14 juin 1443, l'évêque de Valence remporte un plein succès. Par un acte signé ce jour-là avec le cardinal Scarampo, il s'engage au nom de son maître à accepter Eugène IV comme seul pape légitime, à ne pas porter atteinte aux libertés de l'Eglise, à équiper des navires pour la guerre contre les Turcs qui menacent la Chrétienté en Orient, et enfin à mettre sur pied une armée de cinq mille hommes afin d'expulser le condottiere Francesco Sforza de la Marche d'Ancône qu'il occupe au détriment de la papauté.

En contrepartie, le pape reconnaît la légitimité de l'adoption d'Alphonse par la reine Jeanne II. Il lui donne l'investiture du royaume de Naples et la jouissance de Bénévent et Terracine, dépendances du Saint-Siège. L'année suivante, l'habile médiateur Alonso de Borja reçoit, le 2 mai 1444, la pourpre cardinalice et, le 12 juillet suivant, le titre de cardinal-prêtre des Quatre-Saints-Couronnés. Le pape l'autorise à conserver son évêché de Valence. Peu après, le 15 juillet 1444, Eugène IV reconnaît à Ferrante, fils naturel d'Alphonse, la capacité de succéder à son père dans le royaume de Naples. Le nouveau cardinal est flatté par cette mesure qui honore le jeune prince dont il a dirigé l'éducation.

Pendant que se règle l'épineuse question napolitaine, le schisme récent s'effondre. L'antipape, qui réside en Suisse, ne se maintient que dans les pays germaniques. Une nouvelle carrière prestigieuse s'ouvre, à soixante-six ans, devant le cardinal-évêque de Valence. Il prend congé de son maître à Naples. Il est riche d'une grande expérience humaine et politique qu'il va mettre au service du Saint-Siège et de la grandeur de sa famille.

CHAPITRE II

L'envol romain
Le pontificat de Calliste III

Les Quatre Saints Couronnés

La nomination au cardinalat de l'évêque de Valence est destinée à récompenser ses services, mais aussi à satisfaire son maître, le roi Alphonse. Le souverain pourra en effet disposer, en la personne de son ancien secrétaire devenu cardinal, d'un représentant attentif et efficace auprès du Saint-Siège. Le nouveau prince de l'Eglise quitte Naples pour Rome où Eugène IV est revenu après neuf ans d'éloignement forcé. La ville a souffert de multiples déprédations pendant les troubles qui ont été durement réprimés par les cardinaux Vitelleschi et Scarampo. Pour éviter le retour de ces désordres et assurer le pouvoir temporel de la papauté, il faut tenir en respect les puissants seigneurs laïcs des clans Orsini et Colonna. Chacun des cardinaux peut y contribuer en prenant possession de l'église qui lui est dévolue dans l'immense enceinte semi-désertique de la Rome antique. Auprès de chacun de ces sanctuaires, le titulaire dispose d'un palais qui est souvent une maison forte.

La basilique dont l'évêque de Valence porte le titre de cardinal-prêtre est consacrée aux Quatre Saints Couronnés — d'obscurs martyrs victimes d'une persécution en Pannonie au IVe siècle. L'église s'élève sur une crête septentrionale du Celius, l'une des sept collines de Rome. Le palais cardinalice qui la flanque constitue un excellent poste d'observation et de défense au-dessus du terrain vague du forum antique : il fait face au Colisée transformé en château fort et aux tours féodales des redoutables barons romains. Au bas de l'éperon rocheux court la *via Labicana* qui conduit à Saint-Jean de Latran, la cathédrale de Rome. Un chemin étroit s'en détache et monte en pente raide vers le mur crénelé où s'ouvre une poterne surmontée d'une tour-campanile. On entre dans une première cour où s'élève une chapelle très ancienne dédiée à saint Sylvestre, le pontife bénéficiaire de la légendaire dona-tion de Constantin. Une seconde cour mène à l'église décorée d'admirables mosaïques de marbre et, de là, dans un cloître délicieux. Le promenoir est bordé de colonnes jumelées, surmontées de chapiteaux sculptés de feuilles de nénuphars. Dans ce havre de sérénité, le cardinal Borgia — tel est le nom italianisé qu'on lui donne désormais — travaille discrètement à concilier les intérêts de l'Eglise et ceux de l'exigeant Alphonse V.

Les soucis familiaux du cardinal Borgia

La grande politique, qui absorbe la plus grande partie du temps du cardinal, ne lui fait pas oublier sa petite patrie. Játiva est toujours chère à son cœur : un de ses premiers actes, après qu'il ait reçu la pourpre, a été de commander un tableau pour la collégiale où il a été baptisé. Jacomart Baço, un Aragonais venu à Naples avec le roi Alphonse, est l'auteur de ce triptyque dont le panneau central représente sainte Anne, la Vierge et l'Enfant Jésus. Les panneaux latéraux montrent saint Augustin et saint Ildephonse. Au pied de celui-ci, Alonso est agenouillé, revêtu de la *cappa magna* et portant le chapeau cardinalice. La gravité marque ses traits, comme il convient dans un tableau destiné à orner une chapelle funéraire. Mais le cardinal ne se borne pas à des œuvres de piété. Il se dévoue à l'avenir terrestre de ses parents, particulièrement à celui de ses neveux, héritiers légitimes du clan Borgia, tout en veillant discrètement sur l'éducation de Francisco, le mystérieux bâtard dont on lui attribue parfois la paternité.

Catalina, sa sœur aînée, a deux fils, Pedro et Luís Juan de Mila. Le cadet, entré dans les ordres, franchit avec rapidité, grâce à son oncle, les degrés de la carrière ecclésiastique : de la prévôté de Valence. il passe à vingt-sept ans, en 1453, à l'évêché de Segorbe, dans le royaume de Valence.

La seconde sœur du cardinal, épouse de Jofré de Borgia y Oms, a eu deux fils, Pedro Luís et Rodrigue. A la mort de leur père, en 1441, Alonso est devenu leur tuteur. Le cadet des fils, Rodrigue, est un beau garçon à la vive intelligence, aimant la vie et le plaisir. On le dit violent et passionné : le bruit courra qu'à douze ans il aurait tué à coups de poignard un enfant de son âge, « de condition inférieure ». Méprisant les méchantes rumeurs, son oncle l'évêque l'introduit, comme son cousin Mila, dans la carrière ecclésiastique. Il le fait bénéficier d'offices lucratifs : en 1445, à quatorze ans, il lui fait donner la dignité de chantre de la cathédrale de Valence, puis, un peu plus tard, celle de sacriste, c'est-à-dire d'intendant du chapitre et de gardien des ornements précieux et des vases sacrés.

Le pouvoir des humanistes romains

Les dignités de l'Eglise sont, dans l'esprit de l'évêque de Valence, un moyen de se placer dans la société et d'attirer sur soi l'attention des grands. Mais elles doivent aussi fournir aux jeunes gens les ressources nécessaires pour subvenir aux frais d'une solide éducation : un homme dépourvu de culture ne peut à cette époque entrer dans le cercle étroit de ceux qui conseillent les maîtres du monde et en déterminent la politique.

La cour pontificale donne de nombreux exemples de réussite. Elle est peuplée d'érudits et de savants qui partagent le même goût de l'Antiquité : on les désigne sous le nom d'humanistes. Le roi Alphonse d'Aragon, persuadé du pouvoir qu'ils confèrent, s'est constitué l'un de leurs protecteurs. Le cardinal de Valence les a vus affluer à Naples. Pendant ses expéditions guerrières comme pendant le siège de Gaète en

1435, Alphonse prend le temps de se faire lire et expliquer des passages de Tite-Live par Antonio Beccadelli, né à Palerme et surnommé pour cela le Palormitain (*Panormita*).

A Rome, depuis le pape Martin V, les fonctionnaires de la curie sont des humanistes : ainsi Antonio Loschi, Poggio Bracciolini, Cencio de Rustici et bien d'autres encore. Ces dignes rédacteurs de bulles et de brefs affichent un esprit libertin et des mœurs relâchées : on en trouve l'écho dans les contes ou *Facéties* de Poggio, riches d'enseignements sur le milieu romain.

Un ami de Poggio se voit avec peine préférer, pour obtenir l'emploi qui convient à ses titres, bien des gens qui sont au-dessous de lui par leur science et leur vertu. Quoi d'étonnant, remarque le narrateur : « Dans la curie romaine, c'est toujours le hasard qui l'emporte et il y a très rarement place pour le talent ou pour la vertu. Tout s'y obtient par les intrigues ou par la chance, sans parler de l'argent qui est vraiment le maître du monde. » Cet homme de qualité, déçu et amer, se permet un jour de rappeler à un cardinal le mal qu'il s'est donné pour devenir savant. Il s'attire cette réponse, étonnante dans la bouche d'un prélat : « Ici, la science et le mérite ne servent à rien. Mais ne te décourage pas. Travaille quelque temps à désapprendre ce que tu sais et à apprendre les vices que tu ignores, si tu veux te faire apprécier du pape. »

Le tableau du milieu romain n'est guère édifiant. Dans de petites scènes très alertes, Poggio montre les coulisses du palais pontifical et de la ville sainte. On y voit religieux paillards, ingénues libertines, prostituées florissantes et, bien sûr, leurs clients, des collègues de Poggio à la curie, vantards et joyeux drilles, se trompant les uns les autres sans vergogne.

La papauté ferme les yeux sur cette amoralité. La diplomatie pontificale trouve son profit à utiliser la science de ces débauchés qui ont le mérite d'écrire un latin très pur : c'est dans cette langue châtiée que le Saint-Siège intervient dans le monde.

L'ambiance troublée du conclave de 1447

Le pape, désormais seul porte-parole de la Chrétienté, a sans cesse besoin de prendre parti, non plus pour parer aux périls de la rébellion conciliaire ou de la révolte des Romains, comme naguère, mais pour faire face à d'autres dangers tout aussi éprouvants. Le plus grave est celui qui menace l'avenir de la Chrétienté en Orient. L'alerte a été donnée quinze ans auparavant. L'empereur byzantin Jean VIII Paléologue, accompagné des principaux dignitaires civils et religieux de son empire, est venu à Florence en 1439 solliciter l'aide du pape et des Etats occidentaux contre la marée montante de la puissance ottomane. Les Grecs ont accepté de sceller l'union entre les deux Eglises, orthodoxe et catholique. Mais, à leur retour à Byzance, leurs compatriotes ont rejeté l'accord. Le concile de Florence n'a donc débouché sur aucune aide efficace des chrétiens d'Occident. Les Turcs, installés de part et d'autre du Bosphore, ont accentué irrésistiblement leur pression contre les derniers bastions de l'Empire byzantin.

En Italie, un danger immédiat menace le pouvoir temporel de la papauté. Le condottiere Francesco Sforza, gendre du duc de Milan, Filippo Maria Visconti, a entrepris de se créer une principauté dans le nord et le centre du pays. L'un des points de l'accord conclu en 1443 par Alonso Borgia avec le Saint-Siège a pour objet d'empêcher la réalisation de cette entreprise : le cardinal de Valence est chargé d'y veiller. Il a la satisfaction de voir la ligue établie entre Eugène IV et Naples gagner d'autres adhérents, comme Sigismond Malatesta, seigneur de Rimini. Mais, contre la ligue romano-napolitaine, Francesco Sforza regroupe Florence et Venise, Frédéric de Montefeltre, seigneur d'Urbin, et Galeazzo Malatesta. La partie risque d'être serrée. Aussi quatre à cinq mille soldats du roi de Naples sont-ils envoyés à Rome au début de 1447. Ils sont destinés à marcher à la belle saison contre Florence, alliée de Francesco Sforza, mais ils n'ont pas encore pris leur départ lorsque, le 23 février 1447, meurt le pape Eugène IV. Grâce à cette armée, le roi Alphonse pourrait exercer sa pression sur le conclave pour faire élire le candidat de son choix. Mais il n'a pas intérêt à mécontenter les autres puissances, et sans doute le cardinal de Valence lui a-t-il conseillé de garder une stricte neutralité. La réunion se déroule donc dans la plus grande régularité. La rivalité des Orsini et des Colonna profite à un neutre. Le 6 mars 1447 est élu un lettré situé au-dessus des partis : Tommaso Parentucelli de Sarzana devient le pape Nicolas V.

Nicolas V, restaurateur du pouvoir pontifical

Le nouveau pontife est un ami des humanistes. Il leur fait la part belle au Vatican. La bibliothèque du palais apostolique devient l'une des premières du monde. Le nombre des livres réunis par le nouveau pape n'est pas exactement connu. Le catalogue des manuscrits latins en énumère huit cent quarante-deux, c'est-à-dire autant que la plus belle collection de Florence et un peu moins que la riche bibliothèque du château de Pavie. Les manuscrits grecs sont d'un nombre équivalent, ainsi que les œuvres en langue vulgaire. La littérature profane est aussi abondante que la littérature religieuse. Nicolas V habille ces volumes de reliures précieuses. Sur eux veille Jean Tortello, ami du pape. Le libraire et érudit Vespasiano da Bisticci est l'un des familiers de Nicolas V, ainsi que l'humaniste Gianozzo Manetti. Poggio, Valla, Alberti, Aurispa et beaucoup d'autres savants sont admis chez le pape plus aisément que les prélats politiques qui représentent les intérêts des grandes puissances.

Nicolas V entreprend la reconstruction du vieux palais que son lointain homonyme Nicolas III avait établi au XIIIe siècle contre le flanc nord de la basilique pontificale. Il érige un nouveau bâtiment donnant sur la cour du Perroquet. L'ensemble est protégé par une muraille massive et des tours surmontées de créneaux. Le pape charge Fra Angelico de décorer le nouveau palais. Son cabinet de travail — connu aujourd'hui sous le nom de chapelle de Nicolas V — s'orne d'admirables fresques : vie de la Vierge, de saint Laurent et saint Etienne.

Nicolas V forme aussi le projet de reconstruire l'antique basilique Saint-Pierre, qui menace ruine. Il fait établir en 1452 un projet d'église en croix latine par Bernardo Rosselino.

Pendant que la cité pontificale se transforme, la papauté voit grandir sa renommée. Des événements importants marquent le règne : renonciation de l'antipape Félix V en 1449, jubilé de 1450 qui attire dans la ville sainte une foule de fidèles, canonisation de saint Bernardin de Sienne, très populaire à l'Aquila au royaume de Naples, ouverture en 1452 du procès de réhabilitation de Jeanne d'Arc, rétablissement de la discipline et réforme ecclésiastique mené dans l'Empire par Nicolas de Cuse et Jean de Capistran. En quelques années, le prestige de la papauté a regagné l'éclat qu'il avait dans le monde avant le grand schisme.

Dans le domaine politique, malgré Alphonse de Naples, Francesco Sforza est devenu en 1450 duc de Milan à la mort de son beau-père Visconti. Le roi des Romains, Frédéric III, est descendu en Italie en 1452 pour recevoir des mains du pape la couronne impériale et la bénédiction de son mariage avec Léonore, fille du roi de Portugal. Le cardinal Alonso assiste avec le Sacré Collège à un extraordinaire spectacle : l'empereur présente son cheval au pontife et lui tient l'étrier à la sortie de la basilique Saint-Pierre. Par ce geste symbolique, que l'on n'avait pas vu depuis des siècles, s'affirme la prééminence du pouvoir spirituel sur le pouvoir temporel. Mais la puissance effective de l'empereur en Italie dépend de ses bonnes relations avec les princes et notamment avec le puissant roi Alphonse. Quittant Rome, Frédéric III se rend à Naples où le roi lui offre des fêtes féeriques. Représentations théâtrales, chasses, banquets, bals se succèdent dans un étourdissant tourbillon. Le cardinal de Valence assiste à ce triomphe napolitain comme au couronnement de l'œuvre à laquelle il s'est depuis si longtemps voué. Mais Alonso Borgia est aussi le témoin désolé des malheurs qui frappent coup sur coup le Saint-Siège et la Chrétienté dans l'année 1453 : le complot de Stefano Porcaro, déjoué de justesse, qui tendait à abattre le pouvoir temporel du pape, et la chute de Constantinople devant Mahomet II.

Un immense désastre :
la conquête de Byzance par les Turcs

La fin de l'Empire chrétien d'Orient était depuis longtemps prévisible. L'espoir de voir les Occidentaux arrêter la menace turque s'était évanoui avec la défaite du roi Ladislas V de Hongrie à Varna, en Bulgarie, le 10 novembre 1444. Ce désastre avait été suivi, quatre ans plus tard, d'un désastre plus grand encore : l'écrasement par Mahomet II, à Kossovo, en Serbie, d'une immense armée chrétienne de Hongrois, Bohémiens, Allemands et Valaques, conduits par le héros hongrois Jean Hunyade. Le pape Nicolas V avait aidé Jean Hunyade à prendre sa revanche à Belgrade. Il avait aussi apporté son soutien au héros de l'Albanie, Scanderberg, et secouru les îles de Chypre et de Rhodes investies par la flotte turque. Mais, à Byzance même, l'empereur Constantin XII, monté sur le trône en 1448, s'était révélé incapable d'organiser la défense de sa capitale. Le sultan Mahomet II avait bloqué la ville en construisant la formidable forteresse de Roumeli Hissar, sur le Bosphore. La solidarité déployée au dernier moment par les Gênois et les Vénitiens, et l'envoi de galères pontificales avaient été inutiles : l'immense armée turque, forte de 160 000 hommes, n'avait en face d'elle qu'une garnison de 7 000 hommes. Le 29 mai 1453, Mahomet II avait livré l'assaut. L'empereur avait été tué, des milliers d'habitants massacrés, d'autres emmenés par milliers en esclavage.

Dès qu'il avait été avisé de la catastrophe, à la fin du mois de juin, Nicolas V avait essayé une fois encore de mobiliser les chrétiens, mais il n'y était pas parvenu. Venise avait conclu en avril 1454 un traité séparé avec le sultan pour préserver ses possessions. Gênes avait fait de même : la Banque de Saint-Georges, qui gérait les territoires orientaux, était devenue tributaire du sultan. Quant au roi de Naples, il ne voulait pas entendre parler d'une paix avec les autres Etats de la péninsule...

Cette paix que le pape n'avait pas réussi à instaurer devait pourtant survenir à la suite d'un accord signé entre Milan et Venise à Lodi, le 9 avril 1454. Aussitôt averti, le Saint-Siège y donna son adhésion, ainsi que Naples et Florence : le 2 mars 1455, Nicolas V fit publier solennellement à Rome la ligue que les Etats italiens avaient conclue pour vingt-cinq ans afin d'assurer « la paix et le repos de l'Italie et la défense de la foi chrétienne ». Cet acte devait être le dernier du pontife.

Le conclave de 1455
Avènement de Calliste III

Les événements d'Orient avaient fortement ébranlé la santé du pape. Depuis longtemps malade, Nicolas V s'éteignit dans la nuit du 24 au 25 mars 1455. Le conclave se réunit le 4 avril pour lui donner un successeur.

Le Sacré Collège compte alors vingt membres, mais cinq d'entre eux sont absents : deux Français — Jean Rolin, évêque d'Autun, et Guillaume d'Estouteville —, deux Allemands et un Hongrois. Les électeurs sont donc quinze. Sept sont des Italiens : les cardinaux Fieschi, Scarampo, Capranica, Calandrini, Barbo, et deux membres des grandes familles romaines, Prospero Colonna et Latino Orsini. Deux sont orientaux : Bessarion et Isidore. Deux appartiennent à la « nation française » : Alain de Coëtivy, cardinal d'Avignon, et Guillaume d'Estaing. Quatre sont des Espagnols : Torquemada, Carvajal, Antonio de la Cerda et Alonso Borgia.

Comme d'habitude, les partisans des Colonna et des Orsini s'affrontent. Le cardinal Orsini peut compter sur les voix des Espagnols que le roi Alphonse a invités à voter pour lui. Mais cet apport paraît insuffisant avant même l'ouverture du conclave. On murmure alors que le futur pape sera le Vénitien Pietro Barbo, neveu d'Eugène IV, puis on croit que la balance va pencher en faveur de Domenico Capranica, mais il est romain et ami des Colonna. Il faut donc choisir un candidat neutre. Le Grec Bessarion semble bien placé : huit cardinaux se déclarent pour lui. Mais on craint de choquer l'opinion en plaçant à la tête de l'Eglise romaine un Oriental qui vient à peine de renoncer au schisme. Après avoir songé à un frère mineur étranger au Sacré Collège, Antoine de Montefalcone, la majorité se résout de guerre lasse — à la suite d'un conciliabule qui, d'après Aeneas Silvius Piccolomini, a eu lieu de nuit dans les latrines ! — à choisir un « pape de transition ».

Dans la matinée du 8 avril 1455, les cardinaux se rallient à la proposition faite par leurs collègues Scarampo et Alain de Coëtivy. Ils choisissent Alonso Borgia « par accession », c'est-à-dire par adhésions successives. Il ne fait pas de doute qu'ils se sont décidés en considération de son âge : soixante-dix-sept ans. Le cardinal de Valence accepte. Il déclare prendre le nom de Calliste III.

CALLIXTUS

De tous les participants au conclave, un seul ne fut pas surpris du résultat de l'élection : c'était Alonso lui-même. Il avait toujours été persuadé, dans son for intérieur, que la prédiction de Vincent Ferrier se réaliserait un jour. Il en parlait souvent à ses amis : Jean de Capistran s'en était fait l'écho en 1449. Pour remercier l'illustre dominicain et accomplir parfaitement sa prophétie, il s'empressera de lui décerner les honneurs de la canonisation le 29 juin 1455. Le procès de canonisation, il est vrai, avait déjà été instruit avant l'élection de Calliste. Mais il restait à le clore, ce qui fut fait si rapidement que la bulle de canonisation ne fut pas enregistrée et qu'il fallut plus tard, sous Pie II, rédiger une nouvelle bulle !

Peu avant la glorification de Vincent Ferrier, Calliste, concluant là encore une instruction ouverte par son prédécesseur, avait ordonné la révision du procès de Jeanne d'Arc. Le 11 juin 1455, il en avait confié le soin à l'archevêque de Reims, assisté des évêques de Paris et Coutances et du grand inquisiteur, le dominicain Jean Bréhal. Au bout d'une année, mémoires, enquêtes et consultation devaient aboutir à la sentence rendue le 7 juillet 1456, qui cassait les condamnations frappant Jeanne et la réhabilitait solennellement.

Les honneurs rendus à ces deux héros chrétiens soulignaient combien le pape Borgia croyait à l'existence d'un plan divin accompli à travers les créatures, malgré les choix faits de leur vivant pour l'un d'un antipape, pour l'autre d'un roi contesté dans sa légitimité. Le pape avait lui aussi le sentiment d'être destiné à réaliser la volonté divine.

Le nom du nouveau pape, Calliste (ou Calixte), évoquait les antécédents du cardinal Borgia en tant que subtil négociateur entre le Saint-Siège romain et les antipapes. Le premier pape de ce nom avait régné de 217 à 222. Il s'était illustré en luttant contre l'antipape Hippolyte. Celui-ci, bien que rayé de la liste officielle des papes, avait été canonisé en reconnaissance de ses vertus et de sa rigueur morale : le personnage, dont la mémoire était honorée à Rome, faisait penser à Benoît XIII, à qui Alonso Borgia devait tant. Calliste II (1119-1124) s'était également opposé à un antipape, Maurice Bourdin, soutenu par l'empereur au moment de la querelle des investitures. Il s'était aussi préoccupé du sort de la Terre sainte. Il avait tenté de réunir des Eglises d'Occident et d'Orient et avait commencé la conversion de la Pologne. Ces grandes entreprises ne l'avaient pas détourné de l'Espagne où son frère, Raymond de Bourgogne, avait fondé une nouvelle dynastie en Castille : il y avait joué un rôle politique important en soutenant, contre les intrigues de sa belle-sœur la reine Urraca, son jeune neveu et pupille, le roi Alphonse Raymond. En reprenant ce nom, Alonso Borgia rappelait donc ses liens privilégiés avec l'Espagne. Il effaçait aussi le souvenir d'un antipape, Jean de Struma, qui avait pris en 1159 le nom de Calliste III.

Jugements sur le nouveau pape

L'élection du pape avait été facilitée par le prestige et le poids politique d'Alphonse, roi d'Aragon et de Naples. La gloire du souverain était alors à son apogée. Toute l'Italie reconnaissait sa puissance. Afin d'éclipser le souvenir de ses prédécesseurs angevins, il avait érigé sur la façade brune du sévère Château-Neuf un splendide arc de triomphe. Le monument célébrait dans le marbre et le bronze les épisodes de la conquête du royaume et le triomphe royal de 1443.

La puissance du souverain aragonais était donc perceptible derrière le nouveau pontife et d'aucuns ne manquèrent pas de s'en inquiéter. Nous trouvons l'écho de leurs craintes dans un écrit de saint Antonin, archevêque de Florence : « Au premier moment, l'élection de Calliste III a été peu agréable aux Italiens, et cela pour deux motifs. D'abord, comme il est originaire de Valence, ou de Catalogne, ils redoutent qu'il ne songe quelque jour à transférer la cour pontificale en pays étranger. En second lieu, ils craignent qu'il ne confie les places fortes des Etats de l'Eglise à des Catalans et que, plus tard, dans un cas donné, il ne devienne difficile de les retirer de leurs mains. » Mais le même saint Antonin reconnaît la réputation de bonté, de sagesse, de droiture et d'impartialité du nouveau pape. Il est profondément touché par la déclaration solennelle que prononce Calliste III à peine élu. Ce manifeste est répandu à des milliers d'exemplaires dans tous les pays de la Chrétienté :

« Moi, Calliste III, pape, je promets et je jure, dussé-je s'il le faut verser mon propre sang, de faire, dans la mesure de mes forces et avec le concours de mes vénérables frères, tout ce qui sera possible pour reconquérir Constantinople qui a été prise et détruite par l'ennemi du Sauveur crucifié, par le fils du diable, Mahomet, prince des Turcs, en punition des péchés des hommes, pour délivrer les chrétiens qui languissent dans l'esclavage, pour relever la vraie foi et exterminer en Orient la secte diabolique de l'infâme et perfide Mahomet... Si jamais je t'oublie, Jérusalem, puisse ma droite tomber dans l'oubli ; puisse ma langue se paralyser dans ma bouche si je ne me souvenais plus de toi, Jérusalem, si tu n'étais plus le commencement de mon allégresse. Que Dieu me soit en aide, et son saint Evangile ! Ainsi soit-il. »

Dans cette volonté passionnée de mener à bien la croisade, on retrouve la fougue qui portait les ancêtres du vieux pape contre les Maures. Calliste garde vivant le souvenir de son pays natal où l'Islam a laissé tant de traces apparentes, à Játiva, à Valence et à Lérida. Il se sent désigné par la Providence pour continuer l'œuvre grandiose menée autrefois par les souverains d'Aragon. Le siège de la papauté présente d'ailleurs à bien des égards l'aspect militaire qui convient à la capitale de la guerre sainte.

La prise de possession du Saint-Siège

Le palais du Vatican, entouré de remparts et protégé par la forteresse avancée du château Saint-Ange, constitue, avec le bourg qui l'entoure, une sorte de camp retranché. C'est la « cité léonine », du nom du pape Léon IV qui l'a établie au milieu du IXe siècle. L'aile du palais reconstruite par Nicolas V offre à l'extérieur une ordonnance sévère. Mais, à l'intérieur, elle ressemble à ces demeures de plaisance que les rois et les grands princes édifient un peu partout en Europe dans l'enceinte des châteaux féodaux. Elle est entourée des services pontificaux et de la salle d'audience — une grande chapelle qui préfigure l'actuelle chapelle Sixtine. Un couloir intérieur mène à l'atrium de la basilique Saint-Pierre, vaste cloître orné d'une fontaine et abritant sur son pourtour les monuments des anciens pontifes. Un des côtés est occupé par la façade de la basilique. Sur le côté opposé, un haut campanile jouxte le pavillon de la Bénédiction qui présente à l'extérieur les élégantes arcades de sa loggia surélevée. A son côté, le porche monumental offre trois portes d'accès aux pèlerins : Eugène IV y a fait placer de magnifiques panneaux de bronze où Filarète a sculpté le Christ, la Vierge en majesté, saint Paul et saint Pierre, mais aussi les événements marquants du règne du pontife, et, parmi eux, le concile de Florence et la réunion des Eglises grecque et romaine, prélude à la croisade.

Le 20 avril, Calliste se rend par le cheminement intérieur de son palais à la basilique Saint-Pierre. Lorsqu'il entre dans l'église, un chanoine enflamme devant lui un paquet d'étoupe, symbole de la grandeur éphémère de la papauté : « Saint Père, ainsi passe la gloire du monde ! » Le pape monte à l'autel majeur et célèbre la messe, assisté des cardinaux Barbo et Colonna. Puis un cortège se forme et le conduit sur la place du parvis où va avoir lieu le couronnement. Devant une foule de fidèles, le doyen des cardinaux, Prospero Colonna, pose sur la tête de Calliste la tiare, bonnet conique tressé de plumes de paon blanc et entouré de trois cercles d'or superposés. Il prononce la formule rituelle : « Recevez la tiare ornée des trois couronnes et sachez que vous êtes le père des princes et des rois, le guide du monde, le vicaire sur la terre de Jésus-Christ, notre Sauveur, à qui soient honneur et gloire dans tous les siècles des siècles. Ainsi soit-il. »

La cérémonie terminée, le pape et les cardinaux montent à cheval. Un nouveau cortège se forme, comprenant quatre-vingts évêques en ornements blancs, les barons romains et le corps municipal des conservateurs. Calliste va prendre posses-sion de son siège épiscopal à la cathédrale Saint-Jean-de-Latran. Toutes les rues sont pavoisées. Sur la place de Monte Giordano, les juifs présentent, suivant la coutume, le Livre de la Loi qu'ils ont sorti de leur synagogue. Le pape leur répond : « Nous reconnaissons la Loi, mais nous condamnons votre interprétation, car Celui de qui vous dites qu'Il doit venir est venu, et c'est Notre-Seigneur Jésus-Christ, comme nous l'enseigne et le prêche l'Eglise. » Le Livre de la Loi, couvert d'ornements d'or, tente la convoitise de la populace. Le pape est bousculé. Les juifs réussissent à s'éclipser. Mais, plus tard, au Latran, les gens du peuple s'emparent du dais du pape et le mettent en pièces pour en dérober les riches décorations.

Aux troubles populaires succède une violente dispute, à propos du comté de Tagliacozzo, entre le comte Everso d'Anguillara et Napoleone Orsini dont un serviteur est tué. Un climat de guerre civile s'empare de la ville. Orsini court mettre à sac la demeure du comte au Campo dei Fiori. Aux cris de : « Pour Orsini, à la rescousse ! », trois mille hommes s'assemblent en armes sur le Monte Giordano. Ils s'apprêtent à marcher contre les Colonna, protecteurs du comte Everso. Après bien des efforts, les envoyés du pape, le cardinal Orsini et François Orsini, préfet de Rome, réussissent à empêcher l'effusion de sang. Le calme est rétabli à grand-peine.

Un népotisme politique

Après l'éprouvante journée de son investiture, Calliste charge le cardinal Barbo de négocier un armistice entre les partis. Mais, afin d'éviter le retour des désordres, il prend,

comme ses prédécesseurs, la décision de confier à ses parents
des fonctions d'autorité. Il envoie prévenir ses neveux qu'il les
attend à Rome. A peine arrivés, il leur attribue un rang
princier, mais ne les élève pas tout de suite. En effet, il s'est
engagé auprès des membres du Sacré Collège à ne pas
octroyer de dignités majeures à ses parents. Il se contente de
donner à Rodrigue, le 10 mai 1455, huit jours après son entrée
à Rome, la charge de notaire apostolique. Le 3 juin, il y ajoute
le doyenné de l'église Santa Maria de Játiva et de confortables
revenus de cures dans le diocèse de Valence. A Luís Juan de
Mila, évêque de Ségorbe, il donne le 13 juin 1455 le
gouvernement de Bologne, la plus importante ville des Etats
pontificaux.

Les deux jeunes hommes partent pour Bologne. Rodrigue,
flanqué de l'humaniste Gaspare da Verona, y va pour prendre
le grade de docteur en droit. Il y passera seize mois partagés
entre l'étude et le plaisir, recevant en octobre 1456 le grade de
docteur pour lequel le délai normal d'obtention est de cinq
ans. Pendant cet éloignement opportun, le pape réussit à
désarmer l'opposition du Sacré Collège. Dans un consistoire
secret, le 20 février 1456, il nomme cardinaux ses deux
neveux, en compagnie d'un troisième élu, l'infant Jacques de
Portugal.

Les cardinaux, fort réticents, espèrent que la mort surpren-
dra le vieux pape avant la proclamation publique de la
promotion cardinalice. Mais Calliste trompe leur attente.
Profitant de ce que les cardinaux ont fui Rome durant l'été de
1456 pour échapper à la canicule et à l'épidémie qui rôde,
Calliste, le 17 septembre, publie les récentes nominations. Un
mois plus tard, ses neveux font leur entrée solennelle dans la
ville en qualité de cardinaux. Le 17 novembre, leur oncle leur
remet le chapeau rouge, et, le 26, procède à l'ouverture
symbolique de leur bouche, cérémonie qui signifie qu'ils
seront en toutes circonstances les fidèles porte-parole du
Saint-Siège. Le cardinal Luís Juan de Mila reçoit le titre
abandonné par son oncle, celui des Quatre-Saints-Couronnés.
Rodrigue devient cardinal-diacre au titre de Saint-Nicolas *in
Carcere Tulliano*. Le choix de cette petite église n'est pas

indifférent : elle s'élève dans une situation centrale face au Capitole, contre le théâtre de Marcellus transformé en château fort par les Orsini. Le vénérable sanctuaire, érigé sur les trois temples de l'antique marché aux herbes, a juridiction sur l'ensemble des prisons de la ville, ce qui donne au jeune cardinal une autorité de police.

Mais, pour contrôler Rome, la véritable forteresse du Saint-Siège est le Vatican et son avancée, le château Saint-Ange. Dès 1455, le frère de Rodrigue Borgia, Pedro Luís, de sept ans son aîné, reçoit le titre de capitaine général de l'Eglise. Il devient gouverneur du château Saint-Ange. L'ancien mausolée de l'empereur Hadrien, consolidé lors de la réinstallation de la papauté à Rome, couvre la cité pontificale face à la ville, mais offre aussi au pape un lieu de refuge commode : on peut s'y rendre par un chemin de ronde courant sur la muraille depuis le Vatican. Passant outre aux protestations des barons romains, Calliste remet le château à son neveu le 15 mars 1456. A l'automne, il le nomme gouverneur de Terni, Narni, Todi, Rieti, Orvieto, Spolète, Foligno, Nocera, Assise, Amelia, Civita Castellana et Népi. Peu après, il lui attribue le titre de gouverneur du patrimoine de Saint-Pierre.

De telles faveurs pourraient déconsidérer le Saint-Siège auprès des princes de la Chrétienté. Aussi, quelques mois après la première promotion cardinalice, Calliste procède-t-il le 17 décembre 1456 à une seconde nomination de six cardinaux qui représentent les principales puissances de l'Europe. Parmi les promus, Aeneas Silvius Piccolomini a longtemps été en fonction à la cour de l'empereur, Juan de Mella est évêque de Zamora en Espagne, Rinaldo de Piscicelli est archevêque de Naples, Jacques Tebaldo, évêque de Montefeltre, Jean de Castiglione, évêque de Pavie, et Richard Olivier de Longueil, évêque de Coutances en Normandie.

S'étant ainsi entouré de cardinaux représentant le concert des nations, Calliste peut se permettre de poursuivre l'avancement de sa famille. En décembre 1456, le jeune cardinal Rodrigue est nommé légat de la Marche d'Ancône. Il part pour ce poste le 19 janvier suivant. Le cardinal Luís, déjà gouverneur de Bologne, en reçoit la légation. Le pape confère à ses deux neveux de riches bénéfices pour leur permettre de tenir leur rang. La fonction la plus considérable et la plus lucrative de la curie est celle du vice-chancelier, qui octroie les grâces et fait rentrer des taxes substantielles dans les caisses pontificales. Depuis la mort du cardinal Condulmaro, neveu d'Eugène IV, survenue le 30 octobre 1453, ce poste important est resté vacant. Le cardinal d'Estouteville le brigue. Mais, en 1457, la charge est attribuée à Rodrigue. Au mois de décembre de la même année, le même Rodrigue reçoit la fonction de général en chef et commissaire de toutes les troupes pontificales en Italie.

Rome sous la coupe des Catalans.

Cet avancement est tellement inouï que le cardinal Domenico Capranica, ancien grand pénitencier de Nicolas V, élève publiquement la voix pour protester. Cette courageuse attitude lui attire la haine du clan Borgia qui ne réussit cependant pas à le faire éloigner de Rome. Il est vrai que l'opposition d'un haut dignitaire ecclésiastique compte peu. Les Borgia ont des alliés autrement importants. Ils sont en excellents termes avec les Colonna. Pendant l'été de 1457, le bruit court d'un mariage prochain de Pedro Luís avec une Colonna. L'amitié des Colonna a pour contrepartie l'inimitié avec les Orsini. En juillet 1457, le pape ayant chargé don Pedro Luís de reprendre à ces derniers quelques châteaux, la haine dégénère en guerre ouverte et le cardinal Orsini quitte Rome. Attachée au parti des Colonna, la majorité des cardinaux donne son approbation à l'élévation de don Pedro Luís au poste de préfet de Rome, la plus haute dignité laïque. La nomination a lieu le 19 août 1457 ; le neveu du pape succède à Gian Antonio Orsini, récemment décédé. Dans la soirée du même jour, les conservateurs et les principaux bourgeois de la ville se rendent au Vatican pour féliciter le pape de son choix. Calliste III déclare très haut à cette occasion que don Pedro Luís est italien d'idées et de mœurs. Il veut, assure-t-il, vivre et mourir citoyen romain. L'un des conservateurs se montre assez

courtisan pour dire qu'il a l'espoir de voir bientôt le nouveau
préfet roi de Rome, à la suite de quoi il supplie le pape de
donner à don Pedro Luís les châteaux qui, de tout temps, ont
constitué le fief du préfet. Des députés vont ensuite présenter
leurs compliments à don Pedro Luís : il leur fait bonne figure,
mais n'est pas dupe de leurs sentiments. En effet, il sait bien
qu'il n'est pas plus aimé des Italiens qu'il ne les aime lui-
même. Les neveux du pape se montrent, à l'égard des Italiens,
d'une arrogance sans pareille. Leur attitude provoque la haine
des Romains qui détestent ces multiples parents ou amis des
Borgia venus de tous les coins de l'Espagne : dans les rues de
la ville et dans les Etats de l'Eglise, on ne voit et on n'entend
plus qu'eux. Ils forment autour de don Pedro Luís un état-
major composé d'aventuriers de toute espèce. Les uns viennent de Naples, les autres d'Aragon, mais on les désigne d'une
appellation unique : « les Catalans », de même que l'on
donne indistinctement à tous les parents du pape le nom de
« Borgia », quel que soit celui de leur père. En très peu de
temps, Rome et l'Eglise semblent colonisées par cette puissance étrangère.

Les nouveaux venus envahissent la curie, si bien qu'un
grand nombre de Français et d'Allemands désespèrent de
poursuivre leur carrière et démissionnent de leurs charges :
elles sont bien entendu aussitôt attribuées à des Catalans. Le
peuple est autant affecté que les barons et les prélats, car,
disposant des forces militaires et de la police, les nouveaux
venus s'en servent selon leur bon plaisir. Rixes et meurtres se
multiplient au fil des jours. Le désordre est favorisé par
l'apparition répétée de maladies épidémiques. En juin 1458, la
peste sévit avec une telle violence que tous ceux qui peuvent
s'enfuir le font. Alors que les cardinaux abandonnent la ville,
le vieux pape reste à son poste, stoïque. Il se préoccupe du
sort des malheureux : il transforme en hospice un bâtiment de
son ancien palais cardinalice des Quatre-Saints-Couronnés, lui
octroie un don de 5 000 ducats et comble également de ses
bienfaits l'hôpital du Saint-Esprit.

Dilapidation des richesses littéraires et archéologiques
au bénéfice de la croisade

Mais ce charitable dévouement ne le détourne pas de sa préoccupation majeure : éloigner de la Chrétienté le péril islamique. Ayant prêté serment de s'y employer, il y pense sans cesse. Quand, avant son couronnement, il visite la riche bibliothèque du Vatican, il ordonne d'enlever à quelques manuscrits leurs reliures d'or et d'argent afin d'employer ces espèces précieuses aux dépenses de la guerre sainte. Les humanistes de la curie, tels Filelfo et Vespasiano da Bisticci, crient au scandale et prétendent que Calliste a entrepris de disperser les œuvres rassemblées avec tant de peine par ses prédécesseurs. Ils dénoncent les distributions de livres faites par le pape à l'évêque de Vich, son dataire, à des nobles catalans, au vieux cardinal ruthène Isidore. Or, il y a là une exagération manifeste. Quatre livres seulement, semble-t-il, furent donnés en cadeau par le pape, dont deux au roi Alphonse de Naples. De pareils dons étaient fréquents dans les cours italiennes de la Renaissance. D'autres humanistes comme Valla sont d'ailleurs en excellents termes avec le pape et se gardent bien de se plaindre. Calliste, il est vrai, est moins attaché que ses prédécesseurs aux vestiges de l'Antiquité. Il en donne la preuve en juin 1458 à propos d'une découverte archéologique dans l'église de Sainte-Pétronille, jouxtant la basilique de Saint-Pierre. On y avait mis au jour un vaste sarcophage de marbre renfermant deux cercueils de cyprès, faits l'un pour une personne adulte, l'autre pour un enfant, si lourds que six hommes, en réunissant leurs forces, avaient peine à les porter. Les corps qu'ils renfermaient tombèrent en poussière au contact de l'air ; ils étaient enveloppés de splendides linceuls brochés d'or. Les cercueils étaient doublés de plaques d'argent. La somptuosité de la tombe faisait penser à la sépulture de grands princes, peut-être l'empereur Constantin et son fils. C'était là une relique insigne. Mais Calliste ne se laissa pas impressionner. Il donna ordre d'envoyer à la fonte l'or et l'argent trouvés dans les cercueils : on en tira la matière d'un millier de ducats qui furent versés dans le trésor de guerre contre les Turcs.

Dans ses discours aux ambassadeurs venus prêter serment d'obédience, le pape parle toujours de croisade : aux Florentins à la fin de mai, aux Vénitiens à la fin de juillet, en août aux Impériaux conduits par l'évêque italien Aeneas Silvius Piccolomini. Dès le 15 mai 1455, il a publié la bulle de croisade qui fixe le départ pour la guerre sainte au 1ᵉʳ mars de l'année suivante. Les grâces et indulgences proclamées l'année précédente par Nicolas V sont confirmées. Des dîmes seront levées pour les préparatifs de la guerre contre les Turcs dans l'ensemble de la Chrétienté. En septembre, Calliste envoie prêcher la croisade dans chaque pays. Les cardinaux donnent l'exemple : Alain de Coëtivy en France, Denis Széchy en Hongrie, Jean Carvajal en Allemagne, conjointement avec Nicolas de Cuse qui doit ensuite passer en Angleterre. L'archevêque Urrea de Tarragone parcourt l'Espagne. Ces hauts prélats sont aidés par des religieux à la parole ardente : Jean de Capistran, Jacques de la Marche, Robert de Lecce, Antoine de Montefalcone, choisis parmi les frères mineurs de l'Observance ; ou encore le dominicain Henri Kalteisen, nommé archevêque par Nicolas V. Le général et les provinciaux des augustins reçoivent l'ordre d'employer à cette prédication tous leurs religieux, sous peine d'excommunication.

L'opération est menée de façon exemplaire. Selon la chronique de Viterbe, « le 8 septembre, un moine franciscain ouvrit la prédication de la croisade sur la grande place, auprès de la fontaine ; tout d'abord il fit exécuter une batterie de tambours, accompagnés de fifres, puis il fit planter une croix d'argent doré portant un Christ ; cela fait, il tira de son sein la bulle du pape et donna des explications détaillées sur son contenu ». Dans chaque ville des Etats pontificaux, des collecteurs inscrivent sur des registres les noms des contribuables et le chiffre des sommes versées. Les délégués pontificaux prononcent contre les récalcitrants les peines ecclésiastiques les plus graves et peuvent au besoin avoir recours au bras séculier. Les sommes sont regroupées dans la sacristie de

l'église principale. Un notaire conserve les noms des contribuables et le chiffre de leurs versements, afin que chacun ait la
certitude que son argent ne recevra pas d'autre destination
que la croisade. A l'argent fourni par les sujets du pape
s'ajoute celui provenant de la vente de joyaux pontificaux.
Calliste vend ainsi au roi de Naples de nombreuses pièces
d'orfèvrerie. La liste nous en est parvenue : on y trouve des
vases en vermeil, un tabernacle avec les figures du Sauveur et
de saint Thomas, des calices, des baisers de paix et, plus
prosaïquement, une cuve à rafraîchir le vin et un plateau à
confitures, objets d'art en argenterie. Calliste met aussi en
vente des terres et des châteaux appartenant au Saint-Siège :
ainsi les fiefs de Giulianello, Vullerano et Carbognano,
aliénés pour 12 000 florins d'or.

La pacification de l'Italie

Pendant qu'il accumule l'indispensable trésor de guerre
destiné à la croisade, le pape s'efforce de pacifier la Chrétienté
afin que tous les Etats puissent participer à la sainte entreprise. Ainsi, en juillet 1455, il confirme la paix conclue entre la
France et la Bourgogne. En Italie, il a fort à faire : le
turbulent condottiere Jacomo Piccinino, repoussé du Milanais
au printemps de 1455, a envahi le territoire de la république
de Sienne. Le pape dirige contre lui les troupes qu'il a levées
pour marcher contre les Turcs. Le Sicilien Jean de Vintimille
les commande. Il a sous ses ordres Stefano Colonna, mais
aussi Napoleone Orsini et les deux fils de son ancien ennemi,
Everso d'Anguillara. Venise, Florence et Milan promettent
leur appui. C'est dire que l'union s'est faite contre Piccinino.
Seul Alphonse de Naples refuse de se déclarer contre le
condottiere, ce qui donne à penser qu'un accord secret existe
entre eux. Un accrochage se produit près du lac Trasimène.
Le roi Alphonse jette alors le masque et fournit des secours au
condottiere. Celui-ci est assez audacieux pour tenter d'incen-
dier les navires réunis par Calliste III dans le port de
Civitavecchia. Puis il s'empare du port siennois d'Orbitello, le

met au pillage : avec le butin qu'il y recueille, il a assez d'argent pour payer ses troupes. Les Siennois, réduits au désespoir, envoient un ambassadeur à la cour du roi de Naples pour le supplier d'intervenir auprès de Piccinino. Ils n'obtiennent rien. En avril 1456, une nouvelle ambassade siennoise, dont fait partie Aeneas Silvius Piccolomini, reprend le chemin de Naples. Pendant que s'effectue cette démarche, le jour du Jeudi saint, Calliste III promulgue la bulle *in Coena Domini* qui, conformément à la tradition, excommunie ceux qui portent atteinte aux biens de l'Eglise et se dressent contre les intentions du pape. Piccinino et Alphonse d'Aragon sont *a fortiori* concernés. Le roi de Naples menace d'expulser de ses Etats tous les parents du pape. Il faut beaucoup de temps pour rétablir le dialogue. En signe de bonne volonté, Alphonse obtient le retrait de Piccinino qui abandonne le territoire siennois contre une forte indemnité, mais le roi de Naples n'oubliera pas l'incident qui l'a opposé à son ancien protégé. On va bientôt s'en apercevoir.

Les opérations de la flotte pontificale dans le Levant

Une fois la paix rétablie en Italie, Calliste donne le signal des opérations préalables à la croisade. Pedro Urrea, archevêque de Tarragone, a armé des batâux avec l'argent qu'il a levé, en sa qualité de légat, en Catalogne et dans les royaumes d'Aragon et de Valence. Le pape lui confie le commandement de ces navires destinés à dégager les îles grecques du blocus turc. Hélas, au lieu de faire voile vers la Grèce, l'archevêque rejoint la flotte du roi de Naples qui va ravager les côtes génoises. Calliste constate qu'il a une fois encore été trompé par son ancien protecteur. Aussitôt, il destitue Urrea et ses complices. Le cardinal Luigi Scarampo est nommé capitaine général et amiral de la flotte le 17 décembre 1455. Un décret lui donne des pouvoirs de légat en Sicile, Dalmatie, Macédoine, Grèce, ainsi que dans toutes les îles et provinces de l'Asie. Il assurera le gouvernement de tous les pays qu'il réussira à conquérir. Aidé d'une commission de cardinaux, il reconstitue la flotte de la croisade dsans un chantier ouvert sur le Tibre à Ripa Grande.

Par un livre de comptes, nous connaissons les achats effectués à l'automne de 1455 et pendant l'hiver suivant : fer, poix, bois de construction, boulets de pierre et de plomb, arbalètes, traits, casques, cuirasses, lances, épées, piques, chaînes, cordes et ancres, pavillons, drapeaux et tentes.

Enfin, le 31 mai 1456, jour de la Sainte-Pétronille, le pape attache de sa propre main la croix sur l'épaule du cardinal-amiral, qui descend le Tibre vers Ostie avec les bâtiments construits dans le chantier romain. Trois semaines passent avant que les vingt-cinq bateaux, armés de trois cents canons, prennent la mer. A leur bord, on compte mille marins et cinq cents soldats venus principalement de l'Etat pontifical. Le cardinal Scarampo dispose d'un état-major international : le Portugais Velusco Furinha est vice-amiral et l'Aragonais Alonso de Calatambiso, prévôt. La flotte appareille vers Naples dont le roi, pour se réconcilier avec le pape, a promis quinze galères.

Pendant l'été, la flotte pontificale va effectivement secourir les îles grecques dont elle chasse les garnisons turques. Mais le pape peut-il continuer seul l'entreprise ? Aucune des puissances européennes n'a rempli ses promesses. Ainsi, le roi de France Charles VII, qui avait promis trente bâtiments, les a bien armés, mais pour les employer contre l'Angleterre et contre Naples ! Les souverains et les puissances d'Europe ont agi de même, à l'exception de quelques petits Etats comme le marquisat de Mantoue. Il y aurait de quoi décourager l'âme la mieux trempée. Mais Calliste III ne se laisse pas abattre. Il continue de vendre les objets d'art et les joyaux collectionnés par ses prédécesseurs. Un jour, rapporte le père Gabriel de Vérone à son ami Jean de Capistran, le pape, voyant sur sa table des salières en vermeil et d'autres objets précieux, s'écrie : « Enlevez, enlevez-moi cela pour les Turcs. De la vaisselle de terre est tout aussi bonne pour moi ! » Pour contribuer à la défense du saint Evangile et de la vraie foi, il est prêt à se contenter d'une mitre de lin. Ni les difficultés, ni l'âge même n'ont pu refroidir son zèle. « Il n'y a que les lâches qui craignent le danger, déclare-t-il. La palme de la gloire ne se cueille que sur le champ de bataille ! »

La croisade en Europe centrale
Héroïsme de Scanderberg

L'Europe de l'Est offrait aux chrétiens de multiples occasions de s'illustrer au service de la foi. Depuis juin 1456, Mahomet II avait encerclé Belgrade avec une armée de cent cinquante mille hommes, appuyée par une artillerie de trois cents canons. Il avait en face de lui les trois Jean : Jean Hunyade, valeureux chef hongrois, et les deux envoyés de Calliste III, Jean de Capistran et le cardinal Jean Carvajal, légat pontifical. Hunyade, rompant le blocus, réussit, le 14 juillet, à se jeter dans la place et, sept jours plus tard, obligea le sultan Mahomet II à lever le siège. Cette belle victoire fut malheureusement suivie par la mort de Hunyade et de Capistran, enlevés par la maladie respectivement le 11 août et le 23 octobre.

Le roi Ladislas de Hongrie prépara à l'automne la reprise de la campagne. Un contingent allemand, commandé par le comte Ulric de Cilly, se joignit à son armée à Belgrade, mais une rixe opposa les Allemands de Cilly et les Hongrois de Ladislas Corvin, fils de Jean Hunyade. Le roi Ladislas se vengea de la mort de Cilly en faisant décapiter Ladislas Corvin. La crise et le désordre qui s'ensuivirent mirent fin à la croisade. Le cardinal Jean Carvajal renvoya les croisés dans leurs foyers.

La participation des Allemands à la sainte entreprise avait toujours posé problème. Les contributions demandées aux populations avaient provoqué une irritation profonde qui s'était exprimée dans les diètes réunies à Nuremberg puis à Francfort-sur-le-Main en 1456 : en contrepartie des demandes pontificales, les Allemands avaient exigé la restauration des libertés promises à Constance et à Bâle. Les élections aux dignités ecclésiastiques ne devaient plus pouvoir être annulées en cour de Rome. Le cardinal Piccolomini avait bataillé sans grand résultat pour défendre la position de la papauté contre Martin Mayr, chancelier du prince-archevêque de Mayence.

Heureusement, pendant que les affaires de la croisade prenaient mauvaise tournure en Allemagne, la Chrétienté remportait sur d'autres terrains des avantages appréciables Le héros national de l'Albanie, Georges Castriota, dit Scan derberg, surnommé par Calliste III « l'Athlète du Christ » écrasa à la Tomornitza, en juillet 1457, l'armée du chef turc, Isa Bey. Un mois plus tard, la flotte pontificale, commandée par Scarampo, défit la flotte turque à Metelin et captura vingt-cinq vaisseaux. En Hongrie, la dispute entre l'empereur Frédéric et le jeune roi Ladislas à propos de l'héritage de Cilly se conclut par un accord en novembre 1457, mais Ladislas mourut le 23 du même mois. Un enfant, Mathias Hunyade Corvin, monta alors sur le trône de Hongrie. L'autre trône laissé vacant par la mort de Ladislas, celui de Bohême, fut pourvu par élection, le 2 mars 1458. Le gouverneur, Georges Podiebrad, devint roi. C'était un hérétique de la secte des utraquistes qui pratiquaient la communion sous les deux espèces, en contradiction avec la pratique catholique. Le cardinal Carvajal réussit à faire abjurer le roi élu : le 6 mai 1458, Podiebrad jura fidélité et obéissance à l'Eglise catholique et au pape Calliste III. Il promit de détourner ses sujets de leurs erreurs et d'entrer en campagne contre les Turcs dès qu'il aurait remis son royaume en ordre.

Conflit avec la couronne de Naples et d'Aragon

Calliste n'a pas pareille chance avec son ancien protecteur Alphonse d'Aragon. Après l'incident de la bulle *in Coena Domini*, leurs rapports se dégradent sans cesse. Pendant l'été de 1457, le conflit reprend à l'occasion de nominations épiscopales. Le pontife menace d'excommunier le roi et de le déposer. Mais la puissance napolitaine est indispensable pour mener la croisade. Aussi le pape essaie-t-il de transiger. Lorsque, en octobre 1457, la belle Lucrèce d'Alagno, maîtresse d'Alphonse, passe à Rome, le pape, peut-être sous l'influence du cardinal Rodrigue, qui travaille à rapprocher les deux cours, reçoit avec honneur la belle dame. Mais le roi se refuse à toute réconciliation. Excédé, Calliste le flétrit publiquement : « Depuis le jour où Alphonse a pris possession de Naples, l'Eglise n'a plus eu de repos. Il n'a cessé de causer du tourment à mes prédécesseurs, Martin, Eugène et à moi-même. Aussi suis-je résolu, s'il vient à mourir, à délivrer mes successeurs de cette servitude. Je ferai tout mon possible pour empêcher que son fils naturel Ferrante n'hérite de sa couronne. »

Au début de l'été suivant, en même temps que le pape, Alphonse tombe gravement malade. Il meurt le 27 juin. Dès qu'il apprend son décès, Calliste règle instantanément toutes les questions restées pendantes entre Rome et Naples. Il avait gardé, étant pape, l'évêché de Valence dont les revenus s'élevaient à 18 000 ducats. Il en donne l'administration à son neveu le cardinal Rodrigue, et érige ce siège en archevêché. Il confère l'évêché de Gérone à son dataire Cosimo de Monserrato. D'autres bénéfices aragonais sont distribués au cardinal Luís Juan et à des membres de la famille Borgia. Le pape déclare que le royaume de Naples est une dépendance de l'Eglise. Le fils naturel d'Alphonse, Ferrante, ne peut en aucune façon ceindre la couronne. S'il vient à être démontré que le royaume appartient légitimement à René d'Anjou, le pape le lui remettra, sinon, il le donnera en fief à celui qui lui paraîtra le plus apte à le gouverner. Le bruit court qu'il veut conférer la couronne de Naples à son neveu, le capitaine de l'Eglise don Pedro, avant de le nommer, d'après les diplomates, empereur d'Orient, ou tout au moins roi de Chypre ! Quoi qu'il en soit, par une bulle publiée à Rome le 14 juillet, le pape proclame que le royaume de Naples est en déshérence. Défense est faite aux Napolitains de prêter serment de fidélité à qui que ce soit.

La publication de cette bulle jette la consternation dans toute la Chrétienté. A Rome, elle provoque un renchérissement du blé. L'un des conservateurs déclare que les Romains vont être contraints de choisir entre le pape et le roi Ferrante. Mais Calliste III ne se laisse pas impressionner Il ordonne à don Pedro de préparer une entreprise militaire contre Ferrante, qu'il traite de « petit bâtard, fils de père inconnu ». « Ce gamin qui n'est rien du tout, dit-il à l'ambassadeur de Milan, prend le titre de roi sans notre permission. Naples appartient à l'Eglise ; c'est la propriété de saint Pierre. Alphonse n'avait pas voulu prendre le titre de roi avant d'avoir obtenu l'assentiment du Saint-Siège, et Nous, qui étions alors son conseiller, Nous l'avions confirmé dans cette manière de voir... Que Ferrante renonce à son titre usurpé, qu'il se mette à notre discrétion, et Nous le traiterons comme nos propres neveux. »

Bien entendu, Ferrante refuse d'obtempérer. Il convoque le parlement à Capoue et demande aux barons de lui prêter assistance contre les prétentions iniques du pape. Il fait bâtonner le messager chargé de porter la bulle du 14 juillet dans le royaume, en même temps qu'il interjette appel contre la déclaration pontificale. Au moment où la rupture est complète, le 21 juillet, une attaque de goutte d'une violence extraordinaire immobilise le vieux pontife. Dès qu'il a recouvré quelques forces, il se remet à disposer des bénéfices du royaume de Naples en faveur de ses parents. Le 31 juillet, il donne Terracine et Bénévent à son neveu Pedro Luís et le 1er août, il confère le siège archiépiscopal de Naples au cardinal Tebaldo, frère de son médecin. Il confie à son neveu Luís Juan l'opulent évêché de Lérida, à Rodrigue la vice-chancellerie de l'Eglise romaine, et s'apprête à créer de nouveaux cardinaux catalans et romains.

Maladie et mort de Calliste III
Election du pape Pie II

Durant l'été, à la nouvelle de la maladie du pape, l'opposition gronde dans la curie et le désordre règne dans la ville. Une commission du Sacré Collège fait occuper le Capitole par une troupe de deux cents hommes, sous le commandement de l'archevêque de Raguse. Déchargé de ses compétences, don Pedro Luís comprend qu'il y a péril pour lui à prolonger son séjour à Rome où les Orsini vont sans aucun doute se venger de lui. Aussi remet-il aux cardinaux toutes les places fortes dont il a le gouvernement, y compris le château Saint-Ange. Il reçoit en échange la somme de 22 000 ducats, montant d'un legs constitué en sa faveur par Calliste III, et il remet aux cardinaux le trésor de l'Eglise, contenant 120 000 ducats. Le 6 août au point du jour, il sort du château Saint-Ange et monte à cheval en compagnie de son frère Rodrigue, caché sous un déguisement, et du cardinal Pietro Barbo qui lui a procuré une escorte de trois cents cavaliers et de deux cents hommes à pied. La troupe gagne la porte Saint-Paul. Une fois hors des murs, les cardinaux Rodrigue et Barbo prennent congé de don Pedro, après avoir donné ordre aux soldats de l'escorter jusqu'à Ostie. Mais la galère promise n'est pas dans le port. Pedro Luís est contraint de se jeter dans une barque qui le conduit à Civitavecchia où il meurt mystérieusement peu après, le 26 septembre.

Le cardinal Rodrigue, rentré à Rome, voit son palais mis au pillage par un peuple en délire. Il assiste à la longue agonie de son oncle qui s'éteint le 6 août, jour de la Transfiguration de Notre-Seigneur, fête qu'il avait lui-même instituée. Dès que la mort du pape est connue, l'agitation redouble dans Rome. Les ennemis des Borgia, en particulier les Orsini, expriment leur joie. La plupart des Catalans, comme Pedro Luís, ont déjà pris la fuite. Ceux qui ne l'ont point encore fait doivent se cacher pour échapper aux violences. Les villes de l'Etat pontifical se révoltent. Piccinino s'empare de diverses places, notamment d'Assise. Il met le siège devant Foligno, en accord avec Ferrante d'Aragon.

La grande affaire est maintenant d'assurer la succession pontificale. Le 16 août, dix-huit cardinaux entrent en conclave. On y compte huit Italiens, cinq Espagnols, deux Français, deux Grecs et un Portugais. La majorité veut empêcher l'élection d'un candidat étranger. Dans cette conjoncture, le cardinal de Sienne, Aeneas Silvius Piccolomini, bénéficie de l'appui de Francesco Sforza, duc de Milan, et de Ferrante d'Aragon, roi de Naples. C'est lui qui, au troisième jour du vote, est élu par la procédure dite d'accession. Il vient

d'obtenir neuf voix et le Français d'Estouteville, six seulement. Un long silence tombe sur la galerie Saint-Nicolas où
sont réunis les conclavistes. Dans ce silence s'élève la voix de
Rodrigue Borgia : « Je me range du côté du cardinal de
Sienne. » L'un après l'autre, après quelque hésitation, les
cardinaux se déclarent pour Piccolomini. L'humaniste, l'orateur de l'empereur, le fin diplomate devient le pape Pie II. Il
s'agit maintenant, pour le clan Borgia, de préserver sous le
nouveau règne les acquis du pontificat précédent.

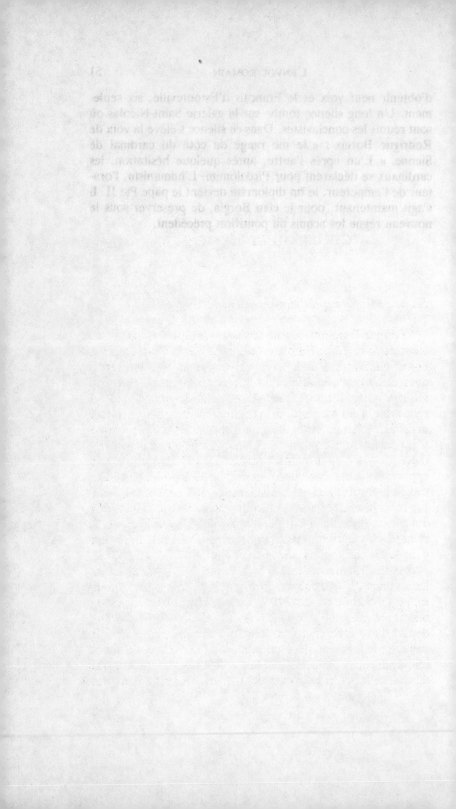

d'obtenir neuf voix et le Franck in d'Hostienville, six seulement. Un long silence tomba sur le palais de Saint-Nicolas où
sont réunis les conclavistes. Dans ce silence s'élève la voix de
Rodrigue Borgia : « Je me range du côté du cardinal de
Sienne. » Un après l'autre, après quelques hésitation, les
cardinaux se déclarent pour l'«colonnai» Humaniste. l'em-
ballage du camérier, le fin diplomate devint le pape Pie II. Il
s'agit maintenant, pour le clan Borgia, de préserver sous le
nouveau règne les acquis du pontificat précédent.

CHAPITRE III

La carrière fortunée
du cardinal Rodrigue

La nouvelle faveur du vice-chancelier Rodrigue Borgia

Rodrigue Borgia triomphe aux côtés du nouveau pape qu'il vient de faire élire. En d'autres temps, Pie II a été un prélat épicurien, fringant diplomate, auteur connu de pièces érotiques et héros de multiples aventures amoureuses. Autrefois vif et robuste, il a mal franchi le seuil de la cinquantaine. Il ressemble à un vieillard. Son enthousiasme est resté intact, mais de violentes crises de goutte anéantissent périodiquement sa résistance physique. Sa carrière d'orateur impérial, d'évêque de Sienne et de cardinal lui a donné une bonne expérience et une connaissance parfaite de la politique et de la religion. Il sait manier les hommes, et notamment s'appuyer sur l'ambition des jeunes gens qui ressemblent à ce qu'il était autrefois : le cardinal Borgia, dynamique et audacieux, est de ceux-là. A vingt-sept ans, il aspire à jouer un rôle important dans le monde et il en a les moyens.

Administrateur du diocèse de Valence, Rodrigue en touche les revenus : 18 000 ducats. La chancellerie pontificale, qui en rapporte chaque année 70 000 au trésor du pape, lui assure une rente de 8 000 ducats. Mais ce n'est là que le point de départ d'une fortune qui va connaître une flambée extraordinaire. Sa fonction confère au cardinal une préséance enviée au sein de la curie. Grégoire VIII, en 1187, avait supprimé le titre de chancelier pour bien marquer qu'au pape seul appartenait l'authentification des actes du Saint-Siège. Mais le vice-chancelier, chef de la chancellerie, avait recouvré au fil des ans ses prérogatives, sinon son titre. Il était réellement le second personnage de l'Eglise. Une centaine d'agents pontificaux étaient placés sous son autorité. Les référendaires ou « abréviateurs du grand parquet » statuaient sur les demandes de grâces. Après eux, les « abréviateurs du petit parquet » rédigeaient les actes qui étaient visés par le régent de la chancellerie et par le vice-chancelier. L'apposition du sceau de plomb, la bulle, donnait ensuite valeur légale à l'acte. Un système très élaboré de taxation permettait à la fois de garnir les caisses du pape et de rémunérer grassement les membres des services de la chancellerie. Il s'appliquait aussi bien aux bulles de canonisation qu'à celles qui délivraient dispenses ou pardon dans les cas les plus variés : mariage à degrés prohibés, légitimation, bigamie, inceste, crimes crapuleux ou contre nature.

Pie II laisse le cardinal Borgia jouir de la délicate et lucrative fonction qu'il tient de son oncle. Mais, en d'autres domaines, il prend le contrepied des positions de l'ancien pape. Il licencie, en les payant, les gouverneurs catalans que Calliste avait partout installés dans les Etats pontificaux. Pedro Luís, le frère de Rodrigue Borgia, était mort à point : il est remplacé par le neveu de Pie II, Antonio Piccolomini. Un ami du pape, Antonio Colonna, devient préfet de Rome. Le changement dans les rapports de la papauté avec Naples est spectaculaire. Le 17 octobre 1458, un accord est élaboré avec Ferrante qui reconnaît la suzeraineté pontificale et accepte de payer un tribut. En contrepartie, le 10 novembre, Pie II publie une bulle lui octroyant l'investiture.

Ce renversement de politique n'est pas gratuit. Le pape a besoin de la paix en Italie pour relancer la croisade contre les Turcs. Il a appelé tous les princes de la Chrétienté à se rendre à Mantoue, au mois de juin 1459, pour mettre au point la reprise de la guerre sainte. Lui-même part pour le nord de l'Italie en janvier 1459. Il oblige à l'accompagner les onze cardinaux résidant à Rome : parmi eux se trouvent Rodrigue Borgia et son cousin Luís Juan de Mila. Les villes des

Etats pontificaux accueillent tour à tour la superbe cavalcade.

Portrait de Rodrigue Borgia

Parmi tous les prélats romains, le vice-chancelier se distingue par la richesse de son train et par son extraordinaire
prestance. Rodrigue est en effet d'une rare beauté. Grand,
brun, vif ou nonchalant, toujours souriant, il ne laisse
personne indifférent. Les hommes l'admirent, l'envient, le
jalousent. Les femmes se laissent prendre à son charme. Déjà,
son précepteur, Gaspare da Verona, avait noté son extraordinaire pouvoir de séduction. « Sa voix, écrivait-il, est insi-
nuante. Il parle avec chaleur et mollesse à la fois. Ses yeux
noirs sont magnifiques. Il a toujours sur le visage une
expression plaisante de gaieté et de bonheur. Sa conversation
émeut le sexe faible d'une étrange façon. Son attrait opère sur
elles autant que l'aimant sur le fer. Mais il cache habilement
ses conquêtes, de sorte que l'on ignore combien y ont
succombé. »

Un autre témoin, Jason Naimus de Milan, vante « le port
élégant et le physique hors pair du vice-chancelier ». Il en
admire « le front serein, les sourcils royaux, la figure portant
l'empreinte de la libéralité et de la majesté, le génie,
l'harmonieuse et héroïque proportion de tous ses membres ».

Le cardinal ne cache pas ses bonnes fortunes, mais nul ne
songerait à s'en offusquer alors qu'à la cour pontificale, on
voit quotidiennement fouler aux pieds le vœu de célibat. Etant
engagé dans les ordres, le pape Piccolomini a eu lui-même des
enfants naturels et on l'a entendu mettre en doute les vertus
du célibat pour les prêtres. Elevé sur le trône pontifical, il se
préoccupe cependant de faire respecter la décence et sait gré à
ses clercs de leur discrétion.

Scandale à Sienne.

Pour s'attacher le jeune et fringant prélat, Pie II lui confie une mission de confiance pendant le long séjour qu'il fait à Sienne, du 28 février au 23 avril 1459. Il a décidé d'ériger sa bourgade natale, Corsignano, en évêché sous le nom de Pienza : Rodrigue sera le maître d'œuvre chargé de veiller sur le chantier de construction d'une cathédrale et d'un palais Piccolomini au cœur de la nouvelle cité. Cette tâche n'absorbe pas, il est vrai, toute la vitalité du robuste vice-chancelier. Les dames de Sienne, comme celles de Rome, succombent à son charme. Les échos en viennent jusqu'à Pie II qui est allé soigner sa goutte aux bains de Petriolo. Le 11 juin, le pape rappelle à l'ordre le trop entreprenant prélat :

« Nous avons appris qu'il y a trois jours, plusieurs dames siennoises se sont réunies dans les jardins de Giovanni Bichi et que, peu soucieux de ta dignité, tu es demeuré avec elles l'après-midi depuis une heure jusqu'à six heures et que tu avais pour compagnon un cardinal que l'âge, à défaut du respect envers le siège apostolique, aurait dû faire souvenir de ses devoirs. Il nous a été référé qu'on dansa fort peu honnêtement : aucune séduction amoureuse n'a manqué et tu t'es conduit comme l'eût fait un jeune laïque. La décence nous impose de ne pas préciser ce qui advint, chose dont le nom seul est inconvenant à ta dignité ; il fut interdit d'entrer aux maris, pères, frères et autres parents qui avaient accompagné ces jeunes femmes, afin de vous laisser plus libres dans les divertissements que vous présidiez seuls avec quelques familiers, ordonnant les danses et y prenant part. On dit qu'il n'est bruit à Sienne que de cela et que chacun rit de ta légèreté... Nous te laissons juger toi-même s'il t'est possible de courtiser les femmes, d'envoyer des fruits, des vins fins à celle que tu préfères, d'être tout le jour spectateur de toutes sortes de divertissements, puis finalement d'éloigner les maris pour te réserver toutes libertés, sans, du même coup, abdiquer ta dignité. A cause de toi, nous sommes blâmés et la mémoire de ton oncle Calliste est blâmée pour t'avoir confié tant de charges et d'honneurs... Souviens-toi de ta dignite et ne cherche point à te faire une réputation galante parmi la jeunesse... Ici, où il y a beaucoup d'ecclésiastiques et de laïques, tu es devenu la fable de tous.

Si tu n'amendes pas tes mœurs, nous serons contraints de publier que tu agis ainsi sans notre consentement, ou plutôt avec notre désapprobation la plus vive, et cela ne t'honorerait certainement pas d'être réprimandé par nous. Nous t'avons toujours chéri, et, parce que nous avons estimé que tu étais un modèle de sérieux et de modestie, nous avons cru que tu méritais notre protection. »

Pie II venait de régler une difficile affaire de politique intérieure siennoise. Il avait obtenu que l'Etat ouvrît de nouveau aux nobles l'accès aux fonctions et aux honneurs. Il espérait ainsi supprimer une cause importante d'agitation entre ses concitoyens.

Or, le comportement du cardinal Borgia n'allait pas dans le sens souhaité par le pape. Le désordre qu'il avait provoqué risquait fort de rétablir un fâcheux état de tension qui pourrait remettre en cause l'arbitrage du Saint-Siège et le résultat à grand-peine obtenu. Cette considération explique, plus peut-être que le scandale lui-même, relativement minime, la vive réaction du Saint Père.

Malgré les précautions prises pour ne pas divulguer l'incident, les diplomates en avisent leurs cours. Une lettre de Bartolomeo Bonatto à son maître le marquis de Mantoue, écrite en juillet 1460, donne d'autres détails sur la fête scandaleuse : « Je ne vois plus rien à écrire à Votre Seigneurie, sinon qu'un baptême a été aujourd'hui célébré ici, à l'invitation d'un gentilhomme de cette ville, où Mgr de Rouen [le quadragénaire licencieux Guillaume d'Estouteville] et le vice-chancelier furent parrains. Conviés dans un jardin du parrain, ils s'y rendirent et on y mena la filleule. Tout ce que la terre produit de bon était là et c'était une belle fête, mais nul n'y entra qui ne fût de cléricature... Un Siennois facétieux qui ne put entrer, expérience faite à la ronde, disait : " Pardieu ! Si ceux qui naîtront d'ici une année venaient au monde vêtus comme leur père, ils seraient tous prêtres et cardinaux ! " »

Rodrigue est assez habile pour convaincre le pape qu'on a malignement déformé la réalité. Il prouve qu'il ne s'agit que d'une peccadille, et Pie II lui envoie son pardon : « Ce que tu as fait n'est certainement pas exempt de faute, mais peut-être beaucoup moins blâmable qu'on ne me l'a dit. » Il lui recommande d'adopter à l'avenir une conduite plus prudente.

L'indulgence de Pie II envers son vice-chancelier est infinie. Il vient d'apprendre qu'un abréviateur de la chancellerie, Jean de Volterra, avait vendu pour 24 000 ducats d'or, sous le règne de Calliste III, une bulle autorisant le comte français Jean d'Armagnac à s'unir à sa propre sœur par des liens charnels. L'abréviateur avait simplement gratté sur la bulle, régulièrement établie, la mention « quatrième degré », et l'avait remplacée par « premier degré » dans le libellé de la dispense. Le vice-chancelier, comme l'abréviateur, avait perçu au passage un important pourcentage sur cette somme. Or Jean de Volterra, cupide, était revenu à la charge. Il avait réclamé au comte un supplément de 4 000 ducats. Jean d'Armagnac avait protesté auprès de Pie II, qui avait découvert la supercherie. Le pape avait dénoncé en consistoire le grave abus commis à la chancellerie, mais il avait innocenté le cardinal Rodrigue : l'enquête avait montré que, bien qu'ayant touché une importante commission, le vice-chancelier avait ignoré la malversation.

Le scandale de Sienne et celui de la chancellerie, bien qu'étouffés par l'amitié du pape, servent de salutaire leçon au jeune cardinal. Bartolomeo Bonatto raconte comment il arrive à éviter la tentation. Obligé de se détourner des patriciennes, il court la campagne. Il se lance dans de fougueuses battues pour lesquelles il emploie les chiens et les éperviers que lui envoie son ami le marquis de Mantoue, Ludovic de Gonzague.

Enfin le pape et les cardinaux quittent le territoire de Sienne. Leur passage comptera parmi les fastes mémorables de l'Etat et sera plus tard figuré dans la *Libreria* de la cathédrale, par une fresque de Pinturicchio. Le 25 avril, Florence accueille le cortège pontifical par une parade d'honneur où brillent de jeunes princes, Galeazzo Maria, fils du duc

Francesco Sforza de Milan, et Laurent de Médicis, âgé de dix ans, l'héritier du grand marchand Côme qui régente l'Etat.

Les fêtes de Florence sont superbes. Courses, joutes, combats d'animaux, représentations théâtrales, festins et danses célèbrent la venue du pape mais aussi la réussite de la dynastie marchande des Médicis. L'étape est importante : elle prouve que la papauté peut compter sur le crédit de la plus puissante banque d'Occident.

Après un bref passage à Bologne où le cardinal Borgia retrouve les souvenirs heureux du temps passé à l'université, l'entrée à Ferrare, le 17 mai, prend l'allure d'un triomphe. Le pape est porté dans son fauteuil sous un dais brodé d'or. Au long des rues jonchées de verdure, palais et maisons sont décorés de tapisseries magnifiques et de guirlandes de fleurs. Dans chaque quartier retentissent des chants harmonieux sur le chemin du cortège. Borso d'Este, duc de Modène, veut à tout prix éblouir le pape et les cardinaux, et il y réussit parfaitement.

Le congrès de Mantoue

Peu après, le 27 mai, Pie II arrive à Mantoue. Le marquis Ludovic de Gonzague réussit à éclipser les splendeurs de Ferrare. Il présente au pape les clés de la ville. Les rues sont recouvertes de tapis précieux, les façades disparaissent sous de riches compositions florales, les fenêtres et les toits mêmes sont garnis de jeunes gens et de femmes en grande toilette. Le marquis installe le pontife et les cardinaux dans son palais. Tout est prêt pour la comparution des princes du monde... Hélas, le temps passe et aucun d'entre eux ne se présente ! Après avoir offert l'image du paradis terrestre, Mantoue redevient déserte, la vie quotidienne y prend un rythme monotone, la ville s'engourdit dans la chaleur écrasante de l'été continental, cependant que des miasmes morbides montent du Mincio. Parmi les cardinaux, les plus âgés, comme Scarampo et Tebaldo, dénoncent la légèreté du pape qui est venu s'enfermer en un lieu malsain où rôde la fièvre, dans le vain espoir de mobiliser l'Occident contre l'invincible puissance turque. Rodrigue Borgia choisit quant à lui le parti de s'amuser. Il organise des excursions sur l'eau, où il convie ses amis les cardinaux de Coëtivy et Colonna, en galante compagnie. Dans ses lettres à la duchesse de Milan, la marquise de Mantoue, se rit de ces parties fines qui contrastent avec la froide solennité des cérémonies pontificales.

Des mois passent. A la mi-août se présente l'ambassadeur du duc de Bourgogne, à la mi-septembre le duc de Milan, puis, peu à peu, arrivent les représentants des autres puissances italiennes, et enfin, en octobre et novembre, les délégués de l'Allemagne et de la France. Mais l'enthousiasme fait défaut. Les ambassadeurs de Charles VII et de René d'Anjou ne sont venus que pour présenter leurs revendications touchant le royaume de Naples : au même moment, le fils de René, le duc Jean de Calabre, a lancé contre Ferrante de Naples les galères levées avec l'argent de la croisade !

La comédie politique double la comédie mondaine qui occupe les jours et les nuits du cardinal Borgia. Le congrès de Mantoue est pour lui l'occasion d'étudier sur le vif les ressorts des passions qui animent les hommes. Désespéré, le pape Pie II se résigne, le 14 janvier 1460, à publier la bulle de croisade appelant les chrétiens à prendre les armes pendant trois ans contre le Turc. Il décrète des impositions destinées à constituer le trésor de guerre de la Chrétienté : les ecclésiastiques, y compris les cardinaux, verseront le dixième de leurs revenus, les laïcs le trentième, et les juifs le vingtième. Après la proclamation de ces mesures, le 19 janvier, Pie II repart à la tête du cortège des dignitaires pontificaux.

Or une grande déconvenue l'attend dans ses Etats : pendant son absence, le désordre s'est installé dans Rome. Les barons Savelli, Anguillara et Colonna ont fait alliance avec le redoutable condottiere Piccinino. Il faudra deux ans et demi d'efforts pour rétablir un semblant de paix. Le condottiere et son commanditaire Jean de Calabre, fils de René d'Anjou, sont enfin battus par Ferrante de Naples en août 1462. Un autre trublion, Sigismond Malatesta, est vaincu par Frédéric de Montefeltre : ainsi se trouvent éliminés les fauteurs de troubles qui empêchent le pape de donner le départ de la croisade

Réceptions mondaines des princes d'Orient

Au retour de Mantoue, des cérémonies mondaines accaparent le cardinal Rodrigue Borgia. Avec la magnificence d'un grand seigneur, il relève la splendeur des réceptions faites par le pape aux princes de Grèce qui fuient la domination turque. Déjà, sur son chemin de retour, en avril 1460, Pie II a reçu à Sienne un soi-disant archidiacre d'Antioche, venu supplier le pape au nom des patriarches grecs de Jérusalem, Antioche, Alexandrie, d'Ibrahim Bey, prince de Caraman, et d'autres souverains orientaux. En décembre de la même année, Rome voit défiler l'étrange théorie des ambassadeurs de David, empereur de Trébizonde, du roi de Perse, du prince de Géorgie et d'autres souverains d'Orient. Les ambassadeurs de Perse et de Mésopotamie font sensation par leur accoutrement. Le dernier a la tête rasée à la façon des moines, avec une simple couronne de cheveux, mais une touffe s'élève sur le sommet de son crâne. Puis c'est l'arrivée, le 7 mars 1461, d'un descendant des empereurs Paléologue, Thomas, despote de Morée. C'est un bel homme de cinquante-six ans, au visage grave. Il se présente au Vatican vêtu d'une longue robe noire et coiffé d'un grand chapeau blanc velouté. Son escorte compte soixante-dix chevaux dont trois seulement lui appartiennent. Ce train somptueux, qui cache une misère réelle, incarne le dernier appel pathétique de l'Orient chrétien. Le prince est accompagné de sa famille, notamment de sa fille, la belle Zoé, dont le pape négociera le mariage avec Ivan III, grand-duc de Moscovie. Il dépose au passage une relique insigne, la tête de saint André, dans la forteresse de Narni. Le pape charge le cardinal Borgia d'installer son visiteur dans le palais des Quatre-Saints-Couronnés, laissé vacant par le départ du cardinal Luís Juan de Mila pour Lérida. Le Sacré Collège se cotise pour assurer au despote une pension annuelle de 6 000 ducats.

Enfin, le 15 octobre 1461, une autre parente des Paléologue se réfugie à Rome. C'est la jeune reine de Chypre, Charlotte de Lusignan. Agée de vingt-quatre ans, elle a, d'après le pape, « le regard doux, le teint brun et mat, un langage séduisant. Les paroles sortent de sa bouche comme un torrent, suivant l'habitude des Grecs. Elle est habillée à la française et a un port majestueux. » Elle ne fait que passer à Rome, sur le chemin de la Savoie où elle va solliciter l'aide de son beau-père le duc.

La relique de saint André et le miracle de l'alun

Le cardinal Rodrigue s'associe volontiers à la réception de ces princes exotiques, mais il trouve une occasion encore meilleure de déployer son faste. En avril 1462, Pie II accueille à Rome la relique de saint André. Le 13 avril a lieu la translation au Vatican. Une sorte de rivalité s'instaure entre les grands seigneurs et les cardinaux pour faire de cette cérémonie un triomphe. La relique est accueillie par une immense foule portant trente mille cierges. Tout au long des rues que parcourt la procession sont élevés des autels d'où s'échappent les fumées de l'encens. Aux fenêtres des maisons somptueusement décorées se pressent les femmes parées de tous leurs atours. Mais les plus belles décorations, même celles des orgueilleux barons romains, sont éclipsées par celles du vice-chancelier. Il a orné de riches tentures sa demeure située au cœur de la cité, près de la Zecca — l'hôtel des Monnaies. Il a fait tendre au-dessus de la rue des tapis précieux et décorer avec somptuosité les maisons voisines de la sienne. Le quartier ressemble à un théâtre empli de chants et d'une musique suave. Le Ciel entend-il ces prières ? Alors que la constitution du trésor de guerre de la croisade traîne en longueur et que les puissances de l'Europe se dérobent, un miracle survient qui apporte au pape une manne inespérée.

Jean de Castro, fils d'un jurisconsulte de Padoue, avait fui Constantinople prise d'assaut par les Turcs. Il y avait exploité un grand établissement de teinturerie, employant l'alun, un mordant naturel utilisé dans toutes les industries du temps : affinage des tissus, teinture, vitrerie, armurerie. La conquête turque avait privé l'Occident du produit des mines byzantines et mis la Chrétienté dans un pénible état de dépendance par rapport aux infidèles. Or, par un hasard prodigieux, Castro découvre sur le territoire pontifical, à La Tolfa, dans les environs de Civitavecchia, sept montagnes du plus pur alun. En mai 1462, il en avise fièrement le pape : « Je vous apporte la victoire sur le Turc, car il extorque annuellement à la Chrétienté plus de 300 000 ducats pour l'alun qu'il lui fournit. » C'est une aubaine. Pie II lance aussitôt l'exploitation. Dès 1463, huit mille ouvriers travaillent à La Tolfa. Le trésor pontifical voit ses recettes accuser d'un coup un surplus de 100 000 ducats.

Mais il faut beaucoup plus d'argent pour faire la guerre sainte. Le pape imagine des expédients de tout genre. Ainsi, en novembre 1463, il fixe le nombre des abréviateurs de la chancellerie à soixante-dix. Sur ce nombre, douze seulement sont laissés à la nomination du vice-chancelier. Les autres devront acheter leur office. En mai 1464, le vice-chancelier est contraint d'accepter le remaniement total de son personnel : les anciens titulaires sont renvoyés et des hommes nouveaux, Siennois pour la plupart, entrent à la chancellerie.

Mort de Pie II
Election de Paul II

Après des années de vaine attente, constatant la défection des grands Etats d'Europe, notamment de la France et de la Bourgogne, Pie II décide de ne plus retarder le départ de la croisade. Après une nouvelle cure à Petriolo, il se prépare à partir au printemps pour Ancône : Venise a promis d'y envoyer des vaisseaux qui, joints aux galères pontificales, pourront charger cinq mille croisés. Le plan consiste à franchir l'Adriatique et à gagner Raguse où l'on rejoindra les forces de Mathias Corvin, roi de Hongrie, et le chef albanais Scanderberg. Seuls les cardinaux malades ou âgés sont dispensés de suivre le pape.

Le cardinal Borgia rejoint à Terni le cortège qui accompagne Pie II, perclus de douleurs, sur le chemin d'Ancône. La peste rôde en chemin. Elle s'est installée à Ancône où la suite pontificale parvient le 19 juillet. Rodrigue Borgia s'en moque à sa façon. Le vice-chancelier ne couche pas seul dans son lit, écrit l'ambassadeur de Mantoue : il n'en tombe pas moins malade, mais on attribue sa maladie à ses débauches.

Cependant, de l'autre côté de la mer, Raguse est bloquée par une immense armée turque. Pie II donne l'ordre d'embarquer les troupes. Mais les vaisseaux vénitiens n'ont pas encore rejoint les galères pontificales. Lorsqu'ils arrivent, le 11 août, un grand nombre de soldats a déserté. Les opérations sont fortement compromises. Le cardinal Ammanati estime que ce désastre donne au pape « le coup de la mort ». Terrassé par d'effroyables douleurs, Pie II reçoit les derniers sacrements. Le 15 août 1464, il expire. Sa disparition sonne le glas de la guerre sainte. Les troupes se dispersent. Les cardinaux regagnent Rome où le conclave se réunit le 28 août. Deux jours plus tard, l'élection est acquise : l'ami fidèle de Rodrigue, le cardinal vénitien Pietro Barbo, devient le pape Paul II.

Le pontificat de Paul II aurait dû commencer par une intervention du cardinal Borgia : en sa qualité de doyen des cardinaux-diacres, le privilège lui revenait de couronner le nouveau pontife. La maladie l'en empêche, mais, à peine rétabli, il devient l'un des hôtes familiers du Vatican. Un même goût de luxe et de prodigalité le rapproche du Saint-Père : il a assisté avec émerveillement à la construction de la somptueuse résidence cardinalice de Pietro Barbo, près de son église titulaire Saint-Marc. Situé au pied du Capitole sous la protection des Colonna, le palais de Venise, comme on l'appelle couramment, est aujourd'hui encore l'un des monuments les plus imposants de Rome. Il marque la transition du château médiéval à la grande demeure de la Renaissance. Sa cour, inachevée, est splendide avec son double étage d'arcades. Un porche majestueux unit le palais à l'église Saint-Marc. Les vastes salons sont remplis d'objets d'art.

Paul II reçoit ses amis dans cette résidence plus volontiers qu'au Vatican qu'il délaisse à cause de son manque de confort et de la proximité malsaine du Tibre. Il y fait transporter le trésor apostolique. Il en fait le centre vivant de la ville, où se déroulent les fêtes au temps du carnaval. Il transfère le lieu des réjouissances romaines de la place Navone ou du mont Testaccio dans la longue artère qui traverse les vieux quartiers de Rome et aboutit précisément au palais de Venise : on donne à la rue le nom de Corso, car, par la volonté du pape, elle sert de champ de courses non seulement aux ânes, aux buffles et aux chevaux débridés — qu'on appelle *Barberi*, du nom du pape —, mais aussi à toutes les catégories de la population. Richement dotées de prix, ces courses mettent aux prises non seulement les jeunes gens athlétiques, mais aussi les vieillards ou encore les juifs, qui doivent porter de lourds vêtements de laine bourrés jusqu'au cou de gâteaux ! De grands banquets ont lieu sur la place Saint-Marc pour les magistrats et le peuple. Le pape y assiste d'une fenêtre du palais et fait jeter de l'argent à la foule en délire. De temps en temps, d'autres manifestations portent la fête dans les divers quartiers de Rome : ce sont des reconstitutions de triomphes antiques. Le pape ne dédaigne pas d'y paraître, porté sur sa *sedia* dorée qui vaut le prix d'un château, et paré de sa nouvelle tiare, étincelante de saphirs, qu'il a fait faire pour le prix de 200 000 florins d'or. Il est entouré du collège des cardinaux qu'il oblige à paraître en tout temps revêtus de la pourpre, coiffés de la barette rouge ou d'une grande mitre de damas de soie brodée de perles, privilège jusqu'alors réservé au seul pontife.

Une cour luxueuse

Rodrigue Borgia est à l'aise dans la cour luxueuse du pape vénitien. Lui-même vit à la manière des princes du temps, entouré de courtisans et de maîtresses. De l'une d'elles naît en 1467 ou 1468 un fils, Pedro Luís, dont il reconnaît immédiatement la paternité et qui sera légitimé le 5 novembre 1481 par une bulle de Sixte IV. Viennent ensuite au monde, vers 1469,

Jeronima ou Girolama, puis Isabelle, née vers 1470 : leurs contrats de mariage diront qu'elles sont filles du cardinal Borgia et d'une mère célibataire.

A la curie, les fonctions de Rodrigue retrouvent l'importance qu'elles avaient naguère. Paul II rapporte les mesures prises par son prédécessseur au sujet des nominations à la chancellerie : il renvoie les Siennois qui y avaient été introduits, en leur rendant, il est vrai, l'argent qu'ils avaient dépensé pour acheter leurs charges. La mesure provoque immédiatement une révolte parmi les abréviateurs congédiés. L'un d'eux, Bartolomeo Sacchi de Piadena, surnommé Platina, compose un pamphlet vengeur à l'adresse du pape. Il le menace d'un recours devant les princes de la Chrétienté : un concile sera convoqué devant lequel le Saint-Père devra comparaître. Bien entendu, l'imprudent Platina est dénoncé. Torturé, il est emprisonné au château Saint-Ange. Mais la révolte fait tache d'huile : Pomponius Laetus, professeur à l'université de Rome, en prend la tête. Il a regroupé dans l'Académie romaine les libres penseurs de la ville sainte, ennemis du centralisme pontifical. Le mécontentement débouche ainsi sur un complot qui vise à massacrer le pape et son entourage. C'est de justesse qu'il est désamorcé en février 1468. Il en résulte une méfiance croissante de Paul II et du cardinal Borgia à l'égard des humanistes de la curie. Leur sévérité s'étend aux dissidents et aux hérétiques. Des bulles de condamnation sont fulminées contre les « fraticelles » d'Assise qui dénoncent le luxe du pape et des cardinaux, et contre les utraquistes de Bohême à qui s'est rallié le roi Georges Podiebrad.

Le solde de cette rigueur n'est pas négatif. La politique répressive, jointe à l'éclat mondain du trône de saint Pierre, donne de l'Occident chrétien et de son chef une image de force qui impressionne. On vante dans le monde l'accueil somptueux que Paul II ménage en décembre 1466 au héros albanais Scanderberg, puis à l'empereur Frédéric III, venu à la Noël de 1468 en pèlerinage à Rome. Tous deux sont les princes destinés à marcher en première ligne contre le Turc. Le luxe des cérémonies et des bâtiments démontre que la papauté dispose de la puissance temporelle nécessaire pour la nouvelle croisade. Rodrigue Borgia et les autres cardinaux mondains constituent par leur opulence et leur train de vie la meilleure attestation de cette puissance. Cette ostentation n'est pas étrangère à la réussite des alliances orientales : elle permet ainsi de nouer de bons rapports avec Ouzoun Hassan, prince des Turcomans, et de préparer le contournement du sultan turc. Un traité est sur le point d'être conclu en juillet 1471. Mais le sort en décide autrement : le 26 juillet, le pape succombe brusquement à une attaque d'apoplexie.

Une nouvelle fois, Rodrigue Borgia entre en conclave. Une nouvelle fois, son habileté et sa clairvoyance le portent à choisir sans se tromper le candidat qui a le plus de chances d'être élu et à lui donner sa voix et celles de ses amis au moment utile.

Election de Sixte IV
Rodrigue Borgia légat en Espagne

Le 9 août 1471, le cardinal franciscain Francesco della Rovere devient pape et prend le nom de Sixte IV. Il récompense les cardinaux qui ont permis son élection. Gonzague obtient l'abbaye de Saint-Grégoire à Rome et la promesse de l'évêché d'Albano. Orsini est nommé camerlingue, c'est-à-dire administrateur des affaires temporelles du Saint-Siège. Borgia est gratifié de l'opulente abbaye bénédictine de Subiaco qui lui est accordée en commende.

Le 22 août, Rodrigue Borgia, en sa qualité de doyen des cardinaux-diacres, couronne le nouveau pontife. C'est sa dernière fonction comme cardinal-diacre. Le 30 août, il accède au rang de cardinal-évêque avec le titre d'Albano, l'un des sept sièges suffragants de Rome. Mais, avant de recevoir cette dignité, il doit être ordonné prêtre : il se résigne à faire du bout des lèvres vœu de chasteté et de célibat, ce qui ne l'empêche pas de s'installer dans une liaison amoureuse de longue durée avec une riche Romaine, propriétaire d'auberges : Vannozza Cattanei.

*threw himself
headlong*

Le pape Sixte, ayant réorganisé la curie, se lance à corps perdu dans le grand projet auquel se sont attachés ses prédécesseurs : la guerre contre le Turc. Il dépense en un an 144 000 ducats d'or fournis par les revenus du patrimoine de saint Pierre et la vente de la production d'alun des mines de la Tolfa (plus de 1 500 tonnes par an). Il équipe une flotte de vingt-quatre galères et un corps expéditionnaire de quatre mille soldats. Venise et Naples s'engagent à y adjoindre des forces plus importantes. Le 23 décembre 1471, cinq légats *a latere* sont désignés pour appeler le reste des puissances chrétiennes de l'Europe à se joindre à l'expédition. Rodrigue Borgia fait partie du groupe. Il doit se rendre dans les royaumes d'Aragon et de Castille. C'est pour lui à la fois un honneur et une charge délicate. Il s'agit en effet de décider les souverains de ces royaumes à instaurer la paix civile sur leurs territoires pour se consacrer exclusivement à la croisade. D'autre part, l'Espagne et particulièrement la Castille estiment que leur devoir contre les infidèles doit s'exercer spécialement vers le royaume de Grenade, dernier vestige de la domination islamique : plus qu'aucun autre, Rodrigue, natif du Levant espagnol où abondent les descendants des Maures, ne manquera pas d'arguments pour montrer que la croisade n'est pas dissociable et que les Espagnols doivent participer au moins financièrement à la guerre contre les Turcs.

Le cardinal vient de recevoir un titre nouveau : le pape l'a nommé le 8 janvier 1472 camerlingue du Sacré Collège, c'est-à-dire trésorier du Collège des cardinaux. Le 15 mai, jour de son départ, Rodrigue confie le sceau de camerlingue au cardinal d'Estouteville qui le remplacera pendant son absence. Un cortège de cardinaux l'accompagne jusqu'aux portes de Rome. Après avoir banqueté dans la vigne d'Estouteville, le légat prend la route d'Ostie. Il salue au passage les navires de la croisade rassemblés sur le Tibre, sous la conduite du cardinal Olivier Carafa : ils vont bientôt partir pour les côtes turques de Caramanie où ils doivent débarquer.

La traversée est courte pour Rodrigue Borgia. En juin 1472, il arrive à Valence, sa ville épiscopale. Jean II d'Aragon, frère du défunt Alphonse de Naples, a donné des ordres pour que sa réception soit royale. Monté sur un cheval magnifique, le cardinal est accueilli par les notables à la porte de Serranos, décorée de tentures de satin. Il chemine dans les rues sous un dais. Tambours et trompettes, musique, cris de joie saluent l'enfant du pays. L'enthousiasme populaire est plus grand encore lorsque Rodrigue se rend à Játiva, sa ville natale. Le séjour du cardinal en Aragon contribue effectivement à pacifier le pays par un arbitrage entre le roi et ses sujets de Barcelone.

Rodrigue se rend ensuite en Castille. Le roi Henri IV, surnommé l'Impuissant, époux de Jeanne de Portugal, a pour héritière une fille, Jeanne, née en 1462. Se moquant de la faiblesse physique du souverain, la malignité publique attribue la paternité de l'enfant au favori du ménage royal, Beltrán de la Cueva. Le sobriquet infamant de *Beltrajena* est couramment accolé au prénom de la malheureuse Jeanne. La prétendue bâtardise de la princesse sert de prétexte aux nobles révoltés contre le roi. Ils soutiennent que la sœur de Henri IV, Isabelle, est l'héritière légitime de la couronne. Pour renforcer sa position, Isabelle a épousé à Valladolid, en 1469, son cousin Ferdinand, héritier de l'Aragon, alors que l'un et l'autre étaient mineurs. Henri IV n'a pas reconnu le mariage contracté sans son assentiment. Il l'a qualifié publiquement d'incestueux, car unissant, sans dispense du pape, des personnes parentes à des degrés prohibés. La guerre civile gronde lorsque le cardinal Borgia arrive en Castille. Il engage de longues et complexes tractations. L'archevêque de Tolède, Alonso Carrillo, personne bizarre qui s'adonne à la magie, au luxe et à la bonne chère, ainsi que l'intrigant prélat politique Gonzalez de Mendoza, l'assistent efficacement. Réceptions et fêtes mondaines se déroulent dans toutes les villes de Castille et le cardinal galant obtient çà et là les faveurs de belles peu farouches.

A Madrid, le roi Henri fait valoir les droits de sa fille. Mais Rodrigue a auparavant rencontré Isabelle et Ferdinand, et s'est mis d'accord avec les deux ambitieux. Il conseille à Sixte IV de régulariser leur mariage et il s'offre même à être le

parrain du premier-né du couple princier : il apporte ainsi un
soutien décisif à Isabelle contre la Beltraneja. Il attend du
jeune couple des récompenses qui ne lui manqueront pas. Au
royame de Valence, il est tenté par un fief voisin de Játiva :
Gandie, petite ville qui s'élève sur le versant opposé de la
sierra de las Agujas, à peu de distance de la mer, dans une
fertile *huerta,* et qui est la capitale d'un duché créé en 1399 par
le roi Martin en faveur de son neveu Alphonse d'Aragon. Le
château, d'ancienne origine maure, a belle allure avec sa
décoration où les écus d'Aragon et de Sicile alternent avec les
monogrammes coufiques. Ce fief viendrait opportunément
compléter les domaines du cardinal de Valence. Il constitue-
rait une principauté idéale au pays de ses ancêtres pour son fils
aîné Pedro Luís. Il est probable que Rodrigue a jeté son
dévolu sur ce duché dès le moment de la légation. Il
l'obtiendra en 1485, lorsque Ferdinand sera devenu roi
d'Aragon : Pedro Luís recevra alors le titre de duc de Gandie.

Le cardinal Borgia réussit à persuader Henri IV de Castille
que sa sœur Isabelle reconnaît les droits de la Baltraneja. Le
roi le récompense en bénéfices et pensions ecclésiastiques
espagnols, cependant que Rodrigue, de son côté, obtient de
Rome, pour son complice Mendoza, un chapeau de cardinal.
Après le départ du légat, le roi Henri recevra à Ségovie
Ferdinand et Isabelle, mais le banquet de réconciliation lui
sera fatal : il y sera, dit-on, empoisonné par Ferdinand. A la
mort de son père en 1474, la pauvre Beltraneja devra
s'enfermer au couvent et laisser la place à Isabelle : les
Castillans fidèles feront porter la responsabilité de ce désastre
au légat aragonais, le perfide Borgia, qu'ils qualifieront
publiquement d'ordure.

Mais l'intéressé est alors loin de l'Espagne. Sa mission de
légat a été appréciée à Rome comme un succès : on lui a fait
gloire d'avoir pacifié la Castille et l'Aragon et recouvré les
contributions que ces royaumes ont versées sous son impulsion pour la croisade contre les Turcs.

Son retour ne s'est pas effectué sans mal. En septembre
1473, il a chargé sa copieuse recette et sa nombreuse suite sur
deux galères vénitiennes. Or, durant la traversée du golfe de

Savone, une affreuse tempête s'est abattue sur les vaisseaux. L'une des galères a sombré. Cent quatre-vingt douze personnes ont péri et, parmi elles, trois évêques. La cargaison engloutie dans le naufrage comprenait des coffres renfermant 30 000 ducats d'or. Mais ce malheur a mis en valeur le sang-froid exemplaire du cardinal Borgia. Le 24 octobre, les membres du Sacré Collège présents à Rome sont venus l'accueillir à la Porte du Peuple. Le lendemain, le pape l'a reçu dans un consistoire public et l'a félicité pour son courage et le résultat de sa mission.

Grâce à Rodrigue, le Saint-Siège a gagné prestige et moyens financiers accrus. Mais l'évolution défavorable de la situation en Orient ne permet pas d'en tirer le résultat escompté. Après un début prometteur, les opérations navales au large de la Turquie ont donné de médiocres résultats. Ouzoun Hassan, chef des Turcomans, a été battu par le sultan : cette défaite a privé l'Occident de la force de diversion qui lui était nécessaire. Le pape, découragé, se détourne de la croisade pour se consacrer aux affaires temporelles de l'Italie, et surtout à la fortune de sa famille.

Le népotisme forcené du pape Sixte

Les deux neveux de Sixte IV, Pierre Riario et Julien della Rovere, ont été faits cardinaux dès le 16 décembre 1471, alors qu'ils étaient âgés respectivement de vingt-cinq et vingt-huit ans. Le premier porte le titre de Saint-Sixte, le second celui de Saint-Pierre-aux-Liens, titre que le pontife possédait avant son exaltation. Le pape fait pleuvoir sur eux d'innombrables faveurs.

Julien della Rovere détient les archevêchés d'Avignon et de Bologne, les évêchés de Lausanne, Coutances, Viviers, Mende, Ostie et Velletri, les abbayes de Nonantola et de Grottaferrata. Son cousin Pierre Riario est encore mieux pourvu : archevêque de Florence, patriarche de Constantinople, abbé de Saint-Ambroise de Milan, il est titulaire d'une foule d'évêchés. Ses revenus annuels dépassent 60 000 ducats mais suffisent à peine à couvrir ses dépenses. Il étale son luxe dans les fêtes qu'il offre, en juin 1473, à Eléonore de Naples lorsqu'elle traverse Rome pour rejoindre son époux Hercule d'Este à Ferrare. Il fait construire un palais de bois devant sa résidence près de la basilique des Saints-Apôtres. L'édifice est recouvert de tentures tissées d'or et de tapis. Il est garni de l'ameublement et des ustensiles les plus précieux : les vases destinés aux usages les plus communs sont en vermeil. On parle encore de cette extraordinaire festivité en septembre lorsque Rodrigue Borgia rentre à Rome.

Les neveux laïcs du pape sont eux aussi comblés de faveurs. Sixte IV a marié Léonard della Rovere, préfet de Rome, à une fille naturelle de Ferrante de Naples. Il a uni Jean della Rovere à Jeanne de Montefeltre, faisant ainsi passer dans sa famille l'héritage du duché d'Urbin. Jérôme Riario, frère du cardinal Pierre, est marié à Caterina Sforza, petite nièce du duc de Milan. Il est pourvu du fief de Bosco que le pape achète 14 000 ducats. Sixte IV veut y ajouter le territoire d'Imola qui est entre les mains de Galeazzo Maria Sforza. Pour le dégager au bénéfice de son neveu le pape doit verser une indemnité de 40 000 ducats. Ce projet mécontente Laurent le Magnifique qui craint, à juste titre, la constitution d'une puissante seigneurie aux frontières de la Toscane : la banque Médicis qui gère les finances pontificales refuse donc d'avancer la somme, mais les banquiers Pazzi, ses rivaux, déboursent l'argent nécessaire.

La course des parents du pape vers les honneurs et les profits reprend de plus belle après la disparition du cardinal Pierre Riario, enlevé brusquement par ses excès, à vingt-huit ans, le 5 janvier 1474. Son frère, Jérôme Riario, lui succède dans les faveurs de Sixte IV : il ne songe qu'à agrandir sa principauté en s'inspirant de l'exemple de Pedro Luís, le défunt frère du cardinal Borgia. Pour complaire à son neveu le pape s'allie avec Venise afin de dépouiller le duc de Ferrare. Mais Laurent de Médicis, une fois encore, entrave la manœuvre : furieux, Jérôme Riario décide de faire exécuter Laurent et Julien son frère avec la complicité des banquiers Pazzi. La conjuration de mai 1478 coûte la vie à Julien mais ne parvient pas à soulever Florence. L'échec renforce le pouvoir de Laurent le Magnifique. Dépité par l'insuccès de son neveu, le pape, allié au roi Ferrante de Naples, essaiera en vain pendant deux ans d'abattre Florence.

Dans cette histoire mouvementée, les intérêts de la Chrétienté paraissent singulièrement sacrifiés. L'Etat pontifical ressemble de plus en plus à une principauté comme les autres luttant pour ses seuls intérêts matériels. La seule différence avec les petites tyrannies italiennes réside dans le mode de transmission du pouvoir, qui se fait par élection et non pas par héritage. Mais les cardinaux neveux estiment avoir en priorité droit à la succession. Pierre Riario s'était posé en prince héritier. Julien della Rovere se comporte de la même façon. Cependant, sur le chemin de son ambition il rencontre le vice-chancelier Rodrigue Borgia. Une rivalité féroce, à peine dissimulée par la pompe des cérémonies, oppose les deux hommes, chacun d'eux étant soutenu par une clientèle à sa dévotion.

La vie magnifique de Rodrigue Borgia

Sous ce pontificat, comme sous les précédents, l'on voit Rodrigue mener de front les intrigues de la politique et de l'amour, ce qui lui attire, en novembre 1476, les réprimandes du neveu de Pie II, le cardinal de Pavie, Ammanati, qui voudrait entraîner Rodrigue dans la voie de l'austérité : « Il te faut dépouiller le vieil homme : cela importe non seulement au cardinalat mais à la Chrétienté. Ceux qui prennent plaisir à contempler nos fautes cesseront de rire, et ceux qui nous portent haine ou envie cesseront de se réjouir. Que ta Seigneurie accorde à ta piété d'oublier le passé, de changer de vie. J'ai confiance en ta sagesse et ta bonté pour accomplir cette transformation. Garde cette lettre, place-la dans ton lit afin de pouvoir la relire souvent. »

Vaine remontrance et non moins vain conseil ! Le train de vie de Rodrigue ne se prête guère aux pratiques de la dévotion. Il vit dans un cadre somptueux. Depuis 1470 son palais s'élève à mi-chemin entre le pont Saint-Ange et le Campo dei Fiori : une partie a subsisté après le percement du Corso Vittorio Emanuele au XIXe siècle et se retrouve dans le palais Sforza-Cesarini. La façade imposante porte alors l'écu du cardinal mi-partie Borgia et Oms, les armes de ses ancêtres maternels : d'un côté le taureau des Borgia ; de l'autre, sur fond d'or, trois bandes d'azur décorées de palmettes dorées.

Le cardinal Ascanio Sforza, pourtant habitué au faste des appartements ducaux de Milan, est impressionné par la richesse du mobilier de ce palais. Le vice-chancelier lui fait visiter la demeure en compagnie de Julien della Rovere et de deux autres cardinaux, conviés à dîner. Le vestibule d'entrée est orné de tapisseries à sujets historiques. Au centre du salon de réception, tendu de six belles tapisseries, trône un divan de satin cramoisi, surmonté d'un baldaquin. Un dressoir présente d'admirables pièces d'orfèvrerie. La salle suivante est encore ornée de belles tapisseries, de tapis précieux et d'un divan de cérémonie sous un baldaquin de velours bleu. Une autre pièce, plus somptueuse encore, est occupée par un divan de brocart d'or, recouvert d'un dais doré rayé de noir et frangé d'or, et par une table parée de velours bleu entourée de tabourets délicatement sculptés.

Jacques de Volterra vante, lui aussi, les merveilles de cette demeure. Le cardinal, écrit-il, « possède un palais aussi beau que commodément agencé, qu'il s'est construit à moitié chemin environ du pont Saint-Ange et du Campo dei Fiori. Il jouit de revenus énormes, provenant de nombreux bénéfices ecclésiastiques, d'un grand nombre d'abbayes d'Italie et d'Espagne et des trois évêchés de Valence (18 000 ducats), de Porto (1 200 ducats) et de Carthagène (7 000 ducats). La place de vice-chancelier lui rapporte, à elle seule, 8 000 ducats d'or par an. Il a une grande quantité d'argenterie, de perles, de tentures et d'ornements d'église brodés d'or et de soie, des livres relatifs à toutes les sciences, et tout cela est d'un luxe digne d'un roi ou d'un pape ; je ne parle pas des innombrables joyaux qui ornent ses lits, ni de ses chevaux, ni de tous les objets d'or, d'argent et de soie qu'il possède, ni de sa garde-robe, aussi riche que précieuse, ni des masses d'or entassées dans son trésor. »

Les revenus du cardinal dépassent 80 000 ducats et sa prospérité ne fait que croître durant les années qui s'écoulent entre le retour de la légation d'Espagne (1473) et la mort du pape Sixte IV (1484).

Vannozza, la plus aimée des maîtresses

Heureux dans ses actes de prince de l'Eglise, Rodrigue l'est aussi dans sa vie privée : cette période est celle de son bonheur intime avec Vannozza Cattanei, la plus longuement aimée de ses maîtresses. Née en 1442, la jeune femme a une dizaine d'années de moins que lui : elle l'a peut-être connu en 1460, au moment du congrès de Mantoue, alors qu'elle avait dix-huit ans. Certains historiens lui attribuent la maternité des trois premiers enfants du cardinal, Pedro Luís, Jeronima et Isabelle, dont la ou les mères ne sont pas nommées dans les actes de reconnaissance. Comme l'épitaphe romaine de Vannozza à Sainte-Marie-du-Peuple ne porte pas leurs noms, ils supposent que ces enfants étaient déjà morts ou privés de postérité au moment du décès de leur mère, en 1518. Quoi qu'il en fût, la liaison de Rodrigue avec Vannozza était devenue publique lorsque le cardinal avait atteint la quarantaine et Vannozza trente ans.

La maîtresse du cardinal, si on en croit un portrait conservé par la Congrégation de la Charité de Rome, était une belle femme blonde aux yeux clairs et au corps robuste. Ses sourcils droits et le dessin volontaire de ses lèvres dénotaient du bon sens et de l'énergie. Sa fille Lucrèce tiendra d'elle sa chevelure blonde et ses yeux vert clair, et ses garçons, leurs cheveux châtains ou roux, tandis que leur père, Rodrigue, leur lèguera le charme de ses yeux noirs, vifs et langoureux à la fois.

En 1474, au retour de sa triomphale légation d'Espagne, le cardinal vice-chancelier installe Vannozza dans une maison dont elle a la propriété et qui s'élève sur la place Pizzo di Merlo, tout près de son propre palais. La même année, il lui donne un mari d'âge respectable, Domenico d'Arignano, officier de l'Eglise. Ce mariage de convention facilite les rencontres du cardinal et de Vannozza. En effet, la jeune femme suit son mari dans le service qu'il effectue auprès du vice-chancelier. Au début de l'été, le cardinal et ses intimes prennent la route de Subiaco. Le double couvent dont Rodrigue Borgia est abbé commendataire s'élève dans l'Apennin, à quatre-vingts kilomètres à l'est de Rome : c'est une résidence agréable, fameuse pour l'air pur de sa montagne et la sécurité de ses fortes murailles.

Du matin au soir l'austère retraite change d'allure. Dames et seigneurs prennent possession du vaste palais abbatial tout récemment aménagé. Les cloîtres, pittoresquement décorés de sarcophages antiques et de vestiges provenant de la proche villa de Néron, les promenoirs ornés de fresques et de mosaïques de marbres, les jardins aux eaux vives, les chapelles et les églises superposées, les grottes creusées dans la montagne retentissent des rires, des chants et des musiques profanes. A qui cherche des divertissements plus savants, l'admirable bibliothèque offre ses manuscrits enluminés et une importante collection d'incunables : ils ont été imprimés à Subiaco même, dix ans auparavant, par les Allemands Arnold Pannartz et Conrad Schweinheim, appelés par le cardinal Torquemada, prédécesseur du cardinal Borgia.

Les enfants du cardinal Borgia

C'est dans ce cadre seigneurial et champêtre que Vannozza donne naissance en 1475 à César. L'enfant est réputé né en légitime mariage mais, tout aussitôt, Rodrigue Borgia reconnaît sa paternité. L'année suivante, en 1476, un autre fils, Juan, vient au monde alors que sa mère est veuve. Puis c'est le tour de Lucrèce, qui voit le jour, en avril 1480, dans le château abbatial de Subiaco. Le cardinal Borgia décide alors de régulariser une nouvelle fois la situation de sa maîtresse. En 1480, il lui donne pour mari un Milanais, Giorgio de Croce, secrétaire de Sixte IV. L'homme est riche. Il possède un domaine sur l'Esquilin. C'est une maison de campagne au milieu d'un vignoble et d'un verger près de Saint-Pierre-aux-Liens : les enfants aimeront à se retrouver en famille dans cette propriété, que leur mère héritera de son second mari et qu'on appellera la vigne Borgia. Vannozza et son mari habitent la plupart du temps à Rome même, dans une maison de la Piazza Branchis pourvue d'un beau jardin : cette maison est un bien propre de Vannozza.

En 1482, le cardinal reconnaît un dernier fils né de ses œuvres : Gioffré — ou Jofré —, puis ses relations avec sa maîtresse s'espacent. Vannozza donne naissance à un autre fils, Octave, légitime, celui-là, qu'elle perd aussitôt. Son second mari lui-même meurt en 1486. Elle se remarie alors en apportant une dot de mille florins, avec un Mantouan, Carlo Canale. L'élu est un homme de lettres réputé : le jeune poète florentin Politien lui soumettra son *Orfeo*. Il a été chambellan du cardinal de Gonzague. Très fier de son union avec la maîtresse du cardinal vice-chancelier, il écartèle dans son blason les armes des Borgia avec les siennes et joue à l'important avec le marquis de Mantoue, chef de la famille de son ancien protecteur.

Dans sa cinquantaine rayonnante, Rodrigue veille avec soin sur ses enfants. En 1482, il marie sa fille aînée Jeronima à un noble romain Gian Andrea Cesarini : elle mourra l'année suivante. L'an 1483 voit les épousailles d'Isabelle avec Pier Giovanni Matuzzi, lui-même noble habitant du quartier du Parione. Pedro Luís part en Espagne où il prend part aux campagnes menées contre le royaume musulman de Grenade. Il se bat bravement au siège de Ronda, en mai 1485, puis reçoit de Ferdinand d'Aragon le titre de duc de Gandie et la promesse de la main de doña Maria Enriquez, nièce du roi. mais il meurt peu après à Civitavecchia, en août 1488. Rodrigue reporte son affection sur les enfants de Vannozza. Il élève ses garçons en princes. Il confie sa fille, Lucrèce, à sa cousine Adrienne de Mila, veuve du noble Ludovico Orsini et mère du jeune Orso (dont les méchantes langues prétendent qu'il est lui aussi le fils du cardinal Borgia). Le vice-chancelier devient un visiteur assidu du palais Orsini à Monte Giordano. Sa position à la curie, ses espérances de pouvoir, son charme propre font de lui un hôte adulé. Comme d'ordinaire il séduit les dames du lieu et particulièrement une jeune fille, Julie Farnèse, la fille de barons provinciaux, fiancée à Orso Orsini qu'elle épousera en 1489. Julie assiste Adrienne de Mila, sa future belle-mère, dans son rôle de maîtresse de maison. A ce titre, elle entoure d'attentions la jeune Lucrèce dès ses premières années. Lorsque Adrienne conduira la fillette au couvent de Saint-Sixte sur la via Appia pour parfaire son éducation, le cardinal continuera de fréquenter assidûment le palais Orsini, sa cousine et la belle Julie Farnèse.

Rodrigue est devenu doyen du Sacré Collège, en recevant le 24 juillet 1476, la dignité de cardinal-évêque de Porto. Il est encore une fois nommé légat *a latere* le 25 juin 1477 pour couronner à Naples la nouvelle épouse du roi Ferrante, Jeanne d'Aragon, fille du roi Jean II et sœur de Ferdinand, le prince qu'il a si bien connu en Espagne. Le Sacré Collège fait cortège à son doyen lors de sa sortie de Rome et vient l'attendre à son retour, le 4 octobre. On note parmi les cardinaux présents les princes de l'Eglise les plus récemment promus. Cette popularité de Rodrigue est de bon augure. Elle ne fait que s'accroître pendant les années agitées où Sixte IV est en lutte contre Florence.

Mort de Sixte IV
Election d'Innocent VIII

Lorsque le 12 août 1484 meurt Sixte IV, les Romains se soulèvent contre les neveux du pape défunt et leur clientèle de profiteurs. Les Colonna mènent la révolte. Virginio Orsini, seigneur de Bracciano, lance ses soldats contre eux. Rodrigue Borgia, ami des Orsini et des Aragonais de Naples, pourrait être le candidat idéal, en mesure de rétablir l'ordre tout en réprimant les excès du clan Riario-della Rovere.

Justement, au conclave, les cardinaux sont unanimes à dénoncer le népotisme du dernier règne. Chacun s'engage, s'il devient pape, à ne créer « aucun cardinal qui n'ait dépassé l'âge de trente ans et qui ne soit docteur, soit en théologie, soit en l'un ou l'autre droit ou, s'il est fils ou neveu de rois, qui n'ait l'instruction convenable. De sa famille ou parenté il n'en créera qu'un seul qui devra réunir les conditions indiquées. Il ne fera la guerre à aucun roi, duc, prince, seigneur, collectivité, en dehors de sa juridiction, n'entrera dans aucune ligue pour faire la guerre à une autre sans le consentement des deux tiers des révérendissimes cardinaux.

« Il ne confiera la garde des forteresses de Saint-Ange, Civitavecchia, Tibur, Spolète, Fano, Cesena à aucun des membres de sa famille, soit clerc, soit laïc. Les gouverneurs ne resteront en charge que deux ans. Toute dérogation devra recevoir l'assentiment des deux tiers des cardinaux. Les gouverneurs des cités d'importance majeure, telles que Spolète, seront choisis parmi les prélats. Le pape ne nommera capitaine général de l'Eglise ni un neveu, ni un membre de sa famille... »

Comme les autres participants au conclave, Rodrigue prête serment. Que ne ferait-il pas pour gagner l'élection ! Il s'estime, à cinquante-trois ans, grandement apte à devenir pape. Aussi ne ménage-t-il ni efforts de persuasion, ni promesses pour gagner ses collègues. Au cardinal Jean d'Aragon, il offre sa charge de vice-chancelier et son palais ; au cardinal Colonna, 25 000 ducats et l'abbaye de Subiaco ; au cardinal Savelli, de copieux bénéfices. Il s'attache encore Ascanio Sforza et le camerlingue Raphaël Riario Sansoni, neveu du défunt pape. Mais il lui est impossible d'atteindre la majorité des voix, soit les deux tiers nécessaires pour emporter l'élection. Le cardinal della Rovere, qui se trouve dans la même situation, prend de court son rival. Il renouvelle la tactique pratiquée par Rodrigue lors de l'élection de Pie II : il se rallie, avec les cardinaux de son parti, à la candidature du cardinal génois Jean-Baptiste Cibo qui dispose d'une avance appréciable sur ses concurrents. Forcé de s'incliner, Rodrigue proclame lui aussi son adhésion. Le nouveau pape, Innocent VIII, présente beaucoup de traits semblables à ceux du cardinal Borgia : il a son âge — cinquante-deux ans — et, comme lui, vit entouré de ses enfants naturels. La rumeur publique lui en attribue une douzaine, mais il n'en a reconnu que deux, Teodorina et Francesco. On peut penser qu'il lui sera difficile de les éloigner de lui et de ne pas leur octroyer de faveurs. Mais le serment prêté au conclave est trop récent pour être violé. Les charges attribuées au début de chaque règne peuvent donc être obtenues par qui osera les demander. Julien della Rovere ose le faire car son intervention a été déterminante dans l'élection pontificale. On assiste ainsi à la remontée au pouvoir des neveux de Sixte IV appartenant à la branche des della Rovere. Jean, frère du cardinal, allié au duc d'Urbin, devient capitaine général de l'Eglise. Un autre frère, Bartolomeo, est fait gouverneur du château Saint-Ange, c'est-à-dire protecteur du Vatican et de la personne du pape. Julien s'installe au palais apostolique. Auprès du faible Innocent VIII il détient désormais plus de pouvoir qu'il n'en a jamais eu du vivant de son oncle Sixte IV. « Il est pape et même plus que pape », écrit l'ambassadeur de Florence à Laurent le Magnifique.

Des fêtes superbes inaugurent le pontificat conformément à la tradition. Rome voit se succéder le couronnement et l'installation du pape au Latran, puis les ambassades d'obédience. Le récit s'en trouve dans le journal du maître des cérémonies, l'Alsacien Jean Burckard. C'est une chronique minutieuse commencée en 1483 et poursuivie jusqu'en 1506, l'année de sa mort : durant quatre pontificats, ce témoin privilégié n'omet aucun des événements grands ou petits qui se déroulent devant lui. Il ne jette pas le voile sur les scandales et même les rapporte avec une amère jubilation.

La guerre entre Rome et Naples

L'actualité tourne autour du conflit qui oppose Ferrante de Naples et le Saint-Siège. Le roi aragonais est alors au sommet de sa puissance : le dernier de ses concurrents angevins, Charles du Maine, a légué ses droits à la couronne de France, mais le jeune roi Charles VIII, placé sous la tutelle de sa sœur aînée Anne de Beaujeu, n'est pas en mesure de revendiquer l'héritage napolitain. Ferrante profite de l'abaissement du parti angevin pour faire rendre gorge aux barons qui avaient usurpé les prérogatives royales. Forcés de renoncer aux péages et aux droits qu'ils prélevaient sur les marchandises, les grands nobles se soulèvent dans tout le pays et font appel au pape, suzerain du royaume.

Innocent VIII est excédé par Ferrante qui le nargue en lui envoyant l'hommage d'une haquenée blanche tout en refusant le tribut annuel qu'il doit au Saint-Siège. Aussi met-il en délibération devant les cardinaux l'attitude à adopter à l'égard du roi de Naples. Rodrigue Borgia est d'avis de temporiser, alors que Julien della Rovere se prononce pour une condamnation sévère, en accord avec le cardinal Balue qui représente le roi de France. Ensemble ils poussent le pape à entrer en guerre contre Ferrante. Les forces du roi de Naples sont vite mobilisées. Elles envahissent l'Etat pontifical. L'armée est commandée par Alphonse de Calabre, fils aîné de Ferrante. Auprès de lui se trouve Virginio Orsini, autrefois complice et allié de Jérôme Riario. Le pape oppose aux Napolitains le condottiere Roberto San Severino, prince de Salerne, l'un des barons révoltés contre Ferrante. Les opérations militaires sont doublées par des actions de propagande destinées à démoraliser l'ennemi. Virginio Orsini proclame qu'il viendra à Rome à la tête des armées du roi de Naples pour faire décapiter le cardinal della Rovere, promener sa tête sur une pique dans les rues de Rome et jeter le pape dans le Tibre ! San Severino réplique par un forfait à la mode du temps. Il profite de la visite du cardinal Jean d'Aragon, fils de Ferrante, au château de Salerne, pour s'emparer de son escorte, la mettre à mort et obliger, dit-on, le cardinal à boire un poison lent dont il mourra peu après.

Sur le plan international, le souverain napolitain bénéficie de nombreux appuis : son gendre Mathias Corvin, roi de Hongrie, mais aussi Venise et Florence lui sont favorables. Le cardinal Borgia fait remarquer, après les premières opérations décevantes, que les troupes pontificales ne sont pas capables de vaincre les Napolitains. En plein consistoire, il adjure le pape de refuser les secours que la France lui offre contre Naples. Surpris par cette intervention, le cardinal Balue

proteste vigoureusement. Le ton s'élève. Les deux cardinaux
en viennent aux injures. Rodrigue Borgia, dont la courtoisie
est célèbre, se laisse aller à couvrir le Français d'invectives. Il
le traite d'insensé et d'homme ivre. Hors de lui, Balue nomme
Borgia « juif, maure, marrane, fils de prostituée ». Les deux
adversaires vont en venir aux mains. Indigné, Innocent VIII
se lève et met fin au consistoire. Mais il s'est laissé impressionner par les arguments de Borgia. Il signe la paix avec Naples le
11 août 1486. Ferrante promet de payer le tribut de vassalité et
de pardonner à ses barons rebelles. Mais il n'a conclu le traité
que pour empêcher la venue de l'armée française que le pape
appelait à la rescousse. Dès que le danger semble conjuré, en
septembre, il chasse les troupes pontificales de l'Aquila et fait
mettre à mort le gouverneur nommé par le Saint-Siège dans
cette place. A Naples il tire une cruelle vengeance de ses
barons : il réunit dans un banquet au Château-Neuf les
principaux rebelles et les fait exécuter. Pour garder la
mémoire de ce haut fait, il fait empailler leurs corps qu'il
dispose tout autour de sa salle à manger. Il persécute les
parents des condamnés, emprisonne leurs femmes et leurs
enfants, confisque leurs biens. De plus, il refuse de payer le
tribut qu'il a promis à Rome et dispose à sa volonté des
bénéfices ecclésiastiques.

Union de famille avec Florence
Le pape achète l'otage turc Zizim

Innocent VIII ne peut subir l'affront sans répliquer. Il
s'assure l'appui de Venise et surtout conclut une alliance avec
Florence. En mars 1487, son accord avec Laurent le Magnifique est scellé par l'union de son fils, Francesco Cibo, déjà
quadragénaire, avec Madeleine, la seconde fille de Laurent,
qui approche de quatorze ans. Innocent promet de nommer
cardinal le second fils du Médicis, Jean, alors âgé de douze
ans, mais il gardera secrète la nomination pour éviter les
empêchements canoniques. La signature du contrat de
mariage de Madeleine a lieu à Rome, le 20 janvier 1488. Le

Card.
Giovanni
de' Medici !

scandale est grand : c'est la première fois que l'on voit un pape marier celui qu'il reconnaît officiellement comme son fils. Ce n'est pas trop cher payer l'alliance des Médicis qui, en dehors de l'aide armée et financière de Florence, assure au pape la bienveillance du clan seigneurial des Orsini : en effet Alfonsina la bru de Laurent le Magnifique, est sœur de Virginio Orsini, le condottiere passé au service de Naples. Cette bénéfique collusion d'intérêts permet à Innocent VIII de tenir tête au roi de Naples et de surmonter les désordres qui agitent la Romagne pontificale, à Forli, Ancône, Faenza, Pérouse, Foligno. Libéré des menaces napolitaines, le pape espère pouvoir reprendre la croisade contre les Turcs. La conjoncture n'a, semble-t-il, jamais été aussi favorable ; le frère et rival du sultan Bajazet II, le prince Djem, que les Occidentaux appellent d'ordinaire Zizim, s'est réfugié en 1482 auprès de Pierre d'Aubusson, grand-maître de l'ordre de Rhodes. Celui-ci l'a gardé en hôte forcé. Une pension annuelle de 40 000 ducats lui est versée par le sultan pour qu'il tienne son frère éloigné de la Turquie. Or, en 1489, Innocent VIII s'est fait livrer le prince par le grand-maître. Le 13 mars, Zizim a fait son entrée dans la Ville éternelle sous les yeux des cardinaux. Comme ses collègues, Rodrigue Borgia a été impressionné par ce prince exotique, à la haute stature, au visage énigmatique en qui repose l'avenir de la croisade. Le 3 juin 1490, Innocent VIII dévoile ses projets au Sacré Collège : Zizim sera placé à la tête de l'armée des croisés afin qu'à sa vue la population et les troupes mêmes qui gardent l'empire turc lui offrent leur soumission. Les contributions levées dans la Chrétienté permettront de rassembler des forces importantes — 15 000 cavaliers et 80 000 fantassins. Mais il reste à trouver un général en chef : Mathias Corvin, roi de Hongrie, qui avait été pressenti, a été mortellement frappé, le 6 avril 1490, à quarante-sept ans, par une attaque d'apoplexie

Rodrigue Borgia célèbre la prise de Grenade
L'avenir espagnol des enfants du cardinal

Le grand projet de croisade piétine : les candidats se disputent la direction de la croisade, notamment Maximilien, roi des Romains, et Charles VIII de France. Heureusement pour la Chrétienté, le 2 janvier 1492, Grenade, capitale du dernier royaume musulman d'Espagne, capitule entre les mains de Ferdinand d'Aragon et d'Isabelle de Castille. La nouvelle en parvient à Rome le 31 janvier. Elle comble de joie le cardinal Borgia qui a le sentiment d'y avoir contribué : son fils aîné Pedro Luís s'est brillamment distingué naguère dans la campagne contre Grenade, au siège de Ronda. Aussi Rodrigue s'associe-t-il avec toute sa famille aux actions de grâces qu'organise le Saint-Siège.

Auprès du cardinal, l'on remarque ses deux fils, Juan, seize ans, et César, dix-sept ans, tous deux promis par leur père à une belle fortune sur le sol espagnol. C'est le décès de son aîné, Pedro Luís, qui a décidé de la carrière de Juan : il doit lui succéder dans le duché de Gandie. En effet, César est déjà bien avancé dans la carrière ecclésiastique et il lui revient, suivant les plans de son père, de consolider l'emprise de sa famille sur l'Eglise. En avril 1480, une bulle de Sixte IV l'avait dispensé, bien qu'il fût « fils naturel d'un cardinal-évêque et d'une femme mariée », de prouver la légitimité de sa naissance pour accéder aux bénéfices ecclésiastiques. Le roi d'Aragon, en 1481, avait reconnu sa légitimation et lui avait attribué la qualité de sujet des royaumes d'Aragon et de Valence. En conséquence, Sixte IV lui avait conféré, le 10 juillet 1482, alors qu'il n'avait que sept ans, une prébende du chapitre cathédrale de Valence. Peu après il était nommé protonotaire apostolique, c'est-à-dire dignitaire de la chancellerie pontificale. Le 5 avril 1483, il recevait un autre canonicat de Valence ainsi que la dignité de recteur de Gandie et celle d'archidiacre de Játiva. En 1484 il devenait prévôt d'Albar, puis de Játiva et, par une autre bulle, trésorier de Carthagène, alors qu'il venait d'avoir neuf ans. Tous ces bénéfices, octroyés à César par le pape Sixte IV, provenaient en fait de son père Rodrigue qui les distrayait des biens ecclésiastiques qu'il possédait dans le royaume de Valence. Chaque fois, le roi d'Aragon confirmait la nomination. Autour de la principauté laïque de Gandie, se perpétuait ainsi la principauté ecclésiastique que tenaient les Borgia depuis Calliste III dans le royaume de Valence.

César avait reçu une éducation très soignée. Elevé à Rome jusqu'à l'âge de douze ans, il était parti en 1488 pour Pérouse avec son précepteur, Giovanni Vera, originaire de Valence, qui devait devenir plus tard archevêque de Salerne et cardinal. A l'université de la Sapienza, il avait étudié le droit, mais il s'était formé aussi aux humanités en la compagnie de doctes Espagnols. L'un de ces savants était Francisco Remolines de Ilerda, plus tard gouverneur de Rome et cardinal. Un autre, Paolo Pompilio, avait dédié son traité d'art poétique et de prosodie, la *Syllabica*, à « César Borgia, protonotaire du siège apostolique ». Pendant ce séjour à Pérouse, il avait vécu quelques aventures galantes et assisté à une joute mystique. Invité par le prieur des dominicains, Fra Sebastiano d'Angelo, César avait assisté aux extases d'une jeune religieuse, sœur Colomba. Le prieur doutait peut-être de l'authenticité de ces manifestations mais les laissait faire : elles attiraient le peuple à son église. La communauté des franciscains avait contre-attaqué en exhibant une jeune fille sur qui apparaissaient des stigmates, sœur Lucia de Narni. Plus tard, en 1495, lorsque Rodrigue, devenu pape, voudra examiner dans un esprit sceptique les mérites des deux candidates à la sainteté, César témoignera de la sincérité de la sœur Colomba.

De Pérouse, le jeune Borgia était passé en 1491 à l'université de Pise où il avait suivi les cours de théologie de Filippo Decio. Il avait rencontré le jeune cardinal Jean de Médicis qui terminait ses études. Il y avait appris que le pape Innocent VIII lui avait conféré, le 12 septembre 1491, l'évêché de Pampelune : il avait aussitôt nommé Martin Zapata, chanoine et trésorier de Tolède, comme administrateur de son diocèse

Ainsi César, comme son frère le nouveau duc de Gandie se

trouvait lié par des liens étroits avec le berceau de sa famille. Leur sœur Lucrèce se destinait au même moment, par la volonté de son père, à contracter mariage avec un Espagnol. Le 26 février 1491, alors qu'elle était dans sa onzième année, le notaire romain Camille Beneimbene avait dressé son contrat de mariage avec don Cherubino Juan de Centelles, seigneur de Val d'Agora au royaume de Valence. Lucrèce devait se rendre à Valence au cours de l'année pour s'y marier dans les six mois. Sa dot consistait en 100 000 sous valenciens, versés partie en parures et joyaux, partie en argent, et comprenant notamment les 11 000 sous que lui avait légués son frère Pedro Luís, premier duc de Gandie. Pour des raisons inconnues, deux mois plus tard le contrat était rompu. De nouvelles fiançailles étaient conclues avec un jeune homme de quinze ans, don Gaspare, fils de Juan Francisco de Procida, comte d'Aversa au royaume de Naples : Gaspare était lui aussi Espagnol et résidait à Valence.

Revendiquant si fort leur hispanité, il est normal que les Borgia aient considéré la prise de Grenade comme un événement qui les concernait étroitement. Le 1er février 1492, Rome avait été illuminée et une grande procession d'action de grâces s'était rendue, malgré la pluie et le vent, dans l'église Saint-Jacques-des-Espagnols sur la place Navone. Quelques jours après, le cardinal Rodrigue avait pris le relais des fêtes officielles. Il avait offert aux Romains cinq courses de taureaux dans une arène entourée de tribunes où avait pris place la famille cardinalice et notamment Lucrèce, entourée d'Adrienne de Mila et de Julie Farnèse.

Cérémonies familiales
et découvertes archéologiques à Rome

De nouvelles fêtes succédèrent aux fêtes de Grenade. L'occasion en fut, au mois de mars, l'entrée du jeune cardinal Jean de Médicis. En mai, Rome pavoisa pour la visite de Ferrandino, prince de Capoue. Le petit-fils du roi Ferrante apportait l'engagement du souverain à payer son tribut annuel : 36 000 ducats ou 2 000 cavaliers et 5 trirèmes. En signe tangible d'entente, un grand mariage, célébré au Vatican, unit Louis d'Aragon, petit-fils de Ferrante, avec Battistina, la petite-fille d'Innocent VIII, née de Teodorina Cibo et de Gherardo Usodimare. Le 4 juin, dans un consistoire secret, le pontife déclara Alphonse de Calabre successeur légitime de la couronne de Naples, annonce qui indigna profondément le roi de France Charles VIII : le souverain craignait que ne fût compromis, avec la récupération par la France de l'héritage napolitain, la croisade qu'il comptait mener à partir du royaume de Naples. Le pape paraissait d'ailleurs au mieux avec le Turc : le sultan Bajazet ne lui avait-il pas envoyé en mai 1492 la Sainte Lance avec laquelle le soldat romain Longin avait percé le côté du Christ sur la Croix ?

Nul ne s'étonnait plus des rapports ambigus du pape et du sultan fondés sur une sorte de respect mutuel entre adversaires. Au reste, le même respect était porté au paganisme antique qui, l'humanisme et les trouvailles archéologiques aidant, se remettait parfois, bien étrangement, à vivre. On avait trouvé à Porto d'Anzo une merveilleuse statue d'Apollon et le pape avait tout de suite accueilli le dieu païen au Vatican, dans la cour du Belvédère, sans se soucier d'honorer ainsi une de ces idoles pour lesquelles on avait persécuté les premiers chrétiens. Les découvertes étonnantes se succédaient : un jour, des maçons lombards, qui travaillaient près du cloître de Santa Maria Nova près de la via Appia, avaient trouvé, en ouvrant un sarcophage, le corps d'une jeune Romaine de quinze ans environ. Elle était si bien conservée qu'elle paraissait vivante. Une foule de curieux avait pu admirer sa peau colorée d'incarnat, ses lèvres entrouvertes montrant ses dents très blanches, ses oreilles, ses cils noirs, ses yeux foncés grands ouverts et sa belle chevelure coiffée en chignon. Le sarcophage avait été transporté au Capitole : l'affluence avait redoublé pour contempler cette extraordinaire créature qu'on disait maintenant être la fille de Cicéron. Innocent VIII, pour éviter qu'on ne proclamât qu'il s'agissait d'une sainte, avait fait enlever le corps de nuit pour l'enterrer

On laissa seulement le sarcophage de marbre dans la cour du palais des conservateurs pour attester la découverte.

Faussaires et trafiquants de la cour pontificale

Dans cette Rome papale, si prompte à s'enflammer pour les anciens restes des païens, on ne s'étonnait de rien, ni de l'immoralité des prêtres, ni des scandales survenant dans la curie. Un épisode caractéristique est noté par les chroniqueurs. Pendant la nuit du 13 septembre 1489, la police pontificale avait arrêté six personnes pour avoir produit et vendu de fausses bulles. Le rabatteur, François Maldente, était un chanoine de Forli ; le forgeur de documents, Dominique Gentile de Viterbe, un écrivain apostolique, fils d'un médecin du pape. Leur procédé était simple : ils soumettaient un acte valide à un lavage qui faisait disparaître l'encre, après quoi ils introduisaient dans le corps de la lettre le nom du « client » et le chiffre de la taxe. Ce système avait été employé de multiples fois : il avait permis à un prêtre du diocèse de Rouen de garder la femme avec laquelle il vivait maritalement ; à des religieux mendiants de s'enrichir et à des Norvégiens de dire la messe sans se servir de vin. Les faussaires avaient touché des sommes considérables, allant de 100 à 2 000 ducats. Condamnés à mort, les deux coupables avaient été pendus puis brûlés sur le Campo dei Fiori, et leurs complices frappés de lourdes peines.

Le forfait, pour exemplaire qu'il fût, n'était pas isolé. On trafiquait de tout et le pape lui-même, toujours à court d'argent, vendait et revendait les charges de sa cour. Il avait taxé ses secrétaires et en avait tiré 62 400 écus d'or. Depuis Sixte IV les courtisanes de la ville devaient acquitter une imposition annuelle de 20 000 ducats ; la prostitution, ainsi autorisée par le Vatican, était florissante et les clercs s'y adonnaient ouvertement. Sous Innocent VIII, en 1490, un vicaire pontifical avait cru bien faire en ordonnant à tous les clercs ou laïcs vivant à Rome de renvoyer leurs « concubines publiques ou secrètes » sous peine d'excommunication. Mais le pape avait désavoué cette initiative, en déclarant que le droit canon n'imposait rien de semblable. Au reste, les « courtisanes honnêtes » contribuaient à la splendeur des cours cardinalices : elles tenaient salon, et rehaussaient l'éclat des cérémonies ecclésiastiques par la splendeur de leurs parures.

Le pape était mal placé pour donner des conseils de moralité. Son fils, Francesco Cibo, dont Rodrigue Borgia avait baptisé la fille nouvellement née le 4 janvier 1490, négligeait et trompait son épouse Madeleine de Médicis avec des femmes de mauvaise vie. La nuit, on le voyait courir les quartiers mal famés en compagnie de Girolamo Tuttavilla, fils naturel du cardinal d'Estouteville. Ils forçaient les femmes, pénétraient par effraction dans les maisons, se ruinaient au jeu : en une seule nuit, Francesco avait ainsi perdu 14 000 ducats et le cardinal Balue 8 000. Les nominations des cardinaux étaient toujours entachées de simonie. Plus rien n'étonnait les Romains. Grégorovius, un historien moderne, compare les cardinaux d'alors à des sénateurs de l'Empire romain. « Ils se montraient en public, à pied ou à cheval, portant au côté une épée de prix. Chacun entretenait dans son palais un personnel de plusieurs centaines de serviteurs qui pouvait se renforcer à volonté de ces mercenaires connus sous le nom de *bravi*. En outre, ils avaient une clientèle de gens du peuple qu'ils nourrissaient à leurs frais. Presque tous avaient leur faction particulière, et ils rivalisaient entre eux de magnificence, particulièrement à l'occasion des cavalcades et des fêtes du carnaval : des chars portant des hommes masqués, des troupes de chanteurs ou des sociétés de comédiens, équipés à leurs frais, parcouraient la ville. Les cardinaux éclipsaient les anciens barons romains. »

Parmi ces princes de l'Eglise, celui qui avait le plus de panache était sans conteste Rodrigue Borgia. Jacques de Volterra le dépeint comme « un homme d'un esprit apte à toutes choses et d'une haute intelligence ; son langage est élégant, d'un bon style, bien que ses connaissances en littérature ne dépassent pas la moyenne. Il est d'un naturel retors et merveilleusement actif dans le maniement des affaires. Sa fortune est célèbre et son crédit considérable par suite de ses relations avec la plupart des rois et des princes. »

La voix prophétique de Savonarole

Les mœurs de Rodrigue ne différaient guère de celles de la majorité du Sacré Collège. Mais de telles pratiques, longtemps admises comme normales de la part des princes ecclésiastiques, commençaient cependant à paraître inadmissibles à des croyants de plus en plus nombreux. Le plus amer des censeurs se faisait alors entendre à Florence : dans ses sermons et dans ses poésies, Jérôme Savonarole dénonçait avec d'âpres paroles la corruption de l'Eglise et annonçait un terrible châtiment divin. En 1492, au cours de sa prédication de l'Avent, il révéla qu'il avait vu, au milieu du ciel, une main tenant une épée entourée d'une inscription fulgurante : *Gladius Domini super terram cito et velociter.* « Voici le glaive de Dieu qui va bientôt frapper la terre. » Des voix accompagnant la vision promettaient miséricorde aux justes et châtiment aux méchants. Elles annonçaient la venue prochaine de la colère divine. Puis, subitement, la pointe du glaive se dirigeait vers la terre, l'air s'obscurcissait, une pluie d'épées, de flèches et de feu tombait, alors que retentissaient de formidables bruits de tonnerre et que les fléaux de la guerre, de la famine et de la peste se répandaient dans le monde.

Dans d'autres parties de l'Italie, des prédictions semblables couraient de bouche en bouche. Des prophètes surgissaient un peu partout. En 1491, l'un d'eux fit son apparition à Rome. C'était un prédicateur misérablement vêtu, portant à la main une petite croix de bois, très éloquent et très instruit. Il haranguait la foule assemblée autour de lui sur les places publiques : « Romains, avant la fin de l'année vous verserez beaucoup de larmes et de grands malheurs fondront sur vous. L'an prochain, ces malheurs s'étendront sur l'Italie entière, mais en 1493 apparaîtra le Pasteur angélique, celui qui, dénué de pouvoir temporel, ne recherchera que le salut des âmes. »

Dans cette ambiance de fin du monde, Innocent VIII sentit

venir la mort à la mi-juillet 1492. Ses médecins avaient essayé tous les remèdes et même tenté d'utiliser à son profit le sang de trois jeunes garçons, payés chacun un ducat et qui étaient morts à la suite de l'expérience. Après cinq jours d'agonie, le pontife rendit l'âme, le 2 juillet, alors qu'à son chevet se déchaînaient les ambitions : la plus véhémente animait Rodrigue Borgia, décidé à mettre tout en œuvre pour couronner cette fois sa carrière par la plus haute dignité existant sur la terre, celle de Vicaire du Christ.

DEUXIÈME PARTIE

Le règne
d'Alexandre VI

CHAPITRE PREMIER

Dans la compagnie des dieux

Les favoris du conclave

Avant même la mort d'Innocent VIII, sa succession est déjà ouverte. Naples et Milan s'affrontent par l'intermédiaire de Julien della Rovere et d'Ascanio Sforza. Le roi Ferrante assure à Julien l'appui de ses condottieres, Virginio Orsini, Fabrizio et Prospero Colonna. Le roi de France, Charles VIII qui lui est favorable, met à sa disposition 200 000 ducats. La république de Gênes lui offre de son côté 100 000 ducats. Fort de ces dons, il est en mesure d'acheter les suffrages qui lui manquent, soit six voix qui s'ajoutant aux neuf dont il dispose déjà lui permettront d'atteindre la majorité des deux tiers nécessaire pour remporter l'élection.

Le parti de Milan, dont le chef est Ascanio Sforza, compte sept voix au départ. Il peut en gagner quatre autres. Mais il ne présente pas de candidat unique : parmi ceux qu'il soutient on compte le Portugais Georges Costa, le Napolitain Olivier Carafa, archevêque de Naples brouillé avec Ferrante, Ardicino della Porta, François Piccolomini, Ascanio Sforza lui-même et enfin Rodrigue Borgia. Les manœuvres électorales se déroulent en sourdine pendant que l'on célèbre de façon grandiose les funérailles pontificales. La vacance du pouvoir excite les passions. Le camerlingue Raphaël Riario et le gouverneur de Rome, l'abbé de Saint-Denis, Jean de Bilhères-Lagraulas, parviennent à rétablir l'ordre, mais on évalue à 220 le nombre des meurtres qui se produisent en une dizaine de jours. Enfin, le 6 août, tout est prêt pour accueillir au Vatican les cardinaux qui entrent en conclave. Le matin de ce jour, les électeurs et leurs conclavistes gravissent processionnellement les degrés de Saint-Pierre lorsqu'un étrange phénomène se produit : les Romains voient apparaître dans le ciel, du côté de l'Orient, trois soleils semblables. On ne manque pas d'interpréter ce rare accident de réfraction comme l'annonce d'un règne qui maîtrisera parfaitement les trois pouvoirs, temporel, spirituel et céleste du pontificat romain. Le soir, des promeneurs aperçoivent dans le haut d'une tour du palais de Julien della Rovere où nul n'a accès, seize torches qui s'allument spontanément puis s'éteignent l'une après l'autre, à l'exception d'une seule qui brûle toute la nuit. La nouvelle est habilement répandue par les partisans du cardinal de Saint-Pierre-aux-Liens. Ces signes troublent le peuple qui guette avec curiosité les indices qui peuvent filtrer du Vatican.

L'exaltation de Rodrigue Borgia

Enfermés dans la chapelle Sixtine, les princes de l'Eglise entendent le sermon d'ouverture prononcé par l'évêque espagnol Bernardino Lopez de Carvajal. C'est une pieuse invitation à faire choix du candidat le plus apte à remédier aux vices de l'Eglise, notamment au trafic des biens sacrés ; mais ces injonctions sont sans effet sur les auditeurs : les scrutins successifs — on en compte trois jusqu'au 10 août — sont précédés de marchandages éhontés par lesquels les candidats essayent de gagner des voix contre les plus alléchantes promesses. Le parti de Milan parvient à regrouper quatorze voix . une seule manque désormais pour atteindre le chiffre fatidique qui permet de remporter l'élection. Mais aucun des candidats de ce parti ne fait l'unanimité. Le mieux placé semble cependant être Rodrigue Borgia. Il se dépense pour obtenir la voix qui lui manque. Le jeune Jean de Médicis, les cardinaux Jean-Baptiste Zeno, Laurent Cibo, Carafa, Costa,

Piccolomini ne veulent pas entrer dans le marchandage. Mais le vieux Maffeo Gherardo, patriarche de Venise, qui, à quatre-vingt-quinze ans, ne jouit plus de toutes ses facultés, se laisse circonvenir. Contre une promesse substantielle, il donne sa voix à Borgia dans la nuit du 10 au 11 août 1492. A l'aube, la fenêtre du conclave s'ouvre, la croix paraît et une voix proclame l'élection de Rodrigue Borgia sous le nom d'Alexandre VI. Le nouveau pape veut rappeler le souvenir d'Alexandre III, le pape qui, au XIIe siècle, avait osé tenir tête à l'empereur Frédéric Barberousse. Mais ce nom est aussi celui d'Alexandre le Grand, fabuleux conquérant du monde antique : le nouveau pape souhaite, murmure-t-on, faire de son pontificat un règne universel. Il veut que les puissances terrestres lui soient subordonnées comme lui sont soumises les puissances célestes, en vertu du pouvoir accordé par le Christ à saint Pierre de lier et délier toutes choses sur la terre comme au ciel.

Le 12 août, à la lumière des torches, une cavalcade de huit cents Romains vient prêter hommage au nouveau souverain. Le peuple, quant à lui, a pillé et saccagé la demeure de l'élu, suivant la tradition. L'intronisation a lieu le dimanche 26 août, 1492. un mois après la mort du précédent pontife. Elle dépasse en somptuosité tout ce que l'on a vu jusqu'alors. Au milieu de la journée, Alexandre VI est couronné sur les marches de la basilique Saint-Pierre en présence des ambassadeurs des puissances italiennes, qui lui adressent les compliments les plus flatteurs. Puis s'avancent les cardinaux qui ont auparavant rendu hommage au pape dans la basilique. Chacun est accompagné de douze écuyers vêtus de tuniques d'étoffes précieuses à leurs couleurs, rose, argent, vert, blanc et noir. Coiffés de leurs mitres blanches, ils montent sur des chevaux caparaçonnés d'étoffes immaculées. Le cortège se forme pour la prise de possession du Latran. Treize compagnies d'hommes d'armes ouvrent la marche, précédant les familiers et la maison du pape, les orateurs des diverses puissances, les prélats, les évêques et enfin les cardinaux. Les seigneurs des villes et châteaux dépendant de l'Eglise, les Baglioni de Pérouse, les Varano de Camerino et d'autres encore entou-

rent le comte Antonio de La Mirandole qui porte l'étendard
du pape, pour la première fois déployé à travers Rome : on y
voit, d'un côté, sur fond d'or un bœuf passant « de gueule sur
une terrasse de sinople » et, d'autre part, trois bandes noires
sur fond d'or, le tout surmonté de la tiare et des clés de saint
Pierre. Ensuite s'avancent les prélats qui portent le Saint
Sacrement précédé d'une lanterne et escorté par le comte
Niccolo Orsini de Pitigliano, capitaine général de l'Eglise,
armé et casqué. Derrière le Sacrement chevauche le pape
monté sur une haquenée. Il est protégé du soleil par un dais
doré rayé de jaune et de rouge. Il est couronné de la tiare. Les
cardinaux Piccolomini et Riario soutiennent les extrémités de
son manteau. La foule des prélats de la curie, les ordres
religieux et les confréries ferment le cortège, évalué à plus de
dix mille personnes. Sur l'ordre du pape, on jette au peuple
des carlins d'argent et même, à certains carrefours, des ducats
d'or.

Les rues sont tendues d'étoffes chatoyantes, de soieries, de
draperies de velours. On a élevé des arcs de triomphe dont
l'un reproduit l'arc de Constantin. Des jeunes filles récitent
des vers en l'honneur d'Alexandre VI. Des compositions
figurées symbolisent la gloire du pape. Des inscriptions
chantent ses louanges en le comparant à Alexandre le Grand
et à César. Une banderole proclame superbement : « Rome
était grande sous César. Elle est maintenant plus grande
encore. César était un homme. Alexandre est un Dieu. »

Le cardinal Barbo a fait dresser l'effigie d'un bœuf,
analogue à celui des Borgia, qui jette de l'eau par la gueule et
les naseaux. Le Capitole est magnifiquement décoré, ainsi que
le château Saint-Ange dont le pourtour est occupé par des
soldats. Les canons tirent des salves d'honneur. Au sommet
de la tour centrale on a érigé un étendard de douze mètres sur
quatre décoré magnifiquement des armes du pape. Deux
autres étendards l'encadrent avec les insignes de l'Eglise et du
peuple romain.

Les juifs attendent le pontife au pied du château pour lui
présenter le livre de la Torah, placé sur un pupitre entouré de
cierges. Alexandre, conformément à la coutume, approuve

leur Loi, mais blâme leur interprétation. Il les autorise à continuer à vivre au milieu des chrétiens de Rome.

Sans cesse interrompu, le cortège met des heures pour se rendre de Saint-Pierre au Latran. Les participants sont épuisés. Au moment où le pape s'apprête à recevoir l'hommage du chapitre du Latran, il se trouve mal et tombe dans les bras du cardinal Riario. On doit lui jeter de l'eau au visage pour le faire revenir à lui, ce qui conduit Pietro Delfini, le général des Camaldules, à ajouter dans ses notes un commentaire sur la fragilité des choses humaines.

D'après Bernardino Corio, orateur de Ferrare, Alexandre subit ensuite l'épreuve « instituée, à ce que l'on disait, après le scandale de l'élection de la papesse Jeanne », la vérification de son sexe masculin, à laquelle il se prête allongé sur un siège bas. Mais le récit de cette épreuve, appliquée à un père de famille aussi prolifique qu'Alexandre VI, n'est destiné qu'à amuser le duc lorsqu'il lira la lettre de son ambassadeur. La cérémonie symbolique, dont Corio rend malignement compte, marque l'élévation du pontife par son passage du siège bas, dit *sedes stercoraria*, au trône de gloire de l'évêque de Rome.

Aussitôt après la prise de possession du Latran, des courriers sont envoyés dans toutes les directions pour annoncer l'heureux avènement d'Alexandre VI. Chacun des messagers reçoit pour ses frais de voyage 350 ducats. L'un d'eux parvient à Valence en dix-huit jours : la joie des habitants est si grande qu'ils gratifient le messager d'un vêtement écarlate et d'assez d'argent pour marier deux de ses filles. Dans ce berceau de la famille Borgia, partout ce sont de grandes réjouissances : on fait des processions, on chante le Te Deum. Chacun vient baiser les mains de la sœur du pape, doña Beatrice, femme de Jimén Perez de Arenas. La même joie éclate à Játiva. Les jurats de Valence adressent au pape une lettre en latin et en catalan pour le complimenter.

Le prix de l'élection

A Rome Alexandre s'acquitte de ses promesses. Le 31 août, dans un consistoire, on le voit, d'après le cérémoniaire Burckard, « distribuer et donner ses biens aux pauvres ». Ces « pauvres » ne sont autres que ses électeurs, déjà abondamment pourvus de biens matériels mais toujours insatiables. La manne qui est répartie entre eux est particulièrement abondante : plus de 80 000 ducats sous la forme d'évêchés, d'abbayes, de multiples bénéfices ecclésiastiques et d'un grand nombre de fiefs, villes et châteaux. L'accusation de simonie que ses ennemis dresseront contre Alexandre VI se fondera sur le fait qu'il avait formellement promis ces biens avant son élection à ceux qui voteraient pour lui. Cependant une telle pratique était entrée dans les mœurs au cours des conclaves précédents. Il paraît normal que le pontife, possédant tout, laisse à ses anciens collègues ses revenus de cardinal.

Premier servi, le cardinal Sforza, principal électeur du pape, devient vice-chancelier. Il obtient le château de Népi, l'évêché d'Erlau en Hongrie, qui rapporte 10 000 ducats, le monastère de Ripoll en Espagne, les pensions de Rodrigue sur les évêchés, monastères et églises de Séville et Cadix, les légations de Bologne, Romagne et de l'exarchat de Ravenne. On avait vu avant l'élection quatre mulets chargés de sacs d'argent se diriger du palais Borgia vers la demeure de Sforza sur la place Navone : mais, plutôt que d'un don, il s'agissait vraisemblablement d'un dépôt, fait par mesure de sécurité, le peuple ayant coutume de piller après l'élection pontificale la maison du cardinal élu.

Le cardinal Orsini reçoit les villes de Monticelli et Soriano, la légation de la Marche et l'évêché de Carthagène valant 7 000 ducats, ainsi qu'une gratification de 20 000 ducats. Le cardinal Colonna obtient l'abbaye de Subiaco avec les vingt-deux châteaux qui en dépendent et un revenu de 2 000 ducats ; le pape y ajoute une gratification de 15 000 ducats. Le cardinal Savelli a pour sa part Civita Castellana et l'évêché de Majorque valant 6 000 ducats, ainsi qu'une gratification de 30 000 ducats.

Le cardinal Pallavicini reçoit l'évêché de Pampelune vacant à la suite du transfert de César Borgia à l'archevêché de Valence. Il obtient encore un monastère bénédictin dans le diocèse de Nocera, le château de Cellano et une grosse pension.

Le cardinal Ardicino della Porta, évêque d'Aléria, se voit attribuer l'abbaye de Saint-Laurent de Rome ; le cardinal San Severino, le prieuré de la Sainte-Trinité de Modène et de nombreux bénéfices dans les diocèses de Reggio, Messine et Bourges ; le cardinal Conti, 3 000 ducats d'or et 2 200 livres d'argent ; le cardinal Michieli, l'évêché de Porto qui vaut 1 200 ducats et des bénéfices dans les diocèses de Florence, Lucques et Aqui ; le cardinal Campofregoso, la légation de la Campagne romaine, la commende de Petervorodino en Hongrie, de nombreux autres bénéfices et 4 000 ducats ; le cardinal Domenico della Rovere, le fief d'Acquapendente et des abbayes et prébendes dans les diocèses d'Amelia et Turin ; le cardinal Raphaël Riario, camerlingue, des prébendes et pensions en Espagne valant 4 000 ducats par an, ainsi que la maison de la place Navone confisquée naguère sur les héritiers de Girolamo Riario ; le cardinal Laurent Cibo, un monastère à Huesca ; enfin le vieux cardinal Gherardo, dont le vote a permis l'élection de Rodrigue, est gratifié de 6 000 ducats.

Parmi les cardinaux qui n'ont pas embrassé le parti de Rodrigue, Jean de Médicis se voit confirmer la légation du patrimoine de Saint-Pierre et reçoit le château fort de Viterbe. Alexandre espère se concilier grâce à lui les bonnes dispositions de son frère Pierre de Médicis, le maître de Florence. Les cardinaux Costa, Zeno, Piccolomini, Girolamo Basso della Rovere, Carafa, ne reçoivent, quant à eux, que de minces satisfactions : ils se tiennent ainsi à l'écart du soi-disant péché de simonie qu'on fera peser sur le conclave. Mais ils n'en sont pas indemnes. Même Julien della Rovere, contraint de se plier à l'avis de la majorité, trouve récompense : la légation d'Avignon, la forteresse d'Ostie dont il est évêque, le château de Ronciglione et divers bénéfices, dont un canonicat de Florence, lui sont confirmés ou concédés.

Dans cette immense distribution, les parents du pape ne

sont pas oubliés. César, son fils, reçoit l'archevêché de
Valence et l'abbaye cistercienne de Valdigna près Valence,
qui rapportent respectivement 18 000 et 2 000 ducats. Le
neveu du pontife, Jean (ou Juan), archevêque de Monreale en
Sicile, est nommé cardinal du titre de Sainte-Suzanne.

Portrait d'Alexandre VI

Les Romains applaudissent à ces faveurs : comme ils
constituent la clientèle des princes de l'Eglise, ils espèrent
retirer des avantages substantiels de l'enrichissement de leurs
patrons. Dans ces premiers jours du règne, les témoignages
concordent pour attester l'impression favorable que le pape
Alexandre inspire à ses nouveaux sujets. Sigismondo de Conti
se plaît à souligner la sagesse du pontife : il a atteint, note-t-il,
soixante ans, « l'âge où selon Aristote, la raison de l'homme
reçoit son plus haut développement ». Le chroniqueur le
dépeint grand et vigoureux. Il vante son regard vif. Il insiste
sur son affabilité et « sa science merveilleuse dans les questions de finance ». L'évêque Carvajal souligne la beauté du
nouveau pape. Hieronimo Porzio admire lui aussi sa haute
taille, son visage coloré, ses yeux noirs, sa bouche un peu
forte. Il signale sa santé excellente, sa résistance à la fatigue,
exceptionnelle, son éloquence, remarquable. Les portraits du
pape, les médailles et la fresque de la Résurrection peinte par
Pinturicchio dans l'appartement Borgia reproduisent fidèlement ses traits : un large front sous le crâne chauve, un nez
busqué, le regard intrépide, la bouche sensuelle et le menton
empâté traduisent son intelligence et son goût du plaisir.
L'ensemble de la physionomie reflète une bonhommie
altière : Alexandre était véritablement opportuniste et bon
vivant. Il ne s'embarrassait pas de scrupules, adoptait toujours
la conduite la plus réaliste et se contentait de peu pour son
ordinaire. L'entretien mensuel de sa maison ne coûtait que
700 ducats et ses menus habituels ne comportaient qu'un plat
garni, ce qui explique le peu d'empressement qu'Ascanio

Sforza, son ami, ou ses propres enfants mettaient à s'asseoir à sa table. Il est vrai que cette simplicité n'était plus de mise lorsque le pape recevait princes ou ambassadeurs. Le luxe alors exhibé par le pontife entretenait avec succès sa superbe réputation d'hôte à l'inégalable générosité.

De longue date, Alexandre a pris l'habitude de flatter son entourage. Lors de son avènement, il comble ses familiers de faveurs spirituelles. Les prélats domestiques — dont fait partie Burckard, qui en témoigne — reçoivent le privilège de se choisir un confesseur qui aura le pouvoir de les absoudre de tous les crimes, même les plus atroces, dont l'absolution est réservée au Saint-Père lui-même. Mais on aurait tort de voir là un signe de laxisme de la part du pape. Les criminels et délinquants du commun peuple tombent sous le coup de sanctions alourdies, comme le montre en septembre 1492 la spectaculaire punition d'un meurtrier, exécuté avec son frère sur le Campo dei Fiori. Cependant la sollicitude du pape le porte à privilégier la prévention plutôt que la répression. Il instaure quatre charges de juges de paix pour éteindre les différends avant qu'ils ne viennent en justice. Le port des armes est soumis au contrôle de la police qui vérifie si les lames ne sont pas empoisonnées. Le corps municipal des conservateurs est chargé de rendre la justice au Capitole chaque matin. Alexandre lui-même tient audience tous les mardis.

L'alliance milanaise
et le premier mariage de Lucrèce Borgia

Durant l'automne de 1492, c'est une Rome pacifiée qui voit défiler le monde entier venu prêter serment au pape Borgia. Contrairement aux réactions attendues, Sienne, Lucques, Venise, Mantoue et Florence, qui s'étaient montrées réservées pendant le conclave, rivalisent d'attentions envers le Saint-Siège. Pierre de Médicis préside la somptueuse délégation florentine. L'ambassade de Milan est luxueuse. Les pays les plus lointains envoient les témoignages de leur obéissance ·

le régent de Suède adresse à Rome des fourrures et des chevaux.

L'unanimité n'est pourtant pas complète. Si les Français et les Gênois prennent leur parti de l'échec de Julien della Rovere, leur candidat à la tiare, le roi Ferrante de Naples ne semble pas s'y résigner, ce qui inquiète Alexandre : les armées des condottieres napolitains sont toujours campées, menaçantes, non loin de la frontière des Etats pontificaux. Aussi, le pape prend-il la précaution de donner forme à l'alliance qui l'a uni au parti milanais pendant le conclave. Il choisit de nouer avec les Sforza une union de famille. Il se sert pour la fonder de sa fille Lucrèce, alors âgée de douze ans. Niccolo Cagnolo, bourgeois de Parme, a observé la jeune fille à cette époque où elle paraît sur le devant de la scène politique : « Elle est, écrit-il, de taille moyenne et mince ; elle a le visage allongé, le nez fin, les cheveux blonds, les yeux clairs d'un bleu laiteux, la bouche un peu grande, les dents très blanches, la gorge bien formée et blanche. »

Un an auparavant, Lucrèce a été fiancée d'abord à don Juan de Centelles, puis à don Gaspare d'Aversa, tous deux de noble souche aragonaise. Mais à peine devenu pape, Alexandre VI reprend sa parole. Le cardinal Ascanio Sforza propose un fiancé qui appartient à sa famille : son cousin Giovanni Sforza, fils bâtard de Costanzo Sforza, comte de Cotignola et seigneur de Pesaro, fief pontifical aux confins de la Romagne et des Marches. Le futur a vingt-six ans. Il est bien fait. Il a reçu une bonne éducation qui n'a pourtant pas adouci son tempérament violent. Il est veuf de Madeleine de Gonzague, sœur de la duchesse d'Urbin : la jeune femme est morte en couches. Vaniteux et intéressé, Giovanni est appelé à Rome. Il y arrive incognito à la mi-octobre de 1492. Don Gaspare d'Aversa, prévenu de l'arrivée de ce dangereux concurrent, vient avec son père plaider devant le pape la validité de l'accord de mariage convenu entre lui et Lucrèce : il réussit à tirer d'Alexandre un dédommagement de 3 000 ducats d'or. Après les premiers entretiens, Giovanni Sforza rentre à Pesaro en laissant à Rome un procureur, Niccolo da Saiano, docteur en droit, chargé de mettre au point des clauses de son contrat. Le futur époux de la fille du pape voit sa situation se transformer. Ses cousins de Milan lui donnent un commandement lucratif dans leur armée. Il ne reste plus qu'à préparer la cérémonie des noces. Lucrèce reçoit de son père des bijoux et des vêtements fabuleux, notamment une robe de 15 000 ducats. Pour faire bonne figure, le jeune Sforza emprunte le collier d'or du marquis de Mantoue, frère de sa défunte épouse.

Après que, le 2 février 1493, a eu lieu son mariage par procuration, Lucrèce ne sort guère de la demeure qu'elle partage avec Adrienne de Mila et Julie Farnèse : Julie est dépourvue d'homme car son mari, Orso Orsini, fils d'Adrienne, est absent de Rome pour le service du pape. Toutes trois occupent, avec leur suite de femmes et de servantes, le palais contigu du Vatican, construit en 1484 par Jean-Baptiste Zeno, cardinal de Santa Maria in Porticu. Située tout près de l'entrée du palais pontifical, cette belle maison a une chapelle privée qui donne dans la basilique Saint-Pierre : les jeunes femmes peuvent accéder sans être vues à la chapelle Sixtine et aux appartements privés du Saint-Père. Alexandre peut lui aussi leur rendre aisément visite. Le palais de Santa Maria in Porticu connaît une intense animation mondaine : on n'y entend que des propos insouciants et gais, on y côtoie de grandes dames et des ambassadeurs. Adrienne de Mila y reçoit Andrea Bocciaccio, évêque de Modène, venu apporter à Lucrèce les félicitations du duc et de la duchesse de Ferrare. En remerciement, la cousine du pape promet d'obtenir du Saint-Père le chapeau de cardinal pour Hippolyte, le second fils du duc.

Giovanni Sforza fait son entrée publique à Rome le 2 juin 1493. Ses beaux-frères, le duc Juan de Gandie et César Borgia vont au-devant de lui aux portes de la ville. La cavalcade défile devant la loggia au palais de Santa Maria in Porticu où se tient Lucrèce, somptueusement parée, la chevelure étincelante de pierreries dans le soleil. Le futur époux peut ainsi saluer, de loin, sa dame. La date des noces a été fixée, dix jours plus tard, au 12 juin. Le duc de Gandie officie comme maître des cérémonies. A lui revient l'honneur d'introduire sa sœur dans les appartements pontificaux. Il est vêtu d'un habit à la turque, semblable à celui avec lequel Pinturicchio le représente dans la fresque de sainte Catherine : une tunique blanche brodée de motifs tissés d'or, un collier de rubis et de perles, sur les épaules une étole mordorée et sur la tête un large turban orné d'un joyau. Cette mode exotique fait fureur à la cour pontificale depuis la venue à Rome du prince Zizim.

Lucrèce est conduite devant son père qui l'accueille, souriant, entouré de dix cardinaux et de nombreux évêques et notables. La jeune mariée de treize ans a une longue traîne soutenue par une jeune négresse. Cent cinquante dames l'accompagnent : au premier rang marchent Julie Farnèse et Battistina, petite-fille du pape Innocent VIII. A son tour l'époux fait son entrée en compagnie des deux fils du pape. Il rivalise en élégance avec Juan de Gandie, portant lui aussi un habit de drap d'or « en turc à la française ». L'éclat des deux seigneurs fait paraître bien terne le violet épiscopal dont est revêtu César. Le contraste qui frappe les assistants procure peut-être au jeune évêque quelques pensées amères...

Cependant, Lucrèce et Giovanni se sont agenouillés sur des coussins dorés aux pieds du Saint-Père. Ils échangent leur consentement devant le notaire Camille Beneimbene. Parmi l'assistance où se mêlent parents et amis des Borgia et des Sforza, on distingue le brun et robuste Alphonse d'Este, fils du duc de Ferrare Hercule Ier et tout jeune époux d'Anna Sforza : il ignore que le destin lui réserve d'épouser plus tard la jeune Lucrèce.

Enfin l'évêque de Concordia passe les anneaux aux doigts des époux et Nicolas Orsini de Pitigliano élève son épée de capitaine général de l'Eglise au-dessus de leurs têtes. La fête profane peut commencer.

L'assistance prend place au pied du trône pontifical dans la première salle des appartements Borgia. Un poème sur l'amour et une comédie de Plaute, *Les Ménechmes,* sont interprétés par des familiers du cardinal Colonna et des étudiants vêtus de peau de bêtes. Il s'agit là d'un divertissement nouveau, fort prisé à la cour pontificale. L'un des maîtres probables de Lucrèce, Pomponius Laetus, érudit humaniste et parent bâtard des princes San Severino, s'est fait une spécialité de la mise en scène de Plaute. Le pontife applaudit au tableau des mœurs antiques, si proches de celles de la Rome pontificale avec ses pères bernés, ses débauchés jouisseurs, ses maîtresses voraces, ses parasites et ses entremetteurs. Mais à la pièce, il préfère l'églogue écrite par Serafino Aquilino.

Après la représentation, les cadeaux sont remis aux jeunes mariés. Les frères de Lucrèce, son cousin le cardinal de Monreale, les familiers du Saint-Père, les protonotaires Cesarini et Lunati, remettent tour à tour bijoux, tissus précieux et orfèvrerie. Ludovic le More a fait apporter cinq pièces de brocart d'or et deux anneaux, l'un de diamant, l'autre de rubis ; son frère, le cardinal Ascanio, un service de table complet en argent massif. La collation offerte ensuite est fort joyeuse. Deux cents coupes et tasses d'argent contenant dragées, massepains, fruits et vins circulent parmi l'assistance. Les reliefs des pâtisseries — que Burckard évalue à plus de cent livres — sont jetés au peuple par les fenêtres donnant sur la place. D'après le chroniqueur Infessura, dont le témoignage malveillant doit être pris avec précaution, le pontife et d'éminents prélats s'amusent à bombarder les dames de dragées, de sorte que les friandises s'égarent dans les décolletés féminins. Le soir un banquet plus intime est offert aux époux dans la salle des Pontifes. Le pape y assiste avec quatre cardinaux avant d'accompagner les mariés jusqu'à leur chambre nuptiale au palais de Santa Maria in Porticu.

César et l'alliance aragonaise

Les ennemis d'Alexandre s'ingénieront à dénoncer les noces de Lucrèce comme de véritables bacchanales destinées à satisfaire les instincts les plus bas du pape et de son entourage. Ces fêtes n'avaient pourtant rien d'exceptionnel à l'époque de la Renaissance. Leur luxe se justifiait par la nécessité de donner une grande publicité à l'entente survenue entre Rome et Milan. Or cette union, en juin 1493, était en train de se révéler moins intéressante pour le pape qu'il ne l'avait estimée. Au moment du mariage de Lucrèce, un rapprochement politique s'impose pour assurer la grandeur des Borgia et singulièrement l'avenir des fils d'Alexandre : il concerne la maison d'Aragon.

Au début du pontificat, César Borgia, nommé à dix-sept ans archevêque de Valence, a l'intention d'utiliser cette insigne fonction, ainsi que l'ont fait son père et son grand-oncle, comme tremplin de sa fortune personnelle. Mais il faut pour cela qu'il serve les intérêts du roi d'Aragon, Ferdinand le Catholique : il n'y a rien là qui puisse le choquer.

Le chargé d'affaires du duc de Ferrare, Andrea Bocciaccio, évêque de Modène, le dépeint en mars 1493 comme un jeune homme fort intelligent qui a déjà choisi son mode de vie et sa ligne d'action. « L'autre jour, je fus trouver César chez lui, dans sa propre maison, dans le Trastevere ; il allait partir pour la chasse et avait revêtu un costume tout à fait mondain ; il était vêtu de soie, l'arme au côté : à peine un petit cercle dans sa chevelure rappelait-il qu'il était tonsuré. Nous cheminâmes ensemble à cheval, en nous entretenant. Parmi ceux qui l'approchaient, il me traita avec grande familiarité. C'est un personnage d'un grand esprit, très remarquable, et d'un caractère exquis ; ses façons sont celles du fils d'un potentat, il a l'humeur sereine et pleine de gaieté, il respire la joie. Il est d'une grande modestie, son attitude est de beaucoup supérieure et d'un effet bien préférable à celle de son frère le duc de Gandie, qui n'est pourtant pas non plus dénué de qualités. L'archevêque de Valence n'a jamais eu aucun goût pour la carrière ecclésiastique, mais il faut considérer que son bénéfice lui rapporte plus de seize mille ducats. »

César ne peut cacher qu'il nourrit des ambitions princières et espagnoles. Son entourage se compose de conseillers et de serviteurs, tous absolument dévoués, originaires pour la plupart d'Aragon et de Catalogne. A côté des prélats qui l'ont encadré durant ses études, il a placé d'inquiétants personnages, tel le Valencien Miguel Corella, dit Michelotto, homme de main prêt à tout faire au profit de son maître. Comme l'a noté l'évêque de Modène, César ne s'attache à sa dignité ecclésiastique que pour l'argent qu'elle lui rapporte. Sans doute ne voit-il pas de gaieté de cœur son frère Jean (ou Juan), né en 1476, donc d'un an son cadet, prendre le pas sur lui. Mais avec son esprit réaliste, il reconnaît que sa famille doit garder le duché de Gandie : il faut pour cela que Juan succède à son frère aîné, Pedro Luís, non seulement comme duc mais aussi comme mari de la princesse qui lui était destinée, Maria Enriquez, cousine de Ferdinand d'Aragon.

Alexandre et les Rois Catholiques :
le partage de l'Amérique et l'expulsion des Juifs espagnols

Le moment est des plus favorables pour réaliser cette union dynastique entre les Borgia et la maison royale d'Espagne. Avant l'exaltation d'Alexandre VI, la prise de Grenade a rendu la Chrétienté maîtresse de la dernière terre possédée par l'Islam dans la péninsule ibérique. Le cardinal Borgia avait amplement célébré cette victoire et les souverains espagnols lui en avaient su gré. L'un de ses premiers actes, comme pontife, va être cette fois de magnifier l'extraordinaire entreprise menée par l'Espagne vers les terres inconnues où, grâce à elle, va pouvoir s'implanter la religion du Christ. En mars 1493, Christophe Colomb est revenu du Nouveau Monde qu'il vient de découvrir : c'est un fleuron inattendu qu'il apporte à la couronne de Castille, et momentanément à celle d'Aragon, Ferdinand étant personnellement associé dans l'exercice du pouvoir avec son épouse Isabelle. Le 4 mai 1493, afin d'officialiser la découverte et d'éviter des revendications concurrentes, Alexandre VI publie solennellement une bulle qui délimite les territoires respectifs des Espagnols et des Portugais qui rivalisent depuis des années dans la recherche du chemin des Indes occidentales. « Dans ces terres inconnues où Christophe Colomb a abordé, écrit-il, vit, nu et végétarien, un peuple qui croit à un seul Dieu et qui ne demande qu'à être instruit dans la croyance en Jésus-Christ. Toutes ces îles et toutes ces terres, regorgeant par ailleurs d'or, d'épices et de nombreux trésors, situées à l'ouest et au sud d'une ligne allant du pôle nord au pôle sud, à cent lieues à l'ouest des îles des Açores et du Cap Vert, sont attribuées aux Rois Catholiques, à condition qu'elles n'aient pas été découvertes avant la Noël précédente par un autre prince chrétien. Cet acte est établi en vertu de l'autorité de Dieu Tout-Puissant conférée au bienheureux Pierre et au titre du Vicariat de Jésus-Christ que le pontife exerce sur la terre. » Un bref précise que cette concession est accordée pour la propagation de la foi. Un autre bref octroie à l'Espagne des privilèges semblables à ceux accordés aux Portugais pour l'Afrique. Les contrevenants s'exposent à des sanctions sévères. Si un prince, même revêtu de la dignité impériale ou royale, laisse ses sujets s'introduire sans la permission des Rois Catholiques dans la zone ainsi délimitée, soit pour commercer, soit pour tout autre motif, il tombera sous le coup de l'excommunication.

Ferdinand et Isabelle fondent ainsi, grâce au pape Borgia, leur droit sur l'Amérique. Ultérieurement, une seule modification interviendra : le déplacement de la ligne de démarcation à 270 lieues plus à l'ouest par le traité de Tordesillas (7 juin 1494).

Les Espagnols détiennent la meilleure des assurances pour l'avenir de leur conquête. Mais ils ne sont pas décidés en contrepartie, à admettre les ingérences du Saint-Siège dans les affaires intérieures de l'Espagne. Alexandre VI s'en aperçoit à l'occasion de la persécution engagée par les Rois Catholiques contre les Juifs de leurs royaumes. L'édit du 31 mars 1492 oblige les fidèles de la loi hébraïque, avoués ou cachés — les marranes — à se convertir au christianisme ou à en faire pratique. Les récalcitrants devront quitter l'Espagne dans un délai de quatre mois sans emporter or ni argent. Les mois suivants plusieurs centaines de milliers d'Israélites choisissent de partir vers l'Italie, l'Afrique ou le Portugal. Les Maures s'inquiètent et certains fuient aussi : bien que protégés par les conventions passées au moment de la reddition de Grenade, ils craignent d'être bientôt soumis aux mêmes persécutions que les Juifs.

Dans ce vaste exode, Juifs et marranes trouvent refuge à Rome qui leur offre traditionnellement accueil. Ils dressent des tentes nombreuses le long de la via Appia, vers le tombeau de Cecilia Metella, avec l'accord de la papauté dont l'aimable comportement indigne les Rois Catholiques. La reconnaissance par le pape de leur domination sur le Nouveau Monde ne les empêche pas de protester énergiquement contre son attitude trop charitable à l'égard des mécréants. Ils envoient à Rome Diego Lopez de Haro, qui, arrivé le 16 juin 1493, s'empresse, dans son audience du 19, de dénoncer cette détestable pratique du Saint-Siège. Mais ce n'est pas sa seule mission. Ses maîtres, dit-il, ont pris conscience des charges financières que représente la conversion des infidèles tant en Espagne qu'au Nouveau Monde. Aussi sollicitent-ils la licence d'imposer les biens des églises de leurs royaumes. Une telle demande n'a rien d'exceptionnel et Alexandre l'accorde volontiers. Mais il refuse de revenir sur la protection qu'il accorde aux Juifs et aux marranes : il veut maintenir les traditions libérales du Saint-Siège et les promesses qu'il a prodiguées à la communauté hébraïque de Rome lors de sa chevauchée d'intronisation.

Ferdinand et Isabelle ont trop reçu de faveurs pour se montrer ingrats envers le Saint-Siège : aussi leur ambassadeur confirme-t-il en leur nom la possession du duché de Gandie à Juan de Borgia et l'accord des souverains pour que le nouveau duc épouse la princesse Maria Enriquez.

Le nouveau duc de Gandie : Juan de Borgia

Après l'ambassade de Lopez de Haro, Juan de Borgia hâte son départ pour l'Espagne. Il quitte Rome avec une suite nombreuse. Le pape, son père, lui a adjoint l'archevêque d'Oristàno en Sardaigne, Jaime Serra, futur cardinal, comme conseiller principal ; Genis Fira, chanoine de Carthagène, comme secrétaire ; Jaime de Pertusa, comme trésorier. Tous sont des sujets du roi d'Aragon. En plus des somptueux cadeaux destinés à sa future belle-fille, Alexandre a donné à son fils d'énormes quantités d'argent en espèces et en lettres de change sur la banque Spannochi établie en Catalogne, afin qu'il puisse acheter de nouvelles terres et des fiefs près de Gandie et de Lombay.

L'arrivée de don Juan à Barcelone, le 24 août 1493, est triomphale : l'héritier de la couronne, l'infant don Juan, et toute la famille Enriquez accueillent dans l'enthousiasme le fils du Saint-Père. Mais une ombre voile bientôt ce brillant tableau. Le jeune Borgia, qui n'a encore que dix-huit ans, jette sa gourme. Plutôt que de se vouer à une vie matrimoniale régulière après la célébration de ses noces, il choisit de se livrer à des plaisirs de bas-étage. La nouvelle en parvient à Rome. César, qui vient d'être créé cardinal le 20 septembre, prend la plume pour rappeler son cadet à l'ordre : « J'ai moins de joie de ma promotion au cardinalat que de peine à apprendre, par un rapport fait au pape, votre mauvaise conduite à Barcelone : vous passez vos nuits à courir les rues, tuant les chiens et les chats, fréquentant le bordel, jouant grand jeu, plutôt que d'obéir à votre beau-père don Enriquez et à rendre l'hommage que vous devez à doña Maria. »

Ce sévère avertissement fait mouche. Don Juan quitte Barcelone et ses tentations. Il gagne Valence où il est reçu par le vice-roi. Les jurats lui rendent hommage. Il s'installe à Gandie avec la duchesse. Le couple vit largement dans son château. Les sommes remises par le pape sont vite dépensées Sur le rapport de l'archevêque d'Oristano, Alexandre ordonne que l'on renvoie à Rome un caissier accusé de malversation. Mais le couple princier continue de se comporter avec légèreté · Alexandre est forcé de rappeler à son fils qu'il doit remercier Alphonse II de Naples pour les dons qu'il lui a faits en avril 1494 de la principauté de Tricarico et des comtés de Chiaramonte et de Lauria ! Il est vrai que Juan, le temps passant, se sent plus espagnol qu'italien. Sa situation dépend de la volonté du roi Ferdinand, parfois contraire à celle du pape : le souverain, en 1494, lui interdit de revenir en Italie où Juan, à la demande de son père, devait commander 120 hommes d'armes en Romagne contre l'armée de l'envahisseur Charles VIII. Les hommes du duc de Gandie interviendront cependant mais sous le commandement de Bartomeu Serra.

Rapports orageux avec Ferrante de Naples

En la personne du duc de Gandie, un lien très étroit est désormais établi entre les Borgia et la dynastie royale d'Aragon. Il est tentant de le renforcer par un lien semblable avec la dynastie aragonaise de Naples. L'idée en effleure l'esprit calculateur du pape et de son fils César dès le début du pontificat. Mais l'alliance récente conclue avec Milan rend difficile tout rapprochement avec Naples : Ludovic le More ne cherche qu'à s'assurer l'aide de la papauté pour le cas où Ferrante entreprendrait de rétablir le pouvoir de Gian Galeazzo Sforza, duc légitime de Milan. Ludovic, oncle et tuteur du jeune duc, éclipse totalement Gian Galeazzo. Paré du titre de duc de Bari, on le voit, accompagné de sa jeune épouse Béatrice d'Este, prendre le pas en toute occasion sur son neveu et l'épouse de celui-ci, Isabelle d'Aragon, petite-fille du roi de Naples. Aussi craint-il, à juste titre, des représailles de la part de Ferrante. Dans cette perspective les Etats pontificaux formeraient une barrière indispensable pour arrêter, ou au pire ralentir, la marche vers le nord de l'armée napolitaine.

Afin de garder un cheminement pour ses soldats, Ferrante trouve un expédient. Son condottiere Virginio Orsini, capitaine général du royaume de Naples, achète à l'automne de 1492, moyennant 40 000 ducats, les fiefs pontificaux de Cerveteri et Anguillara, mis en vente par Francesco Cibo, fils du pape Innocent VIII : ces places jalonnent la route de la Toscane, alliée de Naples, et permettent de progresser vers le Milanais. Cette acquisition, faite à l'insu du pape, place Rome sous la menace napolitaine. Dès qu'il en est avisé, Alexandre exige qu'elle soit annulée. Il est d'autant plus irrité qu'il subit alors des pressions inadmissibles du roi de Naples à propos d'une affaire privée. Béatrice, fille bâtarde de Ferrante, veuve du roi de Hongrie Mathias Corvin, a épousé en secondes noces Ladislas de Bohême, nouveau roi de Hongrie. Comme cette princesse est stérile, Ladislas a introduit à Rome une demande d'annulation canonique dont Ferrante exige le rejet, mais qu'Alexandre est tout prêt à recevoir.

Ces différends donnent matière à négociation : en décembre 1492 se présente au Vatican Frédéric d'Altamura, second fils de Ferrante. Mais le prince est l'hôte de l'ennemi d'Alexandre, le cardinal Julien della Rovere, qui lui conseille la plus grande fermeté à l'égard du pape. Aussi les discussions n'aboutissent-elles à rien. Le 10 janvier 1493, le fils de Ferrante se retire à Ostie, où vient de se réfugier Julien della Rovere, après une vive altercation avec Ascanio Sforza qui lui a reproché sa collusion avec les Napolitains. De son château imprenable, construit à l'embouchure du Tibre par l'illustre architecte San Gallo, le cardinal tient Rome en respect. Menacé à l'intérieur de son territoire, bloqué du côté de la mer, Alexandre VI prend peur. Un jour alors qu'il se rend à la villa pontificale de La Magliana, non loin d'Ostie, la garnison tire une salve d'honneur, qui lui fait croire à une embuscade. Sans prendre le temps de manger il retourne immédiatement au Vatican, avec ses courtisans et prélats furieux de ce jeûne improvisé. Fébrilement il ordonne de fortifier Civitavecchia. Il décide de suivre le conseil d'Ascanio Sforza et de Ludovic le More, qui est d'entrer avec eux dans une ligue avec Venise. Aussitôt avisé, Ferrante veut empêcher la conclusion de cette alliance néfaste à ses intérêts. Il jette du lest : il envoie à Rome l'abbé Rugio avec mission de régler à l'amiable la question de Velletri et Anguillara. Il propose des gages de sa bonne volonté. Il offre d'unir une princesse de sa famille à César Borgia si son père souhaite le faire sortir de la condition ecclésiastique. Une autre princesse royale serait destinée à Gioffré, âgé de onze ans, le dernier fils du pape. Mais lorsque le négociateur arrive à Rome, les pourparlers du pape avec les puissances du nord ont déjà abouti à une alliance dont le traité est publié à Rome. Le 25 avril 1493 Sienne, Ferrare et Mantoue en font partie avec Milan et Venise. Ces puissances fourniront des troupes qui permettront à Alexandre VI de chasser Virginio Orsini de l'Etat pontifical L'affrontement entre Rome et Naples paraît inéluctable.

Le parti napolitain relance alors une vive campagne de

propagande contre le pape. On vient d'apprendre qu'Alexandre va récompenser par une promotion cardinalice ses nouveaux alliés. Julien della Rovere demande aux cardinaux qui lui sont restés fidèles de s'y opposer fermement. Ferrante lui-même dénonce le projet devant les cours étrangères, et notamment en Espagne, où son ambassadeur Antonio d'Alessandro parle haut contre le pape qui s'apprête à vendre des titres cardinalices pour se procurer l'argent d'une guerre contre Naples ! Le roi Ferrante réprouve cette conduite immorale. « Alexandre, s'écrie l'ambassadeur napolitain, mène une vie qui est l'objet de l'exécration générale. Il n'a aucune considération pour le siège qu'il occupe. Il ne se soucie que du profit de ses enfants et emploie à leur bénéfice tous les moyens, bons ou mauvais. Il prépare des hostilités contre le royaume de Naples. Rome regorge de soldats : ils y sont plus nombreux que les prêtres. Ceux qui conseillent le pape — les Sforza — n'ont d'autre but que de tyranniser la papauté pour en faire leur instrument docile après la mort du titulaire actuel. Rome deviendra alors un camp retranché à l'usage des Milanais. »

La menace de l'invasion française

C'est dans cet inquiétant climat de tension que se déroulent les fêtes des noces de Lucrèce avec Giovanni Sforza, le 12 juin, et que, le 19, se présente à l'audience du pape, Diego Lopez de Haro, ambassadeur de Ferdinand d'Aragon et d'Isabelle de Castille. En possession de tous les griefs de la cour de Naples, l'Espagnol exprime certes des regrets à propos de l'attitude hostile de Rome envers Ferrante, cousin de son roi, mais il est venu pour traiter d'autres questions qui sont beaucoup plus importantes pour ses maîtres et il se borne à de simples protestations : le roi de Naples ne peut espérer l'aide des souverains espagnols. Or sa situation se dégrade de plus en plus sur le plan international. Des nouvelles inquiétantes arrivent de France. Le roi Charles VIII vient de lever une armée considérable pour marcher sur Naples. Il a préparé son expédition sur les conseils des barons napolitains fugitifs. Il prétend qu'il veut récupérer son héritage légitime pour s'en servir comme base d'une future croisade. Pour mettre la France à l'abri des menaces extérieures pendant son absence, il a fait la paix avec tous ses voisins : à Etaples, avec Henri VII d'Angleterre en octobre 1492, à Barcelone avec Ferdinand et Isabelle en janvier 1493, à Senlis avec Maximilien d'Autriche en mai 1493. Il compte obtenir du pape, comme suzerain, l'héritage de l'ancienne dynastie angevine dans le royaume de Naples. Il attend de lui la reconnaissance de ses droits et son investiture. Pareil danger ne permet plus de tergiverser. Ferrante décide de se réconcilier à tout prix avec le pape Borgia.

A la fin de juin 1493, Frédéric d'Altamura vient de nouveau à Rome avec la mission d'arranger le différend concernant Virginio Orsini et d'exiger que le pape se détache de la ligue lombardo-vénitienne. Il fait jouer la menace des cardinaux de l'opposition et celle de son frère aîné Alphonse de Calabre qui peut envahir l'Etat pontifical avec ses troupes massées sur la frontière. Mais lorsqu'il apprend la mission en Italie de Perron de Baschi, envoyé par le roi de France pour annoncer sa marche sur Naples, Frédéric abandonne son attitude intransigeante. Le contentieux est réglé en un instant. Le pape se satisfait des assurances de non-belligérance que lui donne Virginio Orsini. Il l'investira de Cerveteri et Anguillara contre le versement de 35 000 ducats. Gioffré Borgia, qui a douze ans, épousera Sancia d'Aragon, âgée de seize ans, fille naturelle d'Alphonse de Calabre. Il recevra la principauté de Squillace et le comté de Cariati. Cet arrangement, qui apportera à la famille Borgia une nouvelle parenté royale, rendra l'accord ferme et définitif. Mais comme Gioffré est encore trop jeune pour convoler, on attendra Noël pour publier son mariage. On prévoit en clause annexe que Julien della Rovere se réconciliera avec Alexandre VI.

Le 24 juillet, à l'étonnement général, tant les tractations ont été secrètes, Virginio Orsini et le cardinal Julien entrent à Rome et sont invités à la table du pape. Frédéric d'Altamura annonce officiellement le 1er août au roi Ferrante, son père, que le pape a signé les articles convenus. Cet accord avec la cour de Naples coïncide avec le départ du duc de Gandie vers l'Espagne où il rejoint l'autre cour d'Aragon. On assiste ainsi à un retournement complet des alliances de la papauté : Alexandre, de volonté délibérée, abandonne le camp de Ludovic Sforza et de Charles VIII. Aussi, lorsque, peu de jours après, arrive à Rome l'ambassadeur français itinérant, Perron de Baschi, Alexandre répond-il en termes dilatoires à sa demande d'investiture de Naples en faveur de Charles VIII. Le Français repart le 9 août sans avoir rien obtenu.

Ferrante jubile. Il est persuadé que le refus d'investiture empêchera l'invasion redoutée. Les gestes abondent qui montrent le ralliement du pape à sa cause. Le jour même du départ de Baschi a lieu l'échange, par procuration, des promesses de mariage entre Gioffré Borgia et Sancia d'Aragon. Le 17 août sont levées les censures prononcées contre Virginio Orsini. Le 21, Alexandre, qui n'a pas rompu avec Ludovic le More, lui communique les termes du compromis qu'il a consenti au sujet de Cerveteri et d'Anguillara. Le résultat de ces tractations est remarquable : le pape se trouve réconcilié avec tous ses ennemis. Une relation envoyée de Rome à Milan le 13 août entonne son éloge.

« Beaucoup pensent que le pape a perdu l'esprit depuis son élévation. Il semble qu'il en a encore plus, au contraire. Il a su faire une ligue qui a arraché des soupirs au roi de Naples. Il a su marier sa fille dans la maison Sforza avec un seigneur qui possède, en dehors de la pension que lui fait le duc de Milan, un revenu annuel de 12 000 ducats. Il a su obtenir de Virginio Orsini 35 000 ducats et l'a obligé à faire ce qu'il voulait. Il a utilisé la menace de la ligue pour mener le roi de Naples à s'apparenter avec lui et à donner un Etat et une belle condition à son fils. Ce ne sont pas là des actes d'un homme sans cervelle : il peut maintenant jouir de la papauté dans la paix et le calme. »

Ces arrangements nuisent à la fortune romaine des Sforza. On en voit le signe dans le fait que le cardinal Ascanio est contraint de quitter le Vatican où le pape lui avait offert un logement.

Une habile promotion cardinalice

La création de nouveaux cardinaux, le 20 septembre 1493, montre qu'Alexandre tient la balance égale entre Milan et Naples. Aucun sujet du roi Ferrante ne figure parmi les douze nouveaux promus. Le fils du pape, César Borgia, reçoit le titre de cardinal-diacre de Santa Maria Nuova, Alexandre Farnèse, trésorier général du Saint-Siège devient cardinal-diacre des Saints-Côme-et-Damien. Comme il doit son élévation à l'affection qui lie le pape à sa sœur, la belle Julie Farnèse, on le surnomme « cardinal du jupon » ou encore, par un jeu de mots scabreux qui fait allusion à l'acte érotique, « cardinal *fregnese* ». Giuliano Cesarini, autre nouveau *purpurato*, est membre d'une grande famille romaine alliée à Alexandre VI par sa fille Jeronima. La plupart des autres nominations ont pour but de satisfaire les grandes puissances. Pour Milan le pape nomme Bernardino Lunati ; pour Venise, Domenico Grimani ; pour Ferrare, Hippolyte d'Este qui, à quinze ans, a le physique et le comportement d'un jeune athlète plus que celui d'un prélat. Jean Morton, archevêque de Cantorbéry, représente l'Angleterre. La nomination de Raymond Péraud, un Français qui réside auprès de Maximilien d'Autriche, a pour but de satisfaire l'Allemagne ; celle de Jean de Bilhères-Lagraulas, abbé de Saint-Denis, la France ; celle de Bernardino Lopez de Carvajal, l'Espagne ; celle de Frédéric Casimir Jagellon, archevêque de Cracovie, la Hongrie et la Pologne. Seule exception, la nomination de Gian Antonio di San Giorgio, évêque d'Alexandrie, récompense ses qualités personnelles de jurisconsulte éminent et de prêtre irréprochable.

Cette promotion cardinalice, savamment dosée, clot magistralement la première année du règne. Elle ruine les efforts des ennemis du pape auprès des grandes puissances pour que soit annulée l'élection d'Alexandre VI. Désormais chacun de ces Etats est, par la volonté du pontife, présent dans le Sacré Collège. Il ne reste plus aux cardinaux hostiles, Julien della Rovere, Carafa, Costa, Fregoso, Conti et Piccolomini, qu'à se

tenir sur la défensive loin de Rome. Ils ne peuvent plus
compter sur le roi Ferrante à la suite de l'accord survenu entre
Naples et Rome. D'ailleurs le souverain napolitain étant mort
le 25 janvier 1494, son fils Alphonse de Calabre, père de
Sancia, la princesse destinée au fils du pape, monte sur le
trône de Naples. Il est aussitôt reconnu par Alexandre comme
roi légitime, à l'indignation de Charles VIII de France. Julien
della Rovere ne craint pas alors de changer de bord : comme
l'Aragonais de Naples et le pape Borgia sont devenus amis, il
se rallie au souverain français.

Ferrante

Projets de croisade
Le prince Djem dans la familiarité du Vatican

Alexandre s'inquiète des informations venues de France qui
décrivent une prodigieuse concentration de troupes. Pour
amadouer Charles VIII, il le flatte en approuvant son dessein
de croisade : il lui désigne comme objectif la Croatie où
viennent d'entrer les Ottomans et lui envoie, le 9 mars 1494,
une rose d'or bénite. Il lui rappelle que lui-même songe sans
cesse à la guerre sainte. Le Vatican héberge dans ce but le
prince Djem (dit aussi Zizim), frère du sultan Bajazet II,
depuis que le pape Innocent VIII a obtenu du grand maître de
l'ordre de Rhodes la remise de cet otage. Contre l'assurance
que son frère ne serait pas libéré, le sultan verse à la papauté
une pension annuelle de 40 000 ducats. Il veut éviter de voir
les chrétiens envahir son empire sous prétexte de rétablir
l'héritier légitime du sultanat. Mais, si la croisade est décidée,
rien n'empêchera, fait-on remarquer à Rome, de mettre en
œuvre ce projet.

Pourtant le comportement d'Alexandre et de ses enfants à
l'égard du prince turc fait quelque peu douter de leur
détermination de guerre sainte. Au début du pontificat, une
cavalcade vers Saint-Jean-de-Latran, le 5 mai 1493, montre
aux Romains, chevauchant en avant de la croix, Djem et Juan
de Gandie, l'un et l'autre habillés à la turque. Dans la
basilique tous les deux se promènent en examinant les

monuments et les tombeaux pendant que le pape inspecte la toiture. Plus tard, le 10 juin, un ambassadeur de Bajazet II vient à Rome payer la pension de Djem : d'ordre du pape, les prélats et les ambassadeurs vont l'attendre à la Porte du Peuple et le conduire à sa demeure. Le comte de Pitigliano, capitaine de l'Eglise, et Rodrigue Borgia, capitaine du palais, lui font escorte avec leurs hommes d'armes. Le 12 juin, l'ambassadeur est introduit devant le pape dans un consistoire secret. Burckard décrit la cérémonie : l'interprète, Giogio Buzardo, traduit les paroles affables du Turc et le bénéficier Démétrius lit les lettres de Bajazet, écrites en grec, et en donne une traduction latine. On apprend que le sultan se réjouit grandement de l'élévation d'Alexandre VI au trône pontifical et lui envoie de nombreux cadeaux, spécialement des tissus précieux, brocart, velours, taffetas de diverses couleurs. Ces bonnes relations avec l'empire turc sont connues en France. Mais fort de l'encouragement que lui donne le pape par l'envoi de la rose d'or, Charles VIII se pose auprès de lui en candidat à la direction de la croisade. Parmi les princes chrétiens, après la mort du roi de Hongrie Mathias Corvin, il s'estime, plus encore que Maximilien d'Autriche, apte à prendre la tête des princes chrétiens contre le Turc, et c'est une des raisons pour lesquelles il persiste dans son dessein de mener de front la croisade et la revendication du trône de Naples, car celui-ci est uni au trône de Jérusalem depuis le XIIIe siècle.

L'alliance d'Alexandre VI et d'Alphonse II de Naples
Mariage de Gioffré Borgia et de Sancia d'Aragon

Rome n'est pas disposée à favoriser le souverain français. Le 14 mars 1494, une ambassade napolitaine, vient prêter au pape serment d'obédience au nom du nouveau roi Alphonse II. La délégation, par sa composition, veut démontrer que les grands du royaume s'accordent sur la légitimité de la lignée aragonaise : on y voit l'archevêque de Naples, Alexandre Carafa, le marquis de Gerace, le comte de Potenza et le noble

Antonio d'Alessandro. La cérémonie a lieu le 20 et deux jours plus tard, le pape fait donner lecture en consistoire d'une déclaration en faveur de la maison d'Aragon : il confirme l'investiture qu'Innocent VIII avait donnée naguère à Alphonse lorsqu'il était duc de Calabre. Le 18 avril, le cardinal de Monreale, Jean Borgia est nommé légat pour se rendre à Naples afin de couronner Alphonse. La colère est grande à la cour de France lorsqu'on apprend qu'Alphonse a été effectivement couronné par le légat, le 2 mai 1494.

Le mariage de Gioffré et Sancia, plus encore que le couronnement, rend manifeste l'union de la papauté et de la royauté aragonaise de Naples. Après l'échange des consentements nuptiaux, le 7 mai 1494, a eu lieu la remise des cadeaux pontificaux à la princesse aragonaise : colliers de perles, joyaux, rubis, diamants, turquoises, pièces de brocart d'or, de soie et de velours. Le roi Alphonse a ensuite remis ses dons aux fils du pape. Gioffré a reçu la principauté de Squillace et le comté de Cariati. Son frère, le duc de Gandie, a été proclamé prince de Tricarico, comte de Chiaramonte et de Lauria. Enfin le mariage religieux a été célébré, le 11 mai, dans la chapelle du Château-Neuf par l'évêque de Gravina.

Le cérémoniaire Burckard assiste à l'ensemble des cérémonies et peut témoigner qu'aucun vice de forme ne s'y est glissé : « Après le repas, l'épouse fut conduite par le légat et le roi son père à son palais. L'époux et les autres personnes de l'assistance la précédaient. Les mariés entrèrent dans la chambre où le lit était préparé. Les filles d'honneur et les femmes de service déshabillèrent les nouveaux époux et les placèrent dans le lit, l'époux à la droite de l'épouse. Quand, mis à nu, ils furent couchés sous le drap et la couverture, le légat et le roi entrèrent. En leur présence, les nouveaux époux furent découverts par les filles d'honneur jusqu'au nombril ou à peu près. Et l'époux embrassa l'épouse sans vergogne. Le légat et le roi restèrent là et parlèrent entre eux pendant une demi-heure environ. Ce temps passé, ils laissèrent les nouveaux époux et s'éloignèrent. »

Sancia avait déjà été fiancée sept ans auparavant à un noble napolitain, Onorato Gaetani, et l'engagement avait été annulé en septembre 1493. D'un tempérament ardent, comme elle le montrera plus tard, cette jeune fille de seize ans ne pouvait que considérer avec dédain le simulacre de consommation nuptiale. Mais la constatation en avait été faite suivant les règles, ce qui rendait indissoluble son mariage. Ainsi avait été réalisée à la perfection la fusion de la maison des Borgia avec les deux branches, hispanique et napolitaine, de la dynastie royale d'Aragon.

Le ménage de Lucrèce et Giovanni Sforza

Restait le problème de la gênante alliance milanaise, scellée un peu vite par le mariage de Lucrèce avec Giovanni Sforza. De jour en jour le gendre du pape s'inquiétait davantage des intrigues vaticanes. Sous prétexte de fuir la peste qui sévissait à Rome, il s'était rendu dans son fief de Pesaro, où il avait passé l'été et l'automne de 1493. Il n'était revenu qu'en novembre, alléché par la promesse du versement de la dot de Lucrèce — 30 000 ducats —, mais il ne séjournait pas de gaieté de cœur dans la Ville éternelle. Il osa se plaindre à Alexandre, en avril 1494, de l'union qui venait d'être conclue avec Naples : « Moi qui suis au service de Votre Sainteté, je me verrai contraint de servir le Napolitain contre le Milanais... Je supplie Votre Sainteté de ne pas me forcer à devenir l'ennemi de mon propre sang et à rompre les devoirs auxquels je suis astreint à la fois envers Votre Sainteté et l'Etat milanais. » A cette prière le pape avait répondu : « Vous vous occupez trop de mes affaires. Restez donc à la solde de tous les deux ! » Giovanni s'était cru obligé d'avertir son oncle Ludovic le More de cette inquiétante réponse.

Alexandre ne tenait pas à éloigner de Rome son gendre et sa fille. Il s'était habitué à la présence tranquille de Lucrèce à deux pas du Vatican, dans le palais de Santa Maria in Porticu qu'elle partageait avec les dames qu'aimait le Saint-Père, sa cousine, Adrienne de Mila, et surtout sa maîtresse, Julie Farnèse. Il avait éloigné le mari de Julie, Orso Orsini, fils d'Adrienne, en l'envoyant dans son fief de Bassanello lever des troupes destinées à rejoindre l'armée napolitaine. Julie venait de donner naissance dans l'hiver de 1493 à une petite fille, Laura, dont la rumeur attribuait la paternité au pape.

L'atmosphère intime et fort chaleureuse du palais se reflète dans une lettre d'un proche parent de Julie, venu en visite à Rome, Lorenzo Pucci. Le prélat florentin est introduit auprès des dames le 24 décembre 1493. Il les trouve assises auprès du feu, occupées à leur toilette. Fraîche et gracieuse, Lucrèce est dans la beauté piquante de ses quatorze ans. Vêtue d'une robe feutrée à la mode napolitaine, elle se lève pour aller se changer. Quand elle revient, elle porte une longue robe de satin de couleur violette. Pendant ce temps, Julie montre au prélat sa petite Laura qui vient de naître : « Oh, s'écrie Lorenzo, c'est le vivant portrait du pape : l'enfant est bien de lui ! » Le prélat note que Julie a pris un peu d'embonpoint, ce qui lui sied à ravir. Elle s'est lavé les cheveux qu'une servante sèche et peigne : ils descendent jusqu'à ses pieds en une nappe ondoyante. « Jamais je n'ai rien vu de pareil », note le Florentin. La chambrière, ayant achevé de coiffer Julie, pose sur sa tête un léger voile de linon blanc et, par-dessus, une résille de fils d'or aussi légère qu'un nuage et qui brille comme le soleil.

La transformation du Vatican
Pinturicchio et les appartements Borgia

Le palais de Santa Maria in Porticu, demeure privée, offre le cadre parfait d'une vie de famille. Mais Alexandre lui préfère la résidence officielle de la papauté, le Vatican tout proche auquel il s'attache à donner un aspect grandiose et royal. Dès le début de son règne il a fait aménager un nouvel appartement pontifical. On y entre par une antichambre située au premier étage du vieux palais de Nicolas III. Trois salles de réception occupent l'aile nord du palais de Nicolas V, entre la cour du Perroquet et l'actuelle cour du Belvédère. Deux pièces leur font suite dans une construction massive, la tour Borgia, que le pape a fait construire à l'angle nord-est de la muraille d'enceinte face à la chapelle Sixtine, de l'autre côté d'une cour étroite. Des cabinets et des couloirs se branchent sur ces pièces principales et permettent d'accéder aux chambres à coucher et aux services, situés aux étages. Le rez-de-chaussée, abrite depuis Sixte IV, la bibliothèque et les archives. Des fenêtres de l'appartement, on aperçoit au nord une colline plantée de jardins et de vignes : Innocent VIII y a construit le Belvédère, élégante loggia flanquée de pièces de repos et d'une chapelle, d'où l'on découvre un panorama immense sur Rome et la campagne jusqu'au mont Soracte. Le Belvédère a été décoré par un peintre de Pérouse, venu travailler à la Sixtine : Bernardino di Betti, dit le Pinturicchio, artiste doté d'une vive imagination. Alexandre l'apprécie et décide de lui confier la décoration de son appartement.

Pendant deux ans, à partir de novembre 1492, Pinturicchio et son équipe travaillent en suivant un programme précis qui illustre, grâce au langage allégorique, croyances, ambitions et espérances des Borgia. La vaste antichambre de deux cent seize mètres carrés, éclairée par deux baies donnant sur la cour du Belvédère, porte le nom de « salle des Pontifes ». Elle exalte la primauté du siège romain en évoquant dix papes fameux. On voit parmi eux Etienne II, honoré par Pépin le Bref, roi des Francs ; Léon III, qui couronna Charlemagne ; Urbain II, premier prédicateur de la croisade ; Grégoire XI, restaurateur de la papauté romaine, et Nicolas III, fondateur du palais du Vatican. Il ne reste rien, malheureusement, du décor composé par Pinturicchio pour le plafond, celui-ci s'étant effondré en 1500 pendant un orage.

De cette antichambre, une étroite porte de marbre, surmontée d'un blason orné des clés de saint Pierre et des armes de Nicolas V, donne accès à trois salles de réception en enfilade éclairées chacune par une fenêtre donnant sur la cour du Belvédère. Les murailles ne sont pas parallèles et le pavement de majolique est à des hauteurs différentes : en passant d'une pièce dans l'autre il faut à chaque fois descendre une marche. Mais on oublie ces irrégularités en admirant les salles, chacune d'une superficie d'environ quatre-vingt-huit mètres carrés. ·L'appartement se trouve sous les chambres d'Héliodore, de la Signature et de l'Incendie du Borgo situées à l'étage supérieur, où Jules II, successeur d'Alexandre VI, transférera l'appartement pontifical par haine de son prédécesseur.

Le visiteur éprouve un vif plaisir lorsqu'il découvre la première des salles. La délicieuse harmonie des stucs dorés sur fond bleu fait ressortir la magnificence des peintures murales. Des arabesques dorées se profilent sur un fond vert pâle encadrant des scènes du Nouveau Testament qui représentent des mystères joyeux : c'est la « salle des Mystères de la Foi ». Six épisodes se succèdent sur les parois : l'Annonciation, la Nativité, l'Adoration des Mages, la Résurrection, l'Assomption et la Pentecôte.

Dans la scène de la Résurrection, Alexandre VI est représenté devant le tombeau du Christ, d'où le Sauveur s'élève au Ciel. Enveloppé de sa chape de cérémonie constellée de joyaux, le pape s'est mis à genoux et a déposé sa tiare d'orfèvrerie à terre. Il reçoit la bénédiction du Christ ressuscité. Le calme du pontife et sa majesté contrastent avec l'agitation ou la torpeur des soldats qui entourent le tombeau. Le peintre, en bon observateur, ne laisse rien ignorer de la sensualité du pontife, qui transparaît dans ses traits. Mais le message qu'a voulu exprimer Alexandre est magistralement traduit : le pape apparaît comme le Vicaire du Christ. Par le lien direct qui l'unit au Dieu vivant, lui seul est en droit de transmettre aux hommes les volontés du Ciel.

Dans la même salle, Alexandre honore discrètement la mémoire de son oncle Calliste III. Un personnage en robe rouge, agenouillé dans la peinture de l'Assomption, représente le bâtard de Calliste, François Borgia, simple camérier lorsqu'Alexandre devient pape, mais qui ne va pas tarder à être honoré de la pourpre. Et, partout la famille Borgia est présente dans les emblèmes qui, au-dessus des figures des prophètes, décorent le plafond : le taureau alterne avec une couronne dardant vers le sol trois ou cinq dards acérés.

La pièce suivante est décorée de scènes de la vie des Saints Au-dessus d'une corniche de marbre sculptée de taureaux, six fresques occupent les lunettes dessinées par la voûte. Sur la

paroi du fond, sainte Catherine d'Alexandrie mise au défi par
l'empereur Maxence (ou Maximien) de réfuter les croyances
païennes, est confrontée à cinquante contradicteurs. Lucrèce
a prêté ses traits à la sainte : son visage juvénile, sa minceur,
ses cheveux dorés correspondent aux descriptions que nous
avons d'elle au moment de ses noces avec Giovanni Sforza.
L'empereur, assis sur un trône surmonté d'un dais doré, est
communément identifié comme étant César Borgia. Le seigneur, vêtu à la turque, debout à la gauche du trône, est
vraisemblablement le prince Djem : sa tunique est ornée des
fleurs stylisées que l'on retrouve souvent parmi les symboles
ottomans. L'autre seigneur, debout à droite, drapé dans un
manteau rose et coiffé d'un bonnet rouge serait André
Paléologue, fils de Thomas, despote de Morée, descendant
des anciens empereurs d'Orient. Le duc Jean de Gandie serait
le cavalier vêtu à l'orientale qui survient avec ses chiens sur la
droite de la fresque : il aimait s'habiller à la manière turque,
en copiant le prince Djem. Pinturicchio s'est représenté lui-
même en compagnie de l'architecte des appartements pontificaux, derrière le despote de Morée.

L'ordonnance de ce « tableau de famille » est agréable et
sereine : on est loin de la « dispute » de sainte Catherine, âpre
et passionnée, rapportée dans la *Légende dorée* de Jacques de
Voragine. La composition reflète plutôt l'une de ces brillantes
réceptions auxquelles se complaisent Alexandre et ses
enfants. L'ambiance est celle d'une fête bucolique devant un
arc de triomphe, semblable à celui de Constantin, érigé à la
gloire du pape comme le montrent le taureau Borgia et
l'inscription : « A celui qui instaure la paix » — *Pacis cultori.*

Les scènes suivantes sont également empreintes de naturel
et de vie. La visite de saint Antoine, abbé, à saint Paul,
ermite, se déroule dans un désert aux allures de paradis fleuri.
La « visitation de Marie par sainte Elisabeth » sert de prétexte
pour montrer des enfants qui jouent et des jeunes filles filant
et cousant. Le martyre de sainte Barbe offre, dans l'effigie de
la sainte, représentée les cheveux d'or dénoués, la panique
dans les yeux, l'un des plus exquis portraits de femme qu'ait
créés Pinturicchio et qui fixe peut-être les traits d'une des

dames de l'entourage pontifical. L'épisode de « Suzanne et les vieillards » prend place dans un beau jardin verdoyant, entouré d'une haie de roses et peuplé de nombreux animaux, cerfs, biches, lapins, et même d'un singe retenu par une chaîne d'or. Au centre, une superbe fontaine sculptée, de plan hexagonal, présente deux vasques superposées, la plus basse décorée de deux génies en stuc, la plus haute surmontée d'un *putto.* Enfin le martyre de saint Sébastien, avec ses archers, soldats et cavaliers s'avançant dans un paysage où l'on distingue le Mont Palatin et le Colisée, rappelle que la ville sainte a été dotée par le pape Borgia des moyens de se défendre contre toute agression.

Un cadre rond en stuc, ou *tondo,* surmonte la porte par laquelle on entre dans cette pièce : la Vierge entourée de six séraphins y apprend à lire à l'Enfant Jésus dans un volume qu'elle lui présente de la main droite. Certains critiques voient dans cette œuvre la réplique d'un tableau que le cardinal Rodrigue avait fait exécuter pour la collégiale de Játiva, afin de remercier la Vierge pour la protection particulière qu'elle lui avait accordée dans son enfance espagnole. D'autres identifient cette œuvre comme étant la fresque dont parle Vasari dans sa *Vie des peintres célèbres* : « Dans le palais, Pinturicchio peignit, au-dessus de la porte d'une salle, Julie Farnèse sous les traits de Notre-Dame. » Mais Vasari ajoute qu'on voyait dans le même tableau « la tête du pape Alexandre VI qui l'adore ». Or ce détail manque dans le *tondo* qui nous est parvenu.

Autant l'interprétation de ces fresques est aisée, autant est compliquée celle des scènes du plafond qui s'adressent à des initiés. Elles racontent l'histoire d'Isis et Osiris et révèlent le goût d'Alexandre VI pour l'ésotérisme : en choisissant ce thème, le chef de l'Eglise proclame que les mythes antiques préfigurent les dogmes chrétiens. Mais il exalte du même coup son orgueil dynastique. Osiris, le frère et époux d'Isis, ayant été métamorphosé après sa mort en animal sacré — le bœuf Apis —, le rappel de cette légende permet de faire figurer à la place d'honneur l'animal emblème des Borgia. Une sorte de lien généalogique, ou plutôt une relation de type totémique, s'établit entre le pape et l'ancien dieu égyptien : c'est l'explication avancée par un ouvrage récent sur le Vatican. Mais, à l'époque d'Alexandre VI, si les humanistes pouvaient comprendre cette allusion, la plupart des fidèles étaient choqués par la représentation des anciennes idoles dans le lieu où résidait le chef suprême de la Chrétienté.

Le prélude de l'aventure d'Isis occupe les cinq cadres octogonaux de la grande arcade de la pièce. Io, changée en vache, est placée sous la garde d'Argus au corps constellé d'yeux. Le roi des dieux, amoureux d'Io, envoie Mercure qui, jouant du chalumeau, endort la méfiance du gardien. Mercure tue Argus et amène à Zeus la vache Io. Zeus confie la vache à la garde d'Héra, puis la conduit en Egypte où, redevenue une belle jeune femme, elle est proclamée reine sous le nom d'Isis.

L'histoire se poursuit dans des médaillons peints sur la voûte. Isis épouse son frère, le roi Osiris, fils aîné du Ciel et de la Terre, qui enseigne aux hommes à labourer, à planter la vigne et les arbres fruitiers. Mais cette œuvre bénéfique éveille la jalousie de Set (ou Typhon), son frère, dieu de l'abîme et du feu ; il met à mort Osiris et dépèce son cadavre. Isis, emplie de douleur, rassemble les fragments épars du corps de son époux qu'elle reconstitue : Osiris revit un instant et conçoit avec Isis un fils, Horus, qui lui succédera sur le trône d'Egypte lorsqu'il regagnera le royaume d'au-delà la mort pour y vivre éternellement, sous la figure du bœuf Apis, adoré par les générations des générations.

A la demande du pape Alexandre, l'humaniste Pomponius Laetus écrivit un commentaire sur ces fresques afin de dissiper toute ambiguïté et de montrer que l'histoire représentait le mystère de la mort et de la résurrection. L'être humain, échappant aux embûches du démon — le méchant Typhon — pouvait, comme Osiris, renaître pour l'éternité. Osiris, Isis et Horus préfiguraient la Trinité chrétienne, à cette différence près que l'une de ces personnes, Isis, était femme, une femme à la fois respectueuse de la religion et passionnée, comme les aimait le pape Alexandre.

Avec la pièce suivante le décor change du tout au tout · c'est un vaste cabinet de travail que l'on a décidé d'agrémenter de fresques qui représentent les arts libéraux et les sciences. Des jeunes femmes trônent sur des sièges de marbre, entourées des principaux savants de chaque discipline. Elles incarnent la grammaire, la rhétorique et la dialectique (arts du premier cycle de l'enseignement, ou *trivium*), puis la musique, l'astronomie, la géométrie et l'arithmétique (arts du second cycle ou *quadrivium*). En s'attardant devant ces figures, on découvre le portrait de quelques familiers du pape. Ainsi la fresque de la Rhétorique, signée par Pinturicchio, montre un camérier secret chargé de garder la petite porte qui, de cette « salle des Arts libéraux », conduisait aux chambres de repos du Saint-Père. La voûte porte des allégories de la Justice, accompagnées de scènes bibliques tirées de l'histoire de Loth et de Jacob. On y trouve aussi les symboles des Borgia, le bœuf et la couronne dardant cinq lames vers le sol.

De cette salle de travail on pénètre dans la tour Borgia, construite en 1494. La salle du Credo, vaste de quatre-vingt-quinze mètres carrés, sert aux réceptions. Elle est éclairée par trois fenêtres. Son décor présente en alternance un apôtre et un prophète dans douze compositions : chaque apôtre tient à la main un verset du Credo, conformément à la légende selon laquelle le texte des croyances chrétiennes avait été composé par les apôtres avant leur départ de Jérusalem. Enfin la « salle des Sibylles », moins vaste (un peu moins de soixante mètres carrés) présente douze sibylles accompagnées chacune d'un prophète. La voûte rappelle le mythe d'Osiris et les figures des dieux païens. Ce décor veut encore une fois prouver la parfaite continuité des révélations successives prodiguées par Dieu, de l'antiquité païenne à l'époque chrétienne.

Fermées après le règne de Jules II, les chambres de l'appartement Borgia, remises en état et réouvertes au public en 1897 par Léon XIII, sont l'une des plus belles réussites de la Renaissance romaine. L'historien britannique Evelyn Marc Phillips, en les découvrant avec admiration lors de leur réouverture, a traduit à merveille l'impression très forte qu'aujourd'hui encore l'on retire de leur visite : « Il n'est peut-être pas à Rome un autre endroit où l'on se sente plus intimement transporté au cœur même de la vie de la Renaissance que dans ces appartements. Dans la journée, alors que, dans cette longue suite de chambres, le silence n'est rompu que par le bruit de l'eau qui tombe de la fontaine située au milieu de la cour, l'existence des gens qui ont vécu ici se présente à votre esprit. C'est ici que la lumière a joué dans la chevelure blonde de Lucrèce, que le fameux pontife a promené ses robes de brocart, et que César Borgia a montré ses armures dorées... »

La remarquable entreprise de décoration, si rapidement conduite, avait été réalisée en présence du pape et de sa famille. Le pinceau magique de Pinturicchio avait en quelque sorte fait entrer ses modèles dans l'immortalité.

Séjour de Lucrèce à Pesaro
Lettres intimes du pape et de Julie Farnèse

Au printemps de 1494, Lucrèce doit quitter le monde doré et joyeux de la cour romaine. Le pontife a ordonné à son gendre Giovanni Sforza d'aller à Pesaro préparer l'armée avec laquelle il doit lutter en Romagne avec les Napolitains contre l'invasion française redoutée. Le départ de Lucrèce donne l'occasion d'un défilé pompeux. Un nombreux cortège de cavaliers et de dames quitte Santa Maria in Porticu. Lucrèce et Julie, sa dame d'honneur, chevauchent chacune une belle haquenée. Suivent des litières occupées par Adrienne de Mila et Juana Moncada, toutes deux nièces du pape. Un homme de confiance, le chanoine Francisco Gacet, est adjoint à la troupe comme conseiller : il est chargé d'assurer à tout moment les liaisons avec le Vatican.

L'arrivée à Pesaro, le 8 juin 1494, est gâtée par une pluie torrentielle qui détache les guirlandes de fleurs et renverse les arcs de triomphe dressés en l'honneur des seigneurs. Les jours suivants, Lucrèce découvre sa principauté : c'est une petite plaine, cernée de vertes collines que parcourt le fleuve Foglia avant de se jeter dans la mer. La ville est sagement construite en damier. Ses rues tracées en ligne droite sont bordées de couvents et d'églises. Le château seigneurial, une forteresse, flanquée de quatre bastions, s'élève à l'angle des remparts, face à l'Adriatique. La chaleur de l'été, rend vite cette résidence étouffante. Heureusement à une demi-heure de route de Pesaro, la « Villa impériale », édifiée en 1464 lors du passage de l'empereur Frédéric III, offre l'agrément de ses vastes salles et la fraîcheur de ses jardins. Entre le château et la campagne s'instaure pour Lucrèce une vie paisible, parfois animée de modestes festivités. Quelques lettres familières, heureusement conservées dans les Archives du Château Saint-Ange, apportent leur témoignage sur ce séjour et, de façon plus précieuse, sur les rapports d'affection établis entre le pape, sa fille et sa maîtresse. Nous voyons Lucrèce marier la fille du dataire pontifical, Lucrezia Lopez, dame de sa suite, avec le médecin du seigneur de Pesaro, Gian Francesco Ardizio. Puis la petite cour se pare pour recevoir, du 22 juin au 5 juillet, une voisine, Catherine de Gonzague, épouse du comte Ottaviano de Montevecchio : parmi les jeux de société auxquels on se livre, on organise une joute de beauté entre Catherine de Gonzague et Julie Farnèse. Le pape, à Rome, est pris comme arbitre. Adrienne de Mila, Juana Moncada, le chanoine Gacet, Julie elle-même et Lucrèce envoient leurs avis. Celui de Lucrèce est particulièrement mordant. « Je parlerai quelque peu de la beauté de Catherine Gonzague à Votre Béatitude qui, certes, n'en ignore pas la renommée. Elle est plus grande que madame Julie de six doigts, a une belle corpulence, la peau blanche, de belles mains : c'est une jolie personne, mais avec une vilaine bouche, des dents affreuses, de gros yeux blancs, le nez plutôt laid, une vilaine couleur de cheveux, le visage long, assez masculin. » Pour Lucrèce, l'affaire est entendue : la maîtresse de son père, son amie Julie, est la plus belle.

Catherine de Gonzague observe elle-même ses rivales et un prélat de sa suite, Giacomo Dragazzo, envoie son avis à César Borgia. Il lui semble que Julie, avec son teint brun, ses yeux noirs, son visage rond et l'ardeur passionnée de sa physionomie, forme le contrepoint de Catherine dont le teint blanc, les yeux bleus, le port altier correspondent aux canons d'une beauté céleste

Ce genre de divertissements, habituel dans les cours de la Renaissance, vient opportunément rompre l'ennui du séjour dont Julie se plaint, à peine arrivée à Pesaro, à celui qu'elle nomme son « unique seigneur » : « Votre Sainteté est absente et comme tout mon bien et ma félicité dépendent d'Elle, je ne puis trouver nul agrément ni satisfaction à goûter de tels plaisirs, car là où est mon trésor, là est mon cœur. » Dans la joute de beauté avec Catherine de Gonzague, elle prend le parti de sa rivale et, par coquetterie, en élève les mérites bien au-dessus des siens propres. Le pontife, qui a soixante-deux ans, prend aussitôt la plume pour répondre avec feu à sa maîtresse : « Dans ta complaisance à décrire les beautés de cette personne qui ne serait pas digne de dénouer les cordons de tes souliers, nous voyons que tu t'es comportée avec grande modestie et nous savons pourquoi tu l'as fait : c'est que tu n'ignores pas que chacun de ceux qui nous ont écrit assurent qu'auprès de toi elle est comme une lanterne comparée au soleil. Quand tu la décris très belle, c'est pour que nous comprenions ta propre perfection, qu'en vérité nous n'avons jamais mise en doute. De même que nous savons cela clairement, nous voudrions que tu sois attachée totalement et sans partage à la personne qui t'aime plus que toute autre au monde. Et quand tu auras pris cette décision, si ce n'est déjà fait, nous te reconnaîtrons aussi sage que parfaite. »

Dans cette lettre, dont l'authenticité ne peut être mise en doute, la plupart des historiens voient une brûlante déclaration d'amour. Gênés par ce document, d'autres, au contraire, comme Giovanni Soranzo, pour qui le pape Alexandre doit demeurer au-dessus de tout soupçon, l'interprètent, de façon paradoxale, comme une invitation à respecter la foi conjugale. La personne, dont le pape écrit qu'elle aime Julie « plus que toute autre au monde », ne serait autre que son mari, Orso Orsini, alors exilé loin d'elle dans la forteresse de Bassanello : l'hypothèse serait intéressante si le contenu des autres lettres du *carteggio* ne montraient pas à l'évidence la nature passionnée des sentiments d'Alexandre à l'égard de Julie.

L'invasion française et la capture de la maîtresse du pape

L'ambiance de la cour de Pesaro se dégrade au début de l'été 1494. Lucrèce tombe assez gravement malade. Les incertitudes de Giovanni Sforza sur le rôle qu'il doit tenir face à l'inéluctable invasion française s'accroissent. Il se rapproche encore de son oncle Ludovic le More, alors qu'Alexandre VI opte délibérément pour le camp napolitain et choisit de participer à la résistance armée contre les Français. A Vicovaro, le 14 juillet 1494, il examine le plan de défense dressé par Alphonse II de Naples. C'est une entrevue de chefs militaires : le roi a amené mille cavaliers, le pape cinq cents et une troupe nombreuse de fantassins. Les alliés échangent des cadeaux : Alexandre reçoit une coupe d'or et des objets précieux pour une valeur de 4 000 ducats. Pendant deux jours on met au point les éléments du dispositif qui permettra de barrer la Romagne. Alexandre, qui ignore les tractations de Giovanni Sforza avec son oncle, estime que Lucrèce et Julie sont en sûreté à Pesaro, point d'appui du front napolitain et pontifical. Il leur conseille d'y demeurer pendant les hostilités prochaines. Lucrèce obéit : malade, elle ne peut quitter Pesaro. Mais Julie est appelée au-dehors par sa famille : Alexandre apprend avec inquiétude qu'elle a pris avec Adrienne de Mila la route de Bolsena, le 12 juillet, pour se rendre à Capodimonte au chevet de son frère aîné, Angelo, tombé gravement malade. Après la mort d'Angelo qui survient rapidement, la jeune femme décide de rester quelques jours auprès de sa mère et de son frère, le cardinal Alexandre. C'est alors qu'elle reçoit d'impératives missives de son mari : Orso Orsini exige sa venue à Bassanello. Julie en avise le pape qui lui ordonne de refuser et de rejoindre Rome immédiatement. Entre les deux injonctions Julie hésite. Pour gagner du temps, elle écrit au Saint-Père qu'elle doit, avant de lui obéir, obtenir le consentement de son époux. Alexandre prend très mal cette remarque : « Ingrate et perfide Julie... Bien que nous ayons jugé mauvaise ton âme et celle de qui te conseille, nous ne pouvions nous persuader que tu agirais avec tant de perfidie et d'ingratitude alors que si souvent tu nous as assuré et juré de demeurer fidèle à notre commandement et de ne point t'approcher d'Orsini. Voici que tu veux, maintenant, faire le contraire et te rendre à Bassanello au péril de ta vie, sans doute pour te livrer de nouveau à cet étalon. Bref, nous espérons que toi et l'ingrate Adrienne vous prendrez conscience de votre erreur et en accomplirez la pénitence convenable. Finalement, par la présente, sous peine d'excommunication et de malédiction éternelle, nous t'ordonnons de ne pas quitter Capodimonte ou Marta, et moins encore de te rendre à Bassanello. »

En effet, le moment ne semble guère favorable à des déplacements sur les routes d'Italie. La nouvelle est venue comme un coup de tonnerre que, le 2 septembre, Charles VIII a franchi les Alpes. Aussitôt on a appris sa traversée du Milanais aidée par Ludovic le More. A la fin d'octobre, l'armée napolitaine bat en retraite. Elle abandonne peu à peu la Romagne. Pierre de Médicis remet au roi les places fortes qui protégeaient la Toscane. Pise se soulève en faveur des Français au début de novembre. Charles VIII entre à Florence. La domination des Médicis s'écroule. Le prédicateur dominicain Jérôme Savonarole rappelle sa vision du glaive de Dieu s'abattant sur Florence : ce glaive n'est autre que le roi de France venu tirer vengeance des péchés des Florentins. Cette collusion de la mystique et de la politique exaspère au plus haut point le pape Borgia. Il en subit les fâcheuses conséquences. Le 22 novembre, Charles VIII publie un manifeste solennel, proclamant que le but de son expédition vers Naples est de préparer la ruine de la puissance turque et la délivrance des Lieux saints : il exige du pape le libre passage sur les terres du Saint-Siège. Alexandre VI est en mauvaise posture pour répliquer. Un fâcheux incident semble alors le mettre au ban de la Chrétienté. Un envoyé pontifical, Giorgio Buzardo, vient d'être capturé à Sinigaglia, alors qu'il revient d'Istanbul, avec des lettres de Bajazet II qui assure Rome de son soutien contre les Français. La révélation de l'accord existant entre le Vicaire du Christ et celui de Mahomet provoque un énorme scandale. Jean della Rovere, frère du cardinal Julien, empoche les 40 000 ducats de la pension de Djem que transporte un ambassadeur turc accompagnant Buzardo. Il envoie à Florence ledit Buzardo et les lettres saisies dont l'une propose de l'argent au pape : 300 000 ducats s'il fait mourir son hôte le prince Djem ! On s'indigne d'autant plus fort que l'on apprend la venue d'ambassadeurs turcs à Naples pour nouer alliance avec le roi Alphonse, ami et allié du pape, et l'aider contre les Français.

La déconfiture morale, issue de ce scandale, s'ajoute à la déconfiture militaire. Les Orsini qui couvrent les frontières de l'Etat pontifical virent de bord : Virginio Orsini, condottiere du roi de Naples, ouvre aux Français ses places fortes d'Anguillara et Bracciano.

L'Italie centrale est aux mains des ennemis. L'angoisse du pape Alexandre au sujet de Julie ne connaît plus de bornes. Il craint que la jeune femme ne soit surprise par les soldats au cours d'un déplacement. Il envoie un émissaire à son mari. Le 28 novembre, contre la promesse de grosses sommes d'argent, Orso renonce à exiger la venue de son épouse à Bassanello. Il consent à lui laisser prendre au plus vite le chemin de Rome avec Adrienne de Mila et sa sœur, Girolama Farnèse Pucci. Le 29, les dames quittent Capodimonte avec une escorte de trente cavaliers. Alors qu'elles s'approchent de Montefiascone, ce que craignait Alexandre se produit : des soldats de l'avant-garde française commandés par Yves d'Alègre surprennent les voyageuses, les capturent et leur imposent une rançon de 3 000 écus.

On devine l'émotion du Saint-Père quand il en est avisé. Il envoie un chambellan porter à Julie la somme de la rançon. Il fait intervenir auprès du roi de France Galeazzo San Severino, frère du cardinal du même nom, pour obtenir la libération immédiate des prisonnières. Galant, Charles VIII donne l'ordre nécessaire et fait accompagner les dames jusqu'à Rome par un détachement d'honneur.

Soulagé et comblé de joie, Alexandre va au-devant de sa maîtresse vêtu en cavalier. Il porte un pourpoint de velours noir brodé d'or, un baudrier à la mode espagnole, de fines bottes de Valence, un bonnet de velours. A sa ceinture il a passé un poignard et une épée. Toujours bien renseigné, Ludovic le More rapporte ces détails à Giacomo Trotti, ambassadeur du duc de Ferrare, ami de la France, mais il enjolive peut-être la réalité pour discréditer le pape qu'il traite désormais en ennemi, au même titre que le roi de Naples. Il ajoute à l'intention du même ambassadeur qu'on lui a appris qu'Alexandre couchait au Vatican avec trois femmes, une ancienne religieuse de Valence, une dame de Castille et une toute jeune mariée de quinze ou seize ans! Concluant ses calomnies, il confie enfin à Trotti qu'il s'attend d'heure en heure à recevoir l'avis que l'indigne pontife a été arrêté et décapité.

En arrivant à Rome, Julie s'inquiète du trouble qui agite le pape. Le Vatican est en état d'alerte. On a emballé l'argenterie et les tapis pour les transporter au château Saint-Ange. Alexandre envisage de se retirer dans le royaume de Naples où Alphonse II lui offre le refuge de Gaète. Mais l'influence de la jeune femme, peut-être la volonté de briller à ses yeux, lui redonnent du courage. Il décide de rester dans sa capitale. Il craint trop, à la réflexion, que ses ennemis, et surtout le cardinal Julien della Rovere, ne profitent de son départ pour le mettre en accusation et le destituer en faisant annuler son élection. Julie, après avoir fait preuve de vaillance, perd brusquement courage. La crainte qu'elle a conçue lors de sa capture reparaît lorsqu'elle apprend que les Orsini, parents de son mari, ont ouvert aux Français leurs forteresses. A la mi-décembre, son frère, le cardinal Farnèse, charge l'évêque d'Alatri, Jacobello Silvestri, de la conduire hors de Rome à l'insu du pape qui punira plus tard le prélat en l'emprisonnant au château Saint-Ange. La jeune femme s'enfuit sous la protection du condottiere Mariano Savelli qui milite avec les barons de sa famille et avec les Colonna en faveur des Français. Julie est en quelque sorte passée à l'ennemi. C'en est fait de l'idylle passionnée du pape. Sa belle maîtresse ne reviendra au Vatican que bien plus tard, en novembre 1505, pour marier sa fille Laura avec Nicolas della Rovere, neveu du pape alors régnant, Jules II.

Il y a loin, dans le triste hiver de 1494, entre le petit

souverain de Rome réduit à la défensive et le Vicaire du Christ, intermédiaire entre le Ciel et la Terre, se posant en descendant mythique des héros de l'Egypte et de la Grèce. Mais les efforts menés pour lier la famille Borgia à la fois aux Sforza et aux Aragon, la diplomatie dépensée pour flatter les puissances du monde, l'argent déversé dans les escarcelles des clercs et des soldats constituent le meilleur des trésors de guerre qu'il suffira d'utiliser avec astuce — et Alexandre n'en manque pas — pour renverser la situation.

CHAPITRE II

L'arme de la ruse

Fanfaronnades romaines

Alexandre VI a depuis longtemps prévu l'invasion des Français. Au début de son pontificat, il a réorganisé la garnison de la Ville éternelle. En février 1493 il passe en revue cent quatorze fantassins et quatre-vingts chevau-légers. Leur nombre est tout juste suffisant pour garnir les remparts du château Saint-Ange et du Borgo. Aussi le pape recrute-t-il des mercenaires pour constituer une armée de campagne. Le général en sera naturellement Nicolas Orsini, comte de Pitigliano, capitaine général de l'Eglise. Sous ses ordres commandent des chefs de valeur, comme Giulio Orsini, seigneur de Monterotondo, et Niccolo Caetano, seigneur de Sermoneta. Le gendre du pape, Giovanni Sforza, fait partie, lui aussi, de cet état-major. Soldats et artillerie sont rassemblés aux portes de Rome, sur les bords du Tibre, près du pont de la via Salaria. Or le camp à peine installé est détruit en juillet 1493 par un cataclysme naturel : un terrible orage fait déborder le fleuve et entraîne chevaux, armes et munitions dans les eaux en furie. Dès qu'il peut regrouper ses soldats, Pitigliano les mène défiler devant le Vatican afin que les ambassadeurs puissent témoigner de leur excellente tenue : cette armée part en effet rejoindre celle du duc de Calabre pour essayer d'arrêter les Français aux frontières des Etats pontificaux. Rome elle-même ne sera pas dépourvue de défense. Pendant la concentration de ses troupes, le pape fait réparer les murs du quartier du Borgo qui entoure le Vatican ainsi que ceux du château Saint-Ange : sur le massif circulaire du mausolée romain de l'empereur Adrien, il élève un mur de briques garni de créneaux et de mâchicoulis. Dans cet étage supplémentaire il fait aménager une citerne et cinq magasins d'huile et de blé : on y entrepose 3 700 quintaux de grains. Ce stock alimentaire et les abondantes munitions des magasins doivent permettre de résister aux sièges les plus longs. La forteresse abrite des casernements pour les troupes et des locaux disciplinaires, dont cinq cachots sans lumière, mais aussi d'agréables logements pour les dignitaires et des salles de réception. La cour Borgia, ou cour du Théâtre, offre un promenoir semi-circulaire sur la plate-forme supérieure, protégée par le mur crénelé.

Les alentours du château ont été dégagés, les maisons voisines rasées, les fossés rétablis. L'enceinte extérieure, un carré de cent mètres de côté, a été garnie de bastions et une grosse tour barre l'entrée du pont Saint-Ange. La liaison avec le Vatican se fait par le couloir surélevé qui court de la forteresse au palais pontifical sur le mur du Borgo. Ces travaux d'extension et de consolidation sont réalisés par le gouverneur, Juan di Castro, évêque d'Agrigente, qui a toute la confiance du pape.

Lorsque Alexandre apprend que le roi de France a quitté Viterbe, à la mi-décembre 1494, il met à l'abri les trésors du Saint-Siège dans la forteresse : tiares d'orfèvrerie, joyaux pontificaux, reliques. Il fait installer coffres et lits, tapisseries et tapis précieux dans les locaux d'apparat autour de la cour Borgia. Certes il n'y cherche pas refuge pour le moment. Il espère encore que le duc de Calabre pourra arrêter les envahisseurs en s'aidant des forces pontificales. Mais rien ne peut empêcher la rapide avance des Français répartis en trois armées. La première, qui comprend 7 000 fantassins et 2 400 cavaliers — ceux-ci étant fournis par Ludovic le More —, repousse en Romagne l'armée napolitaine et pontificale. La seconde, qui entoure le roi et compte 6 000 fantassins et 4 000 cavaliers, s'apprête à rejoindre la première armée devant

Rome. La troisième, forte de 5 000 fantassins et de plus de 2 000 cavaliers, transportée par bateaux, doit débarquer à Nettuno : le plan prévoit qu'elle fera sa jonction avec les barons Colonna, ennemis d'Alexandre VI, qui, depuis septembre, occupent, en accord avec le cardinal Julien della Rovere, le château d'Ostie. Ainsi le dispositif adopté par les Français vise à prendre Rome dans un étau.

Obligé de reculer, le duc de Calabre s'est rendu à Rome, le 11 décembre, pour établir avec le comte de Pitigliano un nouveau plan d'action. Ils décident de se servir des forteresses romaines pour résister à l'envahisseur. On mure les portes du nord de l'enceinte où aboutit la route de Viterbe. On installe des canons sur la plate-forme supérieure du château Saint-Ange. Ces démonstrations guerrières redonnent courage et optimisme au pape et à son entourage. Charles VIII s'en aperçoit à la façon désinvolte dont sont reçus les ambassadeurs extraordinaires qu'il dépêche à Rome. Le chambellan Louis de La Trémoille, le président au parlement de Paris, Jean de Ganay, et le général des finances, Denis de Bidault, sont venus demander « l'allée et le passage » sur les terres du Saint-Siège, mais aussi la remise du prince Djem en vue de la croisade et la reconnaissance des droits de Charles sur le royaume de Naples.

Enhardi par la présence du duc de Calabre, le pape repousse ces demandes. Il fait prisonniers et garde en otages les cardinaux favorables à Milan et à la France, Ascanio Sforza, Lunati, Savelli, San Severino, ainsi que les laïcs comme Fabrizio Colonna et Girolamo Tuttavilla, fils du cardinal d'Estouteville. Mais le peuple romain n'est pas disposé à le suivre dans ses velléités belliqueuses. Depuis que les Colonna occupent la place d'Ostie, les voies de ravitaillement sont coupées et la disette sévit. La campagne est infestée de soldats en rupture de service et de brigands. Les quelques marchands qui se risquent à venir jusqu'à Rome sont obligés de former des caravanes armées. Devant la passivité de ses sujets, le pape fait appel aux étrangers fixés dans la ville. Avec six de ses compatriotes, Burckard réunit la nation germanique : une vingtaine de personnes se rassemblent, parmi

lesquelles on aperçoit les tenanciers des auberges de la Cloche
et de l'Ange, cinq cordonniers dont le bottier de Burckard, un
chirurgien, un barbier, un serrurier et quelques marchands.
Ces pacifiques artisans ne veulent rien faire sans l'aval des
chefs de la milice urbaine. Même si l'on parvenait à les
mobiliser, il est à prévoir que la seule vue des Français
provoquerait parmi eux une belle débandade.

Passes d'armes diplomatiques

A la mi-décembre, le roi est à Népi. La forteresse de
Bracciano, qui appartient aux Orsini, soutiens du pape,
s'ouvre à lui. Alexandre se rend compte que toute résistance
armée est impossible. Il envisage de s'enfuir vers Gaète. Ses
bagages sont bouclés et ses chevaux harnachés lorsque, le
18 décembre, il fait volte-face. Les ambassadeurs de Venise et
d'Espagne lui ont démontré qu'il risquait d'être déposé s'il
laissait le Saint-Siège vacant. Il tente alors d'agir par voie
diplomatique. Il dépêche au roi trois prélats, Lionello Chieregato, évêque de Concordia, Juan Fuentes Salida, évêque de
Terni, et Graziano de Villanova, son confesseur, bientôt suivis
du cardinal de San Severino, extrait de sa prison pour prouver
qu'Alexandre ne conserve aucune rancœur envers les amis de
la France.

Les prélats supplient Charles VIII de renoncer à son
expédition. Ils assurent que le pape obtiendra du roi de Naples
le versement d'un tribut en reconnaissance des droits de la
France ; ensuite il réunira un congrès des princes chrétiens qui
apporteront leur aide militaire et financière à Charles pour la
croisade : le souverain pourra ainsi mener à son terme
l'entreprise d'outre-mer en évitant les risques de la conquête
napolitaine. Mais aucun de ces arguments ne touche le roi. Le
19 décembre, il se borne à rappeler ses demandes précédentes. Loin de capituler, Alexandre imagine une manœuvre
qui peut affaiblir le parti français et peut-être obliger le roi à
faire retraite. Il libère Fabrizio Colonna, lui fait d'alléchantes
promesses, notamment celle d'un commandement militaire

rapportant 30 000 ducats par an, puis l'envoie à Ostie avec la mission de rallier au Saint-Siège son frère Prospero qui tient la place avec des Suisses et des Français. Or, dès que Fabrizio se trouve hors d'atteinte d'Alexandre, il dénonce les promesses qui lui ont été extorquées et reprend sa place dans l'armée de son frère. Ostie reste ainsi à la fois un barrage qui peut arrêter le ravitaillement de Rome et une tête de pont pour les ennemis du pape Borgia. Cependant l'avance française se poursuit, irrésistible. La place importante de Monterotondo est occupée par le maréchal de Rieux, dont les cinq mille hommes franchissent le Tibre et envahissent le Latium. Les villes de Corneto et Civitavecchia tombent entre les mains des Français. Bientôt Burckard voit les éclaireurs de l'armée de Charles VIII descendre du Monte Mario jusqu'au bord du Tibre.

Le cardinal Raymond Péraud, devenu l'ami de Charles VIII, tente de s'emparer de la porte Saint-Paul. Il adresse des appels à la population des Etats pontificaux pour qu'elle accueille bien les Français. « Il élevait jusqu'aux nues, écrit Burckard, la loyauté et l'équité tant du roi que de ses troupes. D'après lui, les Français ne prendraient ni une poule, ni un œuf, ni aucun objet, même d'une infime valeur, sans le payer intégralement. »

Péraud s'efforce tout particulièrement de gagner la nation allemande à Charles VIII. Il se présente aux compatriotes de Burckard comme un ami et rappelle qu'il a été élevé au cardinalat sur la recommandation de l'empereur : « Je me suis employé auprès du Roi Très Chrétien, écrit-il, pour que ses soldats ne fassent de tort ni aux fonctionnaires de la cour restés dans la ville, ni aux autres pourvu qu'on ne les trouve pas portant les armes contre Sa Majesté et ses troupes. »

Le roi confirme les promesses du cardinal. Dans une lettre au corps municipal de Rome il s'engage à garantir la sécurité des habitants. Les conservateurs portent la lettre au Vatican. Alexandre vient d'avoir une preuve des dispositions pacifiques du roi, dans l'ordre donné aux capitaines Yves d'Alègre et Louis de Ligny, d'éviter tout accrochage avec l'armée napolitaine et pontificale du duc de Calabre : un tel affrontement, s'il se produisait, ne bénéficierait nullement de l'appui des Romains. Ils sont en effet partagés entre leur espoir dans la mansuétude du roi de France et une peur panique : n'ont-ils pas vu s'écrouler la muraille de la ville du côté précisément où l'on attend les Français ? Conscient du défaitisme de ses sujets, le pape prend un parti raisonnable : il éloigne le duc de Calabre. Le jour de Noël, après la messe solennelle, il reçoit au Vatican le duc en tenue de combat, portant cuirasse, épée et poignard. Longuement il s'entretient avec lui, puis il lui donne congé et le bénit. Il est convenu entre eux que le pape pourra à tout moment se réfugier dans le royaume de Naples où il recevra une pension de 50 000 ducats, le château de Gaète et encore 10 000 ducats pour assurer la sécurité du prince Zizim.

Le départ de Ferrandino s'effectue le jour même. Il se dirige vers Tivoli en ravageant tout sur son passage afin que les Français ne trouvent, s'ils le suivent, qu'une terre brûlée. Il a été accompagné jusqu'à la sortie de Rome par une délégation de cardinaux. Ascanio Sforza, tout juste libéré de sa prison, en faisait partie : il apportait en sa qualité d'ami du roi de France, la garantie que Charles VIII comme il l'avait promis ne poursuivrait pas les Aragonais. Le cardinal de Monreale, Jean Borgia, autre membre de la délégation salue le duc à la porte San Lorenzo, avant de gagner Bracciano où il doit discuter avec Charles VIII des conditions de son entrée à Rome.

L'entrée victorieuse de Charles VIII dans Rome

Les événements se précipitent. Dans la soirée du 25 décembre Charles VIII désigne trois ambassadeurs pour faire connaître ses volontés au pape. Ce sont Pierre de Rohan, maréchal de Gié, Jean de Ganay et Etienne de Vesc. Au matin du 26 décembre les trois hommes sont introduits dans la chapelle Sixtine où ils doivent assister en présence du pape à la grand-messe de saint Etienne. La suite des ambassadeurs s'empare sans vergogne des sièges réservés aux prélats au

grand scandale du cérémoniaire Burckard : « Je les fis partir... Mais le pape m'ayant fait venir à lui, me dit d'un ton
irrité que je bouleversais son plan et qu'il fallait permettre aux
Français de se placer où ils voudraient. Je répondis à Sa
Sainteté de vouloir bien, au nom de Dieu, ne pas se fâcher
pour cela, attendu que, sa volonté m'étant maintenant connue, je ne leur dirais plus rien et ils se placeraient où ils
voudraient. »

Le pape accepte de laisser installer mille cinq cents hommes
de l'armée française sur la rive gauche du Tibre. Le 30
décembre, Gilbert de Bourbon, comte de Montpensier, fait
réquisitionner des palais pour le logement des officiers. Le
mercredi 31 décembre, de grand matin, une délégation de
dignitaires romains va au-devant du roi. Le pape a désigné
pour en faire partie son secrétaire, l'évêque de Népi, l'auditeur de Rote Jeronimo Porcario, l'avocat consistorial Coro-
nato Planca, très versé dans toutes les chicanes de procédure,
et le cérémoniaire Burckard. La ville de Rome est représentée
par quelques patriciens : c'est une bien maigre délégation en
quantité et en qualité, peu en rapport avec la dignité du Roi
Très Chrétien.

Pendant que cheminent les notables, l'hiver se déchaîne. Le
temps est affreux. Les chemins sont si boueux et détrempés
que les envoyés de Rome ne se risquent pas à descendre de
leurs montures lorsqu'ils arrivent auprès du roi, à Galera.
Entouré des cardinaux Savelli, Péraud et della Rovere,
Charles s'arrête à peine, le temps de recevoir le salut de
l'évêque de Népi, de Burckard et de Porcario. Il indique
brièvement qu'il entend faire son entrée le soir même sans
aucune pompe. Les pourparlers précédents avaient fixé la
date d'entrée au 1er janvier, mais, sur l'avis de ses astrologues,
Charles avait décidé de la reporter au 31 décembre, jour de la
fête de saint Sylvestre : d'après la légende ce pape avait reçu
Rome en don de l'empereur Constantin ; il était l'image même
du pontife tel que se le figurait le roi, conciliateur, reconnaissant à l'égard du pouvoir civil mais gardant son indépendance
spirituelle. Ayant précisé ses intentions Charles se montre
aimable et détendu : « Le long du chemin, écrit Burckard, sur

une longueur de quatre milles environ, il me parla continuelle-
ment, me posant des questions sur le cérémonial, sur la santé
du pape, sur la situation et le rang du cardinal de Valence, et
sur tant d'autres sujets que j'eus de la peine à répondre à tout
pertinemment. »

Dans la nuit déjà tombée, le cortège, auquel se sont joints
les ambassadeurs de Venise et le cardinal Ascanio Sforza,
arrive à la Porte du Peuple. Le roi traverse la ville jusqu'au
palais de Saint-Marc qui va lui servir de résidence. Malgré la
pluie coupée de rafales, les Romains illuminent le trajet avec
des torches innombrables. Une foule immense acclame le
souverain et ses alliés : « *Francia Francia! Colonna!
Colonna! Vincula! Vincula!* » Par ces acclamations l'entrée
improvisée semble se transformer en une manifestation d'hostilité à l'égard du pape.

Les représentants du peuple de Rome ont donné au
maréchal de Gié les lourdes clés de la ville. Toute la nuit les
portes restent ouvertes. Les différents contingents pénètrent
en bon ordre dans la cité, les Suisses avec leurs redoutables
piques de plus de trois mètres de long, les Allemands avec
leurs haches et leurs hallebardes, les Gascons munis d'arbalètes et d'arquebuses. Puis arrive la cavalerie. Les chevau-
légers sont suivis des hommes d'armes lourdement armés de
masses, d'épées et de lances : leurs grands chevaux ont la
crinière et les oreilles coupées pour inspirer la terreur à
l'adversaire. Derrière eux, la redoutable artillerie fait son
apparition : on compte trente-six canons de bronze, longs de
huit pieds, traînés dans des chariots, et une foule de petites
couleuvrines, fauconneaux et même spingardes, ancêtres des
mitrailleuses, portées à dos d'hommes.

Le pape face aux Barbares

Dans le palais de Saint-Marc transformé en camp retranché,
Charles VIII reçoit l'hommage de la plupart des cardinaux :
César Borgia s'y présente le 1er janvier mais ne peut s'appro-
cher du roi qui entend la messe. Burckard note avec horreur la

désinvolture et le sans-gêne des occupants. Les salles de
réception du palais sont remplies de paille, jamais changée,
qui sert de litière aux soldats. Sur les cheminées de marbre et
au-dessus des portes de marqueterie, on a placé des chandelles
dont le suif dégouline et tache tout. Vols et déprédations se
multiplient : les soldats italiens des Colonna y participent
activement. « Pour se loger, la méthode des Français consistait à ouvrir de force les maisons, à y entrer, à en expulser les
habitants, les chevaux et le reste, à brûler le bois, à manger et
à boire tout ce qu'ils trouvaient sans rien payer », écrit
Burckard, l'une des victimes, avec d'autres illustres personnages comme le cardinal Carafa ou l'évêque de Cosenza. On
pille pêle-mêle les maisons de Vannozza Cattanei, celles de
plusieurs notables et de Juifs. Le Vénitien Malipiero estime à
40 000 ducats la valeur des biens dérobés. Le roi doit sévir : il
fait pendre, d'un coup, cinq pillards, le 9 janvier, décrète le
couvre-feu et organise des patrouilles de nuit. Une protection
spéciale est accordée aux juifs qui sont invités à se faire
connaître par l'apposition d'une croix blanche sur leur épaule.
Enfin Charles ordonne que les objets volés soient rapportés à
leurs propriétaires : au vif étonnement des Romains, un grand
nombre est effectivement restitué.

Face à ce fléau humain qui s'abat sur la ville, il faut avoir
l'esprit bien trempé pour ne pas se laisser gagner par la peur.
Alors qu'il n'est plus maître de la situation, Alexandre affiche
un remarquable sang-froid. Il reçoit les seigneurs français qui
envahissent en désordre le Vatican. Il les admet au rare
privilège de lui baiser les pieds, le 5 janvier, pour la fête de
l'Epiphanie. Mais le même jour, il repousse les trois
demandes présentées par le roi : abandon aux Français du
château Saint-Ange ; livraison de Djem ; remise en otage de
César Borgia. En compensation il propose de donner en gage
la ville de Civitavecchia. Charles est stupéfait en entendant
cette réponse. « Mes barons, dit-il, feront connaître au pape
ma volonté ! » Les ennemis d'Alexandre, les cardinaux della
Rovere, Sforza, Colonna, Savelli conseillent au roi de déposer
le pape en faisant valoir que son élection a été entachée de
simonie. Prenant la menace au sérieux, le pontife gagne par le

corridor secret le château Saint-Ange en compagnie de six cardinaux, parmi lesquels se trouve son neveu Jean Borgia, archevêque de Monreale, et son fils, César. Peu après son entrée dans la forteresse, une partie du rempart s'écroule, vers le débouché du couloir d'accès, sur une longueur de sept créneaux, entraînant dans l'éboulement trois soldats qui montaient la garde. Cet accident, qui renouvelle l'écroulement des murailles survenu avant l'arrivée de Charles VIII, semble à certains un nouveau signe du Ciel invitant le pape à capituler. Mais Alexandre refuse de croire aux présages. Réaliste, il fait réparer la brèche et braque son artillerie en direction des Français. L'évêque d'Agrigente, Juan di Castro, gouverneur du château, ordonne aux quatre cents Espagnols de la garnison de prendre position sur le chemin de ronde. Mais il emploie aussi pour défendre la forteresse les reliques majeures de Rome qui y sont entreposées. Par deux fois, quand s'approchent les troupes ennemies, on expose sur le haut du rempart les châsses contenant les têtes des saints Pierre et Paul et le voile de sainte Véronique. Impressionnés, les Français se retirent. Un va-et-vient d'émissaires s'instaure entre le roi et le pape. Philippe de Bresse, oncle de Charles VIII, Gilbert de Montpensier et Jean de Ganay entrent en négociation avec le cardinal d'Alexandrie, l'évêque de Népi, secrétaire du Saint-Père, et l'évêque de Pérouse, son dataire. Le roi, persuadé que le pape va céder, laisse ses délégués discuter les articles et part visiter les monuments antiques et les églises de la ville sainte.

Capitulation d'Alexandre VI

Le 15 janvier, le texte de l'accord entre Rome et la France est au point. Le premier article précise que « Notre dit Saint-Père demeurera bon père du roi ; et le roi demeurera bon fils et dévot de Notre dit Saint-Père ». Le pape remettra au roi le cardinal de Valence, qui l'accompagnera pendant quatre mois dans son expédition, et le prince Djem, qui sera gardé dans la forteresse de Terracine « pour la sûreté dudit seigneur et empêcher que les Turcs n'entrent en Italie ». Djem sera restitué au pape lorsque le roi repartira d'Italie. Comme caution Charles VIII fournira au pape, contre la personne du prince, des barons et prélats qui déposeront 500 000 ducats à la Chambre apostolique. Le pape gardera pour lui la pension annuelle de 40 000 ducats que verse le sultan Bajazet II pour la garde de son frère.

Pendant l'expédition de Naples, le roi disposera de la ville de Civitavecchia « pour y recueillir les vivres, gens et choses qui lui seront nécessaires », mais les Français assureront la libre circulation des marchands et marchandises à Civitavecchia, comme à Ostie et dans les autres places des Etats pontificaux. Seuls les marchands de Naples seront tenus de présenter un sauf-conduit du Saint-Père. Le pape fournira à l'armée royale « passages et vivres » dans toutes les villes de son Etat, « en payant toutefois raisonnablement les dits vivres ». Les cardinaux et les seigneurs qui auront livré des places fortes au roi n'encourreront aucune sanction. Dans les châteaux et légations de ses Etats, le pape placera comme légats ou lieutenants des amis du roi de France. Le cardinal della Rovere retrouvera sa légation d'Avignon et tous ses biens. Le cardinal Péraud touchera des indemnités comme s'il avait été constamment présent au Sacré Collège ; le pape lui confirmera l'évêché de Metz et celui de Besançon. Les cardinaux amis du roi pourront quitter Rome et aller où bon leur semblera sans la permission du pape.

Contre ces importantes concessions, le pape ne demande que des assurances formelles au souverain : « Le roi fera obéissance en personne à Notre dit Saint-Père avant son partement de Rome... ; promettra le roi de n'offenser Notre dit Saint-Père ; et les cardinaux... ne donneront aide ni faveur à ses ennemis en gens d'armes, ni argent, en quelque façon que ce soit. »

Cette sorte de capitulation du pape Borgia provoque une foule de réactions opposées. Le roi est satisfait et soulagé : sans avoir eu à employer la force, il s'est assuré la collaboration du Saint-Père. Mais les cardinaux rebelles ne croient pas au revirement du pontife : ils estiment que l'acte est une tromperie. Les Romains ne se tiennent plus de joie : ils voient le départ proche des Français, la libération de leurs maisons, la cessation de la disette avec la fin du blocus du Tibre. Le plus heureux de tous est Alexandre VI. Moyennant des concessions infimes, il s'est rallié le naïf Charles VIII. Il est désormais sûr de ne pas être déposé. Pour conserver le roi dans ses bonnes dispositions, il décide d'utiliser le faste incomparable du cérémonial romain.

Le lendemain de la signature du traité, le 16 janvier 1495, Charles se rend à Saint-Pierre de Rome, entend la messe dans la chapelle française de Sainte-Pétronille puis prend son repas dans le palais du Vatican que le pape a mis à sa disposition. L'après-midi il se porte à la rencontre d'Alexandre qui, installé dans la *sedia gestatoria*, vient du château Saint-Ange en empruntant le corridor du rempart. Le roi exécute dévotement deux génuflexions rituelles : Alexandre le laisse faire. C'est seulement lorsque le petit roi plonge dans une troisième courbette qu'il fait mine de l'apercevoir. Il le relève, se découvre en même temps que lui, l'embrasse. Charles lui demande comme première faveur la pourpre cardinalice pour son favori Guillaume Briçonnet, évêque de Saint-Malo : Alexandre accepte volontiers. Le roi exige alors que la cérémonie de création ait lieu tout de suite. Embarrassé, Alexandre tente de se dérober en feignant un évanouissement. Mais Charles est patient. Il attend la fin du malaise. Alexandre revenu à lui doit s'exécuter : il réunit un consistoire dans la salle du Perroquet. Saint-Malo est proclamé cardinal. Le pape lui impose une cape cardinalice prêtée par César Borgia et un chapeau que Burckard est allé chercher dans la chambre du cardinal de Sainte-Anastasie. Le roi, satisfait, se retire dans les appartements qui lui sont destinés, non sans avoir fait placer les hommes de sa garde écossaise à toutes les portes du Vatican.

La comédie du serment d'obédience

Charles VIII veut maintenant obtenir du pape son investiture comme roi de Naples et sa proclamation comme chef de la croisade. Alexandre laisse entendre qu'il lui faut d'abord recevoir le serment d'obédience du roi. A l'issue de tractations très longues on décide de la forme du serment qui sera prononcé. Le pape y sera reconnu comme « vrai vicaire du Christ et successeur de saint Pierre ». Le roi veut en contrepartie obtenir une concession : la réduction à dix du nombre des nobles, barons et prélats, qui seront remis comme cautions contre la personne du prince Djem, alors que le pape en exige quarante. La discussion dure trois heures. Enfin un texte de compromis est péniblement arrêté et lu par deux notaires, en latin par Etienne de Narni, qui représente le pape, et en français par Olivier Yvan, clerc du diocèse du Mans, représentant le roi. On se sépare après cette exténuante réunion de travail.

Le lendemain, 19 janvier, le souverain et son entourage éprouvent à la suite des discussions de la veille le sentiment désagréable d'avoir été floués. Charles veut faire sentir au pape sa mauvaise humeur. Au matin, lorsque Alexandre entre dans la salle du consistoire, il n'y trouve pas le roi. Aussi envoie-t-il vers lui l'évêque de Concordia et Burckard qui note : « Nous le trouvâmes dans sa chambre près du feu, en gilet et n'ayant pas mis ses chausses. » Charles ne s'émeut pas et achève lentement de s'habiller. Puis il descend dans la basilique pour entendre la messe et revient déjeuner au Vatican. Au bout d'une heure, le roi n'ayant pas paru, Alexandre se décide à siéger. Il se rend dans la salle du Perroquet, où il reçoit la parure pontificale, la précieuse chape rouge sans couture faite pour le pape Innocent VIII et la pesante mitre d'orfèvrerie de Paul II. Il s'installe sur son trône. Mais le roi ne paraît toujours pas. Fatigué, Alexandre enlève sa lourde mitre et en coiffe une légère. De nouveau il envoie le cérémoniaire vers le roi en compagnie de quatre cardinaux et de six évêques. Charles, qui continue de manger, les fait attendre une demi-heure, puis s'entretient avec ses conseillers, à propos de la prestation d'obédience, une demi-heure encore. Enfin il se met en route vers le consistoire. Averti de son arrivée, Alexandre coiffe de nouveau la mitre précieuse. Il voit avec satisfaction le roi effectuer les trois génuflexions rituelles et baiser son pied et sa main droite. Au nom de son maître, Jean de Ganay prie le pape d'accorder trois grâces « ainsi que les vassaux ont coutume de le demander avant de prêter le serment d'obédience ». La première est de confirmer tous les privilèges accordés traditionnellement au Roi Très Chrétien et à sa famille ; la seconde de lui donner l'investiture de Naples ; la troisième de renoncer aux cautions destinées à garantir la restitution de Djem-Sultan. Le pape accorde la première demande, mais pour les deux autres il doit, dit-il, en délibérer avec ses cardinaux. Il est difficile au roi, malgré cette réponse dilatoire de refuser son obédience. En une formule rapide, il s'acquitte donc de son serment : « Saint-Père, je suis venu pour faire obédience et révérence à Votre Sainteté de la façon que l'ont fait mes prédécesseurs, les rois de France. » Le président Jean de Ganay développe ensuite les paroles de son maître : « Il vous reconnaît, bienheureux Père, pour le souverain pontife des chrétiens, pour le véritable Vicaire du Christ, pour le successeur des apôtres Pierre et Paul. Il vous rend l'hommage filial et obligatoire que ses prédécesseurs, les rois des Français, ont rendu aux souverains pontifes. Il s'offre, lui avec tout ce qui lui appartient, à Votre Sainteté et au Saint-Siège. » Alexandre a obtenu ce qu'il voulait : la reconnaissance de la légitimité de son élection pontificale. Mais il n'a rien cédé en échange. Il n'a pas accordé l'investiture napolitaine. Les démonstrations de mauvaise humeur du roi n'ont servi à rien !

Messe solennelle et indulgences

Charles espère du moins obtenir la bénédiction apostolique pour son entreprise qu'il présente comme une nouvelle croisade. Il est convenu qu'il l'obtiendra au cours d'une grand messe pontificale célébrée le 20 janvier, fête des saints Fabien et Sébastien. Ce matin-là, vingt cardinaux se joignent au pape dans la salle du Perroquet. Ils se rendent en procession à l'autel majeur de Saint-Pierre, mais le roi n'est pas à la place d'honneur qui lui a été réservée : il assiste à une messe privée dans la chapelle de Sainte-Pétronille à l'autre extrémité de la basilique. L'office terminé, il a faim et va se restaurer dans une maison canoniale voisine. On lui apporte du Vatican des plats, des pots, des bouteilles et autres récipients chargés de mets que l'on transporte au travers de la basilique devant Alexandre VI qui attend patiemment au pied du maître-autel. Enfin, après un quart d'heure, Charles vient prendre place à la droite du pape. Le cérémoniaire lui propose de présenter au pontife l'eau des ablutions, ce qu'il accepte « si tel est l'usage des rois ». Epître et Evangile lus en grec et latin, communion sous les deux espèces, monstrance du Voile de Véronique où est imprimée la Face du Seigneur et ostension de la Sainte Lance, bénédiction solennelle, proclamation des indulgences plénières : le grand jeu du cérémonial pontifical comble la curiosité de Charles VIII mais ne lui apporte aucune confirmation de son rôle de chef de croisade. Alexandre se garde bien de faire une déclaration à ce sujet. Il se contente d'octroyer au roi une faveur qui ne lui coûte guère : la promotion cardinalice de son cousin, Philippe de Luxembourg, évêque du Mans. La publication en est faite le 21 janvier, en même temps que le pape octroie titre et anneau à l'évêque de Saint-Malo, qui est aussi pourvu de tous les attributs de la dignité cardinalice.

Cependant le long stationnement des troupes dans Rome finit par provoquer des troubles. Une véritable bataille oppose les Suisses de l'armée française et les Catalans de la garnison du château Saint-Ange. La mauvaise humeur des cardinaux de l'opposition se fait jour de nouveau. Le cardinal Péraud, bénéficiant du pardon pontifical, ne peut s'empêcher d'exhaler sa rancœur : « Il reprocha au pontife, écrit Burckard, ses crimes, sa simonie, ses fautes charnelles, ses rapports avec le Grand Turc et la mutuelle intelligence qui existait entre eux. Si ce qu'on m'a dit est vrai, il déclara que le pontife était un grand hypocrite, un véritable fourbe. »

Ni le désordre sur la place publique, ni les éclats de colère au sein de la curie ne changent les dispositions d'Alexandre : il a décidé de ménager le roi en flattant son amour-propre, mais sans rien lui accorder d'essentiel. Le dimanche 25 janvier, fête de la conversion de saint Paul, il l'invite à participer à son côté à la cavalcade qui se dirige traditionnellement vers la basilique de Saint-Paul-hors-les-Murs. Certes, les Français mettent, à leur habitude, le plus grand désordre dans le sanctuaire. Mais Alexandre ferme les yeux. Bien plus il offre au roi un nouvel honneur gratuit : il le fait agenouiller sur le même prie-Dieu que lui au moment où il accorde aux fidèles cent années d'indulgence plénière. Ce temps arraché au purgatoire n'est-il pas une faveur plus grande que l'investiture d'un royaume terrestre ?

Départ de Charles VIII
Défection de César Borgia

Malgré les tromperies pontificales, le Roi Très Chrétien a obtenu l'essentiel de ce qu'il souhaitait : il va être accompagné jusqu'à Naples par César Borgia. Doté des pouvoirs de légat le fils du pape couronnera Charles lorsqu'il aura renversé le roi aragonais. En outre, Alexandre s'acquitte de l'autre promesse contenue dans le traité d'accord avec le roi : la remise du prince Djem. Elle a lieu le 27 janvier : l'otage turc est conduit le soir même du château Saint-Ange au palais de Saint-Marc où s'est réinstallé le souverain.

Enfin arrive le jour du départ. Le 28 janvier, Charles prend congé du pape qui, tout à sa joie de le voir partir, l'embrasse, avec de grandes démonstrations d'affection. Du haut de la loge de la Bénédiction, le pontife assiste au défilé du cortège en tête duquel chevauchent le cardinal-légat, César Borgia, et ses collègues, les cardinaux della Rovere, Savelli et Colonna. Plus tard, cet épisode et les autres principaux moments de la visite de Charles VIII au Vatican seront peints par Pinturicchio dans les appartements du château Saint-Ange comme autant d'événements glorieux attestant la prééminence du pape Borgia sur le plus grand roi de la Chrétienté.

A peine les Français ont-ils le dos tourné que des chansons injurieuses pour Charles VIII retentissent dans Rome. Elles vantent les mérites du jeune Ferrante, qui vient de prendre en main le gouvernement du royaume de Naples. « Vive Ferrandino, une fleur de vertu, et mort au roi de France qui a le pied fourchu ! » Alexandre VI laisse chanter ces refrains qui fleurent bon la revanche. Il félicite le gouverneur du château Saint-Ange, Juan di Castro, pour la fermeté qu'il a montrée face aux Français et lui promet la pourpre cardinalice qu'il lui accordera effectivement l'année suivante. Il prépare sa vengeance. Le premier acte va en être joué par son fils, le cardinal César.

Le 29 janvier, le cortège royal arrive à Velletri. César s'installe avec le roi dans le palais de l'évêque. Il était sorti de Rome accompagné de dix-neuf bêtes de somme richement harnachées et chargées de ses bagages : il avait ouvert les coffres de deux des bêtes pour montrer aux Français les vêtements précieux et la vaisselle d'or et d'argent qu'ils contenaient. Or, malencontreusement, semblait-il, ces deux mules s'étaient égarées en chemin. Au matin du 30 janvier, on cherche vainement le cardinal. Avec la complicité d'un de ses parents qui habitait Velletri, il s'était échappé pendant la nuit, déguisé en palefrenier. Avisé de la fuite du légat, le roi Charles fait ouvrir les coffres des mules restées sur place : on s'aperçoit qu'ils sont remplis de pierres. Bientôt on apprend que César s'est réfugié à Rome dans la maison d'Antonio Florès, auditeur de Rote, avant d'aller chercher refuge à Spolète. Dès qu'il apprend la nouvelle, Charles est persuadé qu'il s'agit d'un coup monté : « Canailles de Lombards, s'écrie-t-il, le pape tout le premier ! » Il envoie deux hérauts se plaindre à Alexandre et au peuple romain de la conduite du cardinal de Valence. Il charge le cardinal de Saint-Denis de réclamer le retour du fugitif. Mais le pape joue la surprise : le 31 janvier il dépêche vers Charles son secrétaire, l'évêque de Népi, pour lui présenter ses excuses. En même temps les Romains supplient le souverain de ne pas châtier Rome à cause de la fuite du cardinal. L'oncle du roi, Philippe de

Bresse, vient alors demander l'envoi d'un nouveau légat, mais il n'obtient rien d'Alexandre qui affiche un calme imperturbable. « Il savait, note l'historien florentin Guichardin, que les Français ont l'habitude d'accepter les faits accomplis. »

Le roi, effectivement, plutôt que de revenir en arrière pour punir les Borgia, poursuit sa route vers Naples. Il fait céder par la terreur les forteresses qui couvrent la frontière. Le 18 février, il entre à Capoue. Le bruit court à Rome — Burckard le note dans son journal — que pendant la nuit, l'étendard royal, portant l'inscription *Missus a Deo* (« Je suis l'envoyé de Dieu »), se dresse au-dessus d'un coffre pendant qu'une voix terrible rappelle que la mission du roi doit se poursuivre jusqu'à la reconquête des Lieux saints et du tombeau du Christ : Alexandre VI apprend, coup sur coup, ce soi-disant message divin et la nouvelle, autrement importante à ses yeux, d'une grave maladie qui frappe le prince Djem.

Maladie et mort du prince Djem
Le poison des Borgia

A l'entrée du roi à Capoue, le frère du sultan chevauche au côté du souverain, mais il tient à peine à cheval, car il souffre de violentes douleurs dans la tête et la gorge. Les jours suivants, le mal gagne la poitrine. On doit porter le prince en litière à Aversa puis à Naples où Charles VIII entre le 22 février. Les médecins du roi ne peuvent rien contre cette maladie mystérieuse. Le 25 février, âgé de trente-cinq ans, Djem meurt, certainement d'une pneumonie résultant d'une bronchite.

Comme on le fait souvent lors de la mort subite d'un prince, on parle de poison. D'après le cérémoniaire Burckard, Djem aurait absorbé « un aliment ou un breuvage qui ne convenait pas à son estomac et dont il n'avait pas l'habitude ». L'hypothèse de l'empoisonnement est ainsi discrètement formulée. L'historiographe vénitien Marino Sanudo croit savoir que le cadavre présentait des signes non équivoques de mort par le poison. Il se fait l'écho des rumeurs : « Le pape aurait livré au roi le prince empoisonné », mais il ajoute tout aussitôt qu'il s'agit là d'une « accusation à laquelle on ne doit pas ajouter foi car c'eût été au détriment du pape tout le premier ». Certes le décès ne semble pas profiter à Alexandre VI : il perd les 40 000 ducats de rente annuelle versés par Bajazet II pour la pension de son frère. Mais les ennemis d'Alexandre VI se souviennent opportunément que, dans des lettres adressées au pape, saisies à l'automne de 1494, le sultan lui a offert 300 000 ducats contre la suppression de Djem. Si aucune trace n'existe d'un tel transfert d'argent, le fait que plus tard Alexandre essaiera de se faire payer la remise du cadavre à Bajazet est pour le moins troublant. Les Turcs eux-mêmes croyaient à l'empoisonnement : le chroniqueur Seadeddin supposait qu'un barbier avait inoculé le poison du pape à l'aide d'un rasoir.

Ainsi, de toutes parts, débute une véritable campagne de calomnie à l'égard des Borgia. Murmurée par les contemporains, l'accusation se retrouve amplifiée chez leurs successeurs. Au siècle suivant l'historien italien Paul Jove se prononce pour l'empoisonnement : « C'était une opinion générale que le pape, par haine du roi de France et pour gagner la récompense promise par le sultan, avait fait mêler une poudre mortelle au sucre que Djem mettait dans toutes ses boissons. C'était une poudre très blanche, d'un goût non désagréable, qui n'opprimait pas subitement les esprits vitaux comme les poisons d'aujourd'hui, mais qui se glissait peu à peu dans les veines en amenant tardivement la mort. » Guichardin porte la même accusation et ajoute que la nature criminelle du pontife rend vraisemblable un tel forfait. Le poison employé aurait été soit de l'arsenic, soit de la poudre de cantharide obtenue par la dessiccation de petits scarabées : la cantharide procure à petite dose un effet aphrodisiaque et à dose moyenne des lésions internes capables de provoquer la mort. La légende du poison lent des Borgia allait connaître une belle fortune littéraire à partir de ces quelques suppositions...

Ne souhaitant pas envenimer ses rapports avec le Saint-Siège, Charles VIII avait préféré opter pour l'hypothèse d'une mort naturelle. Il avait fait embaumer le cadavre et l'avait déposé dans le château de Gaète : les restes de l'otage ne devaient être transportés que quatre ans plus tard, en 1499, dans la nécropole de ses ancêtres à Bursa en Anatolie.

Il est incontestable que la mort de Djem profitait indirectement au pape et à tous ceux qui, en Italie, se déclaraient maintenant hostiles à la venue du roi de France : en effet elle retirait à Charles VIII l'atout dont il pensait se servir pour la croisade après avoir effectué la conquête de Naples. Le mobile religieux du roi ayant disparu, Alexandre pouvait s'allier à Venise et à Milan pour enfermer Charles dans un piège en interrompant ses liaisons avec la base arrière du duc d'Orléans, resté au Piémont, et avec la France.

Le pape jette le masque

La situation devient inquiétante pour les Français à Naples, où ils trouvent comme ennemis quelques rebelles et surtout une maladie jusque-là inconnue, la syphilis. Des mercenaires suisses obtiennent leur congé pour retourner chez eux. Quinze d'entre eux, dont une femme, sont tués et détroussés alors qu'ils traversent Rome. Le montant du butin est évalué à 500 ou 600 écus. On raconte que le guet-apens a été organisé par le cardinal César Borgia pour se venger du pillage de la maison de sa mère lors du premier passage des troupes françaises. De telles agressions se produisent un peu partout. Ainsi, le fils du cardinal de Saint-Malo meurt assassiné près de l'Isola, à quelques lieues au nord de Rome : on lui dérobe 3 000 écus dont il était porteur.

Ces incidents sont significatifs d'un changement radical de mentalité : on ne craint pas d'affronter ceux qui, trois mois auparavant, défilaient en vainqueurs dans la Ville éternelle. Mise à part la Toscane, c'est toute l'Italie qui se dresse contre les envahisseurs. Le jour même de l'attaque des Romains contre les Suisses, le 1er avril, a été conclue à Venise une ligue dite défensive, mais en réalité constituée contre la France. En font partie le pape, l'empereur, les rois d'Espagne, Milan et

Venise afin d'assurer « le maintien de la paix en Italie, le salut
de la Chrétienté, la défense des honneurs dus au Saint-Siège et
des droits à l'Empire romain ». Alexandre VI s'est engagé à
fournir 4 000 cavaliers et 2 000 fantassins qui viendront s'ajouter aux contingents des alliés pour former une armée de
36 000 cavaliers et 18 000 fantassins. Le diplomate Commines,
en poste à Venise, et le cardinal de Saint-Malo mettent le roi
Charles au courant du revirement du pape. Déjà il sait qu'il ne
peut espérer d'Alexandre VI sa reconnaissance comme souverain de Naples. Il avait mandé à Rome, le 19 mars, le comte de
Saint-Pol, François de Luxembourg, pour demander, alors
que la conquête de Naples était terminée, l'envoi d'un légat
afin de procéder à son couronnement. Alexandre avait
répondu qu'il fallait auparavant que le roi prouvât ses droits
en justice. Une nouvelle mission, le 6 mai, formée des
cardinaux de Saint-Malo et de Saint-Denis ainsi que du comte
de Bresse, avait pareillement échoué. Alexandre VI avait fait
jouer la corde sensible : son plus jeune fils Gioffré était en
Sicile l'otage des partisans de Ferrandino et un autre de ses
fils, Juan de Gandie, se trouvait en Espagne entre les mains de
Ferdinand d'Aragon. Il regrettait de ne pouvoir remettre au
roi la bulle d'investiture, même contre 100 000 ducats et une
rente annuelle de 50 000. Mais, désormais il était trop engagé
auprès de Venise et Milan et, d'ailleurs, les immenses levées
de troupes de la coalition faisaient préjuger une défaite
sanglante des Français lorsqu'ils prendraient le chemin du
retour.

Les Borgia contre le Roi-Antéchrist
La curée contre la France

La retraite de Charles VIII est rapidement préparée : huit
jours après la chevauchée d'intronisation du 12 mai, le roi
quitte Naples avec dix mille hommes chargés de butin et
traînant avec eux de lourds canons. Bien que diminuée, son
armée est encore capable de causer des dommages dans les
Etats de l'Eglise, le pape n'ayant pas encore levé de merce

naires comme il l'avait promis à la ligue de Venise. Aussi Alexandre choisit-il d'assurer sa sécurité par la fuite. Lorsque Charles arrive le 30 mai aux portes de Rome, le pape est loin. Il est parti pour Orvieto sous la protection d'une escorte milanaise et vénitienne. Parvenu dans son refuge, il proclame bien haut, le 1er juin, qu'il fait venir de Viterbe et Montefiascone toute l'artillerie disponible dans ces places afin de harceler les Français. Mais ce ne sont que des rodomontades. En fait de résistance il se contente de conseiller aux Romains de faire bon accueil au roi afin d'éviter des représailles. Lorsque Charles entre à Rome, ce même jour du 1er juin, il est fort aimablement salué par les notables de la ville et par le cardinal Pallavicini au nom du Saint-Siège. Le cardinal lui offre les appartements du pape au Vatican, mais le roi refuse et va loger chez le cardinal Domenico della Rovere au Borgo. Il se méfie de l'excès de politesse du pape comme se méfient de lui les Romains. L'armée française est encore redoutable. Tous les Espagnols ont fui la ville : il n'y a donc plus de provocateurs mais le roi fait observer une stricte discipline par ses soldats. « On aurait dit des moines », écrit le Vénitien Guidiccioni. Les Suisses, réputés pour leur esprit vindicatif, ont été parqués sur le Testaccio, ancien dépotoir romain. En signe de bonne volonté, le roi envoie son conseiller, Perron de Baschi à Orvieto pour solliciter du pape une entrevue. Mais, plutôt que de rencontrer le roi, Alexandre est prêt à gagner Ancône et de là Venise si besoin est. Charles n'insiste pas, il évacue Rome le 3 juin.

Rassuré, Alexandre VI revient dans sa capitale au moment où le souverain traverse l'Apennin aux frontières de la Toscane. La bataille de Fornoue, le 6 juillet, n'arrête pas les Français qui échappent à l'anéantissement. Mais à Venise et à Rome on célèbre cet affrontement comme marquant le départ sans retour de l'envahisseur. Une littérature polémique se déchaîne, qui tourne en ridicule le roi de France et ses soldats : on les accuse de tous les maux qui frappent l'Italie et, entre autres de la propagation de la terrible maladie vénérienne qu'ils ont, pour la plupart, contractée à Naples pendant leur séjour.

Au terme de l'aventure, Alexandre est heureux de constater que c'est maintenant le roi de France que l'on considère comme l'Antéchrist. Aussi tire-t-il parti de la situation en s'instaurant le défenseur moral de l'Italie contre le vil envahisseur. Comme celui-ci est désormais hors d'état de lui nuire, il se déchaîne contre lui. Le 30 juin, il défend aux Suisses, sous peine de sanctions spirituelles, de fournir des troupes à Charles VIII et au duc d'Orléans alors assiégé dans Novare. Le 5 août, à la demande des Vénitiens, il publie un monitoire qui fait peser sur le roi de France la menace de l'excommunication. Il renoue vertueusement avec le roi aragonais de Naples, Ferrandino, et lui envoie le cardinal de Monreale pour le rétablir dans la plénitude de ses pouvoirs. Il débauche du parti de la France Prospero et Fabrizio Colonna. Il incite Ludovic le More et son frère Ascanio à envoyer cinq cents hommes d'armes et une troupe de fantassins à Ferrandino pour abattre le vice-roi français Montpensier. De même il adresse en octobre un légat, Lionello Chieregato, à l'empereur Maximilien pour le prier de descendre en personne en Italie afin de nettoyer la péninsule des alliés de la France. Enfin le 9 novembre, quand il apprend que Charles VIII a franchi les Alpes, Alexandre envoie à Ferrandino sa contribution guerrière : une troupe de cinq cents fantassins, cent chevau-légers et cent arbalétriers à cheval. L'artillerie pontificale, transportée jusqu'à Naples, est mise en batterie contre le Château-Neuf et provoque sa capitulation, puis obtient celle du château de l'Œuf, en février 1496. Mais, malgré l'effort militaire sans précédent de leurs ennemis, les Français reprennent l'avantage. Ils se maintiennent en Calabre, dans les Abruzzes et dans la Terre de Labour. Au début de 1496 une flotte leur apporte à Gaète des vivres, des munitions et un renfort de deux mille hommes. Virginio Orsini et ses parents se joignent à eux par haine des Colonna que le pape vient de rallier à Ferrandino. Alexandre évalue cependant avec beaucoup de clairvoyance la situation. Il estime que les Français ont, malgré tout, perdu la partie et il renforce son union avec les coalisés : il reçoit à Rome le marquis de Mantoue, François de Gonzague, capitaine général de la ligue qui part en campagne dans le royaume de Naples. La réception est organisée de façon grandiose. La pluie tombe à torrent mais les Romains se pressent en foule, le 26 mars 1496, sur le passage du cortège. Lorsque le marquis franchit le pont Saint-Ange, il est salué par le tir des bombardes du château. Pour l'accueillir au Vatican, le pape a curieusement revêtu une parure pontificale noir et vert qui avait appartenu au pape Boniface IX au début du siècle comme s'il voulait manifester la continuité séculaire de la fonction pontificale : il met son autorité temporelle et spirituelle au service de la cause sacrée de la liberté de l'Italie contre les Barbares.

Le lendemain, dimanche des Rameaux, François de Gonzague occupe la place d'honneur durant l'office qui dure quatre heures. Il reçoit du pape la première palme bénite, puis la rose d'or, en témoignage de la faveur exceptionnelle du Saint-Siège. Le pape lui accorde ensuite une audience particulière pour entendre de sa bouche le récit de la bataille de Fornoue où le marquis, conformément à la propagande de Venise, prétend avoir remporté la victoire sur Charles VIII. Le lundi, Gonzague part pour le royaume de Naples où l'a précédé comme légat, le fils du pape, César Borgia. Dès le 18 mars, le cardinal de Valence proclame l'union intime des Borgia et des Aragon, en chevauchant dans les rues de la capitale, entouré de son frère Gioffré, prince de Squillace, et du beau-frère de celui-ci, Alphonse d'Aragon, fils naturel d'Alphonse II et de sa maîtresse Trusia Gazulla.

La nouvelle campagne contre les Français connaît le plus grand succès. Les troupes de la ligue, renforcées par celle du duc Guidobaldo d'Urbin, contraignent le duc de Montpensier à s'enfermer dans la place d'Atella en Basilicate : il capitule le 20 juillet 1496. Virginio Orsini, son allié, se rend également et, pour complaire au pape, est incarcéré au château de l'Œuf. Le 28 juillet l'archevêque de Naples ordonne que ce succès soit célébré par des processions et des chants de Te Deum. Naples s'illumine dans la nuit. Au milieu des rues et des places, le peuple danse de joie. Et cette joie redouble quand on apprend, peu après, que les derniers partisans des Français ont été capturés dans les Abruzzes et, parmi eux, Giangiordano, le fils de Virginio Orsini.

Alexandre VI invite les puissances européennes à participer à la curée contre la France. L'Angleterre, jusque-là restée neutre, donne son adhésion à la ligue de Venise le 18 juillet. En août, Maximilien d'Autriche arrive en Lombardie à la tête de quatre mille hommes. Alexandre invite le doge à aider l'empereur dans son entreprise : « C'est une erreur de penser qu'il ne faut pas combattre les Français sous le prétexte que pour le moment ils ne nous font pas la guerre. Ils s'entêtent à conserver pied dans le royaume de Naples et ils continuent d'occuper Ostie. Ils expédient journellement vers l'Italie des troupes et des munitions de guerre. Ils dirigent sans cesse des navires armés vers Gaète. Tous leurs actes sont véritablement du domaine de la guerre ouverte... »

Le pontife ne peut pour sa part soutenir financièrement l'empereur : Charles VIII l'a privé de quelques-unes de ses ressources les plus régulières, les droits payés pour les nominations aux bénéfices ecclésiastiques de France. Les subsides promis à Maximilien par Venise et Milan ne viennent pas. Aussi, après avoir vainement tenté d'arracher Livourne aux Florentins, amis de la France, reprend-t-il, à l'automne, le chemin du Tyrol. Cette triste expédition démontre à Alexandre, s'il en était besoin, qu'il ne peut compter que sur lui-même pour parer aux menaces et aux éventuelles représailles des Français.

La leçon du malheur des temps

La campagne de Charles VIII a révélé au pape combien il est nécessaire de renforcer son pouvoir de prince temporel. Or ses Etats ont subi nombre de calamités sur le passage des troupes : les récoltes ont été gâtées ; la disette et la cherté excessive des denrées ont frappé le pauvre peuple en même temps que la terrible syphilis étendait partout ses ravages. Des inondations catastrophiques ont succédé à l'exceptionnelle vague de froid de décembre 1495. Des centaines de maisons ruinées dans la vallée du Tibre et à Rome même, les habitants des bas quartiers noyés, des vivres détruits, le bétail emporte par les flots : la ville offre par endroits le visage de la désolation. On rapporte des prodiges qui témoignent, croit-on, de l'irritation divine. Ainsi on trouve, échoué sur la rive du Tibre, après le retrait des eaux, un monstre étrange. Il s'agit, sans doute, des restes décomposés d'un animal, mais les ambassadeurs vénitiens en donnent la description qu'on leur a faite : on y a vu la forme d'une femme, avec un bras droit terminé en trompe d'éléphant, un postérieur barbu, une queue de serpent, un pied droit pourvu de griffes, le pied gauche d'un bœuf et des écailles sur les jambes !

L'horreur du terrible hiver, accrue par la frayeur des récits fantastiques, impressionne le petit peuple durement frappé par la catastrophe. Les craintes mystiques sont alimentées par les sermons des prédicateurs. A Florence, retentit de plus belle la terrible éloquence de Savonarole. Le prophète proclame que Charles VIII a été puni pour n'avoir pas réalisé la réforme de l'Eglise et chassé les prêtres indignes lors de son passage à Rome. A la Noël de 1495, il fait promulguer par le Grand Conseil un décret qui proclame Jésus-Christ roi du peuple florentin. Au carême de 1496, il livre à son auditoire une vision pathétique.

« Je vous annonce que l'Italie sera bouleversée de fond en comble : les premiers deviendront les derniers. Malheureuse Italie !... On verra l'abomination de la guerre par-dessus la guerre... La loi des prêtres sera abolie et ils seront dépouillés de leurs dignités. Les princes se vêtiront de cilices et les peuples seront broyés par le malheur. »

Deux mondes s'opposent, l'un du profit et de la jouissance, l'autre de la pureté et du dépassement spirituel. Profitant de l'invasion étrangère et du bouleversement de la société, Savonarole veut planter la Croix comme un symbole unificateur et, par la pénitence, extirper le mal. Mais le pape Borgia et ses fils ne partagent pas cette vision de l'avenir. Charles VIII a échoué dans son entreprise et ils ont avec ténacité travaillé à son échec. Ils ne voient dans ces événements nulle intervention de la Providence divine. Sur les ruines, contrairement à Savonarole, ils souhaitent bâtir un solide empire terrestre. L'ébranlement des structures et l'affaiblissement des hommes leur fournissent l'occasion rêvée de faire aboutir leur dessein. Désormais ils entendent brûler les étapes pour y parvenir. Ils ne se sont pas laissé démonter par l'invasion française, ils ne se laisseront pas davantage détourner de leurs intérêts par le chantre fanatique de la Cité de Dieu.

CHAPITRE III

Les enfants terribles

Réunion de famille au Vatican

Ignorant les gémissements du peuple et les prophéties de l'Apocalypse, le Vatican offre, aux beaux jours du printemps de 1496, l'image d'une oasis de paix et de concorde. Alexandre VI, en père comblé, y réunit ses enfants.

Lucrèce avait rejoint le pape à Pérouse, lorsqu'il fuyait devant Charles VIII. A l'automne de 1495, elle se réinstalle avec son mari Giovanni Sforza dans le palais de Santa Maria in Porticu. Elle y donne dans l'hiver des fêtes élégantes.

A seize ans la comtesse de Pesaro a acquis une grande maîtrise dans la conduite de la vie de cour. En mars 1496 elle reçoit dans sa demeure les quatre prélats que son père vient d'élever au cardinalat. Ce sont quatre Espagnols de Valence, des hommes de confiance qui augmentent opportunément le nombre des partisans dévoués du pape dans le Sacré Collège. Bartolomeo Martini est majordome pontifical, Juan di Castro, gouverneur du château Saint-Ange, Juan Lopez, dataire. Le quatrième est Jean de Borgia, dit « le jeune », petit-neveu d'Alexandre VI : il est le petit-fils de sa sœur Juana et de Pedro Guillen Lanzol de Romani. Lucrèce accueille également en mars François de Gonzague, le général en chef de la ligue anti-française, homme séduisant par sa belle prestance et le renom qu'il a gagné dans la lutte contre Charles VIII.

Le talent de Lucrèce comme maîtresse de maison est utilisé

par le pape pour rehausser l'éclat mondain de sa cour. Alexandre la charge de préparer la réception de son plus jeune fils Gioffré, prince de Squillace et comte de Cariati, et de sa femme, la belle princesse Sancia d'Aragon. La venue du couple fait suite à la légation de César Borgia à Naples, au cours de laquelle a été renouée solennellement l'union de famille entre la dynastie aragonaise et les Borgia.

Le vendredi 20 mai 1496, à la mi-journée, les abords de la Porte du Latran connaissent une vive animation. Lucrèce sort de la ville sur une mule caparaçonnée de satin noir, et accompagnée de vingt femmes richement parées. Elle est précédée de deux pages à cheval : l'une des montures est couverte de brocart d'or, l'autre de velours cramoisi. La fille du pape s'arrête au-devant de deux cents hommes d'armes de la garde pontificale rangés sur la place et entourés des familiers, chapelains et écuyers des cardinaux. Les ambassadeurs du roi et de la reine d'Espagne, et du roi de Naples, sont également présents.

Bientôt paraît le cortège des princes napolitains. Une escorte brillante de seigneurs, de dames et de bouffons entoure le couple. Sancia, jeune femme épanouie, vingt ans. Elle attire tous les regards. La blonde Lucrèce observe avec curiosité, et peut-être un peu de dépit, cette belle brune aux yeux bleus, vêtue d'une robe noire aux manches longues, qui monte un genet gris caparaçonné de velours et de satin noir. Six dames d'honneur marchent à ses côtés. Son beau-frère, le cardinal César, a déjà éprouvé le charme de la princesse à Naples et c'est sans doute à lui que fait allusion l'envoyé de Mantoue, témoin de la scène : « La brebis, par ses gestes et son aspect, se rendra facilement au désir du loup. » Quant aux suivantes de Sancia : « Elles ne sont pas indignes de la maîtresse et on dit publiquement que cela fait une belle école. »

Au-devant de Sancia, Gioffré chevauche entre le sénateur de Rome et l'ambassadeur du roi des Romains. C'est un garçon de quinze ans, au teint brun, à la physionomie animée, élégamment vêtu de noir. Une belle chevelure aux reflets roux s'échappe de son bonnet de velours noir. Malgré son air fier et insolent il a, en comparaison de son épouse, l'aspect d'un page plus que celui d'un prince.

Lucrèce salue affectueusement les nouveaux venus et les conduit jusqu'à la basilique voisine pour une rapide action de grâces. Remontant à cheval, le cortège se rend ensuite au Vatican, passant le long du Colisée et des ruines du forum et empruntant jusqu'au château Saint-Ange les rues étroites de la Rome médiévale.

Dans son palais, Alexandre attend avec impatience l'arrivée de ses enfants. Il guette le cortège, nous dit Burckard, par la fenêtre entrouverte de la seconde chambre de son appartement. Quand se montre l'avant-garde, il gagne prestement la salle des Pontifes et s'assoit sur son trône, entouré de onze cardinaux drapés dans leurs capes écarlates. Devant l'escabeau où reposent les pieds du pape on a disposé des coussins de velours cramoisi : la blonde Lucrèce et la brune Sancia s'y installent après avoir, comme Gioffré, baisé le pied droit et la main droite du pontife et reçu de lui, ainsi que des cardinaux présents, une accolade paternelle. Le pape adresse à ses enfants quelques mots de bienvenue, puis rompt le caractère solennel de l'audience : il échange avec Sancia et Lucrèce des facéties qui les font pouffer de rire, laissant Gioffré s'entretenir gravement avec les cardinaux et son frère César.

Enfin l'assemblée prend congé du pape. Les familiers des cardinaux conduisent les jeunes princes jusqu'au palais, occupé autrefois par le cardinal Ardicino della Porta, qui leur a été assigné comme demeure. Pendant deux jours, les dames romaines leur font fête.

Le dimanche 22 mai, l'office de la Pentecôte réunit de nouveau la famille pontificale dans la basilique Saint-Pierre. Le sermon prononcé par un prélat espagnol, le chapelain de l'évêque de Segorbe, est long et ennuyeux. Déjà l'assistance, le pape le premier, montre des signes de lassitude. Sancia et Lucrèce ne tiennent plus en place et on assiste à une scène inouïe dans le premier sanctuaire de la Chrétienté : les deux jeunes femmes, dans leur somptueuse parure, escaladent les stalles de Saint-Pierre pour s'installer dans l'ambon de marbre où l'on chante l'épître et l'évangile. A leur suite leurs filles

d'honneur y grimpent aussi et occupent les sièges des chanoines.

Pour toute punition de ce que Burckard appelle « un grand
déshonneur, une ignominie et un scandale pour le clergé et le
peuple », le pape se contente de rire, heureux de constater
cette complicité juvénile qui unit sa fille et sa bru.

Juan de Gandie, général en chef du Saint-Siège
La campagne contre les Orsini et l'expédition d'Ostie

Le trop jeune Gioffré de Squillace n'a pas sa place dans
l'armée que la ligue anti-française a lancée à l'assaut des
dernières places tenues par les troupes de Charles VIII dans le
royaume de Naples. Mais un autre des enfants Borgia peut
participer à la curée : c'est Juan de Gandie. Son père rêve de
le voir marcher sur les traces glorieuses de son frère défunt, le
premier duc de Gandie. Lors de l'invasion française, don Juan
n'avait pas été autorisé par le roi Ferdinand à quitter
l'Espagne. Mais, maintenant que ce dernier avait rompu le
traité de Barcelone conclu avec Charles VIII, il ne s'opposait
plus à la venue en Italie du second fils d'Alexandre VI.

A la fin de juillet 1496, don Juan prend congé de son épouse
la duchesse Maria Enriquez Borgia, alors enceinte. Il la laisse
avec son héritier, le petit Juan II, dans le château fort de
Gandie. Le 10 août, le duc, arrivant de Civitavecchia, fait son
entrée dans Rome. Les familiers des cardinaux et César lui-
même l'attendent à la Porta Portese. Juan monte un cheval bai
caparaçonné de toile d'or, dont les harnais sont bordés de
clochettes d'argent. Il est vêtu d'un habit de velours brun semé
de perles et de pierreries : son luxe éclipse la richesse moins
voyante du train de César Borgia.

Le pape a formé le projet de donner au duc de Gandie une
principauté formée aux dépens des Orsini. En février 1496 il a
décidé de châtier ces barons, coupables d'avoir abandonné le
parti du roi de Naples et d'avoir ainsi favorisé l'invasion
française : Virginio, le chef de la famille a été déclaré rebelle,
mais il est impossible de se saisir de sa personne tant que les

Français le protègent. Dès que cette protection se relâche, une bulle, datée du 1er juin 1496, excommunie Virginio et sa famille, délie leurs vassaux de leur serment d'obéissance et décrète la confiscation de leurs biens.

Ainsi, à l'arrivée de Juan de Gandie, le terrain est déblayé. En marchant contre les Orsini, alliés des Français, le fils du pape exécutera les ordres du Saint-Siège en même temps que ceux de son suzerain espagnol, le roi Ferdinand. Ce faisant, il travaillera pour lui-même car les biens conquis lui reviendront. L'entreprise est d'autant plus facile que Virginio Orsini a été fait prisonnier lors de la capitulation française d'Atella avec son fils Giangiordano. Virginio, incarcéré au château de l'Œuf, y mourra peu après, très opportunément pour le pape, qui sera accusé par la rumeur publique de l'avoir fait empoisonner.

Alexandre VI n'a pas attendu la mort du chef des Orsini pour proclamer ses intentions à l'égard de son fils Juan. Pendant les fêtes liturgiques du mois d'août, le duc prend place sur la plus haute marche du trône pontifical : cet honneur n'est attribué qu'aux princes souverains. En septembre Juan reçoit la légation du Patrimoine, c'est-à-dire la charge de gouverneur de cette vaste région, située au nord-ouest de Rome, où se trouvent les principaux fiefs des Orsini. Le pape lui forge une armée toute neuve en engageant un grand nombre de mercenaires. Quand tout est prêt a lieu dans la basilique Saint-Pierre, le 26 octobre, la cérémonie élevant Juan à la dignité de gonfalonier de l'Eglise. Il reçoit également le bâton de capitaine général des troupes pontificales. Chacun admire sa prestance, la magnificence de ses vêtements et les bijoux dont le pape lui a fait cadeau. Le duc Guidobaldo d'Urbin, feudataire pontifical, prend part à la cérémonie. Il reçoit lui aussi un bâton de commandement : le pape le charge de diriger effectivement les opérations contre les Orsini, Juan étant tout à fait inexpérimenté dans l'art de la guerre. Alexandre remet aux deux chefs de l'armée les étendards de l'expédition : l'un porte les armes de l'Eglise, les deux autres le taureau Borgia. Le cardinal Lunati, chargé des fonctions de légat, reçoit par délégation les pouvoirs du pape pendant la campagne : il pourra notamment prononcer l'excommunication et l'interdit contre les partisans des rebelles.

L'attaque des châteaux des Orsini aboutit à la prise rapide de dix places : successivement Scrofano, Galera, Formello et Campagnano capitulent ; Anguillara ouvre volontairement ses portes. Enfin les troupes arrivent devant le château de Bracciano, principale place des Orsini : l'enceinte, redoutable avec ses cinq tours massives baignées par le lac, occupe une position quasi imprenable. Bartolomeo Alviano, beau-frère de Virginio, jeune condottiere laid et mal conformé mais le plus valeureux d'Italie, en a préparé la défense. Il y a accumulé des munitions et a fait arborer sur les tours le drapeau français. Il fait huer l'armée du pape par le cri de guerre *Francia* ! Bracciano est investi en même temps que, de l'autre côté du lac, Trevignano et Isola.

Au cours d'un engagement, le duc d'Urbin est blessé et se retire du champ de bataille. Le duc de Gandie ne sait quels ordres donner. Il se résout enfin à demander à son père de faire venir à Bracciano l'artillerie de siège du roi de Naples, mais le chemin est long : les canons n'arriveront qu'à la fin de novembre 1496. Certes Trevignano et Isola capitulent, mais Bracciano résiste. Les assiégeants se cantonnent frileusement dans leurs quartiers alors que les assiégés multiplient leurs sorties, parfois jusqu'aux portes de Rome : César Borgia, chassant près des Trois Fontaines, rencontre un détachement auquel il échappe à grand-peine. L'insuccès de son fils Juan irrite le pape. Il en tombe malade et son indisposition l'empêche de célébrer les messes de Noël. Il a renforcé le blocus de la place qu'il espère réduire par la famine, mais Bartolomeo Alviano, bien pourvu de ravitaillement, peut tenir longtemps. Le 15 janvier 1497, il repousse les soldats pontificaux qui se sont introduits dans la place par une brèche faite par le canon. Il chasse de Bracciano un âne chargé d'une pancarte : « Laissez-moi passer car je suis envoyé comme ambassadeur au duc de Gandie. » L'animal porte en effet une lettre d'Alviano attachée sous sa queue : le général offre à ses soldats qui ont déserté le parti des Orsini, une solde double de celle que Gandie leur a donnée pour leur trahison à condition qu'ils reviennent à Bracciano.

Les ressources ne manquent pas en effet au parti des Orsini. Carlo Orsini et son cousin Giulio, frère du cardinal Giambattista, ont l'appui de Vitellozzo Vitelli, seigneur de Città di Castello, qui revient de France avec beaucoup d'argent remis par Charles VIII afin de recruter de nouveaux renforts. Giovanni della Rovere, préfet de Rome, a levé des cavaliers à Sinigaglia. Cette nouvelle armée se concentre à Soriano, à l'est de Viterbe. Les pontificaux se portent à sa rencontre pour la détourner de Bracciano. Une bataille a lieu le 25 janvier 1497. Les cinq cents Suisses du pape sont renversés par les milices de Vitellozzo dotées de piques plus longues que celle des Helvètes. Le duc d'Urbin est fait prisonnier, Gandie reçoit une légère blessure, le cardinal Lunati est sur le point de mourir de peur. Les barons rebelles au pape sont de nouveau maîtres de la campagne romaine.

Alexandre s'empresse de faire la paix. Le 5 février, les Orsini recouvrent leurs biens à l'exception d'Anguillara et Cerveteri. Ils sont certes astreints à verser 50 000 ducats d'or au Trésor pontifical mais ils récupèrent la somme en imposant une rançon d'un montant équivalent au duc d'Urbin, leur prisonnier. Ainsi ils se tirent à bon compte de cette campagne : ils ont obtenu la reconnaissance de leurs possessions par le pouvoir pontifical, la libération de leurs parents encore captifs à Naples et l'autorisation de rester au service du roi de France. Alexandre VI, fort dépité, rend responsable de cette défaite non pas son fils Juan mais le malheureux duc d'Urbin : il laisse les parents de Guidobaldo payer seuls sa rançon et il envisage comme punition d'imposer comme successeur au duc, en l'absence d'un héritier direct, l'un de ses propres fils qui pourrait être, éventuellement, César Borgia.

Heureusement, l'occasion se présente d'effacer l'humiliation du duc de Gandie : le pape l'associe à Gonzalve de Cordoue, le général que les Rois Catholiques d'Espagne ont envoyé en Italie pour chasser les Français du royaume de Naples. Le 21 février, parti de Rome avec six cents hommes d'armes et mille fantassins, Gonzalve met le siège devant

Ostie, que le cardinal della Rovere avait livrée aux Français.
La campagne est brève. Le 15 mars, Gonzalve est de retour à
Rome, traînant derrière lui le chef de la garnison d'Ostie qu'il
a contraint à capituler. Le duc de Gandie et son beau-frère
Giovanni de Pesaro, prennent une place prééminente dans le
défilé des troupes victorieuses. Le duc de Gandie s'approprie,
en plein accord avec son père, la préséance sur Gonzalve de
Cordoue. Aussi, le dimanche des Rameaux, le fier Espagnol
refuse-t-il d'occuper la place qu'on lui offre, sur les marches
du trône papal à un degré inférieur à celui du duc de Gandie.
Il ne veut pas recevoir après lui la palme bénite. Il faut que le
pape use de diplomatie pour arranger le différend : il offre à
Gonzalve la rose d'or, suprême récompense des princes
chrétiens.

Scandales au Vatican
Fuite de Giovanni Sforza
Jalousie de César

Une atmosphère très lourde pèse sur Rome. La fin des
campagnes contre les Orsini et les della Rovere a fait affluer
dans la ville une foule de soldats indisciplinés. Les crimes et
les exactions se multiplient. Le 24 mars 1497, jour du Vendredi saint, le peuple s'assemble au Campo dei Fiori. Il crie
qu'il faut lapider les Espagnols. Gonzalve de Cordoue, dont
l'irritation redouble, rend les Borgia responsables de ces
manifestations de haine. Il présente de rudes remontrances au
pape. Il lui reproche sa vie dissolue : le bruit court en effet
qu'Alexandre vient d'avoir un enfant d'une femme mariée, et
que le mari trompé s'est vengé en poignardant son beau-père
qui avait servi d'entremetteur. On raconte d'autre part que
Sancia, la femme de Gioffré, mène une vie de débauche entre
les murs du Vatican. Le Saint-Siège paraît ne respecter ni son
propre honneur ni celui des autres. Le mari de Lucrèce,
Giovanni de Pesaro perd pied dans cette cour où il ne
représente plus rien : les Borgia n'ont plus besoin des Sforza
et la morgue des fils du pape blesse chaque jour plus
profondément leur beau-frère. Le matin de Pâques, Giovanni

excédé, sort de Rome sous prétexte d'un pèlerinage à l'église de Saint-Onuphre-hors-les-Murs. Là il enfourche un cheval arabe qu'il avait fait secrètement préparer. Il s'enfuit à bride abattue. Il franchit en vingt-quatre heures la distance qui le sépare de Pesaro : le cheval tombe raide mort alors qu'il passe les portes de la ville. Ce départ, dont le pape et ses fils feignent d'être surpris, les soulage grandement. Lucrèce était elle-même lasse de son époux dont elle se plaignait d'être délaissée. D'après les confidences d'un camérier de Giovanni, César, peu auparavant, était venu voir sa sœur. Lucrèce avait demandé au camérier de se cacher derrière une tapisserie. De sa cachette, le serviteur avait entendu César avertir Lucrèce que des ordres avaient été donnés pour le meurtre de son mari. Après le départ de son frère, Lucrèce avait chargé le laquais de répéter à la hâte à son maître ce qu'il avait entendu. Le comte de Pesaro, averti, n'avait pas demandé son reste. Lucrèce était-elle complice de César et avait-elle monté une comédie pour faire fuir son mari devenu indésirable, ou, au contraire, l'avait-elle prévenu par un reste d'affection afin de sauver sa vie ? Elle ne voulait pas, en tout cas, qu'il fût victime de la jalousie de ses deux frères Juan et César. Ceux-ci qui se partageaient, disait-on, les faveurs de Sancia, femme du jeune Gioffré, portaient en même temps à leur sœur une affection excessive. C'est peut-être parce qu'elle se sentait traquée à l'intérieur du palais apostolique que la fille du pape se plia à la coutume qui imposait une retraite à la femme mariée privée de son époux : le 4 juin 1497 elle alla s'enfermer dans le couvent de San Sisto près de la via Appia.

Le départ de Lucrèce porte à son paroxysme la haine de César à l'égard de Juan de Gandie : il l'en juge responsable et ce nouveau grief s'ajoute au mépris né des échecs militaires subis par son frère. Il espérait que Juan, ayant démontré sa nullité, serait renvoyé en Espagne par son père après la parodie de triomphe qui avait tellement irrité Gonzalve de Cordoue : César pourrait alors se substituer à lui et obtenir la situation princière dont Juan avait été incapable de se doter. Mais c'est compter sans l'amour du pape pour le duc de Gandie : loin d'abandonner son dessein, Alexandre imagine de le réaliser en transformant en principauté, en faveur de Juan, les fiefs du Saint-Siège enclavés dans le royaume de Naples.

Le 7 juin 1497, dans un consistoire secret, la ville de Bénévent est érigée en duché, auquel sont joints les villes de Terracine et de Pontecorvo avec leurs comtés. Le nouveau fief est conféré à Juan de Gandie, avec droit de succession pour ses descendants issus de légitime mariage. Seul le cardinal Piccolomini de Sienne — le futur pape Pie III — ose s'opposer à cette aliénation des droits de l'Eglise. Cette mesure constitue, dans l'esprit d'Alexandre, une première étape vers l'élévation de son fils à la dignité du roi de Naples. Le roi Frédéric, entièrement placé sous la tutelle étrangère, vénitienne et espagnole, n'aura pas, pense le pape, la force de s'opposer à l'ambition de Juan. Le duc pourra ainsi aisément s'imposer comme son successeur. Pour ménager la susceptibilité du monarque, Alexandre propose dans le même consistoire l'annulation du tribut payé par la couronne de Naples au Saint-Siège. Lorsqu'il assiste à ce consistoire et qu'il entend formuler ces propositions inouïes, César reste muet. Il en vote l'adoption avec la majorité des cardinaux. Mais on imagine la colère qui l'agite en voyant récompenser son frère de façon aussi extraordinaire, alors que ses talents sont inexistants et que son activité dans Rome se borne à des aventures d'alcôve. Pour comble d'ironie, le 8 juin, César est nommé légat pour aller couronner le souverain napolitain. Les deux frères doivent partir ensemble pour Naples où, après le couronnement, Juan ira prendre possession de sa nouvelle principauté.

Le meurtre de Juan de Gandie

Fière de l'honneur insigne que le Saint-Père vient de décerner à ses deux fils, Vannozza Cattanei les convie, le 14 juin au soir, dans sa vigne sur l'Esquilin, près de Saint-Pierre-aux-Liens. Elle a fait dresser sous les tonnelles des tables de banquet. Tous les amis des Borgia sont là. Le cardinal César est venu avec son cousin Jean, cardinal-

archevêque de Monreale. Vannozza, encore fort belle, superbement parée et chargée de bijoux, préside avec entrain la
fête nocturne. Elle espère obtenir, au terme de la soirée, une
franche réconciliation entre ses deux fils. Pendant la fête on
remarque l'apparition d'un homme masqué qui murmure
quelques mots à l'oreille de Juan de Gandie, puis disparaît :
mais on ne s'en étonne pas outre mesure car on a déjà vu ce
mystérieux personnage en compagnie du duc quand il se rend
à des rendez-vous galants.

La nuit est déjà très avancée. Les deux frères et le cardinal
Jean de Borgia reprennent sur leurs mules le chemin du
Vatican. Ils se séparent près du palais qu'occupait le pape
lorsqu'il était vice-chancelier. Les cardinaux César et Jean
continuent leur route vers le pont Saint-Ange. Juan de Gandie
souhaite faire, dit-il, une promenade solitaire pour son
agrément : il s'engage, suivi d'un seul écuyer, dans une ruelle
étroite qui mène à la place des Juifs. L'homme masqué qui
était venu à la vigne de Vannozza l'attend là et monte en
croupe derrière lui. Juan place l'écuyer en faction sur la
place : si, au bout d'une heure, son maître n'a pas reparu, il
devra revenir seul au palais.

Le lendemain, 15 juin, les serviteurs du duc constatent que
leur maître n'est pas rentré de la nuit dans son appartement.
Ils en avertissent le pape. Alexandre pense comme eux que le
duc s'est attardé auprès de quelque belle, et n'a pas osé sortir
en plein jour de la maison où il se trouvait afin d'éviter que
son inconduite ne rejaillisse sur son père. Mais le temps passe.
La nuit arrive, le duc ne rentre pas et le pape s'inquiète
sérieusement. « Bouleversé jusqu'au fond de ses entrailles »,
comme l'écrit Burckard, il envoie des policiers, sous le
commandement du sénateur de Rome, fouiller partout. Le
bruit de cette disparition mystérieuse se répand vivement dans
la ville. Les bourgeois barricadent leurs portes : on parle d'un
attentat des ennemis des Borgia. Les troupes espagnoles
courent dans les rues, l'épée au clair. Les Orsini et les
Colonna prennent les armes. Cependant les argousins retrouvent l'écuyer du duc : il est grièvement blessé et hors d'état de
fournir des renseignements. Puis, ils rattrapent la mule de don

Juan . les étriers ont été faussés, comme tirés avec violence. Enfin, dans l'après-midi, un témoin important se présente à la police. Il s'agit d'un certain Giorgio Schiavino. Il a passé la nuit dans une barque amarrée au bord du Tibre, près de l'hôpital de Saint-Jérôme des Esclavons, afin de surveiller une cargaison de bois.

Vers cinq heures du matin, le 16 juin, il avait vu deux hommes sortir avec précaution de la rue longeant l'hôpital, regarder autour d'eux, puis disparaître. Peu après, deux autres hommes avaient fait leur apparition ; et, après avoir pareillement observé les alentours, ils avaient donné un signal : un cavalier monté sur un cheval blanc était sorti de la ruelle, tenant couché au travers de sa selle un cadavre, dont la tête et les bras pendaient d'un côté, et les jambes de l'autre. Arrivé au bord du fleuve, près du déversoir des chariots d'ordures, les deux hommes à pied avaient pris le corps et l'avaient lancé de toutes leurs forces dans le courant. Le cavalier leur ayant demandé si le cadavre s'était bien enfoncé, ils avaient répondu : « Oui, Monseigneur. » Le cavalier s'était alors avancé. Ayant aperçu le manteau du mort qui flottait sur l'eau, il avait fait lancer des pierres pour le faire couler. Puis tous étaient partis, y compris les deux hommes qui avaient fait le guet pendant l'immersion du cadavre.

La déposition enregistrée, on demande à l'homme pourquoi il n'a pas parlé plus tôt : il répond qu'il avait bien vu jeter là, de nuit, cent cadavres mais que jamais personne ne s'en était inquiété. Aussi n'avait-il pas prêté plus d'attention à ce dernier événement qu'aux précédents.

De telles précisions font tout de suite penser qu'on a trouvé une piste sérieuse. A son de trompe, on fait appel aux pêcheurs et nageurs de la ville pour repêcher le corps, en promettant dix ducats de récompense à qui le ramènerait. Trois cents hommes se présentent. Les uns plongent dans le fleuve, les autres en draguent le fond avec leurs filets. Vers l'heure des vêpres, le cadavre est retiré de l'eau : il s'agit bien du duc. Il porte encore son manteau de velours, ses chausses et son pourpoint. Ses éperons sont restés fixés à ses chaussures, son poignard et ses gants à sa ceinture. Sa bourse contient trente ducats. Le meurtre n'est donc pas imputable à un voleur. Plusieurs assassins l'ont frappé. On dénombre neuf coups de dague, huit au torse et aux jambes, et un seul, mortel, à la gorge. On charge le corps dans une barque pour le transporter au château Saint-Ange, où le collègue de Burckard, Bernardino Guttieri, clerc des cérémonies, le lave et l'habille de la tenue du capitaine général de l'Eglise. Le pape accourt pour voir son fils. Il éclate en sanglots. Ses cris s'entendent jusque sur le pont Saint-Ange. Il se lamente d'autant plus fort, écrit Burckard, que son fils chéri a été jeté dans le fleuve au même endroit que les ordures. Revenu au Vatican il s'enferme dans sa chambre, ne veut recevoir personne et refuse de manger pendant trois jours. Devant ce spectacle touchant du Père de la Chrétienté pleurant son fils, les ennemis des Borgia jubilent. Dans les milieux cultivés circulent les vers cruels de Sannazar :

« Que tu sois un pêcheur d'homme, Sixte,
    nous le croyons aisément.
Puisque tu as repêché ton fils dans tes filets ! »

Malgré sa douleur, le pape donne ordre de procéder avec solennité aux funérailles de don Juan. Le soir de la tragique découverte, le cadavre est placé sur une civière et porté à découvert le long du Tibre jusqu'à l'église Sainte-Marie-du-Peuple au milieu d'un cortège illuminé de près de deux cents torches, honneur tout à fait exceptionnel car généralement on n'en allumait qu'une vingtaine pour les cérémonies funèbres. Tous les prélats du palais, les chambellans et les écuyers du pape l'accompagnent, poussant de grands gémissements et marchant en désordre. Le peuple s'approche avec curiosité pour contempler le visage du jeune prince qui semble, à la lueur vacillante des flambeaux, endormi plutôt que mort. Les soldats espagnols font la haie, sur le parcours, l'épée nue. En signe de deuil ou par crainte, les boutiquiers ont fermé leurs commerces sur le passage de la procession. Le corps est inhumé dans la chapelle de Sainte-Lucie que la mère du duc

Vannozza, la destinant à sa propre sépulture, avait fait orner de fresques par Pinturicchio.

Une délicate enquête

Pendant que le pape s'enferme dans son chagrin, les recherches les plus minutieuses sont menées pour découvrir les assassins. Le barigel, chef de police, fait fouiller toutes les maisons que le duc avait l'habitude de fréquenter : on ne trouve aucun indice.

Chacun avance une hypothèse différente. Certains accusent les Orsini : en effet, le meurtre a été commis dans un quartier de Rome peuplé de leurs clients, et, d'ailleurs, la mule de la victime y a été retrouvée. Les Orsini avaient un mobile : venger la mort de Virginio, le chef de leur maison. Guidobaldo d'Urbin, mécontent des Borgia à la suite de la récente campagne menée avec le duc Juan, aurait pu aussi tremper dans l'assassinat. Des cardinaux sont suspectés : Federico San Severino et surtout Ascanio Sforza. Ce dernier s'est récemment querellé violemment pendant un dîner avec Juan. Son majordome a été tué. Le cardinal milanais aurait pu vouloir venger ce meurtre et en même temps l'affront fait à son cousin Giovanni de Pesaro. D'autres pistes peuvent être fournies par les aventures galantes du jeune duc : il a irrité bien des pères et des maris, et on cite pêle-mêle le comte Antonio Maria de La Mirandole humilié à travers sa fille ; Gioffré de Squillace, à travers sa femme Sancia ; et Giovanni de Pesaro, à travers Lucrèce. Mais on ne se risque pas à citer le nom de César Borgia dont la féroce jalousie qu'il entretenait à l'égard de son frère n'était pourtant un secret pour personne.

Quand enfin il sort de sa prostration, le pape réunit le 19 juin cardinaux et ambassadeurs. Il exprime sa douleur de façon pathétique. Jamais, dit-il, il ne pourra éprouver affliction plus grande, tant il chérissait son fils. Désormais il n'attache de prix ni au pontificat, ni à rien d'autre sur la terre. S'il disposait de sept papautés, il les donnerait pour ramener le duc à la vie ! Quant au meurtrier il ignore qui il est, mais il disculpe le duc d'Urbin ainsi que Gioffré de Squillace et

Giovanni de Pesaro. Conscient d'avoir irrité le ciel par sa mauvaise réputation et celle de sa famille, il déclare vouloir faire amende honorable et racheter sa conduite en procédant à la réforme de l'Eglise.

A ce discours empreint de dignité, l'ambassadeur d'Espagne, Garcilasso de la Vega, réplique en exprimant sa sympathie au pape. Il excuse le cardinal Ascanio Sforza qui n'a pas osé se présenter au consistoire. Il se porte garant de ce que le prélat n'a ni trempé dans l'assassinat ni comploté avec les Orsini. Les autres ambassadeurs, chacun à son tour, offrent leurs condoléances. Le consistoire s'achève dans les larmes.

Le même jour, le pape écrit aux princes de la Chrétienté *1497* pour leur annoncer son malheur et les aviser qu'il va réformer l'Eglise et le Vatican après ce cruel avertissement de la Providence. Cette sainte résolution semble convaincre même ses ennemis. Le cardinal Julien della Rovere, réfugié à Carpentras dans sa légation d'Avignon, écrit au pape que la mort de Juan l'a affligé comme s'il s'était agi de son propre frère. Une touchante union se fait autour du Saint-Siège. Savonarole, excommunié depuis plus de sept mois, envoie même une lettre de condoléances. Il renoue avec la cour de Rome au terme d'une crise particulièrement aiguë. La mort de Juan de Gandie provoque ainsi un semblant de réconciliation qui apparaissait impossible, la détérioration des rapports entre le religieux et le pape ayant atteint son paroxysme.

Alexandre VI et Savonarole
Réconciliation sur fond de réforme

La cour de Rome avait déclenché à la fin de l'année 1496 une offensive brutale contre le prieur de San Marco. Florence était préoccupée par l'approche de l'armée impériale de Maximilien d'Autriche, et les conseils du gouvernement avaient relâché la vigilance qu'ils déployaient pour défendre Savonarole contre la papauté. Le religieux avait assuré sa mainmise sur les couvents dominicains de Florence en s'agrégeant à la congrégation lombarde, indépendante du Saint-Siège. Le moyen le plus commode dont le pape disposait pour le faire rentrer dans le rang était de dissoudre cette affiliation et de créer une nouvelle congrégation directement placée sous l'obédience romaine : le prédicateur serait alors déchu de sa fonction de vicaire de la congrégation et réduit à la condition de simple religieux. Effectivement la nouvelle congrégation romano-toscane avait été instaurée par un bref du 7 novembre 1496. Savonarole l'avait rejetée : il était de ce fait tombé sous le coup de l'excommunication mais avait continué de prêcher. Son emprise sur les Florentins était telle que, le 7 février 1497, il avait fait dresser sur la place de la Seigneurie le fameux bûcher des vanités : peintures lascives, livres obscènes, luths, fards, parfums, miroirs, poupées, cartes à jouer, tables à jeu, tous les objets de confort et de plaisir qu'on avait pu saisir dans Florence y avaient été entassés et brûlés. Au cours de sa prédication de carême, il avait traité l'Eglise romaine de prostituée et dénoncé, avec plus de force que jamais, les débauches du pape. A Rome devant le consistoire, l'ennemi tenace de Savonarole, le frère Mariano avait invité le pape à sévir : « Extirpez, Très Saint-Père, extirpez ce monstre de l'Eglise de Dieu ! » Le cardinal Carafa, naguère protecteur de Savonarole, lui avait retiré son soutien.

A cette lutte sans merci, la mort de Juan de Gandie fait succéder, semble-t-il, une mutuelle compréhension. Savonarole invite le pape à tenir bon dans ses saintes intentions et à instaurer la réforme de l'Eglise. En même temps il demande au pontife de jeter un regard favorable sur son œuvre et de lever l'excommunication lancée à tort contre lui. Alexandre VI a vraiment changé. Il ne s'offusque pas des paroles du religieux excommunié. Chaque jour il préside au Vatican la commission de réforme qu'il a constituée le 19 juin de six cardinaux : Carafa, Costa, Pallavicini, San Giorgio, Piccolomini et Riario. Après avoir consulté les projets de réforme des papes précédents, la commission élabore le texte d'une bulle qui réorganise la liturgie, réprime la simonie et l'aliénation des biens de l'Eglise, réglemente la collation des évêchés. Aucun cardinal ne devra posséder plus d'un évêché ni des bénéfices rapportant plus de 6 000 ducats. Nul ne pourra occuper plus de deux ans la fonction de légat. Les princes de l'Eglise ne participeront pas aux divertissements mondains, tels que théâtre, tournois et jeux de carnaval. Le nombre de leurs serviteurs sera de quatre-vingts au maximum, celui de leurs chevaux de trente. Ils ne recevront ni bateleurs, ni bouffons, ni musiciens. Ils n'emploieront pas de jeunes garçons ou d'adolescents comme valets de chambre. Ils résideront à la curie. Ils ne devront pas consacrer plus de 1 500 ducats à la préparation de leurs funérailles et de leur sépulture.

La vénalité des charges de curie sera abolie. Les clercs, quel que soit leur rang, devront renoncer à entretenir des concubines dans les dix jours suivant la publication de la bulle, faute de quoi les coupables seront, après le délai d'un mois, déchus de leurs bénéfices. Les vœux prononcés par des enfants seront déclarés nuls. Les abus les plus divers dans les cessions de biens ecclésiastiques et les excès de taxation des actes de chancellerie seront sévèrement réprimés.

Ce texte, très remarquable, reflète l'expérience personnelle du pape qui a si longtemps, comme vice-chancelier, accordé des dispenses pour toutes les fautes qu'il veut maintenant complètement expurger. Hélas pour les âmes pieuses, la bulle ne voit pas le jour. Un mois après avoir constitué la commission, Alexandre cesse de la réunir. Il renonce à édicter les mesures de réforme préparées et revient à son habituel train de vie.

Un terrible soupçon

La cause de ce revirement doit être recherchée dans la nature même du pape, porté depuis toujours à goûter les joies de la vie plutôt qu'à en subir les peines. Le temps de deuil étant passé, l'oubli était venu. Mais Alexandre s'y était plongé d'autant plus vite qu'une conviction s'imposait chaque jour davantage à lui et l'emplissait d'horreur : il avait acquis la quasi-certitude que son fils César était le meurtrier de son frère. Bien qu'on eût soigneusement évité de citer son nom, le cardinal de Valence avait très tôt fait partie de la liste des suspects : le 23 juin, Bracci, l'envoyé de Florence, écrivait à la Seigneurie que le pape détenait toutes les informations qu'on pouvait rassembler sur le meurtre mais qu'il ne voulait pas accélérer la procédure « parce que les coupables étaient gens d'importance ». Le 25 juillet, vingt jours après le crime, il avait donné l'ordre d'interrompre les recherches de la police. On l'avait entendu dire qu'il savait quel était l'assassin, mais il s'était toutefois gardé de donner son nom. On en avait déduit qu'il s'agissait d'une personne que le pape n'osait pas punir à cause du scandale épouvantable qui en résulterait. Ce n'était ni un baron romain, ni un mari jaloux : ils auraient été promptement déférés à la justice. Il fallait chercher le coupable tout près du pape. Et il n'était pas difficile de le découvrir. Les familiers de la curie connaissaient les sentiments de dépit et de frustration que le cardinal de Valence nourrissait à l'égard de son frère depuis qu'il accumulait des honneurs auxquels César, bien qu'étant l'aîné, ne pouvait lui-même prétendre : sa dignité de cardinal l'en empêchait. La mort de Juan contraindrait le pape à rendre César à l'état laïc. Il pourrait alors briguer une situation princière qui éclipserait complètement celle que son père avait donnée à son cadet. L'avenir de César lui imposait donc d'éliminer physiquement le duc de Gandie : nul plus que lui n'y avait intérêt.

Le temps passant, les langues se délièrent peu à peu. « J'ai de nouveau entendu dire que la mort du duc de Gandie doit être imputée à son frère le cardinal », écrira de Venise, le 22 février 1498, Giovanni Alberto della Pigna au duc de Ferrare. La culpabilité de César sera affirmée par les historiens Sanudo et Guichardin. Plus tard, suivant qu'on voudra ou non ménager la papauté, on mettra en doute ou on acceptera cette culpabilité. Le meurtrier avait fait en sorte que les preuves ne puissent jamais être réunies contre lui, mais cette précaution même soulignait le caractère exceptionnel du criminel. C'était un homme de génie : et il n'y en avait guère de cette trempe à la cour de Rome en dehors de César.

Légation napolitaine de César

Le signe le plus certain que le pape soupçonna très tôt son fils se trouve dans le fait qu'il ne chercha pas à le revoir avant son départ pour Naples. En effet, César quitte Rome, le 22 juillet, avec les pouvoirs de légat, pour aller couronner le roi Frédéric à Capoue. Le 7 août, Alexandre VI envoie Gioffré et Sancia participer à la cérémonie. Sancia arrive à temps pour soigner César, atteint d'une indisposition passagère. Le couronnement a lieu au jour fixé, le 10 août. Malgré l'absence des barons San Severino hostiles aux Aragonais, la plupart des grands seigneurs accompagnent le roi en procession sous son dais doré vers la cathédrale où officie César. Frédéric distribue titres et faveur à ses partisans, notamment à Prospero et Fabrizio Colonna.

La fête royale de Capoue est survenue à point pour éloigner de Rome Gioffré et Sancia fâcheusement cités dans l'enquête sur le meurtre de Juan. Lucrèce se tient toujours enfermée dans le couvent de San Sisto. Le pape n'est pas fâché d'avoir éloigné de lui ses enfants et de les avoir séparés ; il ne risque pas ainsi de les voir s'entre-déchirer mutuellement. Mais une étrange ambiance règne à la curie. Le chroniqueur Sanudo raconte que des fantômes apparaissent au Vatican et au château Saint-Ange : des lueurs fantastiques et des voix d'outre-tombe effrayent l'entourage pontifical.

Loin de Rome, César affiche un superbe sang-froid. Ayant couronné le roi Frédéric à Capoue, il se rend avec lui à Naples le 14 août et séjourne dans la résidence royale de Castel Capuano. Il annonce à la cour napolitaine que les enclaves pontificales ont été constituées en duché de Bénévent. Il en notifie le transfert au fils aîné de Juan de Gandie : il agit, ce faisant, comme exécuteur testamentaire de son frère assassiné, à la grande colère de la veuve, Maria Enriquez, convaincue de sa culpabilité. Représentant le pape, suzerain du roi, entouré de Sancia et d'Alphonse d'Aragon son frère, il parade dans les rues de Naples à la tête de trois cents cavaliers. Terminée en splendeur par cette cavalcade, sa légation est un grand succès : aussi le Sacré-Collège lui rend-il hommage en se portant à sa rencontre lorsqu'il revient à Rome, le 6 septembre. De l'église Santa Maria Nuova au Vatican les cardinaux font escorte à leur jeune collègue. Alexandre VI réunit un consitoire pour l'accueillir au palais apostolique. Il lui donne l'accolade traditionnelle, mais ne lui adresse pas un mot. Cette froideur inhabituelle traduit sa conviction profonde que César est coupable du meurtre de son frère. Le malaise que le pape en éprouve l'incline à quitter le Vatican, comme pour se protéger de son fils.

La ronde du mal : malversations,
débauches et ravages de la syphilis

Alexandre s'installa le 28 octobre au château Saint-Ange. Ce même jour, par un hasard étrange, la police enferma dans un cachot du sous-sol l'ancien secrétaire privé du pontife, l'archevêque de Cosenza, Bartolomeo Florès, préalablement réduit à l'état laïc. Arrêté le 14 septembre, le prélat avait été condamné à la prison perpétuelle, le 13 octobre, après avoir avoué qu'il avait fabriqué plus de trois mille fausses bulles avec trois de ses employés. L'un de ces actes autorisait une religieuse du Portugal, de sang royal, à quitter l'habit monacal et à contracter mariage avec le fils naturel du défunt roi. Un autre permettait à un clerc de se marier tout en gardant ses dignités. La plupart accordaient des dispenses et des expectatives afin d'acquérir indûment de riches bénéfices. Pour avoir pratiqué avec démesure des trafics trop répandus à la Chancellerie pontificale, Florès fut emmuré dans l'ancien caveau funéraire de l'empereur Adrien, l'horrible réduit de San Marocco : vêtu d'une jupe de toile blanche très grossière et d'un caban d'étoffe verte, l'archevêque faussaire devait y attendre la mort.

De l'étage supérieur où il logeait dans le luxe, le pape avait ordonné de lui servir tous les trois jours un peu de pain et d'eau et de lui donner de l'huile pour sa lampe afin qu'il pût méditer la Bible, les épîtres de saint Paul et le bréviaire qu'on lui avait laissés : Alexandre avait besoin de maintenir en vie son ancien secrétaire pendant encore quelque temps. Dissimulant ses intentions, il lui envoya à plusieurs reprises Jean Maradès, évêque élu de Toul, Pierre de Solis, archidiacre de Bavia dans l'église d'Oviedo, et quelques autres de ses familiers pour jouer aux échecs avec lui. Ils l'amenèrent ainsi à avouer qu'il avait expédié encore de nombreux brefs à l'insu du pontife, et parmi eux des concessions de bénéfices en Espagne : cet aveu devait permettre à Alexandre VI de satisfaire Isabelle et Ferdinand en annulant comme faux des actes authentiques obtenus par des gens qui leur déplaisaient. Florès avait reçu la promesse d'être élargi et doté de nouvelles charges s'il avouait. Mais quand il l'eut fait, ses visiteurs ne reparurent plus et il croupit misérablement dans sa cellule jusqu'à sa mort le 23 juin 1498.

Telles étaient les coulisses de la résidence pontificale. On vit un signe de la colère divine dans un orage épouvantable qui frappa le château Saint-Ange. La foudre tomba sur la poudrière qui explosa. Des blocs de pierre furent projetés au loin. Certains retombèrent de l'autre côté du Tibre : plus de quinze personnes furent blessées. La statue de l'archange saint Michel qui dominait le monument disparut, brisée en morceaux : elle avait attiré la foudre sur la pointe de l'épée qu'elle tendait vers le ciel. Le peuple fut persuadé qu'elle s'était envolée.

Le mal rôdait partout. Passé le bref épisode pendant lequel le pape avait mis la pénitence à l'ordre du jour, la débauche s'affichait de nouveau dans la Ville éternelle. Les filles publiques et les maîtresses des prélats occupaient le premier rang, comme le vit Burckard, dans l'église des Ermites-de-Saint-Augustin, le jour de la fête de ce saint, le 28 août, alors qu'on célébrait une messe solennelle en présence de sept cardinaux. La syphilis se répandait dans toutes les couches de la société. Deux jours avant l'emprisonnement de Florès, le gardien du château Saint-Ange, Bartolomeo de Luna, évêque de Nicastro, était mort du « mal français ». César avait certainement subi à Naples une attaque de cette maladie vénérienne. Son médecin particulier, Gaspare Torrella, avait heureusement trouvé un traitement qui, joint aux soins donnés par Sancia, permit au malade de surmonter la crise. Le praticien devait acquérir une grande notoriété en publiant sa recette dans un traité, *De Pudendagra*. Protégé par ce remède, le cardinal de Valence, dès son retour, goûta les charmes des courtisanes romaines. L'une de ses maîtresses fut la fameuse Fiammetta. Mais César savait dissimuler. Les mères de ses enfants illégitimes ne sont pas connues. Tout au plus suggère-t-on qu'une des dames de sa sœur Lucrèce fut du nombre.

La luxure, encouragée par l'exemple venu de haut, ne connaît plus de bornes. Burckard note les cas les plus voyants dans le Sacré Collège. Le cardinal de Segorbe, rongé de syphilis, est dispensé de s'incliner devant le pape à la fête de Pâques 1499. Le cardinal de Monreale, autorisé à ne point paraître pendant deux ans aux cérémonies, réussit enfin à guérir : il assistera à la messe en décembre 1499. L'ennemi du pape, Julien della Rovere, le futur Jules II, est lui aussi atteint. L'abandon aux plaisirs charnels, que la maladie rend plus visible qu'autrefois, traduit un scepticisme profond. L'abdication morale du pape est plus sensible que jamais. Il laisse se répandre des libelles qui nient la vie de l'au-delà. Les seules restrictions à la débauche sont dictées par les impératifs de salubrité publique. En avril 1498, les Romains assistent à une étrange procession : six campagnards coiffés de mitres de papier défilent dans les rues, frappés de coup de fouet par les sbires. Des hommes atteints du « mal français » leur avaient donné de l'argent pour qu'ils les laissent se plonger dans les cuves remplies d'huile afin d'alléger leurs souffrances. Le bain achevé, les paysans étaient allés vendre l'huile dans la ville, en prétendant qu'elle était bonne et pure.

Autant que les délits produits par l'appât du gain, sont nombreux ceux provoqués par la débauche. L'homosexualité est très répandue. Il est courant de voir des gitons dans l'entourage du pape et des cardinaux. A Florence, la sodomie est pour Savonarole la pratique la plus criminelle. Mais on s'en accommode à Rome, sauf pendant la courte période de pénitence qui suit le meurtre de Gandie : Alexandre envisage alors de chasser les jeunes gens de l'entourage des prélats. Cependant on réprime cruellement la confusion des sexes quand elle constitue un scandale public. Au début du même mois d'avril 1498, un spectacle, aussi curieux que la punition des marchands d'huile, est offert aux Romains. Une prostituée, nommée Cursetta, est promenée dans la ville accompagnée d'un Maure qui recevait les hommes travesti en femme. Le Maure, les mains liées derrière le dos, est vêtu d'une robe relevée jusqu'au nombril afin que tout le monde puisse voir ses organes sexuels. Après le tour de ville, la prostituée est relâchée, mais le Maure jeté en prison. Une semaine plus tard, il sort de la geôle de la tour de Nona, enchaîné avec deux brigands. Devant eux avance un sbire monté sur un âne : il porte, attaché au bout d'un bâton, deux testicules coupés à un juif convaincu d'avoir entretenu des rapports charnels avec une chrétienne. Conduits au champ de Mars, les trois prisonniers sont exécutés ; les deux brigands, pendus ; le Maure, étranglé et son corps brûlé ; mais, dit Burckard, à cause de la pluie, « le cadavre ne se consuma pas, seules les jambes se trouvant plus près du feu furent brûlées ».

L'hypocrisie de la cour romaine, qui punissait le vice public et fermait les yeux sur la débauche privée, n'incitait pas les dignitaires, les cardinaux les premiers, à se consacrer ponctuellement à la célébration du service divin. Ils préféraient de beaucoup s'occuper de leurs intérêts matériels et ils étaient devenus des maîtres de la science financière. Comme les autres, César s'y entendait. Il vendit les biens de son frère Juan de Gandie. Les meubles et bijoux possédés par le duc en Italie furent évalués à 30 000 ducats, mais la veuve, Maria Enriquez, exigea leur liquidation pour 50 000 ducats : elle finit par obtenir le versement par acte signé au Vatican le 19 décembre 1497. Le même mois, en compensation du temps passé à ce règlement, César reçut de son père les bénéfices du défunt cardinal Sclafenati évalués à 12 000 ducats.

Le divorce de Lucrèce et de Giovanni Sforza

En dehors de l'accroissement de leurs revenus, le pape et César se préoccupent toujours de la grandeur de leur famille. Ils espèrent de grands avantages d'un nouveau mariage de Lucrèce. Encore faut-il d'abord dissoudre son union avec Giovanni de Pesaro. On s'y emploie activement. Le meurtre du duc de Gandie permet opportunément d'entamer des négociations préalables avec la famille Sforza : Alexandre VI reçoit le cardinal Ascanio le 21 juin, cinq jours après l'assassinat. Il lui déclare qu'il ne croit à aucune culpabilité de sa part et profite de l'entrevue pour le prier d'obtenir de Giovanni Sforza qu'il consente à la rupture de son union avec Lucrèce.

Or Giovanni refuse de discuter. Il implore le soutien du chef de sa famille, Ludovic le More. Mais celui-ci ne veut pas se brouiller avec le pape : il a besoin de son aide contre le roi Charles VIII, car il craint, à l'occasion d'une nouvelle descente des Français en Italie, d'être privé de son duché au bénéfice de Louis d'Orléans. Aussi, sous prétexte d'aider le comte de Pesaro, lui demande-t-il de prouver la fausseté du prétexte avancé par Rome pour rompre l'union — l'impuissance du mari et la non-consommation du mariage. Il lui propose d'aller retrouver Lucrèce à Népi, propriété du cardinal Ascanio, et de coucher avec elle sous le contrôle des Borgia et des Sforza. Ulcéré par cette suggestion maligne, Giovanni la repousse : il craint de défaillir au cours d'une épreuve publique qui, à cause de sa nervosité, pourrait fort bien tourner court. Ludovic le More propose alors que la preuve de virilité soit donnée à Milan avec une autre dame en présence cette fois du seul cardinal Jean Borgia : une fois encore Giovanni refuse. Il fait remarquer qu'il a déjà prouvé ses capacités : nul n'ignore que sa première femme, Madeleine de Gonzague, est morte en couches. D'ailleurs les Gonzague lui gardent leur estime. Apprenant les pressions faites sur lui, ils lui offrent la main d'une princesse de leur maison si son malheureux « mariage papal » doit être rompu.

Ayant perdu l'illusion de se voir aider par ses parents de Milan, Giovanni rentre à Pesaro. Non seulement il persiste à affirmer que son mariage a été consommé, mais il se défend des affirmations venues de Rome en attaquant à son tour : si le pape veut rompre le mariage de sa fille, c'est qu'il désire la garder pour lui seul. Déjà à Milan le comte de Pesaro avait formulé devant Ludovic le More cette énorme accusation d'inceste. Elle avait paru invraisemblable, compte tenu du nombre de maîtresses dont le pape pouvait à tout instant disposer. Mais Giovanni n'avait peut-être pas tout inventé. Il se peut qu'il ait surpris, lors de son séjour à Rome, des démonstrations de tendresse pour le moins déplacées de la part du pontife à l'égard de Lucrèce, et d'autres encore prodiguées par les frères de la jeune femme. S'en souvenant à propos dans sa colère, il s'en sert pour blesser les Borgia autant qu'ils l'ont affecté lui-même.

Au lieu de s'offusquer de pareille accusation, Alexandre VI écrit des lettres pleines d'attention à son gendre fugitif. Il lui offre le moyen de rompre son lien matrimonial sans déshonneur : Giovanni n'aura qu'à invoquer une déficience physique momentanée provoquée par un maléfice. Puis il lui propose de faire valoir que son mariage n'était pas valable puisque Lucrèce était déjà engagée avec Gaspare d'Aversa. De guerre lasse, Giovanni accepte que cet argument soit examiné par les membres de la commission nommée pour instruire le procès de divorce : le cardinal San Giorgio, le cardinal Pallavicini et l'auditeur du tribunal de la Rote, Felino Sandeo. Mais San Giorgio, canoniste averti, déclare qu'on ne peut trouver un empêchement licite dans des fiançailles antérieures puisque celles-ci avaient été rompues. Il faut donc s'en tenir au seul argument valable pour dissoudre le mariage : la non-consommation. Le pape est furieux : on revient au point de départ du procès, alors que déjà à Naples on prépare le remariage de Lucrèce. Pour faire cesser la résistance de Giovanni Sforza, Alexandre s'engage à lui laisser l'entière disposition de l'importante dot de sa fille. Ludovic le More met son cousin en demeure d'obéir : s'il n'accepte pas ce que lui demande le pape, il lui retirera sa protection. Giovanni est cette fois obligé de céder. Le 18 novembre 1497, au palais de Pesaro, il signe, en présence de nombreux témoins, l'attestation de sa carence maritale et envoie à Ascanio Sforza, à Rome, les pouvoirs nécessaires pour obtenir l'annulation de son union.

L'intrigue amoureuse de Perotto

Lucrèce attendait la conclusion de son divorce en se morfondant derrière les murs du couvent de San Sisto. Pendant quelque temps, au moment où, après le meurtre de Juan, le pape avait semblé se convertir à une vie de pénitence, il avait cessé d'adresser à sa fille les messages affectueux qu'il avait l'habitude de lui envoyer. Mais lorsqu'il avait repris son ancien train de vie il avait tout de suite recommencé à s'intéresser de près à tout ce qui touchait Lucrèce. Les tractations en cours avec Giovanni Sforza nécessitaient des liaisons constantes avec le couvent de San Sisto. Un jeune camérier espagnol, en qui Alexandre mettait toute sa confiance, Pedro Caldès — ou Calderon —, encore surnommé Perotto, servait de messager entre Lucrèce et son père. Sa venue quasi journalière lui valut rapidement l'amitié confiante de la jeune femme, qui, à dix-sept ans, souffrait de se voir privée de compagnie masculine : cette amicale relation entre deux jouvenceaux allait déboucher sur un drame qui a pu être reconstitué avec une assez grande vraisemblance.

Dans les jardins fleuris et l'appartement d'honneur du couvent, Lucrèce se trouve plus libre qu'elle ne l'a jamais été. Elle peut suivre à son gré, loin de la pesante tutelle de son père, les impulsions de sa nature, joyeuse et voluptueuse comme celle de tous les Borgia. Le jeune Perotto en tire profit. Il sait, par son charme, faire oublier à Lucrèce la dangereuse situation dans laquelle elle se trouve : elle n'est rien d'autre qu'une otage mise en réserve et destinée à servir l'ambition de sa famille. Perotto persuade la jeune femme de profiter de sa liberté provisoire. Hélas, les deux jeunes gens sont imprudents. Lucrèce devient enceinte. Elle parvient à dissimuler son état grâce à l'ampleur de ses vêtements : elle est aidée par sa suivante Pentasilea, une jeune femme mise auprès d'elle par le pape, dont elle avait été, croit-on, l'une des maîtresses. Mais une épreuve redoutable l'attend dans le sixième mois de sa grossesse : le 22 décembre 1497, elle doit participer à la cérémonie d'annulation de son mariage avec le comte de Pesaro.

Ce jour-là, le Vatican est envahi par une foule de curieux. Ambassadeurs et prélats épient avec une intense curiosité la fille d'Alexandre VI qui comparaît devant les juges canoniques pour assister à la conclusion du procès. Lecture lui est faite de la sentence qui la déclare « intacte », c'est-à-dire vierge, sur la foi du témoignage de Giovanni Sforza, qu'elle a elle-même confirmé. Lucrèce sourit et remercie en latin, ce qui provoque l'admiration de tous. Stefano Taverno, l'orateur milanais, trouve qu'elle s'exprime « avec une telle élégance et une telle gentillesse que, si elle avait été un Tullius — Cicéron —, elle n'aurait pu s'exprimer avec plus de finesse et plus de grâce ». Peut-être le texte lui avait-il été dicté par son frère César qui, dès lors, prend en main le destin de sa sœur.

Le divorce, à peine prononcé, les prétendants se font connaître. Ce sont Francesco Orsini, duc de Gravina, soucieux de rapprocher son clan de celui des Borgia ; Ottaviano Riario, descendant du pape Sixte IV et aussi des Sforza par sa mère Caterina, comtesse de Forli ; Antonello San Severino, fils du prince de Salerne, baron napolitain favorable au roi de France.

L'union de Lucrèce avec un Napolitain est, plus qu'aucune autre, utile au cardinal de Valence : ses visées sur le royaume de Naples ne sont un secret pour personne. On sait qu'il veut renoncer au cardinalat et épouser une princesse napolitaine. Il est question qu'il convole avec Sancia d'Aragon que Gioffré abandonnerait en échange d'un chapeau cardinalice : mais Sancia n'est qu'une bâtarde et sans doute la préférence de César va-t-elle déjà à la fille légitime du roi Frédéric, Carlotta, élevée en France à la cour de la reine Anne de Bretagne. Lucrèce pourrait faciliter le mariage de son frère si elle avait elle-même pour époux un prince de la cour napolitaine. Dans ses voyages à Naples, César a connu et apprécié le frère de

Sancia, Alphonse d'Aragon, l'un des princes les plus beaux du temps, réputé par ailleurs pour ses manières aimables et son doux caractère. Il le choisit pour sa sœur. Les négociations vont bon train : le roi de Naples propose de conférer à Alphonse le titre de duc de Bisceglie avec un important revenu ; Lucrèce apporterait une dot de 40 000 ducats, plus importante que celle qu'on avait dû laisser aux mains de son ancien mari, et, pour logement, le palais romain de Santa Maria in Porticu

Or au cours de ces négociations, César découvre la grossesse de sa sœur et son aventure avec Perotto. On imagine aisément sa fureur. L'ambassadeur de Venise, Capello, rapporte la scène qui se déroule alors au Vatican. Un mois après l'annulation du mariage de Lucrèce, César court sur Perotto, l'épée dégainée et le poursuit jusqu'au trône pontifical où siège le pape. Là, sous les yeux de son père qui enveloppe, pour le protéger, son camérier dans les plis de sa cape, le cardinal de Valence frappe sauvagement le jeune Espagnol, si fort que « le sang saute au visage du pape ». La blessure n'est pas mortelle, mais Perotto, mis en prison, n'a guère le temps de languir sur sa paillasse. Dans la nuit du 8 février, écrit Burckard, « il tomba dans le Tibre contre son gré ». Six jours plus tard, le mercredi 14 février, on repêche son corps, en même temps, ajoute le Vénitien Sanudo que celui de la suivante de Lucrèce, Pentasilea. Ces meurtres, aussitôt attribués à César par la rumeur publique, ne peuvent effacer le scandale : la nouvelle de la grossesse de Lucrèce fait le tour des cours italiennes. Cristoforo Poggio, secrétaire de Bentivoglio, le tyran de Bologne, écrit le 2 mars 1498, au marquis de Mantoue pour lui annoncer que Perotto a été emprisonné « pour avoir engrossé la fille de Sa Sainteté, madame Lucrèce ».

Peu après, une dépêche du 15 mars 1498, émanant d'un agent du duc d'Este résidant à Venise, la ville où parviennent tous les échos du monde, annonce la naissance d'un enfant naturel de Lucrèce. Un avis anonyme provenant de Rome en fait état le 18 mars : « On assure que la fille du pape est accouchée. » Cependant les nouvelles filtrent difficilement du

palais apostolique où Lucrèce a trouvé refuge. La famille
Borgia fait écran, groupée autour de son chef, et ne laisse
transparaître aucune émotion. Après la découverte du corps
de Perotto dans le Tibre, les cardinaux Borgia sortent de
Rome, vêtus de costumes de chasse à la française. Ils vont
passer à Ostie quelques jours de délassement, du 21 au 24
février. Ils donnent ainsi le spectacle d'un calme parfait,
nullement affecté par la montée de la violence encouragée par
les règlements de compte mystérieux. Les gens s'entretuent à
Sainte-Marie-sur-la-Minerve, le 18 février. En mesure préven-
tive, le pape décide d'interdire les mascarades du carnaval, car
l'anonymat du déguisement favorise les assassinats.

L'inceste pontifical
Le mystère de l' « infant romain »

C'est au Vatican, puis dans le palais de Santa Maria in
Porticu que Lucrèce connut en secret les joies de la maternité.
On ne devait entendre parler du mystérieux nouveau-né que
trois ans plus tard, à l'occasion de sa légitimation par
Alexandre VI, le 1er septembre 1501, juste avant que Lucrèce
ne quittât Rome pour Ferrare. Deux bulles avaient été
nécessaires pour légitimer l'enfant et lui assurer des revenus.
Dans la première, la seule rendue publique, le pape légitimait
l'enfant nommé Jean, l'« infant romain », et reconnaissait
qu'il était le fils de César et d'une femme non mariée. Le
recours à César permettait à Alexandre de contourner les lois
canoniques qui lui interdisaient de reconnaître un bâtard né
pendant son pontificat. Mais il n'assurait pas au petit Jean la
tranquille jouissance du duché de Népi que le pape lui avait
donné. La seconde bulle, destinée à rester secrète, reconnaissait donc que l'« infant romain » était en réalité le fils du pape.
Le duché qui lui était octroyé devenait de ce fait une propriété
aussi irrécusable que celles dont bénéficiaient par donation
pontificale César, Lucrèce elle-même et son fils légitime
Rodrigue, né plus tard de son union avec le duc de Bisceglie.
En outre, cette reconnaissance devait empêcher César, dont

Alexandre se méfiait, de s'emparer des domaines de l'enfant. Certes chacune des bulles énonçait, sous l'autorité pontificale, une filiation parfaitement fausse. Mais il était impossible de légitimer un bâtard de Lucrèce. Le pape, sa fille et César devaient être victimes de ce luxe de précautions. Quand les deux bulles furent connues on tira la conclusion que l'« infant romain » était ou le fils de César et de Lucrèce ou le fils de Lucrèce et du pape quoique nulle part aucun indice n'existât de la maternité de Lucrèce.

Dès lors l'accusation d'inceste paternel lancée par Giovanni Sforza reprit vigueur et on y joignit celle d'inceste fraternel.

L'humaniste Sannazar rédigea une terrible épigramme contre Lucrèce, sous la forme d'une épitaphe latine :

> *Hoc tumulo dormit Lucretia nomine, sed re*
> *Thais, Alexandri filia, sponsa, nurus.*

> « Dans ce tombeau dort Lucrèce,
> qui porterait mieux le nom de Thaïs,
> car elle fut la fille, l'épouse
> et la bru d'Alexandre VI. »

Cette accusation d'inceste croisé, reproduite avec volupté par les poètes et chroniqueurs de la Renaissance hostiles aux Borgia ainsi que par les poètes romantiques, devait être reprise au XXe siècle par un écrivain, Giuseppe Portigliotti, qui supposa que la jeune femme avait exigé que deux bulles fussent établies car elle ignorait duquel de ses deux amants, son père ou son frère, était issu l'enfant !

Par contre, certains historiens refuseront de voir dans Lucrèce la *mulier soluta,* la « femme non mariée » indiquée dans la bulle comme étant la mère de l'enfant. Ils feront remarquer qu'en accueillant le jeune Jean Borgia à la cour de Ferrare, en même temps que Lucrèce, Alphonse d'Este devait le traiter comme le frère de son épouse, véritablement fils du pape et d'une femme inconnue. Mais ce comportement ne prouvait que sa prudence et sa volonté de sacrifier aux apparences. La famille de Ferrare était habituée à mêler enfants légitimes et bâtards et, du moment qu'un titre pontifical attestait l'origine dont était issu l'« infant romain », les apparences étaient sauves et rien n'empêchait Lucrèce de garder près d'elle son fils en prétendant qu'il s'agissait de son frère.

La naissance discrète de l'« infant romain » n'avait pas ralenti les négociations du pape et de César avec la cour de Naples en vue d'unir Lucrèce et le prince Alphonse. Le roi Frédéric était d'autant plus favorable à ce mariage qu'il venait, grâce à l'aide pontificale, d'écraser ses ennemis, les barons de la famille San Severino : il avait célébré sa victoire, le 13 février 1498, par une entrée triomphale dans sa capitale. Le renforcement de l'alliance du pape et des Aragonais de Naples s'imposait plus que jamais. La politique d'Alexandre VI visait à rendre impossible une nouvelle descente des Français en Italie : c'était l'une des raisons pour lesquelles il souhaitait obtenir à Florence l'élimination de Savonarole qui était dans la république toscane le plus ferme partisan du roi de France.

Le dernier épisode de la lutte contre Savonarole
La mise à mort du prophète

La lettre de consolation envoyée par le prieur de San Marco au moment du meurtre de Gandie avait provisoirement calmé la colère du pape. Mais la période de pénitence passée, Alexandre VI avait, le 19 juillet 1497, de nouveau imposé à la seigneurie florentine des conditions draconiennes préalables à la révocation du bref qui excommuniait Savonarole : frère Jérôme devrait se justifier à Rome à moins qu'il n'acceptât de s'unir comme simple religieux à la congrégation tosco-romaine placée sous l'autorité directe du pape. Cet ultimatum parvint à Florence au moment où sévissait une épidémie de peste qui devait tuer durant l'été une multitude de personnes. Les partisans des Médicis profitèrent du désordre accompagnant le terrible fléau pour fomenter une conjuration. Ils échouèrent de justesse et, pour faire un exemple, cinq d'entre eux furent condamnés à mort. Dans ce climat de trouble civil, Savonarole prit le parti de ne pas accroître par son obstination les malheurs de ses concitoyens. Il se résigna, le 13 octobre 1497. à solliciter son pardon du souverain pontife.

« Comme un enfant, affligé de voir son père en courroux, recherche toutes les voies et tous les moyens pour l'apaiser et ne désespère pas de le voir s'apitoyer, plus tourmenté que Votre Sainteté m'ait refusé sa grâce que je ne le serais par tout autre malheur, je me prosterne une fois de plus à ses pieds, la suppliant d'écouter enfin mon cri de douleur et de ne pas permettre que je sois si longtemps retranché du sein de l'Eglise. »

Cette soumission ne suffit pas au pape, il veut en tirer un profit politique. Avant d'absoudre Savonarole de son péché de rebellion, il exige l'entrée de Florence dans la ligue anti-française qui réunit Rome et Venise, afin de parer à la menace d'une nouvelle expédition que Charles VIII semble sur le point de lancer en Italie.

Quand il se sait l'enjeu d'un tel marchandage, au détriment du roi de France auquel il est resté fidèle, le religieux reprend sa rébellion. Passant outre aux censures canoniques, il remonte en chaire le 11 février 1498 pour engager une bataille qu'il espère décisive. Sous les voûtes de la cathédrale il adjure solennellement Jésus-Christ de choisir entre lui et le pontife La majorité des membres de la seigneurie florentine soutient son prédicateur et rejette les conditions imposées par Rome. Savonarole encourage ses concitoyens. « Les brefs de Rome m'appellent " fils de perdition " ! O Seigneurs répondez ceci : " Celui que vous nommez ainsi déclare qu'il n'entretient ni gitons, ni concubines, mais au contraire ne s'occupe que de prêcher la doctrine du Christ, alors que vous, vous vous employez à la corrompre ! " » Du haut de la chaire de San Marco il continue de plus belle ses attaques devant une foule nombreuse dans laquelle se trouve Nicolas Machiavel venu par curiosité et, pour le moment, sceptique sur l'issue de la lutte engagée avec le pape Borgia. En effet à Rome, devant le consistoire, Alexandre fait dresser un sévère réquisitoire par le prédicateur Mariano de Genazzano qui traite Savonarole de

« grand juif ivrogne ». Il dicte un bref qui jette l'interdit sur Florence. A cette nouvelle, Savonarole écrit à tous les princes de l'Europe pour les inviter à réunir un concile afin de déposer le pontife indigne. La réplique ne tarde pas. Alexandre rend son bref immédiatement exécutoire. Le 17 mars, il promulgue solennellement l'interdit. Puis il fait arrêter les marchands florentins qui résident à Rome et saisir leurs marchandises. Ces mesures sont habiles : elles provoquent le revirement des hommes d'affaires de Florence. Au sein de la seigneurie, les adversaires du religieux obtiennent la majorité. Les querelles rebondissent entre franciscains et dominicains, les premiers prenant avec véhémence le parti du pape Borgia. Le frère Francesco di Puglia proclame, le 25 mars, qu'il est prêt à subir l'épreuve du feu afin de démontrer que Dieu réprouve les doctrines austères et répressives de Savonarole. Le dominicain Domenico de Pescia relève le défi. Les ennemis du religieux, les enragés, voient tout de suite que cette dispute de moines leur offre une occasion inespérée de se débarrasser de frère Jérôme.

La majorité de la seigneurie, maintenant hostile au prieur de San Marco, accepte que soit organisée l'ordalie ou jugement de Dieu par le feu. L'épreuve doit avoir lieu le 7 avril. Les deux champions, frère Domenico, qui représente Savonarole, et frère Giuliano Rondinelli, mandaté par les franciscains, doivent s'engager sur une estrade surélevée, longue de cinquante bras et large de dix, dressée sur la place de la Seigneurie. Des fagots de bois sec, imprégnés d'huile, de résine et de poudre à canon, encadrent un couloir central large d'un bras. Les deux religieux doivent entrer en même temps dans ce couloir par ses extrémités opposées après qu'on aura mis le feu aux fagots. Des détails de procédure et des palabres retardent le début de l'épreuve. Au moment où, enfin, va avoir lieu l'embrasement, une pluie providentielle empêche le déroulement de la cérémonie barbare. Savonarole se retire avec ses religieux à San Marco. Le lendemain, 8 avril, dimanche des Rameaux, les enragés donnent l'assaut au couvent. La seigneurie laisse faire. Elle fait arrêter Savonarole pour avoir jeté le trouble dans la cité. Le frère Domenico et le frère Silvestre, celui-ci confident du prieur, sont incarcérés avec lui, interrogés et torturés. Le supplice de l'estrapade déchire les muscles de Savonarole. Son bras gauche se brise. Il signe ce que l'on veut. Le pape ne s'oppose pas à cette procédure : il est pourtant interdit par le droit canon de procéder contre des clercs sans autorisation pontificale. Bien mieux, le 12 avril, le Saint-Père adresse aux Florentins une bulle de félicitation accompagnée d'une indulgence plénière. Il vient d'apprendre la mort de Charles VIII qui avait longtemps couvert le religieux de sa protection : il a, désormais, le champ libre pour tirer sa propre vengeance du dominicain. Il exige donc que Savonarole subisse, après le procès civil, un procès religieux et il délègue pour représenter le Saint-Siège le général des dominicains, Giovacchino Turriano, et le gouverneur de Rome, l'Espagnol Francisco Remolines, rompu aux arguties juridiques.

Le 20 mai, ces nouveaux juges commencent les interrogatoires en infligeant au religieux d'autres supplices sur l'ordre de leur maître : ils veulent connaître les noms des cardinaux et des dignitaires qui l'ont encouragé à demander aux princes chrétiens la déposition d'Alexandre VI. N'obtenant rien à ce sujet, ils le contraignent à renier ses prophéties. Une même sentence le frappe avec ses compagnons : ils doivent être dégradés de l'ordre ecclésiastique et remis comme hérétiques et schismatiques aux autorités séculières qui les ont déjà condamnés à mort.

A la grande désolation de leurs dévots, les trois dominicains sont conduits au supplice. Leurs derniers instants sont pathétiques. Devant le palais de la Seigneurie, Benedetto Pagnotti, évêque de Vaison, ancien religieux de San Marco, dégrade Savonarole : « Je te sépare de l'Eglise militante et de l'Eglise triomphante. » Le frère le corrige doucement : « De la militante seulement. L'autre n'est pas de ton ressort. » Et c'est la mise à mort par pendaison des trois religieux, à dix heures du matin, le 23 mai 1498, vigile de l'Ascension : le grand prophète terrible a disparu du chemin du pape Borgia, comme a disparu l'inquiétant Charles VIII de France. Désormais, le temps est venu pour les Borgia d'épanouir sans contrainte leur puissance. Sans plus tarder, Alexandre décide de conclure de manière grandiose l'union de sa famille avec la dynastie napolitaine en mariant Lucrèce avec Alphonse d'Aragon.

Le nouveau mariage de Lucrèce avec Alphonse d'Aragon

Pour éviter tout vice de forme dans le nouveau mariage de Lucrèce, le pape annule les fiançailles de sa fille précédemment convenues avec Gaspare de Procida : elles n'avaient pas été rompues malgré le mariage de Lucrèce avec Giovanni Sforza. Le pontife déclare solennellement que l'engagement avait été pris par sa fille « avec légèreté, sous le coup d'un égarement passager ». Il l'en délivre donc et l'absout de son parjure : c'est chose faite le 10 juin 1498.

A Naples, le 29 juin, Alphonse d'Aragon est uni par procuration avec Lucrèce. En juillet il arrive à Rome. Pour accueillir ce beau jeune homme de dix-sept ans, on donne des fêtes splendides dans la Ville éternelle. Le 21 juillet les noces sont célébrées au Vatican. Les cardinaux Ascanio Sforza, Jean Borgia le jeune et Jean Lopez sont témoins. Le capitaine espagnol de la garde pontificale, Juan Cervillon, tient son épée nue au-dessus de la tête des époux pendant la cérémonie.

Le lendemain des noces, le palais pontifical abrite une joyeuse réunion de famille. Alexandre s'y montre des plus gais. Le banquet, aussi somptueux que lors des premières noces de Lucrèce, dure jusqu'au petit jour. Une altercation entre les gens de César et ceux de Sancia, princesse de Squillace, trouble le début de la fête : deux évêques reçoivent des horions et le pape se trouve un instant entouré d'épées dégainées. L'affaire réglée, les divertissements reprennent. Aux comédies succèdent les mascarades : César paraît déguisé en licorne, symbole de pureté et de loyauté.

Les jeunes époux affichent un contentement extrême l'un de l'autre. Lucrèce a reçu, en dehors de ses parures et de ses bijoux, la dot promise de 40 000 ducats. Le bel Alphonse apporte la principauté de Bisceglie et la ville de Quadrata, aujourd'hui Corato. Le couple se retire amoureusement dans le palais de Santa Maria in Porticu pendant que César ronge son frein : son père lui a promis de lui donner la condition d'un grand prince. Bien que son fils soit encore cardinal, Alexandre envisage de le marier avec la fille légitime du roi de Naples, Carlotta, dont on sait qu'elle aura pour dot l'opulente ville de Tarente. César accepte de se défroquer pour favoriser la négociation.

Laïcisation de César Borgia

Le 17 août 1498. au lendemain des fêtes nuptiales de Lucrèce, le pape fait revenir à Rome les cardinaux qui ont fui la chaleur malsaine de la ville. Il réunit un consistoire et invite son fils à prendre la parole. Le cardinal de Valence expose à ses collègues qu'il n'a jamais eu la vocation ecclésiastique. Il a été contraint par son père d'embrasser la carrière d'Eglise. Mais il désire maintenant se dépouiller de ses titres et se marier, ce qui est sa vocation véritable. Les cardinaux donnent tout de suite leur accord. César n'a reçu que les ordres mineurs : il peut donc aisément être rendu à la condition laïque.

L'ambassadeur d'Espagne, Garcilasso de la Vega, qui assiste à la réunion, proteste avec véhémence. Il dénonce ce procédé contestable qui permet à un cardinal de devenir prince en France, car il a appris que César se destine à servir le nouveau roi Louis XII, ennemi potentiel des souverains espagnols. Mais Alexandre VI ne se laisse pas impressionner : il réplique que c'est uniquement pour faire son salut que son fils abandonne la carrière ecclésiastique. Le tempérament amoureux et les goûts mondains du cardinal de Valence font de sa conduite un objet de scandale : la sécularisation lui permettra de vivre la vie des laïcs sans l'exposer à violer ses vœux, et ainsi il pourra sauver son âme. En outre le pontife fait remarquer à l'ambassadeur que ses maîtres trouveront des avantages à la résignation de César : plusieurs bénéfices en Espagne, rapportant plus de 35 000 ducats, vont se trouver

vacants et pourront être conférés à des clients des Rois
Catholiques. L'argument porte et l'opposition de l'ambassadeur cesse immédiatement.

Alors a lieu la cérémonie de laïcisation. Le pape délie son
fils de ses vœux et l'autorise à contracter mariage. César
dépose sa grande cape cardinalice devant le consistoire. Il sort
fièrement de la salle, le front haut, avec déjà l'allure d'un
prince laïc conquérant. Le même jour il va à la rencontre d'un
important seigneur qui entre avec faste dans Rome par la
Porta Portese : le chambellan royal, Louis de Villeneuve,
baron de Trans, vient, au nom de son maître le roi Louis XII,
inviter César à se rendre en France. En cadeau de bienvenue,
le diplomate apporte à l'ancien cardinal de Valence en
Espagne les comtés de Valence, en France, et de Die, et la
seigneurie d'Issoudun. Cette dotation qui compense la perte
de ses revenus ecclésiastiques, permettra à César de continuer
de mener grand train tout en gardant, avec le fief de Valence,
le nom de la terre originelle qui a porté chance à son père et
son grand-oncle.

Le temps des calculs et des vengeances semble avoir porté
ses fruits. Après avoir surmonté les obstacles, provoqué et
subi de terribles tempêtes, les Borgia sont bien armés pour
faire face aux aléas du sort dans leur marche vers un avenir
dynastique souverain.

CHAPITRE IV

L'avènement de César

Les difficultés du mariage de César

L'alliance de Rome avec les Aragonais de Naples, amorcée par le mariage de Gioffré et de Sancia, consolidée par celui de Lucrèce et d'Alphonse, est la clé de voûte de la politique d'Alexandre VI. Elle doit, logiquement, être couronnée par l'union de César avec Carlotta — ou Charlotte —, princesse de Tarente. Mais le roi Frédéric a d'autres ambitions pour sa fille. Au contraire de Sancia et d'Alphonse, elle n'est pas née hors mariage. Elle a pour mère une princesse de Savoie. Elle est élevée à la cour de France, parmi les filles d'honneur de la reine Anne. Ses réticences en apprenant que le pape propose de l'unir à son fils bâtard sont aussi vives que celle de son père : elle ne veut pas être appelée « Madame la Cardinale ».

Le roi Frédéric avait répondu aux premières avances de Rome qu'il faudrait, pour y donner suite, que le pape modifiât les règles canoniques et permît au cardinal de se marier. C'était une façon polie de décliner l'offre qui lui était faite, mais Alexandre VI ne pouvait admettre de se voir apposer un refus. Il fit intervenir auprès de Frédéric les Sforza, qui étaient devenus ses meilleurs amis. Au début de l'été de 1498, le cardinal Ascanio fit le voyage de Naples pour annoncer que le pontife allait réduire son fils à l'état laïc, mais le roi ne consentit pas pour autant à faire aboutir le projet. En juillet, il confia à Gonzalve de Cordoue, le fameux capitaine, qu'il aurait mieux aimé perdre son royaume et sa vie que de consentir à ce mariage.

Les troubles qui agitaient les Etats pontificaux l'encourageaient à adopter cette attitude. La campagne romaine était, depuis plusieurs mois, le théâtre de violents affrontements qui opposaient les barons Orsini et leurs alliés, les Conti, à la famille Colonna, à propos de la possession de Tagliocozzo. Les Orsini avaient été battus, le 12 avril 1498, à Palombara. Les Colonna avaient ensuite sauvagement pris d'assaut les châteaux de leurs adversaires. Le pape et César s'étaient gardés d'intervenir pour ramener la paix : l'abaissement des féodaux allait dans le sens de leurs intérêts. Mais Frédéric de Naples avait offert son arbitrage.

Son intervention avait fait cesser l'affrontement en juillet. Orsini et Colonna s'étaient réconciliés. Peu après, on avait trouvé un libelle placardé à l'entrée de la bibliothèque du Vatican : les anciens adversaires étaient invités à « tuer le taureau qui ravageait l'Ausonie » et, pendant qu'il descendrait en enfer, à noyer ses enfants dans les flots du Tibre ! Le pape soupçonna Frédéric d'être quelque peu responsable de ce manifeste. Mais, au lieu de rompre avec lui, il chercha de plus belle à lui imposer son fils. Comme la princesse de Naples était élevée à la cour de France, il prit comme allié dans sa négociation matrimoniale le nouveau roi Louis XII.

L'alliance avec Louis XII de France
Annulation du mariage du roi

Monté sur le trône à la mort de Charles VIII, le 7 avril 1498, le souverain français avait aussitôt notifié au pape son avènement. Il lui avait fait savoir qu'il revendiquait Milan, fief de ses ancêtres Visconti, mais aussi le royaume de Naples qu'il avait hérité de son prédécesseur. Pour rentrer dans ses biens en Italie il avait besoin du pontife ; également, pour obtenir l'annulation de son mariage avec Jeanne de France, la fille difforme de Louis XI, et recevoir la dispense qui lui permettrait d'épouser ensuite Anne de Bretagne, la veuve de Charles

VIII. Il promettait à Alexandre, en récompense de l'aide qu'il lui apporterait, de s'entremettre pour réaliser le mariage princier de César.

Fort intéressé par cette ouverture, le pontife envoie en France, le 4 juin, une ambassade formée de personnes qui ont toute sa confiance : l'archevêque Jean de Raguse, le secrétaire Antonio Florès et le trésorier de Pérouse, Ramon Centelles. Officiellement, les prélats doivent rappeler au souverain les devoirs qui lui incombent comme Roi Très Chrétien : mener la croisade contre le Turc et instaurer la paix dans la Chrétienté. Mais au cours de l'audience secrète que leur accorde le roi, ils dévoilent les intentions du pape. Alexandre n'a pas voulu entrer dans la ligue antifrançaise que Maximilien d'Autriche a tenté de constituer, en mai 1498, avec Naples et Milan comme principaux partenaires. Bien au contraire, il envisage de se lier avec Louis XII par un traité d'alliance semblable à ceux qui sont, au même moment, négociés par la France avec le roi d'Angleterre et l'archiduc Philippe le Beau, héritier de la Flandre et de la Franche-Comté. L'alliance sera scellée par la dissolution du mariage de Louis XII avec Jeanne de France et par l'union princière promise à César. C'est une nouvelle politique qui s'ébauche dans laquelle Alexandre VI espère bien utiliser le roi de France comme un bras séculier à son entière dévotion.

Le 4 juillet, un habile négociateur part de Rome pour concrétiser cet accord : c'est Fernando de Almeida, un Portugais, évêque de Ceuta, en Afrique. Assisté d'un membre de l'ambassade de France à Rome, Guillaume, protonotaire apostolique, archidiacre de Châlons, il met au point un projet de traité. Louis XII promet de marier Monseigneur de Valence avec la fille aînée de Frédéric, roi de Naples. Pour constituer à César un digne train de maison, il lui donnera outre les comtés de Valence et Die en Dauphiné, d'autres fiefs si les précédents n'atteignent pas, enquête faite, un revenu de 20 000 livres. Le comté de Valence sera érigé en duché pour que le titre de César ne soit pas inférieur à ceux de son frère et de sa sœur. Le fils du pape recevra de plus une compagnie de 100 lances d'ordonnances, portée à 200 et même 300 lorsque le

roi passera en Italie. Il sera décoré de l'ordre de Saint-Michel.
Une fois installé à Milan, le roi lui fera don du comté d'Asti.
Enfin, comme le séjour de César auprès du roi laissera le pape
sans protecteur, Alexandre recevra chaque mois une pension
de 4 000 ducats pour payer une garde spéciale chargée de sa
sécurité.

Les termes proposés satisfont pleinement le Saint-Père. Il
les accepte. Aussitôt le roi donne l'ordre au baron de Trans de
partir de Provence, avec six galères encadrées d'autres bâtiments, pour aller chercher César en Italie. Il érige dans le
même temps la principauté qu'il destine au fils du pape. Par
des lettres patentes, datées d'Etampes au mois d'août, il lui
octroie les comtés de Valentinois et Diois. Il y ajoute la
seigneurie et châtellenie d'Issoudun en Berry, avec son
grenier à sel, de façon à ce que l'ensemble des biens conférés
rapporte au total 20 000 livres de revenu. Une telle libéralité
confirme aux princes italiens l'existence de l'accord secret
conclu entre la couronne de France et les Borgia. Ludovic
Sforza s'attend à en être la victime. Le roi de Naples lui-même
n'est guère rassuré. Heureusement pour eux, Louis XII est
immobilisé en France par l'épineux règlement de sa situation
matrimoniale.

Le contrat de mariage convenu entre Charles VIII et Anne
de Bretagne stipule que la duchesse-reine doit, en cas de
veuvage, épouser le successeur de son époux au trône de
France. Encore faut-il que Louis soit libéré des liens matrimo-
niaux qui l'unissent à Jeanne de France. En vertu du droit
canon, le pape constitue, le 29 juillet, un tribunal qui doit
instruire le procès d'annulation, en procédant en France à
l'audition des parties. Il désigne comme juges l'évêque
de Ceuta et l'évêque d'Albi, Louis d'Amboise, frère de
Georges, archevêque de Rouen, favori et principal ministre
de Louis XII. Il leur adjoint, en septembre, le cardinal
Philippe de Luxembourg, évêque du Mans. Longuement le
tribunal siège à Tours d'abord, puis à Amboise. Parmi les
arguments en faveur de l'annulation, il ne retient ni la parenté
naturelle au quatrième degré entre Louis et Jeanne, ni la
parenté spirituelle résultant du fait que Louis XI avait été le

parrain de Louis XII. Ces arguments ne peuvent être employés car Sixte IV a levé l'empêchement qui en résultait. Le tribunal ne s'arrête pas non plus à la violence morale exercée par Louis XI pour obtenir le consentement de Louis d'Orléans. Finalement, c'est l'argument de non-consommation qui permet de trancher. Le procureur royal allègue la mauvaise conformation physique de Jeanne. Sur le conseil du pape, Louis jure, le 5 décembre, qu'il n'a jamais connu charnellement sa femme. Pour éviter le scandale, Jeanne déclare s'en remettre à la parole du roi. Dès lors on touche au terme du procès. La sentence d'annulation est prononcée, le lundi 17 décembre, dans l'église Saint-Denis d'Amboise. Jeanne reçoit le titre de duchesse de Berry, se retire dans un couvent et fonde l'ordre de l'Annonciade. Louis XII se hâte de préparer sa nouvelle union avec Anne de Bretagne. C'est alors qu'entre en scène César qui a porté en France l'indispensable bulle autorisant le mariage royal.

Le voyage de César

Depuis trois mois déjà, le fils du pape déploie dans le royaume le faste le plus magnifique. Son père lui en a donné les moyens. L'argent qui a servi à l'équipement de César provient de sources diverses. Alexandre a puisé dans les biens des prélats morts en cour de Rome, comme le droit lui en appartient. Ainsi, lors de la mort du cardinal Campofregoso, en mai 1498, il a fait inventorier et saisir son argenterie et son mobilier. Mais il est plus expéditif encore de prendre l'argent aux vivants. Les usuriers juifs sont les premiers désignés pour en fournir.

Le vieil évêque de Calahorra, un juif converti, autrefois appelé Alfonso Solares, est devenu après son baptême Pedro de Aranda. Il a été promu par Alexandre VI majordome pontifical. Cette dignité ne suffit pas à le protéger. Il est arrêté au Vatican, en avril 1498, ainsi que son fils naturel. Ils sont accusés de vivre en marranes, c'est-à-dire de poursuivre secrètement les pratiques de la religion hébraïque. La fortune d'Aranda est importante : 20 000 ducats. Elle est entièrement confisquée. Lui-même est déposé, dégradé et emprisonné, le 14 décembre, au château Saint-Ange où il ne tarde pas à trouver la mort par l'effondrement du plafond de sa cellule.

Des juifs expulsés d'Espagne s'étaient établis autour du tombeau de Cecilia Metella aux portes de la ville. On les soumet à un impôt spécial. Des dénonciations et des rafles permettent de mettre la main sur deux cent trente individus suspectés, à cause de leur origine espagnole, d'être des marranes. On leur impose de faire pénitence dans les sanctuaires romains. Puis, le 29 juillet, ils processionnent à la lueur des cierges, en robes rouge et violet marquées de la croix et reçoivent leur pardon, non sans avoir payé des amendes considérables.

Dans l'été, le pape trafique de tout, aussi bien des blés qu'il stocke que des bénéfices ecclésiastiques qu'il octroie moyennant finances. Il dispose des dignités abandonnées par César lors de sa laïcisation. Tout est vendu, à l'exception de l'archevêché de Valence conféré au neveu d'Alexandre, Juan de Borgia Lançol. Deux abbayes, d'un revenu de 4 000 ducats, sont ainsi proposées au cardinal Ascanio Sforza contre le versement comptant de 10 000 ducats.

Il n'est pas étonnant que cet ensemble de pratiques aboutisse à la constitution d'un trésor de 200 000 ducats que César emporte en France en même temps qu'un copieux lot de bulles. L'une dispense le roi et Anne de Bretagne des empêchements canoniques qui résultent de leurs liens de parenté. En annexe deux brefs recommandent le fils du pape aux deux futurs époux : Alexandre y nomme César « notre cher fils, le duc de Valentinois, l'être le plus cher que nous ayons sur la terre, très précieux gage du lien perpétuel d'amour mutuel qui nous unit ». Une autre bulle élève Georges d'Amboise, favori du roi, à la dignité de cardinal, avec le titre presbytéral de Saint-Sixte. Un bref destiné au roi précise qu'Alexandre VI renonce, pour le moment, à le nommer légat.

Le voyage de César en France défraye l'actualité autant que le procès pour l'annulation du mariage du roi. Le 1er octobre.

trente jeunes nobles romains, parmi lesquels figure Gian-giordano Orsini, forment l'escorte qui entoure à son départ de Rome celui que l'on appelle désormais le duc de Valentinois. Le héros de la fête, dans la mâle beauté de ses vingt-trois ans, a une allure royale. L'ambassadeur de Mantoue, Cattaneo, décrit sa somptueuse tenue : pourpoint de damas blanc brodé d'or, manteau de velour noir « à la française », béret de velours noir orné d'un panache blanc et garni de fabuleux rubis. Le noir et le blanc mettent en valeur la pâleur élégante de son visage encadré par une fine barbe et une chevelure aux reflets cuivrés. Le cheval, qui vient, comme celui de ses compagnons, de la fameuse écurie des Gonzague à Mantoue, est caparaçonné de soie rouge et de brocart doré. Son mors, ses anneaux, ses étriers et même ses fers, dit-on, sont en argent massif. Cent serviteurs, pages, écuyers, estafiers et joueurs de viole venus de Ferrare suivent César.

Parmi ses familiers, on distingue son majordome Ramiro de Lorca, son médecin Gaspare Torrella, évêque de Santa Giusta en Sardaigne, et son fidèle secrétaire Agapito Gherardi de Amelia. Douze chariots et cinquante mules portent les bagages. Hommes et montures prennent place à bord des bateaux. La flotte appareille de Civitavecchia, le 3 octobre, et arrive, le 12, à Marseille. L'archevêque d'Aix et les principaux seigneurs de Provence, entourés de quatre cents cavaliers, sont venus sur le port accueillir César et lui rendre, sur ordre de Louis XII, des honneurs royaux.

Le cortège gagne Avignon, le 28 octobre. Le cardinal-légat, Julien della Rovere, reçoit César. Depuis plus d'un an il s'est réconcilié avec Alexandre VI. Il a été convenu que, lorsque le cardinal reviendrait en Italie, le pape lui restituerait ses biens et même la place d'Ostie en lui demandant toutefois de rembourser 12 000 ducats dépensés pour renforcer les fortifications. Le frère de Julien, Jean della Rovere, retrouverait ses prérogatives de gouverneur de Rome et pourrait même garder les 40 000 ducats de la pension de Djem qu'il s'était appropriés indûment trois ans auparavant.

Aussi, à l'entrée d'Avignon, Julien fait-il bonne figure au fils du pape entouré du cardinal Péraud et de Clément della

Rovere, évêque de Mende. Dans une lettre qu'il enverra à
Rome un peu plus tard, il ne ménagera pas les compliments à
l'égard de César : « Je ne veux pas cacher à Votre Sainteté
que le duc de Valence est si plein de modestie, de prudence,
d'habileté, et doué de tels avantages au physique et au moral
que tout le monde est fou de lui. Il est en haute faveur à la
cour et auprès du roi. Tous l'aiment et l'estiment et j'éprouve
à le dire une véritable satisfaction. » En tout cas, Julien
n'économise ni sa peine ni son argent. Pendant le bref séjour
de César, il dépense 7 000 ducats en cadeaux d'orfèvrerie,
festins, défilés et représentations. Mais César préfère couper
court à ces festivités. Il vient de recevoir les lettres royales
érigeant ses comtés en duché de Valentinois. Il décide de
visiter son fief et gagne Valence, bien qu'il ne soit alors guère
présentable : le « mal français », que d'aucuns nomment
« mal de Saint-Lazare », a fait sortir sur son visage une
éruption de vilaines pustules qui le défigurent. Dans la
capitale de son duché ses sujets veulent lui faire les honneurs
du château royal. Méfiant, il préfère s'en abstenir sous
prétexte que ses lettres patentes n'ont pas encore été enregis-
trées au parlement de Grenoble : elles ne le seront en effet
que le 15 novembre. Cet excès de prudence le porte à refuser
des mains de M. de Clairins, envoyé exprès par Louis XII, le
cordon de l'ordre de Saint-Michel : il souhaite le recevoir des
mains mêmes du roi. Cette attitude ne réussit qu'à blesser
l'ambassadeur et à donner à César une réputation d'orgueil et
d'insolence qui va le suivre tout au long de son voyage.

Quittant le Valentinois, le fils du pape se rend à Lyon. La
ville lui offre un banquet pantagruélique dont le menu fait
rêver : y sont offerts en abondance viandes de bœuf, de veau
et de mouton, y compris les langues particulièrement appré-
ciées, une quantité d'oiseaux, perdrix, canards, bécasses,
grives, alouettes, paons et faisans puis, après les pâtés de
toutes sortes, une belle variété de pâtisseries, notamment des
tartes, des gâteaux légers appelés darioles d'Angleterre, des
gâteaux à l'orange, des confiseries aux épices les plus rares et
des fruits exotiques, raisins de Corinthe, dattes et grenades.
Les réceptions alternent avec des représentations de mystères.

des farces et des ballets masqués : on admire des morisques qui « dansent avec des sonnettes ».

De la métropole lyonnaise, César se dirige lentement vers le Val de Loire. La cour se trouve au château de Chinon : le roi Louis y habite en attendant la fin des travaux entrepris pour transformer sa demeure familiale de Blois en véritable palais royal. Le fils du pape n'est pas pressé d'arriver. Louis XII ne lui a pas encore trouvé d'épouse et, par ailleurs, le procès canonique pour annuler le mariage du roi n'est pas encore terminé : il est inutile, avant la sentence, de remettre au souverain la dispense lui permettant d'épouser la veuve de son cousin. Mais à peine la conclusion du procès est-elle acquise que César se remet prestement en route. Le 17 décembre, le jour même où le jugement est prononcé à Amboise, il est aux portes de Chinon.

Réception à la cour de Chinon

Comme la situation sociale et le rang de cet ancien cardinal, bâtard d'un pape, leur apparaissent équivoques, les conseillers du roi ont imaginé un scénario qui permet de résoudre les problèmes d'étiquette : César rencontrera Louis XII, comme par hasard, au cours d'une partie de chasse. Louis pourra ainsi le saluer et le traiter avec familiarité avant de le laisser repartir vers Chinon où il fera seul son entrée. La rencontre se déroule comme prévu. Après ce bref contact, César reprend le chemin de la ville. Un témoin oculaire, cité par Brantôme, narre l'événement avec emphase dans une pittoresque pièce de vers. Le spectacle est superbe, avec peut-être un peu trop de clinquant : il fait penser à une parade de cirque.

Au bout du pont de Chinon, Georges d'Amboise, cardinal de Rouen, qui va bientôt recevoir son chapeau cardinalice des mains de César, est venu l'accueillir en compagnie de Philippe de Clèves, seigneur de Ravenstein, qui a déjà assisté au débarquement du fils du pape à Marseille. Plusieurs autres grands seigneurs les entourent : ainsi le chambellan du roi, François de Rochechouart, vice-amiral de France, sénéchal de

Toulouse et René de Clermont. Le train du duc de Valentinois défile longuement. Les gens de Chinon dénombrent soixante-dix bêtes de somme chargées de bagages : vingt-quatre mulets fort beaux portent des bahuts et des coffres peints aux armes de César ; vingt-quatre autres mulets arborent la livrée royale jaune et rouge ; douze mulets sont carapaçonnés de satin jaune rayé ; dix mulets couverts de drap d'or. Ils gravissent la côte qui mène au château pendant que s'engagent sur le pont, menés à la main, seize beaux coursiers couverts de drap d'or rouge et jaune. Dix-huit pages montés les suivent, seize vêtus de velours cramoisi, deux de drap d'or frisé : les méchantes langues, rapporte Brantôme, supposent que ces deux-là sont les « mignons de couchette » du duc. Des laquais conduisent six belles mules caparaçonnées de velours cramoisi. Viennent ensuite deux mulets couverts de drap d'or et chargés de coffres. « Pensez, disait le monde, que ces deux-là portaient quelque chose de plus exquis que les autres, ou de ses belles et riches pierreries pour sa maîtresse et pour d'autres, ou quelques bulles et belles indulgences de Rome, ou quelques saintes reliques. » Suivent les trente gentilhommes du duc, vêtus de drap d'or et d'argent. Puis trois ménétriers : deux tambours et un joueur de rebec, vêtus de drap d'or, et quatre sonneurs de trompettes d'argent, viennent à la suite de vingt-quatre laquais, habillés de velours cramoisi, mi-parti de soie jaune.

Apparaît enfin le duc qui chevauche un magnifique coursier gris pommelé, caparaçonné de satin rouge et de drap d'or mi-parti. Il a, à son côté, le cardinal d'Amboise. Chacun admire sa belle prestance. On s'extasie sur les magnifiques rubis de son béret, les broderies et joyaux de ses vêtements et le travail de ses bottes bordées de cordons d'or et incrustées de perles. Son collier est évalué à 30 000 ducats. Le harnachement de son cheval, chargé d'orfèvrerie et de perles, vaut lui aussi une fortune. Derrière cette monture de parade trotte une petite mule destinée à promener le duc dans la ville : son harnais est couvert de petites roses d'or fin. En queue de cortège, un train de vingt-quatre mulets et de douze chariots transporte la vaisselle précieuse et le mobilier ducal.

Le roi contemple le spectacle d'une fenêtre du château. « Il ne faut douter qu'il ne s'en moquât, écrit Brantôme, lui et ses courtisans, disant que c'était trop pour un petit duc de Valentinois. »

Mais Louis XII ne veut en aucune façon indisposer le porteur de la dispense pontificale dont il a tant besoin. Il attend César dans la grande salle, entouré des principaux dignitaires de la Cour auxquels s'est joint le cardinal Julien della Rovere. Le duc se courbe jusqu'à terre devant son nouveau suzerain. Parvenu au centre de la salle il refait une révérence. Le roi lui répond en tirant son chapeau. Enfin, s'inclinant près du souverain, César s'apprête à lui baiser les pieds, suivant le cérémonial habituel du Vatican, mais Louis l'arrête. Il ne lui permet que le baisemain, lui évitant ainsi de s'exposer aux quolibets des seigneurs français, trop portés au persiflage devant « la vaine gloire et la sotte bombance » du duc de Valentinois. L'audience est courte. Le cardinal d'Amboise accompagne le fils du pape dans son appartement, où le roi impatient vient le retrouver pour prendre la dispense nécessaire à son mariage avec Anne de Bretagne. Peu après, le 21 décembre, a lieu dans la collégiale Saint-Maximin la cérémonie d'imposition du chapeau cardinalice à Georges d'Amboise. Le roi se hâte de gagner Nantes où, le 6 janvier, il célèbre ses noces.

Un bon parti : Charlotte d'Albret

Alexandre VI a rempli la part du contrat qui lui revenait. Louis XII doit maintenant s'acquitter de la sienne : le mariage de César. Lors d'un banquet, le 2 mars 1499, il place le duc de Valentinois en face de Charlotte d'Aragon : mais c'est peine perdue. La fille du roi de Naples, qui, dit-on, aime ailleurs, regarde à peine son prétendant. Louis XII propose César à sa propre nièce, la fille de Jean de Foix, mais la jeune fille refuse. Le pape se désespère à la pensée que son fils va devenir la risée de toute l'Europe. Fort heureusement, un autre parti se présente. Alain d'Albret, dit le Grand, offre la main de sa fille

Charlotte. Il est duc de Guyenne, comte de Gaure et de Castres. Son épouse, Françoise de Bretagne, parente de la reine Anne, est comtesse de Périgord, vicomtesse de Limoges et dame d'Avesnes. L'aîné de leur huit enfants, Jean, est roi de Navarre depuis 1494. Sa sœur, Charlotte d'Albret, est donc un bon parti pour César : la jeune femme, belle et intelligente, est fille d'honneur d'Anne de Bretagne, qui l'a élevée à sa cour.

Louis XII charge le sieur de La Romagère de négocier le mariage avec Alain d'Albret. En mars, à Casteljaloux, l'envoyé royal rencontre les procureurs de la famille : Gabriel d'Albret, frère de Charlotte, Regnault de Saint-Chamans, seigneur de Lissac, sénéchal d'Agenais et le licencié en droit, Jean de Calvimont, seigneur de Tinsac. Les négociations sont longues et ardues, car Alain d'Albret se montre exigeant et cupide. Le 19 avril, les conditions du mariage sont enfin rédigées à Nérac. Dix jours plus tard, le père les fait connaître au roi, après toutefois qu'on lui ait permis de « voir et toucher » la dispense pontificale qui relève César de ses vœux, car il ne veut pas, comme naguère le roi de Naples, donner sa fille à un prêtre fils de prêtre.

Alain d'Albret dotera Charlotte de 30 000 livres : il en versera 6 000 à la célébration du mariage, puis 1 500 par an jusqu'au parfait paiement, mais Charlotte devra renoncer à ses droits sur la succession de son père et de sa mère. Les meubles et acquêts des époux seront placés sous le régime de la communauté. Si César vient à mourir, Charlotte recevra, sa vie durant, une rente de 4 000 livres, et choisira pour y vivre celui des châteaux de César qui lui agréera. Le roi s'étant engagé à donner au Valentinois 100 000 livres pour augmenter la dot de Charlotte, Alain d'Albret demande la remise de cette somme en ducats. Il exige que ses procureurs vérifient que les biens meubles que César possède en France, valent effectivement 120 000 ducats comme le fils du pape le prétend.

La demande de la conversion de la dot en ducats est repoussée comme excessive. Mais le roi, qui veut accélérer la conclusion du contrat, offre en garantie du paiement des 100 000 livres la caution personnelle des trésoriers généraux de France : il promet que l'intégralité de la somme sera remise à Alain d'Albret avant dix-huit mois, et César en avance lui-même la moitié : 50 000 livres. Par une ordonnance délivrée aux Montils-sous-Blois, en avril 1499, le roi reconnaît que le fils du pape lui a prêté cette somme en argent et bijoux, « en faveur du mariage qu'entendions et entendons faire de sa personne en cestui notre royaume avec certaine notre parente ». Pour se rembourser César percevra les revenus du siège royal d'Issoudun — c'est-à-dire le produit des amendes — et pourra vendre les offices du grenier à sel du même lieu, deux prérogatives qu'avaient conservées le roi et qui viennent s'ajouter aux autres droits de seigneurie précédemment octroyés à César. Pour faciliter la conclusion du mariage, le fils du pape accepte que son duché soit attaché à sa femme. Il usera de son influence auprès du pape pour faire nommer cardinal, un frère de Charlotte, Amanieu d'Albret.

Le 10 mai, à Blois, les deux parties procèdent à la signature du contrat de mariage en présence du roi, de la reine Anne, du cardinal d'Amboise et des principaux dignitaires de la couronne. Les témoins de César sont ses fidèles serviteurs Agapito Gherardi et Ramiro de Lorca. Comme le but ultime de cette union est d'apporter l'aide du Saint-Siège au roi dans la future guerre d'Italie, Louis XII fait introduire la clause que le duc, ainsi que ses parents, amis et alliés lui feront service dans la reconquête du royaume de Naples et du duché de Milan ; à titre réciproque il mettra les troupes royales au service du pape si celui-ci le lui demande.

Le mariage est célébré et consommé le 12 mai. César fait à son père le récit de sa nuit de noces dans une lettre en espagnol où il se vante d'avoir fait « huit voyages ». Le propos péchait peut-être par un excès de fatuité si l'on en croit un écho de Cour consigné dans les *Mémoires* de Robert de La Marck, seigneur de Fleuranges : César ayant demandé à un apothicaire des pillules aphrodisiaques, celui-ci soit par malignité, soit par erreur lui aurait donné des pillules laxatives, « tellement que toute la nuit il ne cessa d'aller au retrait, comme en firent les dames le rapport le matin suivant ».

Quoi qu'il en soit, la jeune mariée est heureuse. Elle écrit le

lendemain à son beau-père une petite lettre respectueuse et
charmante : elle a, dit-elle, le plus grand désir d'aller lui
rendre visite au Vatican et elle est enchantée de son mari.
Louis XII, tout à fait satisfait d'avoir réussi cette union, écrit
lui aussi au pape pour se réjouir que son fils ait réalisé deux
fois plus de prouesses amoureuses que lui-même : avec Anne
de Bretagne il avait « rompu quatre lances », alors que César
en a brisé huit, deux avant le dîner, six dans la nuit. Pareille
vaillance méritant récompense, Anne de Bretagne a fait don à
César d'un cheval et d'un anneau de 400 ducats qu'elle l'a prié
de porter « pour l'amour d'elle ». Le roi, quant à lui, annonce
l'envoi au pape, en son palais du Vatican, de cent barriques de
vin de Bourgogne. Enfin il décore César, le 19 mai, jour de la
Pentecôte, de l'ordre de Saint-Michel.

Nouvelle descente des Français en Italie

Pour fêter la consommation du mariage, Alexandre VI
ordonne, le 23 mai, d'allumer des feux de joie ; ce que
Burckard déplore, l'événement n'étant, dit-il, que « disgrâce
et honte de Sa Sainteté et du Saint-Siège ». Mais ces réjouissances publiques marquent un virage politique que le pape
tient à faire connaître au monde : elles proclament que le
Saint-Siège a adhéré à l'alliance nouée depuis deux mois
contre Ludovic Sforza par la France et Venise. César est l'allié
privilégié du souverain français. En attendant de repartir pour
l'Italie, avec l'armée de Louis XII, il vit luxueusement. Il
dépense en un mois tout l'argent qu'il a apporté de Rome.
Alexandre VI est obligé de venir à son aide : il lui fait
remettre successivement 18 000, puis 22 000, enfin 10 000
ducats. César se rend dans sa seigneurie d'Issoudun pour y
percevoir quelques revenus. Il y tombe malade. A peine guéri
il lui faut regagner la Cour fixée à Romorantin où le roi est
venu prendre congé de la reine Anne. Le fils du pape y
retrouve son épouse : c'est la dernière fois qu'il passe quelques jours auprès de Charlotte d'Albret. Il laisse la jeune

femme enceinte, ne la reverra jamais et ne connaîtra pas le bébé, Louise, son seul enfant légitime.

Cependant, Ludovic Sforza a intercepté des courriers échangés entre Rome et la France : il connaît parfaitement ce qui se trame contre lui. Le pape a jeté le masque. Désormais il se montre féroce envers Ludovic dans ses propos en public : apprenant que le petit Francesco, fils du More, souffre des yeux, le Saint-Père se réjouit de cette maladie et déclare qu'il serait bon que toute la maison Sforza fût ruinée et détruite. Le cardinal Ascanio ne peut supporter de telles provocations. Dans la nuit du 13 au 14 juillet, il s'enfuit de Rome, gagne le château de Népi et, de là, va s'embarquer, le 21, à Nettuno sur des galères napolitaines. Débarqué à Porto Ercole, il arrive en peu de jours à Milan pour se trouver aux côtés de son frère au moment de l'attaque des Français et des Vénitiens.

La conversion d'Alexandre VI à la cause française révolte les puissances ennemies de la France. L'Espagne et le Portugal envoient à Rome des ambassadeurs qui flétrissent ce revirement et se plaignent de ce que le Saint-Père songe plus à l'avancement de ses enfants qu'au sort de l'Eglise. Qu'à cela ne tienne ! Alexandre réplique avec un certain humour : il enlève Bénévent à son petit-fils espagnol, orphelin de Juan de Gandie, et rattache de nouveau ce fief au Saint-Siège. Il ne cache plus son contentement lorsqu'arrivent les nouvelles de la prochaine invasion française. L'armée se concentre à Asti de mai à juillet 1499 : elle compte de douze à treize mille cavaliers, dix-sept mille fantassins, français et suisses, et un parc d'artillerie redoutable. D'excellents hommes de guerre, Trivulce, Ligny, d'Aubigny, Chaumont d'Amboise forment l'état-major dans lequel entre César Borgia encore inexpérimenté. Venise a promis d'intervenir avec sa cavalerie lourde et quatre mille mercenaires, suisses, italiens et espagnols. En face de ces forces coalisées, Ludovic le More ne dispose pas d'une armée cohérente. Il manque d'argent pour lever des mercenaires. Aussi Louis XII estime-t-il que la campagne contre Milan sera facile et ne durera pas plus de deux à trois mois.

Disgrâce des Napolitains à la cour de Rome
La fuite d'Alphonse d'Aragon

Le mari de Lucrèce, Alphonse d'Aragon, prince de Bisce-glie, napolitain et ami des Sforza, est particulièrement inquiet du sort qui l'attend dans cette nouvelle conjoncture politique. Pourtant Alexandre s'emploie à mettre son gendre à l'aise. Il le convie avec Lucrèce à toutes les cérémonies du Vatican. En janvier il l'invite avec les cardinaux Lopez et Jean Borgia à une grande battue dans la campagne d'Ostie : les chasseurs rentrent au Vatican le 1er février, au milieu de leur meute, chargés de cerfs et de chevreuils. Le 9 février, Lucrèce se joint à son mari pour une partie de campagne dans la vigne du cardinal Lopez. La jeune femme propose à ses dames, pour se divertir, une poursuite à travers les allées, mais le terrain est en pente et glissant. La duchesse trébuche. Elle entraîne dans sa chute une jeune fille qui la suit et la heurte en tombant. Lucrèce s'évanouit. On la ramène dans son palais où, ainsi que le rapporte l'ambassadeur Cattaneo, « la nuit à neuf heures, elle perdit garçon ou fille, on ne le sait » : elle était en effet enceinte de trois mois. Heureusement, deux mois plus tard, l'espérance d'une autre naissance venait faire oublier l'accident.

Survenant sur ces entrefaites, la nouvelle du mariage de César réjouit Lucrèce : elle ne peut oublier qu'elle doit à son frère son bonheur conjugal avec Alphonse de Bisceglie. Mais celui-ci et sa sœur Sancia ne partagent pas sa joie car César et son père sont désormais leurs adversaires : pour se marier, le duc de Valentinois a dû promettre de participer à la recon-quête de Naples et du Milanais. Sancia trouve un prétexte pour prendre violemment à partie le pape, son beau-père : son mari, Gioffré a été agressé et blessé sur le pont Saint-Ange, une nuit, par le commandant de la garde pontificale. La jeune femme met cet incident sur le compte de l'hostilité du pape contre les Aragonais. Son frère Alphonse est du même avis. La fuite du cardinal Sforza, en juillet, le remplit de panique. L'amour de Lucrèce ne parvient pas à le rassurer. Le

2 août 1499, au petit matin, il s'enfuit de Rome. Poursuivi par les sbires du pape, il se réfugie à Genazzano, fief des Colonna, amis du roi de Naples.

De là il écrit lettre sur lettre à sa femme pour qu'elle le rejoigne. Mais Lucrèce, enceinte de six mois, n'est pas tentée par l'aventure et le pape fait faire bonne garde autour du palais de Santa Maria in Porticu : dès qu'on lui a appris la fuite d'Alphonse, il s'est répandu en injures contre le roi Frédéric et sa famille. Pour se venger il a ordonné à Sancia, toujours aussi impertinente et rebelle, de partir immédiatement pour Naples et comme la jeune femme a refusé de s'en aller, il l'a menacée de la faire « jeter dehors ». Sancia furieuse prend enfin, le 7 août, la route de Naples. Gioffré reste seul avec Lucrèce.

Lucrèce gouverneur de Spolète

Afin d'éviter à ses enfants la tentation de rejoindre leurs conjoints, Alexandre imagine un honorable stratagème : le 8 août il nomme Lucrèce, à peine âgée de dix-neuf ans, gouverneur de Spolète et de Foligno, haute charge qui n'a jusque-là été occupée que par des cardinaux ou des prélats. Il lui adjoint Gioffré dont toute l'éducation politique, à dix-sept ans, est encore à faire.

Le jour même de sa nomination, Lucrèce, son frère Gioffre et son cousin par alliance, Fabio Orsini, se retrouvent, prêts à partir, sur le parvis de la basilique Saint-Pierre. Sans descendre de leurs mules, ils s'inclinent devant le pontife qui, du haut de la loggia, leur donne sa bénédiction. Le cortège s'ébranle suivi d'un grand nombre de bêtes de somme chargées des bagages. Lucrèce est assise sur un siège à chevaucher où elle accède par un escabeau recouvert de soieries. Comme elle se trouve dans un état de grossesse avancée, et, que le pape veut éviter, après son récent accident, une nouvelle fausse couche il a fait préparer sur une autre mule, une litière avec des matelas, des couvertures cramoisies brodées de fleurs et deux coussins de damas blanc. Un fort beau baldaquin l'abrite de l'ardeur du soleil. Cet équipage somptueux permet d'éviter tout risque à la future maman.

Le capitaine de la garde palatine, le gouverneur de Rome et l'ambassadeur du roi de Naples accompagnent les enfants du pape du Vatican au pont Saint-Ange. Une longue procession d'hommes d'Eglise, disposés deux par deux, et une foule immense encadrent Lucrèce et Gioffré jusqu'à la Porte du Peuple. Ce décorum voulu par le pape jette un éclairage intéressant sur la mission confiée à sa fille. En installant ses enfants à Spolète, la principale place forte pontificale au nord de Rome, Alexandre VI montre qu'il a délibérément pris le parti du roi de France dont l'armée, à ce moment même, envahit le Milanais avec la participation active de César Borgia. Lucrèce et son frère, unis par ce même César à la dynastie napolitaine doivent maintenant, par sa volonté, abandonner les intérêts de leur famille d'adoption, et tenir Spolète pour empêcher tout mouvement de troupes qui viendraient de Naples au secours du duc de Milan.

Le cortège chemine lentement sous le brûlant soleil d'août. Le 14, on arrive à Spolète que ses habitants ont décorée d'arcs de triomphe fleuris. Lucrèce reçoit leurs compliments, traverse la ville et monte vers la citadelle adossée au contrefort du Montelucco couvert d'une sombre forêt de chêne verts : c'est une résidence austère, jadis élevée par les Lombards et restaurée par le cardinal Albornoz au siècle précédent. Elle domine la cité qu'elle protège et peut en mater aisément les révoltes. Les prieurs saluent la fille du pape. Elle leur fait lire deux brefs qui l'investissent du pouvoir. Le pape a donné ordre qu'on verse à sa fille la somme de 1 260 florins pour la charge du gouvernement qu'elle doit, en principe, exercer pendant cinq mois, du 13 août au 31 janvier. César a été nommé, conjointement avec elle, gouverneur : c'est donc plutôt une vice-gérance qu'exerce Lucrèce. Les habitants de Spolète, pour reconnaître la prééminence de César, doivent lui verser 1 440 florins. La nomination du frère et de la sœur se traduit donc par l'imposition à la ville d'une contribution spéciale de 2 700 florins. Lucrèce ne se borne pas à une vaine représentation. Elle s'efforce de bien administrer la ville : elle organise, aux frais de la commune, un corps de maréchaussée pour assurer la police ; elle impose une trêve de trois mois entre Spolète et la ville rivale de Terni ; elle fait instruire soigneusement par son juge ordinaire, l' « auditeur » Antonio degli Umioli da Gualdo, les procès entre particuliers. Pendant que son jeune frère Gioffré se livre aux plaisirs de la chasse et des courses dans les bois, elle s'absorbe dans sa tâche de gouverneur. Le mois suivant son arrivée, elle est heureusement récompensée par la venue de son mari, Alphonse de Bisceglie. Le pape est parvenu à rassurer le jeune homme en se montrant généreux : il vient de leur faire présent de la ville, du château et du territoire de Népi, confisqués sur le cardinal Ascanio Sforza après sa fuite.

Après que le 4 septembre, Francesco Borgia, fils de Calliste III, en ait pris possession au nom de Lucrèce en qualité de trésorier du Saint-Siège, Alexandre VI se rend à Népi, le 25 septembre. Il rencontre les époux et décide sa fille à rentrer pour son accouchement à Rome.

Pour remplacer le cardinal Jean Borgia, le pape a nommé légat de la région le cardinal français Péraud, ami de Louis XII. Lucrèce peut maintenant quitter son poste de régente de Spolète.

Retour à Rome de Lucrèce et d'Alphonse
Succès milanais de César
Naissance et baptême du jeune Rodrigue

Le 14 octobre, Lucrèce fait sa rentrée à Rome, entourée de son mari et de son frère Gioffré. Les mimes et jongleurs du pape sont venus à sa rencontre aux portes de la ville.

C'est un moment glorieux pour les enfants Borgia. Sans prendre aucun risque César a retiré un prestige guerrier de la conquête française de la Lombardie. Le 12 août, l'armée française, sortie d'Asti, a envahi le Milanais. Les citadelles ont été prises avec une extrême facilité, tant la férocité des assaillants était redoutée. Ludovic le More avait prévu d'arrêter les Français devant Alexandrie, sa plus forte citadelle, et de se replier, le cas échéant, sur Pavie. Mais la mise en place de ses troupes s'était effectuée dans le plus grand désordre. Les secours promis par le roi de Naples et par la république de Gênes n'étaient pas encore arrivés à la fin d'août. Ludovic s'était ruiné pour faire venir des mercenaires suisses et allemands. Il devait faire face sur deux fronts : contre les Français et contre Venise qui avait envoyé à l'est une forte armée pour s'emparer de la Ghiara d'Adda et de Crémone.

Assiégée par 40 000 hommes, Alexandrie ne tient pas longtemps. Dans la nuit du 28 au 29 août, sa garnison, commandée par Galeazzo San Severino, abandonne la ville. Ludovic voit dans cet événement la confirmation des sombres prédictions des astrologues qui l'entourent. Découragé, il fait partir pour l'Allemagne ses deux fils et son frère, le cardinal Ascanio Sforza. Pavie capitule, Milan s'ouvre aux Français le 2 septembre, et son château est remis par le gouverneur, Bernardino da Corte, le 17 septembre. Ludovic s'enfuit dans le Tyrol auprès de Maximilien, l'époux de sa nièce Bianca Maria. Rien n'empêche plus l'entrée solennelle du roi et de son état-major dans Milan.

Arrivé le 5 octobre dans les alentours de la ville, le roi Louis XII y fait son entrée le 6 au matin. Revêtu d'un costume brodé de ruches et d'abeilles d'or, coiffé du chapeau ducal, il s'avance sous un baldaquin doré, accompagné des principaux dignitaires de France et des seigneurs italiens amis. On voit à sa suite le cardinal d'Amboise et le duc de Savoie, les cardinaux Julien della Rovere et Jean Borgia — celui-ci récemment nommé légat pour suivre le roi de France en Italie. Derrière les cardinaux, défilent les représentants de Venise puis le duc de Ferrare, Hercule Ier d'Este, père de la défunte épouse de Ludovic le More, qui marche au côté du duc de Valentinois, devant le marquis de Mantoue et le marquis de Montferrat. Cette fois encore, comme lors de son entrée à Chinon, on admire les bagages de César, chargés sur des montures caparaçonnées de velours et de brocart d'or, aux armes de César Borgia de France : le taureau et les bandes de la famille d'Oms s'y unissent aux lys de France. Le diplomate Baldassare Castiglione se félicitera de ce que, par son luxe et son apparat, le duc de Valentinois, *molto galante*, ait compensé le laisser-aller des troupes d'occupation française, qui transformaient les demeures nobles et le château lui-même en écuries malodorantes.

La nouvelle du triomphe milanais auquel participe son fils remplit d'aise le cœur du pontife. Bientôt, il éprouve un autre plaisir, non moins intense, lorsque Lucrèce donne naissance, dans la nuit du 31 octobre au 1er novembre, à un petit garçon. Alexandre est tellement content qu'il envoie avant le jour notifier l'événement à tous les cardinaux, ambassadeurs et seigneurs amis : chacun remet deux ducats en moyenne au messager, comme le note avec envie Burckard qui aurait bien voulu en avoir sa part. Le cérémoniaire s'absorbe dans les préparatifs du baptême qui doit revêtir une solennité particulière : il s'agit, en effet, du premier petit-fils légitime du pape et celui-ci a décidé de lui donner son propre prénom, Rodrigue.

Le palais de Santa Maria in Porticu a été magnifiquement décoré pour recevoir les visites rendues à l'accouchée par les dames romaines. Les prélats et les ambassadeurs sont accueillis dans la salle d'audience tendue de tapisseries. Lucrèce accepte les compliments assise dans un lit garni de satin rouge frappé d'or, au milieu de sa chambre tendue de velours au ton d'anémone bleue qu'on appelle alexandrin. Tout le palais, murs, cour intérieure et escalier, disparaît sous des tentures précieuses et des étoffes de soie. Une porte de la demeure, aux vantaux dorés, permet d'accéder directement à la basilique Saint-Pierre, dans la chapelle de Santa Maria in Porticu où, le jour du baptême, se rassemblent seize cardinaux. Décemment le pape ne peut officier : il commet à sa place le cardinal archevêque de Naples, Olivier Carafa. Processionnellement cardinaux et ambassadeurs gagnent la chapelle où se trouvent la statue et le tombeau de Sixte IV. Juan Cervillon, gentilhomme de Catalogne, naguère capitaine des gardes du pape, le bras droit couvert d'une écharpe de soie brodée d'or, porte l'enfant vêtu d'une robe de baptême en brocart d'or, entièrement fourrée d'hermine. Il a à sa droite le gouverneur de la ville et à sa gauche l'ambassadeur de Maximilien d'Autriche, rois des Romains. Précédé des écuyers du pape et de ses chambellans, « en robes roses comme à la procession du corps du Christ », il est introduit dans la chapelle au son des flûtes et des tambourins, qui effraient le bébé et provoquent ses pleurs.

L'enfant est remis sur le seuil de la chapelle à Francesco Borgia, archevêque de Cosenza. Le prélat s'avance vers une grande coquille d'argent en partie dorée, posée entre l'autel et le tombeau du pape. Le cardinal Carafa procède au rite, entouré de deux évêques qui font office de parrains : Ludovico Podocatharo, un Chypriote, évêque de Capaccio au royaume de Naples, secrétaire du pape, et Giambattista Ferrari, évêque de Modène, dataire pontifical. Le baptême terminé, l'écharpe de soie brodée d'or est remise au seigneur Paolo Orsini qui prend charge du jeune Rodrigue et le ramène au palais de Santa Maria in Porticu. Pour clore les festivités, le lendemain 12 novembre, le Sacré Collège des cardinaux fait porter à Lucrèce « deux bonbonnières d'argent, contenant en guise de bonbons douze cents ducats ».

Le 29 novembre au matin, la fille du pape, soutenue par un évêque, se rend à pied à Saint-Pierre pour la cérémonie des relevailles. Elle passe ensuite la soirée au Vatican en compagnie de son père. On peut penser que la conversation tourne essentiellement autour de ce qui constitue une actualité brûlante : les extraordinaires succès de César Borgia. Le duc de Valentinois avait su tirer parti à merveille de la conjoncture. L'occupation du Milanais par les Français et la victoire de leurs alliés vénitiens lui avaient permis de disposer à son profit d'une partie des troupes de son protecteur Louis XII. Le pape Alexandre, rencontrant Lucrèce et son époux à Népi, leur avait exposé les projets de César. L'un de ceux-ci consistait à s'emparer du duché de Ferrare. Le cousin du Valentinois, le cardinal Jean Borgia le jeune, nommé légat pour accompagner Louis XII dans son entrée à Milan, avait pris, en septembre, l'avis de Florence et de Venise, mais aucune de ces puissances n'avait accepté le principe d'une entreprise dirigée contre Hercule d'Este : on n'avait d'ailleurs aucun prétexte d'intervention, le duc s'acquittant ponctuellement de son tribut de vassal envers le Saint-Siège. Lorsqu'il avait appris ce dessein avorté, Hercule en avait tiré la leçon qui s'imposait. Pour garantir sa sécurité il avait choisi de nouer une alliance fidèle et sans faille avec la couronne de France . c'est ainsi qu'à Milan il figura en bonne place dans le cortège royal de Louis XII au côté de César Borgia.

La ruine des Caetani

Il était plus aisé d'étendre le domaine des Borgia autour de Rome, au détriment des grands barons, et dans la Romagne, turbulente province des Etats de l'Eglise où de petits tyrans avaient imposé leur domination à la place de celle du Saint-Siège. Pendant que César guerroyait auprès du roi de France, Alexandre VI avait entrepris une campagne exemplaire contre les Caetani (ou Gaetani), qui disputaient la prééminence dans la campagne romaine aux Orsini, Colonna et Savelli. Le chef de la famille, Onorato II, mort en 1490, avait laissé trois fils, Niccolo, Giacomo et Guglielmo. Le centre de la domination des Caetani était la forteresse de Sermoneta, sur les contre-forts montagneux du pays des Volsques. De cette place qui avait titre de duché, les Caetani étendaient leur pouvoir jusqu'aux Marais Pontins. Ils contrôlaient la via Appia. Dans le royaume de Naples ils possédaient de grands fiefs : duché de Traetto, comtés de Fondi et Caserte ainsi que vingt autres importantes seigneuries.

En septembre 1499, Alexandre réussit à attirer à Rome l'un des Caetani, Giacomo, protonotaire apostolique. Aussitôt il l'enferme au château Saint-Ange. Un tribunal composé du sénateur et du gouverneur le déclare coupable de lèse-Majesté. Mis au cachot, il y mourra un an plus tard, le 4 juillet 1500 : sa mère Caterina Orsini, accusera le pape de meurtre et demandera justice à un prochain concile. Tous les biens des Caetani sont confisqués. Les frères de Giacomo ont réussi à s'échapper. Mais, plus tard, le fils de Niccolo sera pris à Sermoneta même et étranglé. Quant à Guglielmo il se réfugiera à Mantoue, attendant l'heure de la revanche

La ruine des Caetani fera le bonheur de Lucrèce qui achètera, le 1ᵉʳ octobre 1500, à la Chambre apostolique, pour 80 000 ducats comptant, les biens confisqués. Par la suite, l' « infant romain », Giovanni Borgia, obtiendra le duché de Népi, agrandi de nombreuses terres baronniales comme Palestina, et le petit Rodrigue, fils de Lucrèce et d'Alphonse de Bisceglie, sera investi, à l'âge de deux ans, du duché de Sermoneta, augmenté de vingt et une places arrachées aux barons romains — domination précaire puisque Jules II y mettra fin en restituant aux Caetani tous leurs biens par un bref de janvier 1504.

La déchéance des tyrans de Romagne
César s'empare d'Imola et de Forli

Pendant l'opération contre les Caetani, Alexandre VI avait pris les dispositions préalables à une vaste opération dont il voulait charger son fils, à défaut de la conquête du duché de Ferrare. Il s'agissait de rétablir le pouvoir pontifical en Romagne. Des bulles comminatoires avaient été dirigées contre les seigneurs de Rimini, Pesaro, Imola, Faenza, Forli, Urbin et Camerino : ils étaient déchus de leurs fiefs pour défaut de paiement de cens annuel dû par eux à la Chambre apostolique.

A Milan, César, pour sa part, préparait activement son entrée en guerre. Il avait emprunté 45 000 ducats à la commune de Milan et levé avec cet argent des mercenaires italiens placés sous la conduite d'Ercole Bentivoglio et Achille Tiberti de Cesena. Louis XII avait mis à sa disposition Yves d'Alègre avec 1 800 cavaliers — y compris les 100 lances de César — et Antoine de Baissey, bailli de Dijon, avec 4 000 fantassins suisses et gascons. Au total ces forces représentaient 16 000 hommes parfaitement entraînés, bien pourvus d'argent et de munitions par le Saint-Siège.

En septembre, l'armée progresse vers la Romagne par Reggio et Modène. Elle campe sous les murs de Bologne où César est accueilli par la famille des seigneurs locaux, les

Bentivoglio : on lui offre un splendide banquet et il remet en remerciement à ses hôtes un cheval, un casque et une masse d'armes. Son objectif est tout proche : Imola, à une quarantaine de kilomètres vers l'ouest. Mais avant d'assiéger la place il va se concerter à Rome avec le pape. Utilisant les relais de poste des chevaliers de Saint-Jean-de-Jérusalem, il fait en quatre jours, du 18 au 21 novembre, l'aller et retour entre Bologne et le Vatican, soit huit cents kilomètres : sans doute a-t-il besoin de dresser avec son père l'ordre des opérations qu'il doit mener en Romagne.

Imola fait partie des possessions de Caterina Sforza. Cette forte femme, que les Italiens célèbrent comme l'incarnation de la *virago*, l'héroïne guerrière de la Renaissance, est auréolée d'actions d'éclat. Trois fois veuve, elle a dû, à chaque fois, se battre pour garder leur héritage à ses enfants. Elle a tiré une cruelle vengeance des assassins de son premier mari, le seigneur de Forli, Girolamo Riario, fils du pape Sixte IV, puis des meurtriers de son second mari, son amant Féo, qu'elle avait secrètement épousé. Son troisième mari, Jean de Médicis, vient de mourir, lui laissant un fils qui deviendra un condottiere fameux et sera l'ancêtre des grands-ducs de Toscane. Avertie des intentions de César, elle se prépare à lui résister au nom de son fils, Ottaviano Riario. La situation serait délicate pour les Borgia s'ils s'arrêtaient à de communs scrupules. En effet Alexandre VI, au temps où il était cardinal, avait entretenu des relations très amicales avec Caterina et Girolamo Riario. Il était le parrain de leur fils Ottaviano. Devenu pape, il avait envisagé, lorsque Lucrèce avait été séparée de Giovanni Sforza, de l'unir au même Ottaviano. Mais il sait faire passer les intérêts de sa famille avant ceux de l'amitié. Il presse César de châtier Caterina Sforza : elle doit être la première à subir la punition réservée aux vassaux rebelles du Saint-Siège.

Dès son retour à Bologne, le duc de Valentinois envoie à Imola, le 25 novembre, son capitaine, Tiberti, qui passe pour avoir été l'amant de Caterina. La ville consent à se rendre mais le château résiste. Il est défendu par un condottiere de renom, Dionigi di Naldo, qui, après une vive canonnade,

accepte de se retirer sous trois jours s'il ne reçoit pas de
secours. On soupçonne qu'il s'est secrètement entendu avec
César dont il deviendra par la suite l'un des capitaines
préférés. Le 17 décembre, arrive le cardinal Jean Borgia, le
cousin du duc de Valentinois, qui lui a succédé à l'archevêché
de Valence et a été nommé par Alexandre VI légat pour la
Romagne : la ville lui prête serment. Impressionnés par le
rapide déroulement de ces événements, les habitants de Forli,
la deuxième ville de Caterina Sforza, offrent leur reddition
deux jours plus tard. César l'accepte et se met en route. Il
passe à Faenza où le jeune Astorre Manfredi, protégé de
Venise, le reçoit avec honneur.

L'entrée des troupes du Valentinois à Forli provoque
quelques dommages. Les soldats, et particulièrement les
Gascons, se comportent comme en pays conquis. Du haut de
la citadelle où elle s'est retranchée, Caterina fait pleuvoir la
mitraille sur ses sujets, pour les punir de s'être soumis à
l'ennemi. César révèle alors un trait de son génie vanté par
Machiavel : il châtie les soldats indisciplinés et gagne la
sympathie des habitants de Forli ; en même temps il propose
une entrevue à Caterina car il n'a aucune envie de perdre du
temps au siège de la forteresse s'il peut s'en dispenser. Le
26 décembre, revêtu de son armure et coiffé de sa toque
légendaire de velours noir à plumes blanches, il sort de la ville,
précédé d'un héraut et d'un trompette. Au seuil de la *Rocca* il
rencontre Caterina. Elle parlemente et l'entraîne sournoise-
ment vers l'intérieur. Elle avait donné ordre de relever le
pont-levis derrière César pour le faire prisonnier : la ruse
échoue de peu, les hommes de Caterina ayant commencé à
lever le pont-levis avant que le duc l'ait franchi.

César doit donc se résigner à battre en brèche la forteresse.
Le 12 janvier, il donne l'assaut. Caterina est au premier rang,
en armure, l'épée au poing. Voyant la partie sur le point d'être
perdue, elle fait mettre le feu aux réserves et aux munitions,
ce qui provoque malencontreusement le désordre parmi ses
propres soldats : l'un d'eux hisse le drapeau blanc. Toute
résistance cesse. Les troupes de César s'emparent de la *Rocca*
et mettent à mort les adversaires qu'elles trouvent sur leur

chemin. On comptera le soir plus de quatre cents victimes. Caterina est faite prisonnière par un homme du bailli de Dijon qui reçoit 5 000 ducats de récompense. César ramène sa captive à Forli. Il l'installe dans la même maison que lui et la traite avec brutalité. Il la force même, dit-on, à coucher avec lui, au grand scandale des Français dont le code d'honneur comporte le respect envers les dames : le bailli de Dijon exige que Caterina lui soit rendue et il lui prodigue des marques de respect, comme à une prisonnière du roi de France. César sait temporiser quand la force n'est pas de son côté. Il le montre lorsque les mercenaires suisses se mutinent pour obtenir une plus haute paye : satisfaction leur est immédiatement donnée, car ce qui importe avant tout est de poursuivre la campagne de Romagne.

Après Imola et Forli, César se prépare à attaquer Pesaro, la capitale de son ancien beau-frère Giovanni Sforza. C'est alors que survient la mort de son cousin, le cardinal-légat Jean Borgia. Le prélat résidait à Urbin. Il s'apprêtait à se rendre à Forli pour recevoir l'hommage de la ville nouvellement reconquise, lorsqu'il avait été brutalement frappé de fièvre et s'était éteint après quelques jours de maladie. Cette disparition empêchait la mainmise directe du Saint-Siège sur Forli et en laissait la possession au Valentinois : aussi le bruit courut-il aussitôt que le cardinal avait été empoisonné. Il avait reçu, disait-on, à Imola une dose de ce poison lent dont les Borgia avaient le secret et qu'ils étaient accusés d'avoir précédemment administré au prince Zizim lors de l'expédition de Charles VIII sur Naples. Mais l'accusation était mal fondée, car César avait toujours entretenu d'excellents rapports avec son cousin.

Réduit à prendre lui-même les mesures conservatoires nécessaires pour maintenir sa domination, César nomme don Ramiro de Lorca, son maître d'hôtel, vice-gouverneur de Forli, et désigne les magistrats du corps de ville. Le 23 janvier 1500, il sort de la cité avec, à son côté, Yves d'Alègre, le commandant en chef du contingent français. Caterina Sforza chevauche entre les deux hommes, montée sur un genet gris. Elle est vêtue d'un costume de satin noir, « à la mode turque ». Un voile noir couvre sa tête. Elle pleure, humiliée, en franchissant la porte de sa ville qu'elle n'a pas su garder. Cependant elle n'a pas renoncé à se venger : l'un de ses partisans envoie peu après au pape une lettre imprégnée de poison. Mais on s'aperçoit du stratagème. Arrêté, il se déclare prêt à perdre la vie si, en tuant Alexandre, il peut sauver sa ville natale et sa princesse.

La partie est loin d'être gagnée pour César Borgia : il lui faut assurer le calme dans les territoires conquis tout en poursuivant ses conquêtes. Or, trois jours après sa sortie de Forli, il reçoit de fâcheuses nouvelles de Milan. Ludovic le More vient de rentrer en Lombardie, venant du Tyrol, avec cinq cents hommes d'armes et huit mille Suisses levés avec l'aide de l'empereur Maximilien. Pour lui résister le maréchal Trivulce est obligé de rappeler de Romagne le contingent commandé par Yves d'Alègre. César, qui est alors à Cesena, doit abandonner sa campagne. Il met les troupes qui lui restent en garnison dans les places récemment conquises et revient à Rome afin de s'y procurer de l'argent et des soldats pour remplacer les Français.

L'Année sainte du siècle nouveau

En ce début d'année 1500, la Ville éternelle connaît une extraordinaire animation. La veille de Noël précédent, le pape Alexandre a ouvert à Saint-Pierre la porte du jubilé par laquelle passeront les nombreux pèlerins venant gagner les indulgences plénières de l'Année sainte. Une nouvelle rue a été aménagée entre le château Saint-Ange et le Vatican, la via Alessandrina, qu'on appelle aujourd'hui le *Borgo novo,* afin de faciliter l'accès des pèlerins. Burckard évalue à 200 000 personnes — chiffre énorme pour l'époque — le nombre des fidèles qui, tout au long de l'année, s'agenouilleront devant la loggia de Saint-Pierre pour recevoir la bénédiction pontificale *urbi et orbi.*

Malgré la peste endémique à Rome, le danger des routes, l'inconfort et l'insécurité de la ville des Borgia, les croyants sont plus nombreux de jour en jour. Des vassaux de l'Etat pontifical bravent le danger que font peser sur eux les menaces récentes du Saint-Siège : ainsi Elisabeth de Gonzague, duchesse d'Urbin, venue incognito. Des princes se font représenter. Le pape reçoit avec faste une ambassade du roi de Navarre, Jean d'Albret, beau-frère du Valentinois. Beaucoup de pèlerins sont originaires de pays lointains : Flandre, Hongrie, Portugal. Le duc de Sagan, âgé de quatre-vingt-onze ans, vient de Silésie. L'illustre Copernic, qui a séjourné comme « étudiant polonais » à l'université de Bologne, arrive à temps pour remplacer à la Sapienza, l'université pontificale, le professeur d'astronomie absent : il a vingt-sept ans et emploie son temps, en dehors des dévotions, à observer le ciel où se produit, le 6 novembre 1500, une éclipse de lune qu'il note soigneusement. Mais il ne fait pas bon avoir à Rome la tête en l'air : voleurs et malfaiteurs abondent. Le 27 mars 1500, dix-huit d'entre eux sont pendus sur le pont Saint-Ange, mais les potences ont été si mal plantées qu'elles s'écroulent et qu'on doit recommencer l'exécution le lendemain. Plus tard on pendra aux créneaux du château Saint-Ange un médecin de l'hôpital du Latran : il tuait à coups de lancette les riches pèlerins malades, que lui signalait le confesseur de l'hôpital, et s'emparait de leurs biens. Toutes les routes étant également dangereuses, une bulle du 25 février 1500 rend les seigneurs responsables des attentats commis sur leurs terres. L'envoyé français, René d'Agrimont, est dévalisé par une bande de Corses entre Viterbe et Montefiascone : Alexandre VI expulse alors tous les Corses du territoire pontifical.

Malgré les risques encourus, l'affluence bat tous les records dans les basiliques. Le pape doit octroyer des indulgences plénières à ceux qui ne peuvent y pénétrer et se contentent de prier sur les marches. Les processions alternent avec les cérémonies liturgiques en un spectacle permanent, aussi mondain qu'édifiant. Ainsi, le 1er janvier 1500, sous les yeux du pape, installé au sommet du château Saint-Ange, défilent à cheval Lucrèce et son mari Alphonse d'Aragon, suivis d'une brillante escorte de dames et de seigneurs, parmi lesquels on remarque Orso Orsini, le mari de la belle Julie Farnèse. La garde pontificale commandée par Rodrigue de Borgia Lançol, le petit-neveu du pape, encadre le cortège qui va gagner, à Saint-Jean-de-Latran, les indulgences majeures proclamées par l'évêque de Rome.

Le triomphe de César Borgia
Sa proclamation comme gonfalonier de l'Eglise

La fête inaugurale de l'année du jubilé est pourtant largement éclipsée par les réjouissances qui marquent le retour à Rome de César Borgia. Le mercredi 26 février, cardinaux, ambassadeurs, secrétaires de curie et officiers de la ville, vont recevoir le duc de Valentinois à la Porte du Peuple. César est précédé de cent bêtes de somme couvertes de tentures noires, et suivi de cinquante autres mules. Il porte son habituel pourpoint de velours noir décoré du collier de l'ordre de Saint-Michel : il rappelle ainsi à ceux qui l'ont connu cardinal qu'ils ont désormais devant eux un prince français, Monseigneur César Borgia de France, duc de Valentinois, parent, ami et protégé du Roi Très Chrétien. En avant chevauchent son frère, Gioffré de Squillace, et son beau-frère, Alphonse d'Aragon, duc de Bisceglie. Le pape est monté dans la loggia de Saint-Pierre, avec cinq cardinaux, pour guetter l'arrivée du cortège par la via Alessandrina. Quand les cavaliers franchissent la porte du palais, il gagne la salle du Perroquet où il s'installe sur son trône pour que son accueil ait plus de solennité. Le duc de Valentinois se jette à genoux devant son père. Il baise ses deux pieds puis sa main droite. Alexandre le relève, le prend dans ses bras et l'embrasse affectueusement sur la bouche. Tous deux échangent quelques mots en espagnol que Burckard, dépité, entend mais ne comprend pas.

Cette réception familiale est suivie le lendemain, 27 février, d'une cérémonie extraordinaire en l'honneur de César : la célébration de ses victoires.

Onze chars ont été ornés d'allégories guerrières rappelant l'histoire de Jules César : ils reproduisent un triomphe à l'antique, sans doute en s'inspirant des célèbres peintures réalisées, à Mantoue, par Mantegna. Le défilé se déroule de la place Navone au Vatican. Le contentement du pape est si grand qu'il fait repasser deux fois les chars devant lui. César aurait sans doute voulu faire figurer dans le cortège, enchaînée comme une captive, la malheureuse Caterina Sforza. Mais il ne peut se permettre de donner en spectacle une prisonnière du roi Louis XII : il doit se contenter de la transférer au Vatican. Incarcérée au Belvédère et gardée par vingt soldats, Caterina tentera de s'évader et sera alors emprisonnée beaucoup plus rigoureusement dans le château Saint-Ange.

La cavalcade des chars annonce les autres fêtes données traditionnellement à Rome à l'occasion du carnaval. Une foule énorme et le pape lui-même, installé dans la loggia de Saint-Pierre, voient se dérouler pendant quatre jours, jusqu'au 2 mars, des compétitions burlesques. Les courses se succèdent. Elles mettent aux prises des juifs, des vieillards, des cavaliers montant à cru des étalons, d'autres qui chevauchent des pouliches de trois ans, des ânes et même des buffles. Au Testaccio sont organisées des corridas. Deux taureaux s'échappent de l'enclos et traversent le Tibre à la nage. On les capture à grand-peine après qu'ils ont jeté la panique parmi les spectateurs.

Le carnaval passé, le cours des affaires sérieuses reprend. César rend des visites officielles à ses anciens collègues, les cardinaux. Alexandre investit son fils des fonctions de vicaire pontifical dans les fiefs autrefois détenus par Girolamo Riario : César confirme aussitôt les libertés de la ville d'Imola, il promet de protéger ses nouveaux sujets et de les gouverner avec justice. Mais l'opération contre Caterina Sforza n'a été qu'un essai. Il faut maintenant que César, comme naguère le duc de Gandie, ait les coudées franches pour réduire à l'obéissance l'ensemble des vassaux rebelles. Le dimanche 29 mars, le pape le nomme capitaine général et gonfalonier de l'Eglise. « Bénissez, Seigneur, s'écrie-t-il, notre gonfalonier ici présent qui, nous le croyons, a été institué par vous pour le salut du peuple ! » Après cette invocation, Alexandre cite les grands chefs bibliques sur les pas desquels va marcher César.

Puis il s'apprête à revêtir son fils des attributs de sa puissance. Le cérémoniaire Burckard s'avance prestement. Il débarrasse le duc de son manteau qu'il fait porter chez lui comme une bonne prise : il en estime en effet la valeur à 500 ducats. Le pape pose sur les épaules de son fils la cape de gonfalonier et, sur sa tête, la barrette cramoisie, les insignes de son grade. Il lui remet deux étendards, l'un marqué des armes des Borgia, l'autre des clés de saint Pierre. Puis il lui tend son bâton de commandement. César prête serment d'obéissance dans des termes pittoresques rapportés par Burckard : « Moi, César Borgia de France, je serai fidèlement soumis au Siège romain. Jamais je ne mettrai la main sur votre personne, Très Saint-Père, ou sur celle de vos successeurs, pour vous tuer ou vous mutiler, quoi que l'on fasse contre moi. Je ne révélerai jamais vos secrets ! » Ayant juré sur les Evangiles, les mains en croix, il reçoit la rose d'or bénite : « Recevez, s'écrie le pape, cette fleur, symbole de la joie et de la couronne des saints, très cher fils, vous qui, à la noblesse, ajoutez la puissance et une immense vertu ! »

Portrait de César
Menaces sur la vie du pape

Prince français et, par le sort des armes, prince italien, maintenant solennellement investi du pouvoir temporel du Saint-Siège, César a dépassé le niveau des honneurs qu'avait atteint son défunt frère Juan de Gandie. Il doit son extraordinaire élévation à la détermination farouche qui lui a fait préférer l'aventureuse carrière des conquérants au parcours feutré des dignitaires ecclésiastiques. Il va maintenant se révéler comme le modèle le plus extraordinaire des grands fauves de la Renaissance. A vingt-cinq ans, il a goûté à tous les plaisirs, il a surmonté toutes les épreuves, il a utilisé le meurtre comme un moyen d'arriver à ses fins. Intelligent et rusé, ambitieux et totalement dépourvu de scrupules, sa résistance et son courage n'ont d'égales que la force et l'adresse dont il aime faire étalage. Ses qualités physiques suscitent la jalousie des hommes et l'admiration éperdue des dames. Athlète complet, il descend le jour de la Saint-Jean dans une arène aménagée sur la place Saint-Pierre. Il affronte successivement à la lance cinq taureaux qu'il terrasse. Un enthousiasme délirant salue son exploit lorsqu'il décapite l'une des bêtes d'un seul coup d'épée. De telles prouesses font de lui le héros infaillible que les jeunes loups recherchent pour chef.

Le cran et la vigueur du capitaine général de l'Eglise contrastent avec la faiblesse et la fatigue que l'on note chez son père. De plus en plus souvent, des syncopes frappent le souverain pontife au cours des cérémonies de l'Année sainte. Le 18 juin, pendant la célébration de la Fête-Dieu, l'une de ces attaques oblige Alexandre à rester assis sans sa mitre tout au long de la messe. Un astrologue recommande au pape la plus grande prudence pendant l'année du Jubilé, qui pourrait lui être néfaste. Or, le 29 juin, un accident semble devoir réaliser la prédiction : un violent orage abat une cheminée sur le toit du Vatican. Trois personnes sont tuées au-dessus de la salle d'audience où Alexandre est alors assis sur son trône. Une poutre traverse le plafond, tombe sur le baldaquin et, fort heureusement, se bloque et retient les décombres. On retire le pape d'un amas de plâtras et de matériaux. Il est blessé à deux endroits au front et évanoui, mais il n'est pas sérieusement atteint. Il reprend ses esprits et ses médecins répondent de sa vie.

L'alerte a été rude pour César. Elle l'oblige à prendre d'urgence les mesures qui lui permettront de préserver, en cas de mort subite de son père, la fortune exceptionnelle qu'il a su se bâtir. Il obtient de Venise et de la France qu'elles lui assurent leur soutien. Mais il ne peut demander la même garantie aux Aragonais de Naples et d'Espagne. Les deux puissances disposent à Rome même d'un compétiteur, prêt à se dresser contre César : c'est Alphonse d'Aragon, duc de Bisceglie, l'époux de sa sœur Lucrèce. Le Valentinois connaît le danger et se prépare à le conjurer.

L'assassinat d'Alphonse d'Aragon

Le mercredi 15 juillet, trois heures après le coucher du soleil, raconte Francesco Capello, secrétaire florentin, Alphonse traverse la place Saint-Pierre pour gagner sa demeure de Santa Maria in Porticu. Une troupe d'hommes armés lui barre le chemin. Le jeune homme et ses deux écuyers, fuyant la bande des spadassins, cherchent refuge sous la loggia de la basilique, mais leurs assaillants les rattrapent. Le jeune duc tombe grièvement blessé à la tête, aux bras et aux jambes. Le croyant mort, les malfaiteurs prennent la fuite. Ils rejoignent une quarantaine de cavaliers qui les attendent dans un coin de la place. Tous s'éloignent au grand galop en direction de la Porta Portese. Le duc moribond est transporté au Vatican par ses serviteurs rescapés ; il est remis entre les mains de Lucrèce qui était venue, avec Sancia et Gioffré, donner des soins au pape Alexandre. Lucrèce, très profondément bouleversée, veille nuit et jour avec Sancia au chevet de son mari qui a été installé dans la tour Borgia. Les deux jeunes femmes n'ont aucun doute sur la culpabilité de César qui a de bonnes raisons de haïr son beau-frère. Une violente querelle les ayant récemment opposés l'un à l'autre, le mari de Lucrèce, avait, d'après l'ambassadeur vénitien Capello, tiré à l'arbalète sur César dans les jardins du Vatican.

Pour se disculper, le Valentinois fait répandre le bruit que les Orsini ont monté le guet-apens. Il promulgue, en sa qualité de capitaine général de l'Eglise, un arrêté interdisant le port des armes entre le château Saint-Ange et le Vatican. Mais ces démonstrations ne convainquent personne, et surtout pas les deux jeunes gardes-malades qui s'entourent de toutes les précautions : elles obtiennent du pape, toujours alité, qu'une garde de seize hommes veillera constamment sur le duc ; pour le soigner, elles font venir des médecins de Naples ; enfin, par peur du poison, elles préparent elles-mêmes la nourriture du blessé. Choyé et amoureusement soigné par sa femme, le duc de Bisceglie se remet rapidement. Sa guérison est proche. C'est alors que César lui rend visite. Comme pour se réconcilier avec lui, il se penche à son oreille et murmure : « Ce qui ne s'est pas fait au déjeuner, se fera au souper. » L'ambassadeur vénitien Paolo Capello est avisé de ces étranges paroles. Il va tout de suite les rapporter au pape : ne s'agit-il pas là de l'aveu du crime manqué et, pis encore, de l'annonce d'une prochaine récidive ? Le pontife ne s'arrête pas à ces insinuations : son fils lui a affirmé n'être pour rien dans l'attentat et il le croit. Cependant, ajoute-t-il, « s'il a pris sur lui de châtier son beau-frère, c'est que celui-ci l'a bien mérité ! » Pour Alexandre, le bon droit ne peut être que du côté de César : il connaît l'impétuosité et les incartades de son gendre et il les juge sévèrement autant que celles de sa sœur Sancia. D'autre part il considère, comme le duc de Valentinois, que les Aragonais de Naples, en passe d'être chassés de leur royaume par les Français, constituent un poids mort pour la progression de la fortune des Borgia, qui doit désormais être étroitement liée à celle de Louis XII. Assuré de la compréhension de son père, César se prépare donc à recommencer l'exécution manquée et il est décidé cette fois à la mener à bien.

Le mardi 18 août, écrit sobrement Burckard, « étant donné que don Alphonse refusait de mourir de ses blessures, il fut étranglé dans son lit ». Les envoyés vénitien et florentin sont un peu plus bavards. Leurs récits, qui concordent, sont stupéfiants. Le Valentinois entre en coup de vent dans la chambre du blessé vers la fin de l'après-midi. Il expulse tout le monde, Lucrèce, Sancia, les serviteurs, et ordonne au chef de ses hommes de main, Michelotto Corella, d'étrangler le duc. Plus tard, sous Jules II, le sinistre exécuteur avouera sous la torture qu'Alexandre VI avait donné l'ordre de tuer Alphonse mais cet aveu, qui avait pour seul but de décharger César Borgia, n'est pas crédible. Alexandre, voyant accourir dans sa chambre Lucrèce et Sancia, avait envoyé des chambellans pour essayer d'empêcher la mise à mort d'Alphonse. Mais quand ils étaient arrivés, il était déjà trop tard. « Le soir même, écrit Burckard, vers la première heure de la nuit, le cadavre du duc de Bisceglie fut transporté dans la basilique Saint-Pierre et déposé en la chapelle de Notre-Dame-des-

Fièvres. Le Révérendissime François Borgia, archevêque de Cosenza, accompagna le corps avec sa famille. Les médecins du défunt et un bossu qui lui donnait des soins furent arrêtés et conduits au château Saint-Ange. On informa contre eux. Puis on les relâcha comme innocents : ce que savaient fort bien ceux qui avaient donné ordre de les arrêter. »

Le chagrin de Lucrèce fut immense. Elle n'avait que vingt ans et Alphonse d'Aragon était véritablement son premier grand amour. Mais l'excès même de sa douleur gênait le pape et César. Ils trouvaient fastidieux de la rencontrer, les yeux remplis de larmes, les traits tirés. Comme la coutume exigeait d'une veuve un deuil sévère, Alexandre mit à la disposition de sa fille une escorte de six cents cavaliers pour l'accompagner à Népi, dans l'austère cadre des montagnes étrusques où elle ferait retraite. La duchesse éplorée partit de Rome le lundi 31 août. « Le motif de ce voyage, indique Burckard, sceptique, était de chercher quelque consolation ou distraction dans la commotion que lui avait causée la mort de l'illustrissime Alphonse d'Aragon, son mari. » Elle y resta jusqu'en novembre. Toujours triste, elle signait ses lettres : « La plus malheureuse des femmes. »

La croisade comme diversion

Au Vatican, le deuil avait été on ne peut plus éphémère. Alexandre semblait avoir chassé de son esprit l'image de l'abominable crime. Il trouvait une utile diversion dans la préparation du nouveau projet de croisade contre les Turcs qu'il avait proposé aux puissances chrétiennes au début de l'Année sainte. L'un de ses chapelains, le Vénitien Stefano Taleazzi, avait, dès le mois de mars, soigneusement dressé l'état des forces de l'adversaire ottoman, évaluées à 150 000 cavaliers et 50 000 fantassins. Il estimait que l'Europe chrétienne pouvait leur opposer 80 000 fantassins et 50 000 cavaliers qui se répartiraient en deux armées. L'une progresserait par l'Europe centrale, l'autre par les Balkans jusqu'à Istanbul. Tout était prévu : la flotte, l'artillerie, le ravitaillement, les munitions et même les corps de métiers qui accompagneraient les soldats. La dépense s'élèverait à trois millions de ducats pour une campagne d'un an. On tirerait cet argent, en application d'une bulle publiée au début de juin, d'une taxe de 10 % sur les revenus des chrétiens et de 20 % sur ceux des juifs.

La croisade servit de prétexte à une enquête sur les revenus des cardinaux : le pape voulait savoir ce que rapporterait la taxe indexée sur ces revenus. Le cardinal Ascanio Sforza avoua 30 000 ducats de revenus, Julien della Rovere, 20 000, le cardinal Zeno, 20 000, Este, 14 000 et San Severino 13 000. Farnèse prétendit disposer seulement de 2 000 ducats de rente. Au total la taxe sur le Sacré Collège pouvait rapporter 30 000 ducats, sur la curie, 15 800, et sur le pape à lui seul, 16 000. En y ajoutant les sommes payées sur les revenus des bénéfices hors de Rome, la taxe sur les dignitaires du Vatican pouvait atteindre 76 000 ducats. On était loin des millions escomptés. En septembre, pour donner l'exemple, le pontife versa d'un coup 50 000 ducats. Un événement considérable avait provoqué ce don : la chute, le 9 septembre, entre les mains des Turcs de l'importante place de Modon dans le Péloponèse. L'intérêt des milliers de pèlerins présents à Rome se ralluma. On oublia les tragédies du Vatican pour suivre avec passion ces préparatifs annonciateurs de la grande aventure d'outre-mer. Alexandre avait le secret des gestes spectaculaires. En août, il décréta que les cloches des églises sonneraient chaque jour à midi pour inviter les fidèles à réciter le Pater et l'Ave Maria en faveur du succès de la future croisade. Il encouragea les dévotions envers sainte Anne et la Vierge : il confirma la bulle de Sixte IV qui instituait le culte de l'Immaculée Conception. S'il ne procéda à aucune canonisation, il ouvrit des enquêtes sur de pieux personnages qui pourraient un jour être offerts à la vénération des fidèles : Henri VI d'Angleterre, roi malheureux, et une veuve, Françoise Romaine, qui avait abandonné le luxe mondain pour se livrer à la macération — deux antithèses de la famille Borgia.

L'humanité souffrante

Ainsi s'écoulaient les journées, partagées entre les consistoires, les pèlerinages aux basiliques, les rêves de croisade. L'acte criminel commis au Vatican par le fils même du pontife sombra définitivement dans l'oubli. Les pèlerins croyaient fermement, d'ailleurs, que le scandale pouvait être effacé par le pape qui avait hérité de saint Pierre le pouvoir de lier et délier les pécheurs. Le trésor des indulgences, que l'on pouvait gagner durant l'Année sainte, était infini. Il permettait aux vivants mais aussi aux morts d'échapper aux flammes du purgatoire. Beaucoup parmi les visiteurs étaient venus à Rome pour recevoir le pardon de péchés exceptionnels que ne pouvaient pas absoudre leurs confesseurs ordinaires. Burckard, toujours à l'affût des fautes d'autrui, avait obtenu de l'un des pénitenciers de Saint-Pierre un échantillon des confessions. Le récit qu'il en donne peut rivaliser avec les contes les plus lestes de ce temps.

On y voit moines et prêtres entretenir nombre de concubines. Les conquêtes de ces don Juans d'Eglise, sont de deux à quatre femmes, parfois fréquentées simultanément. Un religieux de Strasbourg, pour mieux cacher son jeu, change d'ordre et de couvent en changeant de femme. Mais sa quatrième compagne découvre le pot aux roses et se présente au monastère des Teutons où il vient d'entrer. Elle exige que le religieux fugueur lui soit livré, mais il réussit à s'enfuir à Rome pour échapper à la dame en furie.

D'autres pénitents s'accusent d'exhibitionnisme, de viols ou d'incestes. Un prêtre révèle qu'il célèbre le culte depuis dix-huit ans avec sur la conscience le meurtre d'un enfant qu'il a eu de sa nièce, mais qu'il a baptisé et enterré chrétiennement dans son étable.

Les pèlerins malades dans leur âme, subissent aussi des souffrances physiques inattendues. Aux maladies vénériennes et à la syphilis s'ajoute la peste qui fait des ravages à Rome durant l'été. La propagation de l'épidémie est aidée par la chaleur malsaine qui engourdit la ville. Alexandre, dont plusieurs serviteurs succombent à l'épidémie, refuse d'aller chercher le bon air dans les montagnes voisines. Il se prétend à l'abri, ayant, dit-il, surmonté une attaque aiguë du mal dans sa jeunesse. Jamais d'ailleurs il ne s'est mieux porté que dans cet été 1500. L'ambassadeur Capello fait son portrait : « Le pape a soixante-dix ans. Il rajeunit de jour en jour. Chez lui les soucis ne durent jamais plus de vingt-quatre heures. Il est d'un naturel joyeux, faisant tout ce qui est à son avantage et sa seule pensée est l'avancement de ses enfants. »

Le 25 août, César accompagne le beau vieillard en grande pompe à Sainte-Marie-du-Peuple. Ils assistent à un Te Deum en remerciement de la guérison du Saint-Père. Alexandre offre à la Vierge, à qui il a fait un vœu pendant sa maladie, une coupe dorée contenant 300 ducats d'or. Le cardinal de Sienne répand les pièces sur l'autel afin que les fidèles soient témoins de cette pieuse libéralité : c'est comme si le pontife offrait une libation à la divinité, ainsi que le faisaient les Anciens à la veille d'une glorieuse entreprise. On a le sentiment qu'une étape décisive a été franchie pour parvenir enfin à ce statut royal dont les Borgia rêvent. La défaite de Ludovic le More à Novare et sa capture, le 10 avril, par les Français ont sonné le glas de la puissance des Sforza. Milan est devenue une capitale française. César, capitaine général de l'Eglise romaine, créé duc par la France et proclamé noble par la République de Venise, apparaît comme le fer de lance de la coalition de ces trois puissances au cœur de l'Italie.

CHAPITRE V

La marche royale

Sous le signe de Jules César

En ce mois de septembre 1500, alors qu'il entre dans sa vingt-cinquième année, César prend délibérément comme modèle son illustre homonyme antique, Jules César. Son mariage français, son alliance avec Louis XII et Venise, sa campagne contre Imola et Forli et son investiture comme capitaine général de l'Eglise ne sont que les préliminaires de son grand dessein : la conquête d'un pouvoir personnel absolu.

Il a fait graver sur son épée de parade les épisodes du triomphe de l'*imperator* romain, en reproduisant les scènes du défilé des chars au printemps précédent. Sur l'une des faces de la lame, figure le passage du Rubicon, précédant la remise par les vaincus de leurs offrandes au taureau Borgia. L'autre face est entièrement décorée de scènes pacifiques. Des artistes s'affairent autour d'une colonne surmontée de l'aigle impérial, des citoyens désarmés saluent une effigie de l'entente publique : l'inscription indique que la bonne foi doit prendre le pas sur les armes. Deux génies entourent le caducée, emblème du commerce et de l'industrie. Enfin Jules César, trônant sur un char, entre dans Rome sous les acclamations du peuple. Par cette série d'allégories le Valentinois veut proclamer que son projet est, en fin de compte, de constituer un empire où la prospérité s'épanouira dans la paix.

La nouvelle armée de Romagne

A la lumière du récent meurtre d'Alphonse de Bisceglie, chacun est averti que, pour parvenir à ce résultat, César éliminera sans pitié quiconque s'opposera à lui. Il dispose pour ce faire d'armes redoutables, aussi bien spirituelles — les bulles excommuniant les vassaux rebelles et jetant l'interdit sur leurs villes — que temporelles. Alexandre VI ne lésine pas sur les moyens mis à la disposition du gonfalonier de l'Eglise. Des condottieres fameux sont loués à prix d'or : Giampaolo Baglioni, seigneur de Pérouse, Vitellozzo Vitelli, seigneur de Città di Castello, Paolo (ou Pagolo) Orsini, baron romain. A la fin de septembre, sous les ordres de ces généraux aguerris, sont rassemblés près de Rome sept cents lances de cavalerie, soit plus de deux mille cavaliers et quatre mille fantassins. Les « hommes de pied » sont uniformément coiffés de casques de fer et revêtus du pourpoint rouge et jaune aux armes de César. La bonne tenue des soldats et leur discipline tranchent sur l'anarchie qui règne souvent dans les corps de mercenaires. Vingt et un gros canons les accompagnent. Le chef de l'état-major est Vitellozzo Vitelli, assisté de gentilshommes romains dont un bon nombre avaient suivi César en France. Les condottieres Dionigi di Naldo et Achille Tiberti, qui se sont illustrés dans la première campagne de Romagne, se joignent à l'armée avec leurs compagnies, ainsi qu'une troupe d'exilés de Bologne qui espèrent tirer vengeance du tyran, Giovanni Bentivoglio.

Contributions et emprunts
Nouvelle fournée payante de cardinaux

Pour payer ces soldats, Alexandre VI dispose des dons laissés par les fidèles venus pour l'Année sainte. Il puise dans le produit de l'imposition mise pour la croisade sur les revenus du clergé et des juifs. Il utilise les biens confisqués aux barons romains, notamment aux Caetani. Il emprunte 20 000 ducats au banquier génois Agostino Chigi, à qui il afferme l'exploitation des mines d'alun de La Tolfa, moyennant un loyer annuel de 15 000 ducats. Il a enfin recours à un moyen éprouvé pour obtenir de l'argent frais : il crée des cardinaux. Le 18 septembre, il propose à un consistoire secret une fournée de princes de l'Eglise. Dix jours plus tard, le 28, il publie une liste de douze noms. Chacun des nouveaux promus doit payer une somme variant de 4 000 à 25 000 ducats. Le pape compte tirer de ces nominations entre 150 à 160 000 ducats. Deux des nouveaux cardinaux appartiennent à la famille Borgia. Francesco, archevêque de Cosenza, est le fils naturel du pape Calliste III : trésorier général du Saint-Siège, et pourvu à ce titre de confortables revenus, il est taxé à 12 000 ducats. Pier Luigi, neveu d'Alexandre VI, chevalier de Saint-Jean-de-Jérusalem, ne dipose quant à lui d'aucun revenu, ayant fait vœu de pauvreté. On envisage de le dispenser de taxe. Mais, son oncle lui ayant attribué le très riche archevêché de Valence, vacant par suite du décès de Jean Borgia, légat de Romagne, il se trouve solvable et, d'après Burckard, il versera 10 000 ducats.

Six des nouveaux promus sont présents à Rome. Ils sont immédiatement convoqués au consistoire et, par le baiser des pieds et de la bouche, rendent hommage au pape, dans la chambre du Perroquet. Ils montent à l'étage supérieur retrouver César dans son appartement. Ils remettent leurs oboles forcées au gonfalonier de l'Eglise et, contre le versement en espèces, reçoivent leurs chapeaux rouges. Le Valentinois les invite ensuite à dîner. Ces six cardinaux sont des amis et des familiers du pape et de son fils : Jaime Serra, archevêque d'Oristano, en Sardaigne, peu taxé (5 000 ducats) ; Pedro Isvalies, archevêque de Reggio et gouverneur de Rome (7 000 ducats) ; Francesco Borgia, archevêque de Cosenza, cousin du pape (12 000 ducats) ; Ludovico Podocatharo, évêque de Capaccio, secrétaire du pape (5 000 ducats) ; Giovanni Vera, archevêque de Salerne (4 000 ducats) ; et enfin Giambattista Ferrari, évêque de Modène, dataire et homme de confiance du pape souvent employé pour capter des successions ecclésiastiques (22 000 ducats).

Les autres cardinaux promus résident à l'étranger et représentent des puissances qu'Alexandre VI veut ménager ou flatter : les Espagnols, Pier Luigi Borgia et Diego Hurtado de Mendoza, archevêque de Séville (taxé à 25 000 ducats) ; le Hongrois Thomas Bakocz, archevêque de Gran (20 000 ducats) ; le Milanais Antonio Trivulzio, évêque de Côme (20 000 ducats) ; le Vénitien Marco Cornaro, protonotaire apostolique (20 000 ducats) ; et enfin le Français, Amanieu d'Albret, également protonotaire apostolique, qui, bien que sa promotion ait été convenue lors du contrat de mariage de son beau-frère, César, doit verser 10 000 ducats — petit remboursement des sommes énormes exigées par Alain d'Albret.

La cour de César
Prêtres et poètes

D'après le secrétaire florentin Francesco Capello, des ordres ont été donnés pour que l'armée du duc de Valentinois s'ébranle deux ou trois jours après la proclamation des cardinaux, « dès que les astrologues lui auront indiqué le moment favorable ». Vitellozzo Vitelli, le précède accompagné d'Orsini et de Baglioni. César part le 2 octobre. Il sort de Rome entouré de son conseil et de sa maison civile au grand complet : son cousin Francisco Loriz, évêque d'Elne, Francisco Florès, trésorier du pape, Juan de Castellar, évêque de Trani, Gaspare Torrella, évêque de Santa Giusta, son médecin, Agapito Gherardi de Amelia, secrétaire intime du duc, et Michelotto Corella son confident et homme de main. Des poètes font également partie du voyage. Vincenzo Calmeta, chevalier de Saint-Jean-de-Jérusalem, a été légué à son cousin par le cardinal Jean Borgia, récemment mort à Urbin. Pier Francesco de Spolète doit tenir la chronique du duc : il est aussi son panégyriste. Il chante en latin ses mérites, « la force de ses bras, la sublime gloire de son noble cou, la merveilleuse largeur de sa poitrine aussi vaste que celle d'Hercule dans ses statues de marbre, et encore l'éclat de ses yeux pareils à des étoiles ». Battista Orfino et Francesco Sperulo, envoyés extraordinaires et secrétaires, célèbrent aussi les hauts faits de César. Piero Torrigiani, l'artiste qui a d'un coup de poing cassé le nez du jeune Michel-Ange à Florence, a rejoint César : il vient de Pise où il a servi sous les ordres de Baglioni.

Ces brillants représentants des arts et des lettres suivent le duc de Valentinois tout au long de la campagne de Romagne. Leur présence transforme l'expédition militaire en un aimable déplacement de cour. Certains de ces poètes et artistes seront plus tard mis en scène dans le fameux *Livre du Courtisan* de Baldassare Castiglione.

Il faut placer à part les chansonniers qui charment le duc pendant ses longues étapes. Ils exécutent pour lui des chansons d'amour traditionnelles. L'une de celles que préfère César évoque la tristesse du départ :

> « Dame, contre ma volonté
> il me faut loin de toi partir,
> mais aussi loin que je fuirai
> de ton amour j'aurai le souvenir. »

Serafino Cimino de l'Aquila, dit le divin Aquilano, improvise en s'accompagnant du luth. César lui donne à traiter le thème de l'hydre et il en tire un étonnant poème :

> « Sept dons merveilleux subjuguent un amant :
> le regard, le sourire, le front, les pieds, les mains
> et la bouche et le sein de sa belle.
> Mais ce sont des fléaux et les têtes d'une hydre
> qui mordent et déchirent et dévorent l'amant.
> Le feu de la passion, au lieu de les détruire,
> rend la vie à ces charmes comme à autant de maux.
> Sous leur assaut fatal, l'amant trouve la mort. »

La prise de Pesaro et de Rimini

Bercé de ces chants, distrait par ses bouffons et les plaisanteries de ses courtisans, César s'avance lentement sur les routes d'Ombrie. La pluie tenace transforme les chemins en fleuves de boue. On s'arrête cinq jours à Diruta pour attendre une accalmie car les attelages ne peuvent plus tirer l'artillerie. Les soldats se vengent sur l'habitant des souffrances du mauvais temps. César intervient personnellement, châtie les meneurs et rétablit l'ordre. Son objectif est Rimini où l'appellent les ennemis du tyran local, Pandolfo Malatesta. Mais auparavant il veut s'emparer de Pesaro, la ville de son ancien beau-frère Giovanni Sforza. Avertie de son approche, la population descend dans les rues, le 11 octobre, en criant : « Le duc, le duc ! » Même s'il se retranchait dans la *Rocca*, Sforza ne pourrait pas tenir longtemps. Ses troupes et celles que le marquis de Mantoue, François de Gonzague, frère de sa première femme Anna, lui a promises sont insuffisantes. Il prend donc le seul parti raisonnable : il s'enfuit à Bologne puis à Mantoue. Le 21 octobre, l'armée de César occupe Pesaro. Le 27, à quatre heures de l'après-midi, le duc y fait son entrée sous des torrents de pluie. Les habitants se pressent en foule pour admirer le spectacle. Le Valentinois est vêtu de son habituel pourpoint noir qui recouvre une fine cotte de mailles. A sa taille un ceinturon d'or soutient son épée de parade. Il est coiffé de son large béret orné d'un panache blanc. Ses gardes commandés par Michelotto portent des justaucorps et des mantelets de velours cramoisi brodés de grands feuillages d'or. La garde de leurs épées et leurs ceinturons sont formés d'écailles de serpent. La boucle est ornée du blason des Borgia ; on y voit le taureau et sept têtes de vipères qui dardent leur langue vers le ciel.

César s'installe dans le palais naguère habité par Lucrèce, et qui est encore orné des armes des Borgia écartelées de celles des Sforza. Il va visiter la *Rocca* et constate qu'elle était en mesure de résister : il y trouve soixante-dix pièces d'artillerie. Pendant qu'il inspecte la forteresse, arrive dans la ville un envoyé d'Hercule d'Este. Il s'agit de Pandolfo Collenuccio, exilé depuis dix ans de Pesaro par Giovanni Sforza. Ramiro de Lorca, lieutenant de César, accueille ce citoyen illustre qui porte un message d'amitié du duc de Ferrare, impressionné par les récentes conquêtes du Valentinois. Il l'installe dans un palais désert et lui offre de quoi alimenter son ménage : un tonneau de vin, un mouton, huit paires de poules et chapons, deux paires de grandes torches de résine, deux paquets de cire et deux boîtes de confiseries, ainsi que de l'orge pour ses chevaux. Le 29, César reçoit Collenuccio. Il s'excuse de l'avoir fait attendre à cause de son mauvais état de santé. Il souffre en effet d'un abcès provoqué par le « mal français » et se trouve dans un état dépressif aggravé par l'existence irrégulière qu'il mène : il se met au lit à quatre ou cinq heures du matin, se lève à huit heures du soir, passe aussitôt à table, puis aborde l'étude des dossiers et des plans de campagne.

Collenuccio est impressionné par son interlocuteur. « On le tient pour un homme de cœur, solide et libéral. On dit qu'il fait fond sur les hommes de bien. Apre dans ses vengeances au dire de tous, c'est un esprit vaste, affamé de grandeur et de renommée, et il semble qu'il ait plus de hâte d'acquérir des Etats que de les organiser. » Voilà le duc de Ferrare renseigné : il sait que César ne va pas borner là ses entreprises.

Comme il l'a prévu, le 30 octobre le fils du pape entre dans Rimini. Pandolfo Malatesta a laissé ses sujets négocier leur reddition. Une convention, signée le 10 octobre, a remis au Valentinois la ville et la forteresse, ainsi que d'autres châteaux proches de Cesena : Sarsina et Meldola. Pandolfo a reçu 2 900 ducats d'or pour ses canons et ses munitions et s'est retiré à Ravenne. Pendant deux jours, César inspecte les défenses de la ville et s'efforce d'instaurer la paix civile. Après la prise de Pesaro, celle de Rimini s'est effectuée sans coup férir. Les populations se livrent à lui d'elles-mêmes, comme s'il leur apportait la liberté. Mais au milieu des territoires qu'il a conquis, une ville lui résiste : Faenza. Il est dangereux de laisser subsister cette enclave qui peut servir de base opérationnelle à ceux que mécontente un peu partout sa trop superbe victoire. Faenza sera donc son prochain objectif.

Echec à Faenza

Située à égale distance de Forli et d'Imola, à quinze kilomètres de chacune de ces villes, et pouvant donc couper les communications entre elles, la place a été épargnée lors de la première campagne de Romagne. En janvier 1500, César s'est contenté de saluer au passage le jeune seigneur, Astorre Manfredi. Agé de dix-huit ans, le jeune homme gouvernait entouré de l'affection de la population qui appréciait en lui d'heureuses dispositions, son aménité et son égalité d'humeur, ainsi que sa rare beauté. Auprès du jeune prince résidait un provéditeur vénitien, Cristoforo Moro : la protection de Venise rendait impossible toute entreprise contre Faenza. Or la situation a évolué. Depuis le 18 octobre, César est inscrit au livre d'or des nobles vénitiens et le Sénat lui a offert un palais à Venise. Il est devenu un allié privilégié de la Sérénissime. Astorre sait qu'il ne peut plus compter sur l'appui des Vénitiens pour se défendre d'une agression. En prévision de l'attaque qu'il redoute il envoie ses objets les plus précieux à Ravenne et Ferrare. Il appelle au secours son parent, Giovanni Bentivoglio, seigneur de Bologne, qui lui dépêche mille soldats : il n'est plus pour lui question de traiter. César, bien à regret, doit se résoudre à assiéger la place. Le 10 novembre, il l'investit. Le 17, il fait tirer en continu son artillerie, augmentée de celle qu'il a saisie à Pesaro. Le 18, une brèche est faite. Les soldats se lancent à l'assaut, sans attendre que les tirs aient cessé. Cette fausse manœuvre provoque une hécatombe. Parmi les morts se trouve Onorio Savelli, l'un des meilleurs officiers de César. Après cet échec, le Valentinois doit se résigner à un siège long.

Un hiver prématuré tombe sur la plaine de Faenza où les soldats de César campent dans la boue et le froid, dépourvus de bois et de provisions car les Faentins ont ravagé leur territoire avant de se retirer derrière leurs murailles. Le 26 novembre, le Valentinois envisage d'interrompre son entreprise et de prendre ses quartiers d'hiver : parmi ses condottieres, Baglioni a regagné Pérouse sans demander son avis. Auparavant, il envoie Dionigi di Naldo proposer un arrangement au Conseil des Anciens de Faenza, mais il n'obtient aucun succès : les Faentins répondent qu'ils résisteront jusqu'à la mort.

Le 3 décembre, après avoir publié la bulle d'interdit fulminée par son père, le fils du pape fait piteusement retraite. Il place des garnisons en divers points des routes qui convergent vers Faenza pour assurer le blocus de la ville. Mais les assiégés s'en moquent et réussissent à faire entrer de grandes quantités de vivres. Les Etats voisins, surtout Bologne et Urbin, sont enchantés de cet échec flagrant infligé aux troupes pontificales.

Quartiers d'hiver à Cesena

Passant par Forli, le duc se rend à Cesena, véritable capitale de son Etat. Le 15 décembre, il y fait son entrée, vêtu de la tunique et du bonnet ducal. Ordre est donné d'admettre le peuple dans le beau palais qu'il occupe, construit naguère par Matteo Nati pour le jeune frère de Sigismond Malatesta. Les badauds défilent devant le lit de parade où repose leur seigneur portant les insignes de son pouvoir. César se mêle à la population pendant les fêtes de Noël et du Carnaval. On admire son entrain dans les défilés et les mascarades, les joutes et les tournois. Il est le premier à entrer en lice. Mais il aime aussi éprouver sa force et, selon la coutume du pays, il défie les athlètes romagnols dans des luttes corps à corps. On le voit rompre une barre, un fer à cheval et une corde neuve aussi aisément que les plus robustes de ses compétiteurs. Il gagne ainsi une immense popularité auprès de ses sujets dont il prend la défense en toute occasion : comme le rapporte le poète Francesco Uberti, il exige un jour qu'un membre de son état-major cède son riche pourpoint de brocart au paysan qui l'a battu dans une lutte à main plate.

Le duc s'applique à gouverner avec sagesse son Etat en gestation. Le 4 janvier, à Porto Cesenatico, il promulgue un édit pour empêcher les exilés de revenir troubler l'ordre. A Imola, il fonde une institution pieuse, la *Valentina,* qui encouragera la charité publique. A Forli, il remet des paiements que la ville doit à la Chambre ducale de Romagne. Cependant, il ne perd pas de vue Faenza et organise un coup de main sur la ville dans la nuit du 21 janvier, mais la surprise échoue et les assaillants sont repoussés. Les femmes de la ville participent elles-mêmes à la défense et l'une d'entre elles, Diamante Jovelli, s'y couvre de gloire.

La reprise du siège sera rude, sans nul doute. Alexandre VI s'efforce d'aider son fils sur le terrain diplomatique. Il dénonce au roi de France Louis XII l'attitude du seigneur de Bologne, Giovanni Bentivoglio, qui aide Faenza. Les relations de Rome avec le roi de France sont excellentes. En août et septembre 1500, le pape a délégué au cardinal d'Amboise des pouvoirs de légat pour punir les ecclésiastiques de Milan qui n'acceptent pas la domination française. Louis XII envisage maintenant de se lancer à la conquête de Naples : il a besoin plus que jamais de l'alliance pontificale. Aussi son ambassadeur, le baron de Trans exige-t-il de Bentivoglio que la place de Castel Bolognese soit ouverte aux soldats français envoyés à César : il s'agit de trois cents lances et deux mille fantassins placés sous le commandement d'Yves d'Alègre. En février 1501, ils gagnent la Romagne pour grossir l'armée du siège de Faenza.

Fêtes populaires et intrigue amoureuse
L'enlèvement de Dorotea Caracciolo

Jamais César n'a été aussi confiant en sa force et en son étoile. Les divertissements auxquels il se mêle et l'adhésion populaire qu'il y ressent sont sans doute pour beaucoup dans ce sentiment. Il maîtrise la plupart du temps l'ivresse du pouvoir, mais il se laisse parfois entraîner à des excès répréhensibles. On le voit ainsi surgir à l'improviste avec des compagnons masqués dans les maisons d'honorables citoyens, les asperger de boue et gâter les parures de leurs dames. Un scandale défraie la chronique : l'enlèvement, le 14 février 1501, entre Porto Cesenatico et Cervia, de Dorotea, épouse de Giovanni Battista Caracciolo, capitaine des fantassins de Venise. L'attentat étant survenu sur les terres du Valentinois, les soupçons se portent sur lui. Le 24 février, au nom du roi de France, Yves d'Alègre et le baron de Trans se rendent avec l'envoyé vénitien Manenti auprès de César pour protester contre cet acte. Ils ne reçoivent en réponse qu'une vive dénégation. Mais le Valentinois désigne un coupable, un capitaine espagnol, Diego Ramirez, autrefois à son service et maintenant à celui du duc Guidobaldo d'Urbin : il savait que Dorotea était la maîtresse de Ramirez et il avait vainement essayé lui-même de retrouver le capitaine. Ce discours ne convainc personne. L'ambassadeur de Venise proteste solennellement au Vatican. « L'action est méchante, horrible, abominable, répond le pape. Je ne saurais imaginer de châtiment assez sévère pour qui offense les hommes par un tel forfait. Si c'est le duc, il faut qu'il ait perdu l'esprit. » Le roi Louis XII réagit pareillement : s'il avait deux fils, dit-il au représentant de Venise, et que l'un eût commis ce crime, il l'aurait condamné à mort.

Or le Valentinois était coupable. On s'en rendit compte plus tard, en décembre 1502 en voyant réapparaître Dorotea : elle quittait Imola pour Cesena en compagnie de César. Il avait caché la jeune femme dans la citadelle de Forli sous la garde d'un homme de confiance, un certain Zanetto de Mantoue. Elle avait été, certes, la maîtresse de Ramirez, mais César avait obligé celui-ci à la lui livrer pour profiter seul de ses bonnes grâces. La longueur de la détention de Dorotea, qui ne devait être rendue à son mari qu'en janvier 1504, à Rome, sur l'ordre du pape Jules II, semble indiquer que la victime était consentante. Quoi qu'il en soit, l'épisode est révélateur du tempérament de César : séducteur sans scrupule, prompt à s'enflammer, mais en même temps calculateur, maniant avec maîtrise la dissimulation, voulant accroître son pouvoir et sa domination en conservant de bonnes relations avec Venise et la France, mais ne renonçant pour cela à aucune jouissance et à aucun plaisir

La chute de Faenza

Pour l'heure, laissant à l'abri sa dernière conquête féminine, César revient devant Faenza avec le gros de ses troupes. Il accueille dans son camp de nouveaux venus, tel Léonard de Vinci. L'artiste n'a plus de patron depuis la capture de Ludovic le More par Louis XII. Florence ne lui a pas proposé d'emploi. Aussi offre-t-il ses services à César qui accepte. Son séjour auprès du Valentinois sera marqué par plusieurs réalisations d'ingénieur : on lui devra notamment les plans du canal de Cesena et de son débouché sur la mer, Porto Cesenatico. A Faenza il ne fait qu'observer la reprise du siège.

Une attaque générale est lancée le 15, mais elle échoue. La vaillance des assiégés provoque l'admiration de tous. « Les Faentins ont sauvé l'honneur de l'Italie », écrit Isabelle d'Este à son époux, le marquis François de Gonzague, que le Valentinois a invité à assister aux assauts de la place. Le 20 avril, les soldats de César s'emparent d'un ouvrage avancé. Ils y placent leurs batteries malgré les jets de poix brûlante et le tir des fauconneaux que dirigent sur eux les assiégés. Le 21 avril, toute l'artillerie du Valentinois tire sans arrêt pendant sept heures sur un seul point. C'est alors qu'éclate le plus gros canon, une énorme pièce à boulets de pierre, tuant le capitaine Achille Tiberti de Cesena et ses artilleurs. Parmi les Faentins beaucoup perdent courage : un teinturier s'échappe et avoue à l'assiégeant que la ville manque de vivres et de munitions. Ayant vertueusement fait pendre le traître face aux murailles, César attend les propositions du Conseil des Anciens. Elles ne tardent pas à lui être portées. Contre la reddition il accorde sa sauvegarde aux habitants. Bien que la prise de Faenza lui ait coûté beaucoup et qu'il ait des raisons de se montrer hargneux, il se comporte, comme d'habitude, avec mansuétude pour gagner la reconnaissance de ses nouveaux sujets. Seule la forteresse sera occupée : le Valentinois charge Michelotto Corella, son exécuteur des hautes œuvres, d'en prendre possession. Le bel Astorre Manfredi et ses cousins reçoivent pleine liberté d'aller où ils veulent en emportant leurs biens. Trompé par le bon accueil de César, le jeune homme, au lieu de se retirer chez ses amis à Bologne ou Venise, choisit de rester en sa compagnie : il l'accompagne jusqu'au 15 juin, date du retour du Valentinois à Rome. Le 26 juin 1501, le jour même où, grâce à l'intervention d'Yves d'Alègre, Caterina Sforza sort du château Saint-Ange, Astorre Manfredi y est emprisonné. Un an plus tard, le 9 juin 1502, Burckard rapportera qu'on a repêché du Tibre son cadavre lesté d'un boulet de baliste au cou.

César s'était rendu compte qu'il ne pourrait jamais s'imposer à Faenza tant que vivrait le seigneur légitime ; il ne pouvait pas le prendre pour lieutenant car la popularité du jeune homme aurait éclipsé la sienne. Comme Alphonse de Bisceglie, le mari de Lucrèce, Astorre Manfredi avait cessé d'être utile et pouvait être dangereux : il devait donc disparaître. Un peu plus tard, le Valentinois nommera vice-gouverneur de Faenza Giovanni Vera, son ancien précepteur, archevêque de Salerne et tout récemment nommé cardinal.

Paix fourrées et compromis avec Bologne et Florence

Faenza réduite, le plan de César comporte logiquement un affrontement avec les deux puissances voisines de la Romagne : la cité de Bologne et l'Etat de Florence. Mais, l'une et l'autre sont assurées de la protection de la France qui ne peut laisser indéfiniment César agrandir son territoire. Certes, Louis XII ne peut s'opposer à l'annexion d'une enclave romagnole de Bologne : Castel Bolognese. Vitellozzo Vitelli ayant investi cette place, Giovanni Bentivoglio, seigneur de Bologne, consent, par traité du 30 avril 1501, à la remettre au Valentinois. Il engage même le fils du pape comme condottiere à son service : il lui paiera la solde de cent lances de cavalerie, à trois hommes chacune, ce qui représente pour César une rente substantielle. Le traité est signé par les condottieres Orsini et Vitelli qui se portent garants du maintien de la paix. Dans l'acte, le Valentinois, absent, est désigné pour la première fois, avec le titre de duc des Romagnes que vient de lui attribuer son père.

Après Bologne, il est tentant de s'attaquer à Florence. Vitellozzo Vitelli veut se venger des Florentins qui ont exécuté son frère, Paolo. Les Orsini, Paolo et son frère Giulio, pressent César d'intervenir. Ils joignent leurs prières à celles des Médicis exilés, le cardinal Jean et son frère Pierre, fils de Laurent le Magnifique. Florence est affaiblie par ses luttes avec la ville rebelle de Pise, mais elle espère que la protection de son allié, le roi de France suffira à dissuader le Valentinois de faire marcher contre elle le contingent français dont il dispose : trois cents lances et deux mille fantassins commandés par Yves d'Alègre. Le 2 mai, ce contingent est rappelé par le roi pour se joindre à l'armée qui, de Lombardie, doit se porter sur le royaume de Naples. Mais la menace du Valentinois subsiste : il a besoin de traverser le territoire florentin pour gagner Piombino, petite principauté sur laquelle il a jeté son dévolu. Aussi, le 17 mai, à Forno dei Campi les commissaires de Florence signent-ils un traité avec lui. Ils lui accordent une *condotta,* engagement comme condottiere pour trois ans. Moyennant 30 000 ducats par an, le Valentinois fournira trois cents lances, à trois cavaliers par lance. Ces troupes pourront faire partie du contingent promis par Florence à Louis XII pour son expédition contre Naples.

Conquête de l'île d'Elbe et de Piombino

Les Florentins ont paraphé l'accord avec César sans la moindre intention de l'appliquer. Ils veulent se débarrasser au plus vite de la redoutable armée dans laquelle se trouvent leurs pires ennemis, Vitellozzo et les Orsini. Se sachant en position de force, le Valentinois essaie d'exploiter la situation. Il réclame le versement par avance du quart de sa solde de condottiere pour un an et la remise de la moitié de l'artillerie florentine pour s'en servir contre Piombino. Cette fois les Florentins refusent. Estimant qu'il a assez perdu de temps, César se met en marche, le 25 mai, vers le littoral, en se procurant à Pise l'artillerie de siège dont il a besoin. Une flotte pontificale de six galères, trois brigantins et six galiotes l'attend sur la côte depuis le 28 mai. Du 1er au 5 juin, il s'empare grâce à cette flotte des îles d'Elbe et de Pianosa. Il met le siège devant Piombino dont le malheureux seigneur, Giacomo Appiano, va vainement à Lyon prier le roi Louis XII de détourner de lui le fils du pape. Le siège de Piombino durera deux mois, mais César ne verra pas la capitulation : depuis le 17 juin, il est revenu à Rome sur l'une des galères pontificales pour rejoindre l'armée française en route pour Naples, car il lui faut maintenant payer, en servant le roi de France, l'aide militaire et diplomatique dont il a bénéficié en Romagne.

La marche sur Naples
Massacre de Capoue et abdication du roi Frédéric

Louis XII a mis toutes les chances de son côté afin d'éviter la faute qui, sous Charles VIII, avait permis aux Aragonais de Naples de chasser les Français de leur royaume : le 11 novembre 1500, il a conclu avec le roi aragonais d'Espagne, Ferdinand, un traité d'alliance et de partage de l'Etat napolitain. Louis XII doit, au terme de ce traité, obtenir le Labour et les Abruzzes avec le titre de roi de Naples ; Ferdinand, la Pouille et la Calabre avec le titre de duc. Il faut que le pape, comme suzerain de cet Etat, accepte la transaction. Le 25 juin 1501, Alexandre VI l'approuve. Il prononce la déposition du roi Frédéric, sous le prétexte qu'il s'entend avec le sultan. Le 29 juin, est proclamée l'alliance du pape avec la France et l'Espagne. L'expédition franco-espagnole est censée être le premier acte d'une croisade contre l'ennemi de la Chrétienté, le Turc.

Yves d'Alègre, chef de l'avant-garde française, puis le général en chef de l'armée de Louis XII, Stuart d'Aubigny, sont reçus par le pontife dans la chambre du Perroquet. Alexandre VI se rend ensuite au château Saint-Ange. Du haut de la loggia, ayant à son côté César, gonfalonier de l'Eglise, il voit défiler les troupes sur le pont : 12 000 fantassins et 2 000 cavaliers franchissent en bon ordre le Tibre. Viennent ensuite 4 000 fantassins, dont beaucoup d'Espagnols, revêtus d'uniformes jaune et rouge : ce sont les troupes de César.

La campagne de Naples est d'une rapidité foudroyante. Le roi Frédéric, aidé de ses alliés les barons Colonna, compte beaucoup sur la résistance de la place forte de Capoue. Mais, le 24 juillet, les portes de la place sont ouvertes par trahison. Un sac effroyable s'ensuit. Plus de 4 000 personnes sont tuées. On voit des femmes se jeter du haut des murailles pour échapper au viol. César, d'après l'historien Guichardin qui écrit longtemps après les faits, choisit les plus belles dames qu'il fait mettre à l'abri de la fureur de la soldatesque afin de les réserver pour son propre usăge. Il s'agit sans doute d'un bruit infamant répandu contre le Valentinois qu'on rend seul responsable du massacre de Capoue, alors qu'il faudrait incriminer le commandant des troupes, San Severino.

L'horrible forfait décourage toute résistance. Le roi Frédéric, trahi par son cousin d'Espagne, accepte l'offre que lui fait Louis XII : contre l'abandon de son trône, il reçoit une pension et le titre de duc d'Anjou en France. César, pour sa part, obtient d'opulents revenus dans le royaume franco-aragonais et, notamment, le titre de duc d'Andria qui lui est conféré par Ferdinand d'Aragon.

Ruine des Colonna
Lucrèce gouvernante de l'Eglise

Parmi les grands vaincus de la campagne figurent les Colonna, alliés de Frédéric de Naples. Le pape Alexandre VI est entré en action contre leurs châteaux romains dès le début des opérations dans le royaume de Naples. Les places sont aisément tombées entre ses mains. A partir du 27 juillet, pendant quatre jours, il va visiter ses nouvelles acquisitions, accompagné d'une escorte de 50 cavaliers et 100 fantassins. Il se rend à Sermoneta puis s'installe à Castelgandolfo. Après son repas, il fait une promenade en barque sur le lac

de Játiva *(cl. Roger Viollet).*

…nso Borgia, évêque de Valence, puis
…e sous le nom de Calliste III *(manus-*
de Diane de Poitiers, dit d'Armagnac,
…ut xviᵉ ; coll. partitulière, cl. Girau-
…).

Lettre d'Alexandre VI à sa fille Lucrèce *(Archivio di Stato, Modène; cl. Tallandier).*

De gauche à droite : avers d'une médaille d'Alexandre VI *(Cabinet des Médailles, Bibliothèque Nationale; cl. Tallandier)*; sceau de César Borgia de France, duc de Valentinois *(cl. Archives nationales).*

n haut, de gauche à droite : le sultan Bajazet II, frère du prince Zizim ; Alphonse V
'Aragon et Iᵉʳ de Naples, protecteur d'Alonso Borgia (Calliste III). *En bas, de gauche*
droite : Prospero Colonna, l'un des chefs du clan Colonna ; Nicolas Orsini, comte
e Pitigliano, l'un des chefs du clan Orsini *(cl. Archives nationales, extraits de :*
, Jove, *Éloge des Guerriers).*

Lucrèce Borgia, duchesse de Ferr.
(gravure de Corneille van Dalen d'a
Guerchino, Cabinet des Estampes, Bib
thèque nationale, cl. Tallandier).

François de Gonzague à genoux de
la Vierge *(Mantegna, Louvre, cl. Réur*
des Musées nationaux).

sar Borgia *(Meloni, Bergame, Acade-
a Carrara, cl. Giraudon).*

Duc d'Urbino
(Cliché Brogi-Giraudon).

En haut, de gauche à droite : Alphonse de Ferrare, mari de Lucrèce Borgia *(extra*
de : P. Jove, *Vie des hommes illustres)* ; Ercole Strozzi, poète et agent secret d
Lucrèce Borgia *(extrait de :* P. Jove, *Éloge des Savants). En bas, de gauche à droite*
Gonzalve de Cordoue, le « Grand Capitaine » *(extrait de :* P. Jove, *Éloge de*
guerriers) ; Nicolas Machiavel *(extrait de :* P. Jove, *Éloge des Savants). (Cl. Archive*
nationales.)

nt François découvrant le cadavre de l'impératrice Isabelle, femme de Charles
int *(Pietro della Vecchia, musée de Brest, cl. Réunion des Musées nationaux).*

Vue de Ferrare au XVIIᵉ siècle *(cl. Arch[
nationales).*

Le château Saint-Ange *(gravure d'ap[
un dessin du Bernin, cl. Archives nat[
nales).*

d'Albano, pendant que de la rive fusent les acclamations :
« Borgia ! Borgia ! », et que l'on tire de l'escopette en son
honneur. Pendant cette excursion il a laissé la direction du
Vatican et des affaires courantes de l'Eglise à Lucrèce. La
jeune femme occupe ses appartements. Elle ouvre les lettres
qui sont adressées au Saint-Père et, pour y répondre, prend
conseil d'un cardinal de curie. Burckard la montre consultant
le cardinal de Lisbonne. Le prélat lui répond : « Quand le
pape expose une affaire en consistoire, le vice-chancelier ou, à
son défaut, un autre cardinal, consigne par écrit les solutions
proposées, il faut donc qu'il y ait ici quelqu'un pour prendre
note de notre entretien ! » Lucrèce répond qu'elle est bien
capable d'écrire et le cardinal lui demande : « Où est votre
plume ? » ; *Ubi est penna vestra ?* La jeune femme comprend
très bien le jeu de mot scabreux, *penna* désignant aussi
l'appendice viril. Elle se met à rire et renonce à son zèle
intempestif. Burckard qui manque totalement d'humour note
avec fiel que Lucrèce n'avait pas daigné le consulter sur ce
qu'elle devait faire. A deux reprises encore, la jeune femme
remplacera le pape, durant une semaine à la fin de septembre
et quelques jours encore en octobre, pendant qu'il ira visiter
les fiefs qu'il a confisqués aux barons. Cette singulière
situation dans laquelle une jeune femme de vingt et un ans
dirige la Chrétienté ne choque guère les familiers du Vatican,
habitués à bien d'autres licences : ainsi Burckard note la
parodie de messe à laquelle le fou du pape, Gabrieletto, se
livre dans son dos au moment de Pâques, ou encore l'excès de
dévotion qui porte, à la Pentecôte, prêtres et religieux à se
prosterner devant le pontife, en baisant la terre à la manière
des Turcs.

Problèmes d'argent
Conclusion du mariage de Lucrèce avec Alphonse d'Este

Alexandre laisse faire à Rome parodies et démonstrations
grotesques de piété. Il préfère fixer son attention sur les
héritages et les confiscations susceptibles d'apporter au Trésor

pontifical de substantielles rentrées. En juin 1501, il envoie le gouverneur de Rome saisir dans un monastère les biens qu'Ascanio Sforza y a cachés et notamment douze statues d'argent des apôtres provenant de son autel privé : Burckard indique que les charretiers mettent quatre heures pour livrer ces objets au Vatican. En mai 1501, le pape casse le testament du cardinal Zeno, qui est mort à Padoue en léguant à Venise plus de 100 000 ducats pour la croisade contre les Turcs : Venise ayant refusé de lui remettre l'argent, il la menace d'interdit, mais ne parvient à se saisir que de deux coffres dont chacun, il est vrai, contient 20 000 ducats : ils avaient été cachés hors du territoire vénitien dans un couvent d'Ancône.

Cette âpreté dans la collecte de l'argent s'explique par les dépenses de plus en plus lourdes contractées par le pape pour aider ses enfants, César, toujours à court de moyens pour ses grandioses entreprises, et Lucrèce, à qui Alexandre veut assurer une nouvelle union princière. César a fait choix du futur conjoint. Maintenant qu'il est installé en Romagne, il a besoin d'un voisin à qui il puisse se fier, particulièrement pour déjouer les attaques possibles de Venise. Justement, le prince héritier du duché de Ferrare, Alphonse d'Este, fils d'Hercule Ier, est veuf. Il a vingt-quatre ans. Il n'a pas d'enfants. Il convient parfaitement à Lucrèce, qui est entrée dans sa vingt et unième année. Une première ouverture est faite à la cour de Ferrare au début de 1501 mais Alphonse se dérobe : il songe à épouser Louise de Savoie, la veuve du duc d'Angoulême. Sa sœur Isabelle d'Este, marquise de Mantoue et la belle-sœur de celle-ci, Elisabeth de Gonzague, duchesse d'Urbin, ainsi que le duc Hercule de Ferrare lui-même refusent tout d'abord d'envisager une union avec ces parvenus que sont à leurs yeux les Borgia. Mais Alexandre VI, aidé par le cardinal Ferrari, évêque de Modène, est décidé à surmonter toutes les difficultés. Louis XII, d'abord réticent, apporte son aide. Le principal ministre du roi et son favori, le cardinal Georges d'Amboise, reçoit la dignité de légat *a latere* pour le royaume de France. D'importantes facultés lui sont données, en avril 1501, pour qu'il ait accès à tous les établissements ecclésiastiques et y opère la réforme religieuse. Le roi de

France, satisfait, intervient alors auprès d'Hercule et lui conseille de céder après avoir fait monter le chiffre de la dot. Le duc demande le doublement de la somme proposée par Alexandre (100 000 ducats), l'annulation du cens annuel payé par Ferrare à la papauté et un grand nombre de bénéfices pour ses parents et amis. Il n'y a pas là de quoi décourager le pape : optimiste, il déclare, en mai 1501, en plein consistoire, que le mariage est fait. Pourtant il lui est difficile de supprimer le tribut dû au Saint-Siège : les cardinaux ne manqueraient pas de s'opposer à une telle aliénation des droits de l'Eglise faite au profit des intérêts particuliers du Saint Père. L'arrangement pourrait achopper sur ce point particulier. Mais Lucrèce, qui se rend compte que ce mariage sera pour elle un triomphe personnel, décide son père à accepter les dures conditions d'Hercule. Le pape y ajoute, en faveur du frère du marié, le cardinal Hippolyte d'Este, la très riche fonction d'archiprêtre de Saint-Pierre du Vatican. Le 26 août, le contrat de mariage est signé à Rome et, le 1er septembre, l'union est célébrée par procuration à Ferrare, au château de Belfiore.

Quand la nouvelle parvient au pape, le 4 septembre, les canons du château Saint-Ange tonnent jusqu'à la nuit. Le 5 septembre, Lucrèce va rendre grâce à la Vierge à Sainte-Marie-du-Peuple. Elle est superbement vêtue d'une « robe de brocart peluche ». Les ambassadeurs français et espagnol, quatre évêques, trois cents cavaliers l'entourent. Ses bouffons l'accompagnent déguisés. En signe de joie, après la cérémonie, la fille du pape donne sa robe de brocart peluche — estimée par Burckard à 300 ducats — à l'un de ses bouffons qui s'en revêt et crie dans les rues : « Longue vie à la très illustre duchesse de Ferrare ! Vive le pape Alexandre ! » Le pontife réunit un consistoire où il fait l'apologie de la maison d'Este. Il fait illuminer le château Saint-Ange et les rues de Rome. La grosse cloche du Capitole sonne sans arrêt. On sert les repas à Lucrèce dans les plats d'argent auxquels ont droit les dames mariées. La jeune femme apprécie vivement cet honneur : elle avait été obligée pendant le temps de son veuvage de se servir uniquement de vaisselle de faïence.

Divertissements licencieux au Vatican
Le bal des courtisanes et la saillie des étalons

Le 15 septembre, deux envoyés de Ferrare, Gerardo Saraceni et Ettore Bellingeri, juristes et diplomates chevronnés, se présentent au Vatican pour saluer leur future duchesse : ils doivent adresser un rapport sur elle au duc Hercule. La fille du pape leur semble fatiguée. Elle se fait souvent représenter dans les audiences par Francesco Borgia, cardinal de Cosenza. La raison en est simple : tout à la joie de son futur mariage, elle passe la plupart de ses nuits à danser jusqu'au matin en compagnie de son frère César, le *nouveau duc de Romagne*. Ces divertissements revêtent parfois l'allure scabreuse des contes érotiques de Boccace.

Le 31 octobre 1501, César invite le pape et Lucrèce dans son appartement du Vatican. Il a fait venir cinquante des plus fameuses courtisanes de Rome. « Après le repas, les dames galantes, écrit Burckard, dansèrent avec les serviteurs et d'autres qui se trouvaient là. Elles avaient d'abord leurs robes. Puis elles se mirent toutes nues. Comme on avait fini de manger, les chandeliers allumés qui étaient sur la table furent déposés à terre et l'on jeta des châtaignes que les courtisanes ramassèrent en rampant entre les chandelles. Enfin eut lieu une exposition de manteaux de soie, de chaussures, de barrettes et d'autres objets que l'on promit à ceux qui donneraient aux courtisanes les marques les plus nombreuses de virilité. Les accouplements eurent lieu publiquement dans la salle. Les assistants, qui faisaient fonction d'arbitres, donnèrent les prix à ceux qui furent reconnus vainqueurs. » Burckard s'est fait une joie de narrer avec complaisance cette soirée spéciale, mais il ne l'a pas inventée : l'invitation des courtisanes et les danses lascives ont bien eu lieu, comme l'ont reconnu les historiens de la papauté. La seule contestation de ce récit pourrait porter sur la présence effective de Lucrèce et du pape jusqu'à la fin de la soirée d'orgie. Lucrèce n'avait pas intérêt à ce que la cour de Ferrare, bien renseignée sur ses faits et gestes, apprît qu'elle avait assisté à cette scène scandaleuse, alors que, d'ordinaire, les représentants du duc Hercule au Vatican vantaient à leur maître la réserve, la piété et la dévotion de la fille du pape.

Le lendemain, jour de la Toussaint, le pape ayant pris froid pendant la folle soirée, ne peut se rendre à la basilique Saint-Pierre pour célébrer la messe solennelle et y proclamer les habituelles indulgences pontificales pour les vivants et les morts. Il délègue ses pouvoirs au cardinal de Sainte-Praxède qui publie « sept ans et autant de quarantaines de véritable indulgence » en faveur des fidèles ayant assisté à l'office de Saint-Pierre.

Le lendemain, 2 novembre, fête des Morts, le pape est encore souffrant. L'office est célébré par le cardinal d'Agrigente. Mais dix jours plus tard, Alexandre est sur pied. Le 11 novembre, il offre un aimable divertissement à Lucrèce. Ecoutons Burckard : « Le jeudi 11 novembre, un campagnard entra dans la Ville par la porte du Verger, conduisant deux juments chargées de bois. Quand ces bêtes arrivèrent sur la place Saint-Pierre, des domestiques du pape accoururent, coupèrent les harnais, jetèrent les bâts et conduisirent les juments sur la petite place qui est à l'intérieur du palais près de la porte. Alors quatre étalons du palais furent lâchés, n'ayant ni frein ni licol. Ils coururent vers les juments et, après s'être battus à coup de dents et de ruades en poussant de vigoureux hennissements, ils montèrent sur elles, les saillirent, les piétinèrent et les blessèrent gravement. Le pape était à la fenêtre de sa chambre située au-dessus de la porte du palais, et dame Lucrèce se tenait près de lui. Tous deux contemplaient le spectacle en riant à gorge déployée : ils étaient heureux. »

Dotations des enfants de Lucrèce
Dernières concessions pontificales
La garde-robe de la mariée

Comme on le voit, le pape emploie tous les moyens, même les plus grossiers, pour rendre Lucrèce gaie et insouciante à la veille de ses noces. Il veut aussi la libérer de tout souci pour ses deux jeunes enfants. Le bâtard Jean, dit l' « infant romain », né très probablement de la liaison de Lucrèce avec Perotto Caldès, a été légitimé par la bulle *Illegitime genitos* du 1er septembre 1501, comme fils naturel de César et d'une femme « libre des liens du mariage », ce qui était alors le cas de Lucrèce. Une seconde bulle, *Spes futurae,* datée du même jour, mais destinée à rester secrète, avoue que le pape est lui-même le père de l'enfant. Cet acte, qui pour certains polémistes, est un aveu d'inceste, est en fait destiné à mieux assurer l'héritage que le pape destine à son petit-fils.

Le 23 novembre, Alexandre dote ses deux petits-enfants de biens confisqués sur les barons romains. Jean reçoit l'investiture du duché de Népi. Rodrigue, fils légitime de Lucrèce et d'Alphonse de Bisceglie, est doté du duché de Sermoneta. Afin de rendre irrévocable ce transfert de biens, le pape a fait mettre en vente les biens des Caetani, confisqués pour crime de lèse-majesté, et il les fait racheter fictivement par Lucrèce pour 80 000 livres, l'argent ayant été versé par le trésorier pontifical à la Chambre apostolique. Accompagné par César, le cardinal d'Oristano, Jaime Serra, et les deux cardinaux Borgia, il va ensuite visiter les territoires destinés à ses petits-enfants, Népi, le 25 septembre, et les fiefs des Colonna, le 10 octobre. Par un dernier acte de sage prévoyance, il institue les cardinaux d'Alexandrie, de Cosenza, et quatre autres prélats curateurs de ses deux petits-enfants.

Il ne reste plus qu'à préparer le voyage de la future duchesse à Ferrare. Le choix de ses accompagnateurs fait l'objet de longues discussions entre Alexandre VI et les envoyés d'Hercule d'Este.

Le duc voudrait que le cortège soit conduit par un cardinal, mais Alexandre VI estime que c'est trop exiger du Sacré Collège. Il suggère que le cardinal de Salerne, légat des Marches,--rencontre Lucrèce lors de sa traversée de la Romagne et célèbre la messe nuptiale. Mais pour que cette cérémonie ait lieu, il souhaite l'accord de César. Or, bien que le duc soit à Rome, il est impossible d'obtenir son avis. Estimant le mariage réglé, il s'occupe d'autres affaires mystérieuses et passe son temps enfermé nuit et jour dans son appartement. Cette attitude indispose le pape qui est obligé de tout régler seul. Il confie aux ambassadeurs ferrarais qu'en comparaison de son frère, Lucrèce est admirable. Elle se signale par son tact remarquable. Elle est toujours prête à accorder des audiences et se montre agréable quand cela est nécessaire. Elle a fait ses preuves dans le gouvernement du duché de Spolète. Et le pape est persuadé que si elle devait négocier une affaire avec lui, il perdrait à tous les coups. Tous ces compliments sont destinés à être transmis à Ferrare pour mettre Hercule et son fils Alphonse dans d'excellentes dispositions envers leur future belle-fille et femme. Mais Hercule s'impatiente. Il fait savoir qu'il n'enverra pas d'escorte chercher Lucrèce tant qu'il n'aura pas vu la bulle dispensant Ferrare du cens annuel de 4 000 ducats dû à la Chambre apostolique : le pape a proposé, le 17 septembre, dans un consistoire secret, que pendant trois générations ce tribut soit réduit à un versement annuel symbolique de 100 ducats, mais l'acte pontifical enregistrant la concession tarde à être établi, peut-être à cause de l'opposition de certains membres du Sacré Collège. Ce qui indispose surtout Hercule est le retard du versement de la dot promise de 100 000 ducats. En attendant de compter les espèces, il charge ses ambassadeurs de vérifier le trousseau de la mariée : il a exigé que sa valeur égale la dot, soit 100 000 ducats. Dans la garde-robe de Lucrèce, parmi d'autres merveilles, les Ferrarais admirent une robe évaluée à plus de 15 000 ducats et deux cents chemises à la mode espagnole : plusieurs coûtent 100 ducats pièce et ont les manches ornées de franges d'or et de broderies précieuses. En dehors de ces vêtements luxueux, Lucrèce apporte de somptueux bijoux, une vaisselle d'or et d'argent et des meubles de prix. Satisfaits de leur inspection, les diplomates ferrarais s'occupent alors de faire enregistrer les promesses pontificales : la remise à Ferrare des villes de Cento et Pieve di Cento, retirées du diocèse de Bologne, les copieuses dotations en bénéfices ecclésiastiques de don Giulio, le beau bâtard d'Hercule, et encore la promesse du chapeau cardinalice pour le conseiller intime du duc, le Toscan Gianluca Castellini de Pontremoli, qui a participé de très près aux tractations du mariage. La cupidité d'Hercule, que le pape nomme « le boutiquier de Ferrare », ne connaît plus de borne. Pourtant il faut bien conclure.

Les Ferrarais à Rome

Le 9 décembre, un cortège de cinq cents personnes quitte Ferrare pour venir à Rome chercher la fiancée. La délégation est conduite par un beau jeune homme de vingt-cinq ans, le cardinal Hippolyte, frère du futur marié, accompagné de ses deux frères légitimes, don Ferrante et don Sigismond. Deux évêques et de grands feudataires ou amis des Este — les seigneurs de Correggio, de La Mirandole et Annibale Bentivoglio de Bologne — sont venus avec leur train magnifique. Le trésorier Francesco Bagnacavallo transporte les joyaux héréditaires de la famille d'Este, qui ont été montés à neuf pour la nouvelle épouse.

Le cheminement se fait lentement à cause du mauvais temps. On s'arrête à Bologne, Florence, Poggibonsi, Sienne. Aux confins de la campagne romaine, après des jours et des jours de pluie et de vent glacial, brusquement, le 23 décembre 1501, la tramontane nettoie le ciel. Les murs de Rome se profilent à l'horizon. On fait halte. Les dégâts subis pendant le voyage sont promptement réparés. Chacun passe son vêtement de cérémonie. Il importe de faire belle figure. Dix-neuf cardinaux, désignés pour accueillir les Ferrarais, sont déjà à la Porte du Peuple avec les autorités de Rome et les familiers du pape. Le duc de Romagne est venu, entouré de quatre-vingts hallebardiers. Il est superbement couvert d'or et de joyaux ; il monte un cheval dont la parure de perles et de pierres précieuses est évaluée par le Vénitien Sanudo à 10 000 ducats ; et il a fait prendre position près du Ponte Molle à quatre mille fantassins et cavaliers, tous revêtus de leur livrée.

Les discours de réception prennent deux grandes heures. Le fils du pape embrasse le cardinal Hippolyte et le conduit au Vatican. A la traversée du pont Saint-Ange, l'artillerie du château tire des salves tellement nourries que les chevaux

se cabrent et manquent de désarçonner leurs cavaliers.
A son habitude, le pape guette le cortège d'une fenêtre de
son palais. Il reçoit le cardinal Hippolyte et les princes d'Este,
puis les envoie saluer la fiancée dans son palais de Santa Maria
in Porticu. Lucrèce les attend sur le grand perron au bras d'un
cavalier d'âge mûr. Elle leur offre des rafraîchissements et de
petits cadeaux d'orfèvrerie, coupes, aiguières et plats
d'argent. Un familier de Niccolo da Correggio, qui signe « Il
Prete », informe Isabelle d'Este, marquise de Mantoue et
sœur d'Alphonse, des détails intimes qui lui permettront de
juger sa belle-sœur et future rivale en matière de toilette et de
luxe. Il note que les yeux du cardinal Hippolyte brûlent de
plaisir à la vue de cette « dame charmante et des plus
gracieuses ». Il décrit sa toilette : elle porte ses cheveux tout à
fait simplement, sans boucles, et tient son sein couvert comme
le font toutes ses dames. Elle est vêtue ce jour-là d'une robe
de brocart de couleur brun violacé et d'un manteau brodé d'or
et doublé de zibeline. Une résille de soie verte, ornée de
pierreries, enserre sa chevelure et un grand collier de perles et
rubis orne sa gorge. Gianluca Castellini atteste qu'elle « est
d'une incontestable beauté, que sa manière d'être augmente
encore, et, en résumé, paraît si douce qu'on ne peut ni ne doit
la soupçonner d'actes sinistres... Votre Altesse et le seigneur
don Alphonse en auront toute satisfaction car, outre sa grâce,
parfaite en toutes choses, sa modestie, son affabilité, son
honnêteté, elle se montre fervente catholique et craignant
Dieu ».

Nouvelles noces romaines

Les fêtes de Noël se passent en famille. Les princes d'Este
servent la messe nocturne, majestueusement célébrée par le
pape. Le jour suivant, Lucrèce offre une réception dans son
palais en présence d'une cinquantaine de nobles dames,
coiffées à la Romaine avec un carré d'étoffe plat sur la tête. La
fiancée danse avec don Ferrante d'Este. On remarque une fois
encore sa beauté radieuse, ainsi que celle d'une de ses

cousines, Angela Borgia, alors à peine âgé de quinze ans mais déjà fiancée à Francesco Maria della Rovere, neveu du cardinal Julien, fils de l'ancien préfet de Rome.

Par décision du pape, le peuple est associé aux réjouissances. Du 26 au 30 décembre, chaque jour voit se disputer entre le palais du vice-chancelier et la place Saint-Pierre des courses où s'affrontent les jeunes gens de vingt-cinq ans, les enfants de douze ans, des juifs, des vieillards, des buffles montés à cru et même des courtisanes. Le 30 décembre, la bénédiction nuptiale a lieu dans la salle Pauline du Vatican en présence du pape, du duc de Valentinois et de treize cardinaux. Don Ferrante, au nom de son frère, donne à Lucrèce un anneau d'or orné de pierreries. Le cardinal Hippolyte présente ensuite à la jeune femme les bijoux de famille. Il accompagne leur remise d'un petit discours rédigé par Pozzi, conseiller du duc Hercule, indiquant avec discrétion qu'au cas où Lucrèce se montrerait infidèle à son mari, celui-ci pourrait reprendre les joyaux. Parmi eux, quatre anneaux sertissant un diamant, un rubis, une émeraude et une turquoise ont été spécialement réalisés pour la mariée. Les autres proviennent du trésor ducal. Burckard, admiratif, voit le cardinal sortir de la cassette une coiffe ou ornement de tête avec seize diamants, autant de rubis et environ cent cinquante perles, ainsi que quatre colliers, le tout estimé à une valeur de 8 000 ducats. Le cardinal annonce que le duc fera d'autres cadeaux encore à l'arrivée de l'épousée à Ferrare.

Dans l'après-midi César donne sur la place Saint-Pierre l'assaut à un château de bois, puis un bal se déroule dans les appartements du pape. Lucrèce et César dansent ensemble dans la chambre du Perroquet, devant leur père qui siège sur son trône. On représente une comédie antique puis, après le chant d'une églogue, un dîner intime réunit les Este et les Borgia. La journée laissera à chacun, grand seigneur ou humble citoyen, le souvenir d'une prodigalité royale.

Le lendemain, 31 décembre 1501, le conseiller Castellini vérifie auprès du pape que les bulles des concessions promises ont été établies en bonne et due forme. Il est convenu que l'on comptera le lendemain la dot de Lucrèce, soit 100 000 ducats d'or. L'an 1502 commence effectivement par le dénombrement des piles de pièces d'or à l'intérieur du Vatican, pendant que sur la place Saint-Pierre se poursuit la fête populaire. Treize chars de triomphe représentent les treize districts de Rome : les Dioscures rappellent le quartier du Quirinal, Marc Aurèle celui du Latran, Hercule, le Capitole. Des allégories se rapportent à la grandeur de Rome, à Jules César, et, à travers lui, au duc de Valentinois et des Romagnes. De nouveau ont lieu des représentations bucoliques et un bal, le soir, dans la chambre du Perroquet et dans la salle des Pontifes : César y exécute, masqué, les pas d'une danse mauresque et Lucrèce, à la prière de son père, danse en compagnie d'une jeune fille de Valence. Le 2 janvier, le Valentinois affronte à cheval des taureaux lâchés dans une arène que l'on a aménagée sur la place Saint-Pierre. Il lutte en compagnie de huit Espagnols armés de lances : on admire son adresse coutumière. La bête à laquelle il s'attaque meurt foudroyée par un coup qu'il assène juste entre les cornes. Le combat suivant s'effectue à pied : César frappe un nouveau taureau avec douze compagnons armés de piques. Au total huit taureaux et deux buffles sont tués, mais un homme perd la vie.

Le soir, une représentation théâtrale réunit encore les invités du pape dans ses appartements. On donne les *Ménechmes* de Plaute. La pièce est précédée d'une pantomime allégorique où l'on voit César et Hercule recevoir de la déesse Junon la promesse d'une union heureuse, puis Rome et Ferrare se disputer la possession de Lucrèce jusqu'à ce que Mercure — le Dieu de l'argent — les réconcilie. Pendant ce temps, dans une chambre retirée du Vatican, les représentants de Ferrare et du pontife continuent de compter les pièces de la dot ; le 2 janvier, ils n'en sont encore qu'à 25 000 ducats : ils ont décelé de nombreuses pièces rognées qu'ils font remplacer. Le 4, ils comptent encore et finalement, le 5, don Ferrante prend le monceau de ducats restant, en se réservant 'a possibilité d'effectuer un contrôle ultérieur à Ferrare.

Le féerique voyage de Lucrèce

Le départ est fixé au matin du 6 janvier. Le vent du Nord souffle fort et des flocons de neige, rares à Rome, tourbillonnent dans l'air. Lucrèce s'est vêtue chaudement d'une robe fourrée. Elle vient prendre congé de son père et de son frère César dans la chambre du Perroquet. Sur la place Saint-Pierre son escorte l'attend. Elle est formée de cent vingt-quatre dames, de seigneurs, de nains et de bouffons. Deux cents cavaliers l'encadrent, donnés par César : au total plus de mille personnes. Trois évêques, le fidèle Francesco Borgia, cardinal de Cosenza, et le cardinal Hippolyte, les princes d'Este et leur suite entourent la litière de la future duchesse. Ses bagages sont portés dans des coffres chargés sur cent cinquante mules et dans des chariots recouverts de drap et de velours à ses couleurs, brun et jaune.

On ne sait rien des dernières paroles échangées entre Alexandre VI et sa fille, mais la sollicitude du pape apparaît dans les ordres donnés aux sujets pontificaux pour qu'ils lui fassent bon accueil tout au long de la route. On fait étape à Népi et à Spolète, où la jeune femme a laissé de bons souvenirs. Le 18 janvier, à Urbin, le duc Guidobaldo de Montefeltre et sa femme Elisabeth de Gonzague, belle-sœur d'Isabelle de Mantoue, mettent leur palais à sa disposition. La duchesse accompagne Lucrèce sur la route de montagne qui conduit vers Pesaro. A l'entrée de cette ville, dont elle a été la dame du temps de son premier mariage, cent enfants, vêtus aux couleurs de César Borgia, rouge et jaune, accueillent la fille du pape en agitant des branches d'olivier et en criant : « Le duc, le duc ! Lucrèce ! Lucrèce ! » La jeune femme laisse ses femmes danser avec les gens de Pesaro. Il y a parmi elles ses cousines, Angela Borgia et Jeronima, femme de Fabio Orsini : dans les divertissements, celle-ci essaie d'échapper à l'angoisse qui la tenaille depuis qu'elle se sait atteinte du « mal de Naples ». Lucrèce se retire dans le palais et profite de l'étape pour se laver la tête, soit par hygiène — pour éviter la migraine — soit par coquetterie, car elle s'efforce grâce à des teintures de préserver le blond doré de sa belle chevelure.

A Rimini, Ramiro de Lorca, qui fait office de gouverneur de Romagne, offre trois compagnies d'arbalétriers, pour protéger le cortège contre Giambattista Caracciolo : le capitaine vénitien rôde aux alentours et veut se venger sur Lucrèce de l'enlèvement de sa femme Dorotea dont il accuse César Borgia. On presse l'allure : Cesena, Forli, Faenza, les villes du nouveau duché de César, acclament avec frénésie la sœur de leur duc. Imola, où l'on arrive le 27 janvier, s'est parée aux couleurs de la jeune femme. Compliments officiels et défilés de chars de triomphe montrent que les habitants ont remplacé dans leur cœur leur ancienne dame, la *virago* Caterina Sforza par la douce Lucrèce. De nouveau la fille du pape se lave la tête. Elle choisit parmi ses toilettes celle qu'elle portera lors de son entrée prochaine à Ferrare. Le 28 janvier, elle s'arrête à Bologne où elle rend visite à Giovanni Bentivoglio et à ses fils. Elle y rencontre Ginevra Sforza Bentivoglio, femme du seigneur de la ville et la tante de Giovanni, seigneur de Pesaro, son époux répudié. Chacune de ces dames se comporte avec réserve et discrétion. La réception, le banquet et le bal sont magnifiques. Le 30 janvier, la future dame de Ferrare est à Castel Bolognese, ville frontière avec le duché de Ferrare : Alphonse vient à sa rencontre, masqué. Il est impatient de rencontrer sa promise. Il ne garde pas bon souvenir de sa première épouse Anna Sforza, qui était distante et manifestait des goûts masculins, passant ses nuits avec une petite esclave noire, et l'obligeant à se consoler dans des amours de bas étage. Les rapports qu'on lui a faits sur Lucrèce, les éloges unanimes de sa beauté, les aventures scabreuses même qu'on lui prête sont autant de piments qui excitent son désir. Lucrèce reçoit pendant deux heures le jeune colosse brun avec gentillesse et respect. Il la quitte pleinement satisfait pour la précéder à Ferrare où il doit la recevoir officiellement. Cette entrevue romanesque, tout à fait exceptionnelle dans les cours de la Renaissance, fait bien augurer du futur ménage.

Le trajet entre Bologne et Ferrare s'effectue sur les canaux. Dans le brouillard laiteux de février, les populations voient lentement dériver vers Ferrare, comme une féerique apparition, la barque princière où est assise Lucrèce, revêtue d'une robe dorée à bandes cramoisies, enfouie dans un grand manteau de satin marron doublé d'hermine, à côté de la duchesse d'Urbin drapée dans sa cape de velours noir brodée de chiffres d'or et des signes du zodiaque. Des bijoux splendides brillent au cou des dames et sur leurs têtes.

A Malalbergo, en territoire ferrarais, émerge de la brume le bateau d'Isabelle d'Este, venue de Mantoue pour accueillir sa belle-sœur. Sur sa magnifique robe de velours vert parée de bijoux de rêve, elle a jeté un manteau de velours noir doublé d'une fourrure de lynx très clair. Isabelle et Lucrèce, rivales en beauté et en toilettes, jaugent et évaluent leurs attraits sous l'œil impassible d'Elisabeth d'Urbin. Cette rencontre mémorable des trois femmes les plus célèbres de la Renaissance est la première des batailles courtoises que vont se livrer les dames tout au long des fêtes du mariage.

Un peu plus loin, à Torre della Fossa, Hercule d'Este attend sa bru. Soixante-quinze archers à cheval dans leurs livrées blanc et rouge paradent le long du canal, sous le ciel gris. Lucrèce sort de sa barque, s'incline devant son beau-père pour le baise-main et monte dans la vaste nef ducale, tendue de drap d'or, qui va la conduire dans sa nouvelle capitale. Alphonse est resté en arrière avec son père à rire des cabrioles et plaisanteries des bouffons de Lucrèce qui s'expriment en espagnol. La jeune femme descend pour se reposer dans le palais d'Alberto d'Este, frère illégitime d'Hercule.

Fêtes nuptiales à Ferrare

La célébration des noces commence le lendemain par l'entrée des époux à Ferrare. Les archers ducaux ouvrent la marche, suivis de quatre-vingts trompettes dont six ont été prêtées par le duc de Romagne et de vingt-quatre joueurs de cornemuses et de tambours. Les nobles ferrarais viennent ensuite. Chacun porte une chaîne en or, valant entre 500 et 1 200 ducats. Le mari est monté sur un cheval bai, capara-conné de pourpre et d'or : il est vêtu de gris et de blanc. Son

beau-frère, Annibale Bentivoglio, chevauche à son côté. Des
nobles romains et espagnols, des ambassadeurs et cinq évêques précèdent la mariée qui chemine sous un dais, montée
sur une mule rouan, au harnais précieux orné de petits clous
d'or. On admire sa toilette : une robe de drap d'or et de satin
très foncé en bandes alternées, avec des manches flottantes à
la mode française, et un manteau d'or étiré, doublé d'hermine, avec des crevés sur le côté. Son collier de diamants et de
rubis a appartenu à la défunte duchesse, femme d'Hercule
d'Este. Comme coiffure elle porte un bonnet enrichi de
pierreries. Six gentilshommes de son époux lui font escorte,
cependant que chevauche à sa droite l'ambassadeur de
France. La duchesse d'Urbin et le duc Hercule viennent
ensuite, puis Jeronima Borgia, femme de Fabio Orsini, et
Adrienne de Mila. Ce beau monde traverse des arcs de
triomphe où fleurissent les allégories : l'une montre un essaim
de nymphes groupées autour de leur reine montée sur un
taureau rouge. A l'arrivée près du palais deux funambules
descendent du haut des tours jusqu'à terre pour faire compliment à la mariée. Lucrèce met pied à terre et tout aussitôt,
suivant la coutume, les archers du duc Hercule et ceux
d'Alphonse se battent pour s'emparer du dais et de la mule de
la mariée.

La fille du pape monte l'escalier de marbre au haut duquel
l'attend sa belle-sœur Isabelle de Mantoue, vêtue d'une
splendide robe de drap d'or brodée de notes de musique.
Dans le grand salon du palais deux trônes ont été dressés pour
les nouveaux époux. Ils s'y assoient pour écouter des compliments et des poèmes latins qui célèbrent la beauté de Lucrèce
et les vertus d'Alphonse.

Un vieil humaniste, Pellegrino Prisciano, s'extasie sur la
famille des Borgia et compare Alexandre VI à saint Pierre :

« Pierre eut une fille très belle, Pétronille, Alexandre a
Lucrèce, toute entière resplendissante de beauté et de vertu.
O immenses mystères de Dieu tout puissant ! O bienheureux
hommes ! »

Ludovic Arioste, jeune poète de vingt-sept ans encore inconnu, chante avec éloquence la nouvelle étoile de la cour de Ferrare. Mais, attaché à la personne du cardinal Hippolyte d'Este, il ne fera imprimer que plus tard les vers qui reflètent sa vive admiration. On en trouve trace dans le chant XIII du *Roland furieux :*

> « J'admire celle vis-à-vis de laquelle
> les autres femmes seront comme l'étain à l'argent,
> le cuivre à l'or, le sombre pavot à la rose,
> le pâle saule au vert laurier
> et le verre peint aux pierreries de l'Orient ! »

Arioste n'est pas le seul à tomber sous le charme de la blonde Lucrèce. « Elle est séduisante et vraiment gracieuse », avait écrit de Rome *Il Prete,* l'agent secret d'Isabelle d'Este. La marquise de Cotrone, dame d'honneur d'Isabelle, plus critique, note sèchement : « Si la beauté de la mariée n'est pas très remarquable, elle se signale par une expression de douceur. » Lucrèce a pour elle sa jeunesse : n'ayant pas encore atteint vingt-deux ans, elle est de six ans plus jeune que sa belle-sœur Isabelle de Mantoue. Au charme de sa personne elle joint celui de son esprit : « Elle est pleine de tact, prudente, très intelligente, vive, plaisante, très aimable », écrit l'un des témoins de sa venue, le chroniqueur Zambotto. « Son esprit primesautier fait briller ses yeux. » La gaieté est sa qualité la plus fréquemment soulignée. L'une des meilleures descriptions que l'on ait d'elle est celle de Cagnolo, bourgeois de Parme : « Elle est de taille moyenne, délicate de traits, le visage un peu allongé comme l'est aussi son nez ; ses cheveux sont d'or, ses yeux gris, sa bouche plutôt grande avec des dents d'un émail éclatant ; sa gorge lisse et blanche, mais convenablement remplie. Tout son être respire la bonne humeur et une riante gaieté. » Le goût de la vie et celui de la joie étaient le secret de son charme comme de celui de son père et de son frère. Alphonse d'Este, homme souvent renfermé, partagé entre la passion de l'artillerie, la musique, la céramique et des appétits grossiers d'amours de bas étage, ne tarde pas à être subjugué par sa jeune femme, aimable et charmante, étincelante d'esprit.

Le soir venu, Lucrèce gagne la chambre nuptiale où ses dames d'honneur la dépouillent de ses vêtements dorés sous la direction de la fidèle Adrienne de Mila. Femmes, prélats espagnols, parents et intimes du pape guettent dans l'antichambre les échos de la nuit de noces. On sait, au matin qu'Alphonse s'est révélé un mari galant et vigoureux, encore que ses ardeurs — trois fois exprimées — se soient cantonnées dans la bonne moyenne.

Au matin du 3 février, la jeune épousée, paresseuse et voluptueuse, flâne et s'habille lentement, prenant une légère collation et s'entretenant en espagnol avec ses cousines Adrienne de Mila, Angela et Jeronima Borgia. Mais vers midi il lui faut bien ouvrir sa porte à la famille d'Este, à la curieuse Isabelle de Mantoue et aux ambassadeurs et seigneurs présents à Ferrare. Les fêtes commencent par un bal, où l'on admire Lucrèce, suivi de la représentation d'une comédie de Plaute, l'*Epidicus :* c'est la première d'une série de cinq pièces qui sont données dans la grande salle du Palazzo della Raggione où sur treize gradins ont pris place, dit-on, plusieurs milliers de Ferrarais. Les intermèdes de ballets mauresques et de défilés allégoriques captivent autant les spectateurs que le déroulement de l'intrigue. Les distractions sont chaque jour plus raffinées jusqu'au dimanche où tous les invités des noces se retrouvent dans la cathédrale : l'archevêque remet à don Alphonse un bonnet et une épée bénis par son beau-père le pape. Dans le bal qui suit, Lucrèce, en robe violette couverte d'écailles de poisson en or, exécute une danse française avec l'une de ses dames d'honneur. L'ambassadeur de France remet ses cadeaux : des médailles pieuses pour Hercule et Alphonse et, pour Lucrèce, un rosaire d'or dont les grains creux sont remplis de musc très parfumé, de façon à marier la dévotion avec le plaisir.

Le mardi gras, 8 février, les ambassadeurs des Etats italiens apportent leurs présents. On admire particulièrement les deux amples manteaux de velours doublés d'hermine que les ambassadeurs de Venise étalent aux pieds de Lucrèce. Pour

finir, dans l'intermède de la dernière pièce, Alphonse partici-
cipe de façon remarquable à un concert de violes. Une grosse
boule dorée éclate en l'air. Quatre Vertus en sortent et
chantent divinement.

Le mercredi des Cendres sonne l'heure du départ pour les
ambassadeurs et les princes. Jusqu'au dernier moment on a
espéré la venue de Charlotte d'Albret, la femme de César
Borgia : mais seul est arrivé son frère, le cardinal Amanieu,
qui n'a pu profiter que des derniers instants de la fête.
Cependant, le 14 février, cinq jours après la fin du carnaval,
restent encore à Ferrare, aux frais du duc Hercule, les deux
cousines Borgia ainsi qu'Adrienne de Mila, avec leur immense
suite de 450 personnes et 350 chevaux. Hercule, dont la
générosité n'est pas la principale qualité, se plaint à son
ambassadeur à Rome de devoir continuer à payer pour ce
mariage qui lui a déjà coûté 25 000 ducats, mais, du moins, il
ne regrette pas l'union qui vient de se réaliser. Il l'écrit avec
sincérité au pape : « Avant l'arrivée de la très illustre
duchesse, notre commune fille, c'était ma ferme intention de
l'aimer et de l'honorer... Maintenant que Sa Seigneurie est ici,
la satisfaction qu'elle m'a donnée par ses vertus et qualités est
si grande que ma volonté et mon désir ont été grandement
augmentés... Je considère Sa Seigneurie comme le plus cher
bien que j'aie en ce monde. »

Alexandre tire aussitôt parti de cet aveu pour demander à
Hercule de porter de 6 000 à 12 000 ducats la rente qu'il sert à
Lucrèce, ceci afin de permettre à la jeune femme de faire
honneur à son rang de princesse en gardant la réputation
d'une des dames les mieux habillées d'Italie : il n'obtiendra
pour le moment que 10 000 ducats. Le Saint-Père se réjouit
devant l'ambassadeur de Ferrare qu'Alphonse ait pris l'habitude de coucher chaque nuit avec la duchesse et ne point aller,
comme le font d'ordinaire les jeunes gens, chercher ailleurs
pendant la journée le plaisir féminin : cette pratique, ajoute-t-
il pourtant, « il faut bien le reconnaître, est bonne pour eux ! »
Alexandre se souvient de sa propre jeunesse et il a sous les
yeux l'exemple de César.

Visite pontificale à Piombino.

A Rome, le pontife décide d'aller prendre possession des dernières conquêtes du duc de Romagne, Piombino et l'île d'Elbe. Il part entouré de tout l'appareil de sa dignité : la *sedia gestoria,* le dais doré, les chanteurs de sa chapelle et le collègue de Burckard, pour mettre de l'ordre dans les cérémonies. Six cardinaux l'accompagnent. Le duc est, bien sûr, du voyage. On s'embarque à Corneto sur six galères. Le 21 février, on débarque à Piombino où l'on séjourne quatre jours. Puis le pape et son fils se rendent à l'île d'Elbe pour veiller à la construction de deux forteresses : Léonard de Vinci est chargé du chantier car, depuis la défaite de Ludovic Sforza, il a changé d'employeur et il est maintenant attaché comme ingénieur militaire au duc de Romagne. Après l'inspection des côtes de l'île, Alexandre revient à Piombino où son fils lui offre le spectacle d'un ballet somptueux : de superbes danseurs et danseuses en costumes lamés d'or offrent au pape leur hommage comme à un empereur.

Le dernier jour de février, le pontife et César remontent dans leurs galères pour rentrer à Rome. Mais une violente tempête s'élève et secoue dangereusement pendant cinq jours les frêles esquifs. Chacun est accablé par le mal de mer et la peur, à l'exception d'Alexandre qui, assis sur le pont, se contente de s'écrier « Jésus ! » à chaque coup de boutoir des énormes vagues. S'il se plaint c'est uniquement pour dire qu'il a faim et pour exiger qu'on lui fasse frire du poisson ! Quand enfin on touche terre à Porto Ercole, les cardinaux se déclarent incapables de poursuivre le voyage vers Rome. Il faut les laisser prendre du repos avant de regrouper les éléments de la caravane pontificale à Civitavecchia. Enfin, le 10 février, le pape est de retour au Vatican en compagnie des cardinaux encore blêmes. Alexandre, malgré ses soixante et onze ans, a fort bien surmonté la fatigue de cette éprouvante excursion. « Il est rentré à Rome, écrit, le 10 mars, le secrétaire florentin Francesco Capello, avec la meilleure mine du monde et le caractère le plus joyeux. »

Cet optimisme est justifié : le pape vient en effet de constater que César est en mesure de reprendre, quand il le voudra, ses campagnes de conquête vers la Toscane, et, par ailleurs, il a reçu au Vatican les nouvelles exaltantes du triomphe mondain de Lucrèce à Ferrare. En deux ans ses enfants ont occupé des positions maîtresses sur le théâtre du monde. La France et Venise prodiguent les signes constants de leur bienveillance à la famille du pontife. Les territoires nouvellement soumis sont calmes sous la férule de Michelotto Corella à Piombino et de Ramiro de Lorca en Romagne. César Borgia, bras temporel du Saint-Siège, fait figure d'arbitre souverain des princes et des républiques de l'Italie.

CHAPITRE VI
Les rendez-vous du Diable

Un modèle pour Machiavel

Toute l'Italie a désormais les yeux fixés sur César Borgia et observe le moindre de ses gestes avec crainte, terreur ou admiration. C'est à cette époque de fortune insolente que le destin place sur sa route l'homme qui le fera entrer dans la légende : le secrétaire de la seconde chancellerie de la République florentine, Nicolas Machiavel, va poser le Valentinois en modèle du prince qui s'élève lui-même par la force de sa volonté. « Quiconque dans une principauté nouvelle jugera qu'il doit s'assurer contre ses ennemis, se faire aimer de ses amis, vaincre par force ou par ruse ; inspirer au peuple à la fois l'affection et la crainte, se faire suivre et respecter par les soldats ; détruire ceux qui peuvent et doivent lui nuire ; remplacer les anciennes institutions par de nouvelles ; être à la fois sévère et gracieux, magnanime et libéral ; former une milice nouvelle et dissoudre l'ancienne ; ménager l'amitié des rois et des princes de telle manière que tous doivent chercher à l'obliger et redouter de lui faire injure ; celui-ci, dis-je, ne peut trouver d'exemple plus utile que ceux que présente la vie politique du duc de Valentinois. »

Le maintien de l'ordre en Romagne

Ce qui frappe l'observateur, à première vue, est en effet la parfaite efficacité des actions du duc. Il sait déléguer son pouvoir tout en le conservant entièrement. Il garde la faculté d'en reprendre, quand il le décide, l'usage absolu. On en voit l'illustration dans un épisode du gouvernement de la Romagne. Le lieutenant général Ramiro de Lorca, homme violent et dominateur, y réprime sans pitié les désordres. Dans la poursuite des criminels et fauteurs de troubles, il ne reconnaît pas le traditionnel droit d'asile des églises et lieux consacrés. Or le 29 janvier 1502, à Faenza, un malfaiteur échappe miraculeusement à la mort par pendaison, la corde s'étant rompue. Avec la complicité de la foule il trouve refuge dans l'église des Servites. Averti, Ramiro accourt. Il oblige par la force le prieur à rendre l'homme : le malheureux est de nouveau pendu à une fenêtre du palais du podestat. Lorca ne se contente pas de cet acte exemplaire. Il rend les citoyens de Faenza responsables de l'incident et leur impose une amende de 10 000 ducats sans daigner entendre leurs explications. Les Faentins ont alors la bonne inspiration d'envoyer une délégation à Rome soumettre l'affaire au pape et au duc de Valentinois. Et César tire tout l'avantage de la situation : sans désavouer son lieutenant, il annule l'amende, ce qui lui vaut un surcroît de popularité et l'assurance qu'à l'avenir on regardera à deux fois avant de contrevenir aux actes de ses représentants.

La manière dont est gouvernée la Romagne montre comment on doit procéder pour bien administrer une principauté. Naguère théâtre de dissensions, de brigandage et de crimes favorisés par les rivalités de clans seigneuriaux et de familles, la province se transforme en un Etat pacifique où la vie des individus et leurs propriétés sont protégées par le prince qui, par ailleurs, favorise le développement de la prospérité publique : ainsi le Valentinois, protecteur de Léonard de Vinci, ingénieur autant que peintre de génie, est sans cesse curieux d'innovations et donne l'impulsion à de nombreux travaux d'édilité dans les villes et ports de Romagne.

Les dangers extérieurs
Florence et l'agression d'Arezzo par Vitellozzo Vitelli

La tranquillité de son Etat impose à César l'obligation de supprimer les foyers de troubles, c'est-à-dire les enclaves qui offrent un refuge à ceux qui n'acceptent pas son pouvoir. Elle exige aussi qu'il tienne en respect les Etats voisins portés pour défendre leur indépendance à adopter une attitude ambiguë, parfois sourdement hostile, comme c'est le cas de Florence. Mais dans l'un et l'autre cas, César ne peut engager une action que si les grands Etats dont il est l'allié objectif, Venise et la France, lui permettent d'agir.

Or, autant que les Vénitiens, Louis XII estime que son allié Borgia a suffisamment profité de la conjoncture. Mais, au printemps de 1502, une crise inattendue affaiblit les positions du roi de France en Italie et le contraint à se montrer conciliant. Une vive tension oppose dans le royaume de Naples Français et Espagnols. Le traité signé à Grenade n'avait pas précisé avec assez de soin les terres et les droits revenant aux deux alliés. Une dispute avait éclaté à propos de la douane de Foggia qui rapportait de grandes richesses par la perception des droits de transhumance. Le vice-roi français de Naples, Louis d'Armagnac, duc de Nemours, était venu aux mains avec le grand capitaine espagnol, Gonzalve de Cordoue.

Pour César la tentation est grande de profiter de cette situation, et d'abord de se venger des Florentins qui n'ont pas honoré le traité qu'il avait conclu avec eux et qui lui allouait une confortable pension de condottiere. Mais, par prudence, le Valentinois ne tient pas à intervenir à visage découvert. Or l'un de ses capitaines, Vitellozzo Vitelli, est prêt à agir à sa place A l'automne de 1501, César l'avait arrêté de justesse alors qu'il envahissait le territoire florentin pour venger l'exécution de son frère Paolo Vitelli, condamné à mort pour trahison. Cette fois il le laisse s'aboucher avec Pierre de Médicis pour soulever la population d'Arezzo.

Le plan s'exécute comme prévu. La petite ville prend les armes, le 4 juin, aux cris de « Marzocco, Marzocco ! Médicis, Médicis ! » Elle ouvre ses portes à Vitelli. Bientôt d'autres troupes se joignent à lui, conduites par son frère Giulio, évêque de Città di Castello, et par Giampaolo Baglioni, tyran de Pérouse. Quelques jours plus tard, grâce à ces renforts, Vitelli occupe toutes les forteresses du Val di Chiana. Les Florentins, pris de court par l'ampleur et la rapidité de la conquête, envoient des ambassadeurs à Rome pour demander des explications au pape. C'est ce moment que choisissent les Pisans, ennemis farouches des Florentins, pour offrir à César la seigneurie de leur ville. Le 10 juin, ils lui annoncent que sa bannière flotte sur leurs murs.

Ces nouvelles remplissent César de contentement. Mais il sait que la France ne le laissera pas implanter sa domination en Toscane. Aussi, en accord avec son fils, le pape répond-il aux envoyés de Pise, le 14 juin, que ni lui, ni César ne peuvent accepter leur offre. Aux ambassadeurs de Florence le pontife assure que son fils n'est pour rien dans l'entreprise de Vitelli. Et il est vrai que si César laisse agir son capitaine, il ne lui fournit ni soldats, ni armes : il en a besoin pour l'expédition qu'il projette de diriger en Romagne.

Préparatifs de la troisième campagne de Romagne
Exécution d'Astorre Manfredi

Au moment d'engager sa nouvelle campagne, le Valentinois reçoit l'ambassadeur de la Sérénissime, Giustiniani, qui lui apporte, le 2 juin, des lettres amicales du doge. Assuré des bonnes dispositions de la République de Saint-Marc, le fils du pape décide d'en éprouver tout de suite la sincérité : il ordonne de mettre à mort le jeune seigneur déchu de Faenza, Astorre Manfredi, ancien protégé de Venise, qu'il tient enfermé au château Saint-Ange.

Le 6 juin, l'ambassadeur Giustiniani annonce dans une dépêche qu'Astorre et son frère ont été noyés dans le Tibre avec leur maître d'hôtel. Les jeunes gens avaient, dit-on, subi avant leur mort des outrages contre nature. Burckard note dans son journal, à la date du 9 juin, le repêchage des corps : « On a retiré du Tibre, avec un boulet de baliste au cou, le seigneur de Faenza, jeune homme de dix-huit ans à peu près, si beau de corps et de stature qu'il ne pouvait exister son pareil entre mille. Deux jeunes gens trouvés près de lui étaient liés ensemble par le bras, l'un était âgé de quinze ans, l'autre de vingt-cinq environ : on ramena aussi le corps d'une femme inconnue. »

L'exécution sommaire du jeune Astorre ne provoque pas de protestation de Venise. César se trouve ainsi assuré que la Sérénissime ne le gênera pas dans la reprise de la campagne de Romagne. En outre le châtiment cruel du jeune seigneur donne à réfléchir à tous les opposants et vient à point pour décourager toute velléité de résistance dans la province. Le Valentinois a concentré à Spolète six mille fantassins et sept cents hommes d'armes, chacun accompagné, en moyenne, de trois servants. A cette armée d'environ dix mille hommes, il faut ajouter deux mille soldats cantonnés en Romagne. Mille sont placés sous les ordres des comtes de Montevecchio et San Lorenzo : ils campent entre Urbin et Sinigaglia. Mille autres, commandés par Dionigi di Naldo, se trouvent à Verucchio, à vingt kilomètres de Rimini, sur la limite nord-ouest de l'actuelle principauté de Saint-Marin. Sorti de Rome le 12 juin, le Valentinois gagne Spolète le 15. Il y promulgue un édit obligeant chaque famille de Romagne à lui fournir un soldat : il constituera ainsi son armée de réserve.

Le siège de Camerino

Officiellement, César s'est fixé pour but de conquérir Camerino. Cette petite ville, située sur les contreforts orientaux des Apennins, est aux mains d'un tyran qui s'y est imposé en assassinant son propre frère : il s'agit de Giulio Cesare Varano, un soudard de soixante-dix ans, qui règne entouré de ses quatre fils, Venanzio, Annibale, Piero et Gianmaria. Il a refusé de payer le tribut dû au Saint-Siège et il est de ce fait tombé sous le coup des censures qui frappent les feudataires rebelles. César a déjà envoyé contre lui une première troupe sous les ordres de Francesco Orsini, duc de Gravina, et d'Oliveretto Eufreducci : cet homme de guerre s'est récemment emparé de la seigneurie de Fermo après avoir mis à mort son propre oncle, Giovanni Fogliano, et sa famille, femmes et enfants compris. Gravina et Oliveretto de Fermo ont besoin d'un renfort pour encercler la place. Varano, prévenu, espère obtenir le secours de Guidobaldo de Montefeltre, duc d'Urbin : c'est ce qu'avoue le chancelier de Camerino, capturé à Foligno par les hommes de César. L'homme précise que le duc d'Urbin arme des hommes et lève des taxes pour secourir Camerino. Un peu plus tard, un messager capturé à la sortie d'Urbin révèle qu'un coup de main se prépare contre l'artillerie de César à la traversée de Gubbio. Ces nouvelles donnent au duc de Valentinois le prétexte qu'il cherchait pour attaquer Guidobaldo de Montefeltre : celui-ci, par les promesses qu'il a faites à Varano, ne s'est-il pas rendu coupable de trahison envers le Saint-Siège ?

Attaque surprise et conquête du duché d'Urbin

Avec une habileté diabolique César dissimule son plan. Il flatte Guidobaldo en l'avisant de sa marche sur Camerino. Le duc d'Urbin ne se méfie pas. Il ne nourrit aucun sentiment hostile envers César. Prince pacifique, protecteur des arts et des lettres, il est tout le contraire des petits tyrans de Romagne. Il vit dans son palais, entouré de l'affection de ses sujets et de sa famille, en compagnie de l'héritier qu'il a adopté, son neveu âgé de treize ans, Francesco Maria della Rovere, seigneur de Sinigaglia.

Le pape Alexandre a donné à Francesco Maria le titre de préfet de Rome qu'avait porté son père et il lui destine en mariage sa nièce, Angela Borgia. Guidobaldo s'est toujours comporté avec loyauté envers le Saint-Siège. Il s'est acquitté honorablement, quand le pape le lui a demandé, des fonctions de capitaine général de l'Eglise. Avec sa femme Elisabeth de Gonzague, il a très aimablement accueilli Lucrèce six mois auparavant. Ces bons rapports font qu'il n'est pas étonné que César lui annonce son plan de campagne et le prie d'aider l'entreprise de Camerino en faisant porter des vivres à Gubbio. Le Valentinois précise qu'il empruntera la route de Sassoferrato pour gagner Camerino. Guidobaldo donne ordre d'arranger les routes et envoie des bœufs pour tirer les canons. César demande davantage : il prie le duc de lui fournir mille hommes qu'il veut faire passer à Vitelli, en Toscane. Mais le duc d'Urbin, qui ne souhaite pas se brouiller avec Louis XII, refuse de les livrer tant qu'il n'aura pas reçu du pape un bref à ce sujet. Il propose cependant de laisser Vitelli recruter ces troupes dans son duché et il offre de participer aux frais de la levée à concurrence de 1 000 ducats. On ne saurait être plus obligeant : en même temps que Guidobaldo fait remettre le ravitaillement qu'il a promis à Francisco Loriz, évêque d'Elne, cousin de César, il envoie au Valentinois le présent d'un beau cheval. Or, sous le couvert de ces pacifiques tractations, César prend l'offensive. Laissant tout son bagage à Nocera, il mène ses troupes à marches forcées vers le nord, à soixante-dix kilomètres de là, à Cagli, au pied de la place forte qui défend l'entrée du duché d'Urbin. Surprise, la garnison de la citadelle capitule le 20 juin. Guidobaldo en reçoit la nouvelle, le soir même pendant son souper dans le jardin du monastère des Zoccolanti, à deux kilomètres de sa petite capitale. Il apprend que son duché est envahi en deux autres directions : les comtes de Montevecchio et de San Lorenzo se dirigent vers Urbin en venant de l'Isola de Fano, à l'est, et Dionigi di Naldo arrive de Verucchio par les gorges de la Marecchia. Ce sont donc trois armées du Valentinois qui convergent vers la capitale du duché : Guidobaldo songe un instant à se réfugier au nord-ouest dans son château fort de San Leo, mais la route est coupée. Alors il envoie son jeune neveu à Bagno di Romagna et, lui-même, déguisé en paysan, en dépit de la goutte dont il souffre, s'enfuit, le 21 juin, par les collines, jusqu'à Ravenne. De là il gagne Mantoue où sa femme Elisabeth est en visite auprès de la marquise Isabelle.

César entre en conquérant dans la ville d'Urbin, la lance en arrêt, quelques heures seulement après que Guidobaldo l'ait quittée. Suivant les conseils de leur duc, les habitants se sont rendus sans résistance, afin de n'avoir à subir aucun dommage de l'envahisseur. Le Valentinois s'installe dans le palais après avoir interdit tout pillage. Sans coup férir, il se trouve maître du duché d'Urbin, c'est-à-dire d'une importante partie des Romagnes et des Marches, qui s'étend sur cent kilomètres de Saint-Marin au nord à Gubbio au sud, et sur cinquante à soixante kilomètres de large entre la chaîne de la Luna à l'ouest jusqu'à Fossombrone à l'est. A Urbin même, il fait dresser l'inventaire des œuvres d'art des Montefeltre dont il destine le plus grand nombre, avec les livres de la bibliothèque, à sa résidence de Cesena. Avisée de ses intentions, Isabelle de Mantoue cherche à tirer profit du pillage des collections du malheureux Guidobaldo alors réfugié à sa propre cour ; le 30 juin, elle écrit à son frère, le cardinal Hippolyte d'Este, pour qu'il lui fasse donner un petit marbre antique de Vénus et aussi un Cupidon « que le duc de Romagne avait jadis remis au duc d'Urbin ». César, heureux de pouvoir gagner à ce prix la bienveillance de ses voisins de Mantoue, envoie aussitôt l'un de ses chambellans porter les statues à Isabelle : il l'avertit toutefois que le Cupidon n'est pas un antique mais l'œuvre de Michel-Ange.

Mission de Soderini et de Machiavel auprès de César

A peine entré à Urbin, César propose aux Florentins de s'entendre avec lui : ils lui envoient Francesco Soderini, évêque de Volterra, flanqué d'un redoutable négociateur, Nicolas Machiavel, qui, à trente-trois ans, a déjà acquis une grande expérience dans les manœuvres diplomatiques, notamment à la cour de France et auprès de Caterina Sforza, dame d'Imola et de Forli.

Le 24 juin au soir, les deux Florentins arrivent à Urbin. Le Valentinois y est installé depuis un jour, mais se comporte comme s'il y régnait depuis toujours. Un peu avant minuit, il reçoit les deux diplomates. Il est en train d'étudier un plan de campagne avec Ramiro de Lorca. Il se contente de rappeler qu'il se trouve en position de force par rapport à Florence. Le lendemain, également dans la nuit, il fait ses propositions. Il exige que Florence lui règle les sommes qu'elle lui doit comme condottiere ; si on lui verse la somme promise, soit 40 000 ducats pour une *condotta* de trois ans, il ne tentera rien contre les possessions de la république. Ses intentions sont pacifiques. Il assure qu'il n'est nullement responsable de l'agression de Vitellozzo Vitelli contre Arezzo, mais il fait remarquer aux Florentins que cette attaque montre ce que l'on risque quand on ne tient pas sa parole envers un homme de guerre. Quant à lui, il prétend que l'objet de ses campagnes n'est pas de tyranniser le pays, mais d'écraser les tyrans — parmi lesquels, bien entendu, les Florentins ne sauraient être rangés.

Soderini et Machiavel sont impressionnés par l'extraordinaire brio de leur interlocuteur. « Ce seigneur est magnifique et très splendide. Pour conquérir la gloire ou pour accroître sa puissance, il ne se repose jamais et ne connaît ni la fatigue ni le danger. A peine arrive-t-il en quelque lieu qu'on apprend son départ. Il sait se faire bien voir du soldat et il est parvenu à rassembler les meilleures troupes de l'Italie. Toutes ces circonstances, jointes à une fortune insolente, lui apportent la victoire et le rendent redoutable. Par ailleurs il manie le raisonnement avec une telle maîtrise que pour obtenir quelque chose dans une discussion avec lui il faudrait beaucoup de temps. Il sait par ailleurs utiliser la menace pour appuyer son éloquence. " Décidez-vous vite, dit-il aux diplomates. Je ne peux garder mon armée inactive dans cette région montagneuse. Il ne saurait y avoir de demi-mesures entre vous et moi : vous êtes mes amis ou mes ennemis ". » Quand Soderini rappelle que Florence est placée sous la protection du roi de France, César réplique qu'il n'a rien à apprendre de quiconque en Italie sur la politique française.

Lorsqu'il estime ses interlocuteurs à bout d'arguments, il leur donne quatre jours pour répondre. Machiavel va chercher des instructions à Florence. Mais la seigneurie est embarrassée. Elle veut seulement gagner du temps. Elle espère que le

roi de France va se manifester en sa faveur : Louis XII
s'apprête, dit-on, à se diriger avec vingt mille hommes vers le
royaume de Naples afin d'y régler son différend avec
l'Espagne. Effectivement, le souverain français arrive à Asti le
7 juillet. Il envoie un messager au Valentinois pour l'exhorter
à ne rien entreprendre contre la république florentine, mais,
en même temps, le cardinal d'Amboise prie le gouvernement
de Florence de trouver un arrangement avec César. La
seigneurie demande à Soderini de proposer au fils du pape la
solde de six mois de *condotta*. En contrepartie, César devra
obliger Vitelli à se retirer d'Arezzo et des autres places qu'il
occupe. Méfiant, le Valentinois déclare qu'il ne s'exécutera
qu'après la signature de l'accord : bien lui en prend, car la
seigneurie, avertie de l'entrée des Français en Italie, ordonne,
le 19, à Soderini de rompre ses pourparlers avec César. Le
traité à peine ébauché va donc rester lettre morte, mais son
contenu est porté à la connaissance de Vitellozzo Vitelli et
Giampaolo Baglioni. Les deux condottieres, ainsi prévenus de
la volte-face de leur patron, conçoivent contre lui une vive
défiance.

Reddition de Camerino

Les trois semaines passées dans de vaines négociations avec
Florence ont été heureusement employées par César à faire
assiéger Camerino par deux autres de ses condottieres,
Francesco Orsini, duc de Gravina, et Oliveretto de Fermo. Le
vieux tyran de Camerino, Giulio Cesare Varano, avait envoyé
deux de ses fils, Piero et Gianmaria, solliciter l'aide de Venise.
En attendant le secours qu'il en espérait, Giulio, avec ses
autres fils, avait conduit avec succès des sorties contre les
assaillants. Mais un jeune patricien, ennemi des Varano,
Gianantonio Ferracioli, s'était soulevé avec ses amis et avait
ouvert les portes aux troupes du Valentinois. Le 19 juillet, le
jour même où se rompt l'accord entre César et les Florentins,
Camerino capitule. Le vieux seigneur est fait prisonnier avec
ses deux fils présents à ses côtés. Il est interné dans le château

de Pergola : peu après, d'après l'historien Guichardin, on l'y trouvera mort par strangulation. Ses deux fils Venanzio et Annibale sont incarcérés dans la forteresse de Cattolica, entre Rimini et Pesaro.

Rome célèbre la prise de Camerino avec de grandes réjouissances : toutes les cloches sonnent et la ville est illuminée. Une foule immense acclame César : « Le duc ! Le duc ! » Les fêtes durent trois jours. En même temps que la prise de la ville le pape tient à ce que l'on célèbre l'entrée du duc de Valentinois à Urbin, même s'il ne s'agit là que d'un fait d'armes fleurant quelque peu la trahison. Dans l'audience qu'il accorde à l'ambassadeur de Venise Giustiniani, Alexandre insiste beaucoup sur l'honneur du duc de Valentinois. Il le lave de tout soupçon d'indélicatesse. Il affirme avec insistance que « personne n'a jamais tenu sa parole plus fidèlement que lui et qu'il n'a jamais enfreint une promesse ».

En même temps que son père, César avait annoncé son succès à Lucrèce, alors dangereusement malade à Ferrare après avoir accouché d'un enfant mort-né. La lettre est douce et affectueuse : « Très illustre et excellente dame, notre très chère sœur. Persuadé qu'il ne peut y avoir de remède plus efficace et salutaire pour l'indisposition dont vous souffrez actuellement, que de bonnes et heureuses nouvelles, nous vous informons que nous venons de recevoir l'annonce de la prise de Camerino. Nous vous prions de faire honneur à ce message en améliorant tout de suite votre santé et en nous avertissant, car, tourmenté comme nous sommes de vous savoir malade, rien, pas même cet heureux événement, ne peut nous causer quelque plaisir. » Mais il ne se contente pas de bonnes paroles. Il envoie à sa sœur son médecin ordinaire, Gaspare Torrella, et un autre médecin fameux de Cesena, Niccolo Masini. En dehors de la douleur qu'elle lui procurerait, la mort de sa sœur serait une catastrophe politique pour lui, car elle le priverait à un moment crucial de l'alliance de Ferrare. Pour se rassurer pleinement il décide de visiter la malade en se rendant lui-même à la cour de Ferrare, avant d'aller trouver le roi de France à Milan.

Intrigues autour du roi de France
Voyage de César à Ferrare et Milan

Il est urgent pour César d'aller faire sa cour au souverain français. Le secrétaire pontifical Troches l'a averti que Louis XII est de fort mauvaise humeur à cause des entreprises de Vitelli et de Baglioni contre les Florentins, ses protégés. Troches se tenait aux aguets depuis deux mois. Il avait quitté Rome, en juin, avec le cardinal Amanieu d'Albret, beau-frère de César, en compagnie de deux jolies courtisanes, Tommasina et Magdalena ; ils s'étaient rendus à Savone auprès du cardinal Julien della Rovere, puis en Lombardie auprès du roi de France, en observant soigneusement toutes choses.

Alerté, César intime l'ordre à ses deux capitaines d'abandonner Arezzo et la Toscane et, sur-le-champ, se met en route. Le 25 juillet, fidèle à sa tactique du secret et de la rapidité, il quitte Urbin. Vêtu en chevalier de Saint-Jean-de-Jérusalem et masqué, il n'est accompagné que de quatre personnes. Après une brève étape à Forli pour changer de chevaux, il arrive le 28 à Ferrare où il demeure deux heures, le temps de voir Lucrèce qu'il a le plaisir de trouver en voie de convalescence. Il décide son beau-frère Alphonse à l'accompagner à Milan auprès du roi. Par Modène, les deux princes gagnent au plus vite la capitale de la Lombardie. Ils trouvent l'entourage du roi transformé en une sorte de congrès général des ennemis du Valentinois : on peut y voir Guidobaldo de Montefeltre, le duc déposé d'Urbin ; Piero Varano, fils du tyran vaincu de Camerino ; Giovanni Sforza de Pesaro et François de Gonzague, marquis de Mantoue, parent et ami des seigneurs mécontents de César, mais, il est vrai, prêt comme sa femme Isabelle, à changer d'opinion selon le vent. Dans toute l'Italie les attaques contre les Borgia redoublent, attisées par les nouveaux succès de César. Louis XII ne peut ignorer les pamphlets qui se répandent, souvent féroces, comme la fameuse lettre à Silvio Savelli.

Guerre des pamphlets contre les Borgia
La lettre à Silvio Savelli

D'après Burckard, qui en donne le texte, la lettre à Savelli a été imprimée en Allemagne et communiquée au pape par son âme damnée, le cardinal de Modène Giambattista Ferrari. Il l'insère dans son journal à la fin de l'année 1501. Et effectivement, la lettre est datée du 25 novembre 1501. Elle est censée avoir été envoyée du camp de Gonzalve de Cordoue établi à Tarente à un noble Romain réfugié chez l'empereur Maximilien. L'auteur pourrait, comme l'ont supposé certains historiens, avoir été membre de la famille Colonna. Le texte, écrit dans un style véhément, reprend la plupart des griefs et des calomnies qui traînent dans Rome depuis des années afin de dissuader Savelli de demander réparation des dommages qu'il a subis. Il est inutile qu'il s'adresse au pape, homme « dont la vie, souillée de viols et de brigandages, s'est passée à tromper les hommes ».

Le correspondant de Savelli estime qu'il faut avertir l'empereur de ces crimes abominables. Le temps de l'Antéchrist est arrivé : « Il est impossible d'imaginer un ennemi plus déclaré de Dieu que ne l'est ce pape. La moindre de ses fautes est de trafiquer des biens de l'Eglise ; il est aidé en cela par le cardinal de Modène, qui, comme Cerbère à la porte des Enfers, aboie sur tous ceux qui se présentent et leur demande sans pudeur ce qu'ils ont d'argent. » Alexandre a souillé de sang le Vatican : notamment par le meurtre d'Alphonse d'Aragon et celui du chambellan Perotto Caldès. Le palais apostolique a été le théâtre de viols, d'incestes, de traitements infâmes infligés à des adolescents et des jeunes filles. Le correspondant de Savelli cite le festin scandaleux des courtisanes et la scène des étalons. On est étonné de lire ensuite le récit du départ de Lucrèce à Ferrare (postérieur d'un mois à la prétendue date de la lettre) puis celui des dernières campagnes de César en Romagne (y compris la prise d'Urbin et celle de Camerino, survenue le 19 juillet 1502). Les attaques contre le Valentinois sont aussi vives que celles dirigées contre son père. « Il a la même perversité, la même cruauté. » Il lui est reproché d'avoir mis à feu et à sang tout un pays, en accord avec le pape qui a attribué les biens confisqués à ses enfants et petits-enfants incestueux. « César est le maître absolu. Il peut à son gré assouvir ses passions. Il vit entouré de prostituées, à la manière des Turcs, sous la garde de ses soldats en armes. Sur son ordre, on est tué, blessé, jeté dans le Tibre, empoisonné, ruiné. Ces gens-là sont altérés de sang humain. » La lettre se termine par une ardente prière adressée à Maximilien : « Si l'empereur ne remédie à cette situation, Rome deviendra un désert. Chacun devra s'enfuir pour subsister. Que les princes viennent donc au secours de la religion en détresse. Qu'ils sauvent de la tempête la barque de Pierre et qu'ils la ramènent au port. Qu'ils fassent revivre sous Rome la justice et la paix ! »

Cette lettre-pamphlet pose beaucoup de problèmes. En rapprochant de sa date prétendue certains des faits rapportés, on s'aperçoit que le document, censé avoir été envoyé le 25 novembre 1501, se refère à des événements survenus en juillet 1502. Burckard prétend en avoir eu connaissance à la suite de la remise du texte au pape par le cardinal Ferrari de Modène. Certes, le cardinal aurait pu remettre la lettre en novembre ou décembre 1501, mais plus difficilement en juillet 1502 : Burckard lui-même nous indique qu'il était tombé gravement malade le 3 juillet pour mourir, après une brève rémission, le 20, c'est-à-dire le lendemain de la prise de Camerino relatée dans la lettre à Savelli !

Il est troublant de voir le cardinal aussi mal traité dans la lettre à Savelli que dans les vingt-huit épigrammes reproduites dans le journal du cérémoniaire pontifical. L'enrichissement de Ferrari aux dépens de l'Eglise n'était un secret pour personne et Alexandre VI en avait tiré profit. Il avait confisqué les biens opulents du défunt, au moins 14 000 ducats en liquide, d'après l'ambassadeur vénitien Giustiniani. Il avait disposé, comme il en avait le droit, des beaux bénéfices laissés par le cardinal, notamment l'archevêché de Capoue et l'évêché de Modène. Une série de riches prébendes avait été attribuée au secrétaire et favori du mort, Sebastiano Pinzon :

plus tard, sous Jules II, ce personnage peu recommandable devait être accusé d'avoir empoisonné son maître.

En attaquant le cardinal de Modène et en soulignant sa complicité avec le pape, la lettre à Savelli s'insérait dans l'actualité de la campagne pamphlétaire menée en juillet 1502 contre l'ancien confident d'Alexandre et qui éclaboussait par ricochet le pontife.

Il n'est pas impossible qu'un premier texte — sans doute en italien pour lui laisser son aspect de lettre privée — adressé, à travers Savelli, à l'empereur et aux princes de la Chrétienté, ait circulé sous le manteau pendant l'hiver de 1501. Mais il ne s'agit pas du document recopié par Burckard : ce texte, transcrit en latin, comporte des éléments qui y ont été introduits au début de l'été de 1502. Les libelles contre les Borgia ressassaient le même fond d'accusation sur lequel on brodait en fonction de l'actualité. Nulle coercition ne pouvait imposer silence aux pamphlétaires. En décembre 1501, un certain Manciani, Napolitain qui, masqué, avait parcouru Rome en colportant des infamies contre César, avait été arrêté sur l'ordre du Valentinois, lequel, contrairement à son père, réagissait très mal aux attaques : on lui coupa la langue et la main droite ; la main, avec la langue attachée au petit doigt, fut suspendue à l'une des fenêtres de l'église de Santa Croce.

Un peu plus tard, en janvier 1502, un Vénitien avait été arrêté pour avoir traduit du grec en latin un autre libelle contre le pape et son fils. Malgré l'intervention de l'ambassadeur de Venise, il avait été exécuté le soir même. Alexandre avait confié à Costabili, l'ambassadeur de Ferrare : « Le duc est bon, mais il n'a pas encore appris à supporter les insultes. »

Accueil de César à Milan
Renouvellement de son alliance avec Louis XII

Louis XII n'ignore pas combien de haine s'est accumulée contre les Borgia. Or, lors de l'arrivée du Valentinois à Milan, le matin du 5 août, il n'en ménage pas moins un accueil chaleureux au fils du pape. Il va à cheval au-devant de lui. Il le salue des titres de « mon cousin » et « mon cher parent » : les seigneurs italiens mécontents commencent à regretter de s'être exprimés trop franchement au sujet de leur ennemi. César est conduit par le roi en personne dans les appartements préparés pour lui au château de Milan. Louis XII lui demande de disposer de ses vêtements et de ses chevaux. Le lendemain, il lui offre un banquet et des réjouissances auxquels il assiste à côté de lui. Le puissant cardinal d'Amboise se montre aussi cordial que son maître. La leçon est aisée à tirer : Louis XII a besoin du soutien du pape et de son fils dans sa campagne contre Ferdinand d'Aragon ; Georges d'Amboise, quant à lui, compte sur l'appui de César, lorsque s'ouvrira le prochain conclave, pour obtenir le ralliement des cardinaux amis des Borgia à sa candidature au trône pontifical.

Dans cette conjoncture, ni les plaintes des seigneurs spoliés ni les attaques venimeuses des pamphlets ne peuvent trouver audience auprès du roi. La lettre à Savelli s'explique par ce contexte. A Trente, le 13 octobre 1501, Louis XII a conclu un accord avec Maximilien qui lui a promis l'investiture de Milan. Le fils de l'empereur Maximilien, l'archiduc Philippe d'Autriche, est venu à Blois avec son épouse Jeanne, fille de Ferdinand d'Aragon et d'Isabelle de Castille. Les archiducs ont promis, le 13 décembre 1501, de marier leur fils et héritier Charles — le futur Charles Quint — avec Claude, la fille aînée du roi de France. Par la suite, le 5 avril 1502, un traité signé à Lyon a convenu que Louis XII remettrait à Claude ce qu'il possédait au royaume de Naples, et que Ferdinand d'Aragon et Isabelle de Castille feraient la même cession en faveur de leur petit-fils Charles.

Ce jeu de traités semble assurer la paix dans l'Italie méridionale. Or, survenant sur ces entrefaites, la crise qui éclate au printemps de 1502 entre la France et les Rois Catholiques dans le royaume de Naples, vient compromettre l'accord des deux dynasties. Le correspondant anonyme de Savelli — qui écrit de Tarente et du camp de Gonzalve de Cordoue, général de Ferdinand d'Aragon — a pour but de rompre l'entente en cours entre la France et la maison d'Autriche, en portant Maximilien d'Autriche à condamner Alexandre VI et surtout César, principal allié de Louis XII en Italie.

Cette attaque et d'autres de la même virulence aboutissent effectivement au résultat escompté. Les Autrichiens marquent leurs distances avec la France et avec son allié Borgia. L'archiduc Philippe, engagé dans les préliminaires de son alliance dynastique avec le souverain français, cherche à s'interposer entre Ferdinand d'Aragon et Louis XII, mais ses efforts sont vains pour éviter l'affrontement dans le royaume de Naples. La guerre est irrémédiable : César devra s'y trouver au côté de la France. Aussi malgré les rumeurs hostiles et les motifs de mécontentement qu'il peut avoir à l'égard du Valentinois, Louis XII se montre-t-il à Milan le plus cordial des hôtes. Les seigneurs spoliés n'ont plus qu'à ronger leur frein. François de Gonzague, pour sa part, vire habile-ment de bord. Il propose de conclure les fiançailles de son fils avec Louise, la fille de César et de Charlotte d'Albret. Compte tenu de la situation de Mantoue, entourée de territoires tenus par la France et par ses alliés, c'est-à-dire Venise et le duc de Valentinois, cet arrangement matrimonial est une mesure habile pour assurer la sécurité du marquisat. Isabelle d'Este, avertie du choix de son époux, s'y rallie, non sans arrière-pensée : elle espère que la mort du pape provo-quera la ruine de l'envahisseur de la Romagne et annulera l'acte engageant son fils. A Milan, César, rassuré sur les bonnes dispositions du roi, renouvelle l'alliance qui le lie à Louis XII. Il promet de guerroyer à ses côtés pendant trois ans. Pour sa part, Louis fournira au Valentinois trois cents lances qu'il pourra employer à volonté contre les Bentivoglio de Bologne et contre les condottieres Baglioni, Orsini et Vitellozzo Vitelli, s'ils refusent d'abandonner leurs entreprises contre les Florentins.

Le monarque prie son allié de venir avec lui à Gênes où il célèbre son entrée solennelle, le 26 août. César repart avec le roi et l'accompagne jusqu'à Asti. Lorsqu'il prend congé, une escorte de la garde royale lui rend les honneurs. Le 7 sep-tembre, il est une fois de plus à Ferrare où il revoit sa sœur

Lucrèce toujours alitée. De nouveau il assiste son beau-frère Alphonse : on le voit tenir le pied de la malade pendant qu'on la saigne. Mais il ne consacre pas tout son temps à réconforter Lucrèce. Hercule d'Este et son fils, liés de près comme César à la couronne de France, évoquent avec lui les perspectives du proche avenir qui doit être consacré à obtenir la soumission de Bologne.

La révolte de Bologne et la rébellion des condottieres L'assemblée de Magione

Ayant obtenu l'accord de Louis XII, le Valentinois a l'intention de se rendre à Bologne pour y rétablir les droits et l'autorité du Saint-Siège. Le souverain français lui a cependant demandé de préserver les intérêts des seigneurs, les Bentivoglio : il a dépêché Claude de Seyssel à Giovanni Bentivoglio pour l'assurer personnellement de sa protection, précision quelque peu gênante pour César et son père. La procédure mise en place par Rome ne laisse guère espérer, en effet, une entente à l'amiable.

Le 2 septembre, le pape a publié un bref citant Bentivoglio et ses deux fils à comparaître à Rome dans les quinze jours afin d'examiner les moyens d'établir à Bologne un meilleur gouvernement. Il ne fait pas de doute que les seigneurs de Bologne s'y déroberont, forts du soutien des Bolonais qui se regroupent derrière eux, amis et ennemis des Bentivoglio mêlés.

Pendant que la ville entière prend parti contre Rome, César revient dans ses domaines à Imola pour préparer une éventuelle expédition punitive. Le cardinal Borgia, l'évêque d'Elne et Ramiro de Lorca qui ont assuré le gouvernement l'y accueillent. Il retrouve aussi son « excellent et bien-aimé ingénieur », Léonard de Vinci, qui, pendant son absence a inspecté les forteresses de Romagne. Nous connaissons l'itinéraire studieux du grand homme ; le 30 juillet, à Urbin ; le 1er août à Pesaro, où il imagine de nouvelles machines dont il dessine les épures ; le 8, à Rimini où il note la musique d'une

fontaine ; le 11 à Cesena, la capitale du nouveau duché de
Romagne, où César lui a demandé d'édifier les palais de
l'Université et de la Cour d'appel ou Rote, où siégera un
« président de Romagne », à la fois chef administratif et
judiciaire : César a fait choix pour cette fonction d'un très
sage personnage, Antonio del Monte San Savino, qui déchar-
gera le cruel Ramiro de Lorca de toutes ses anciennes
prérogatives. L'installation solennelle du président aura lieu le
24 juin 1503, couronnant une organisation exemplaire.

A la suite du décret obligeant chaque foyer à fournir un
soldat, toutes les villes de Romagne sont transformées en
centres de recrutement. Fano regroupe 1 200 nouveaux soldats. A Imola, César fait habiller à ses couleurs rouge et jaune
deux régiments de chacun cinq cents hommes armés de
piques. Michele Corella est promu chef de cette milice qui doit
éviter au duc d'avoir nécessairement recours à des mercenaires et des condottieres.

Au mois de septembre 1502, César est encore loin de
l'indépendance militaire qu'il poursuit. On s'en rend compte
en observant l'évolution de la situation à Bologne. Le
17 septembre, à l'expiration des quinze jours de délai de grâce
fixés par le pape, le bref du 2 septembre est lu une seconde
fois dans le palais du Reggimento. Mais les Bolonais ont pris
les armes : ils crient qu'ils ne laisseront pas Bentivoglio partir
pour Rome. Cette révolte contre le pape et son fils appelle
d'immédiates représailles, mais César est incapable de s'y
livrer : ses condottieres sont loin de lui, à cent cinquante
kilomètres au sud, dans les environs de Pérouse. Dès qu'ils
ont appris le dessein du pape et du Valentinois à l'encontre
des Bentivoglio, ils ont manifesté leur réprobation. Un tel
projet, remarquent-ils, viole le traité, conclu en 1501, entre
César et les Bentivoglio, à l'époque de la capitulation de
Castel Bolognese. Vitellozzo Vitelli et les Orsini se sont portés
garants de ce traité. Ils ne peuvent donc participer à une
entreprise dirigée contre Bologne. S'ils laissent César abattre
les Bentivoglio de Bologne — après les Riario d'Imola, les
Malatesta de Rimini, les Sforza de Pesaro, les Manfredi de
Faenza, les Appiano de Piombino, les Montefeltre d'Urbir

les Varano de Camerino —, ils craignent d'être chassés de leurs terres et exterminés.

Les premiers condottieres à se rebeller contre César sont Vitellozzo Vitelli et les deux Baglioni de Pérouse, Gentile et Giampaolo : ils se rencontrent à Todi, le 25 septembre, et décident de refuser d'attaquer Bologne s'ils en reçoivent l'ordre. Ils font appel aux autres condottieres employés par le Valentinois. Cinq jours plus tard une réunion plénière a lieu à Magione, une place appartenant au cardinal Orsini, située au-dessus du lac Trasimène, à vingt kilomètres à l'ouest de Pérouse. Les Orsini se sont joints à la rébellion sous prétexte qu'à Milan Louis XII aurait dit à leur cardinal que le pape avait l'intention de détruire leur famille.

L'assemblée regroupe un nombre imposant de farouches entrepreneurs de guerre. En dehors des Baglioni et de Vitelli — atteint au plus haut point du « mal français » et transporté en litière —, sont présents les Orsini — le cardinal Giambattista, Francesco, duc de Gravina, Paolo et Franciotto —, Pandolfo Petrucci de Sienne — que César considérera comme l'âme de la conspiration — et le sinistre Oliveretto de Fermo. Ils sont rejoints par Hermès Bentivoglio, auquel s'attache une réputation d'assassin, depuis qu'il a débarrassé Bologne des Marescotti, ennemis de sa famille. Tous ces seigneurs décident de soutenir les Bentivoglio si César persiste dans son dessein. Contre l'agresseur ils ne resteront pas inactifs : ils s'engagent à mettre sur pied, avant l'arrivée des lances françaises, une armée de sept cents hommes d'armes et de neuf mille fantassins. Ils invitent Florence et Venise à se joindre à eux contre César. Seule Venise se démasque, accepte et charge son condottiere Bartolomeo Alviano de rétablir à Urbin Guidobaldo de Montefeltre, alors réfugié sur les bords de la lagune. Le plan d'action des confédérés prévoit que Bentivoglio marchera sur Imola pendant que ses alliés s'empareront d'Urbin et de Pesaro.

La menace est redoutable et pourrait être fatale au Valentinois qui ne dispose alors que de deux mille cinq cents fantassins et quatre cents hommes d'armes. Par chance, les conspirateurs manquent de confiance l'un envers l'autre. La réunion terminée, Pandolfo Petrucci envoie dire à César qu'il n'entreprendra rien contre lui. Les Orsini négocient à Rome avec le pape et Paolo envisage d'aller à Imola assurer le Valentinois de la fidélité de sa famille. Enfin le perfide Giovanni Bentivoglio tente d'ouvrir des tractations avec César par l'entremise d'Hercule d'Este.

Seconde mission de Machiavel
Le duché d'Urbin échappe à César

La république de Florence, qui continue de craindre César, craint davantage encore Vitellozzo Vitelli et les Orsini, dont elle redoute qu'ils ne rétablissent les Médicis, leurs parents. Aussi estime-t-elle nécessaire de prévenir le Valentinois de ce qui se trame contre lui, en protestant qu'elle ne saurait donner son accord à un tel projet qui, à travers César, est aussi dirigé contre le roi de France. Le 5 octobre, le secrétaire Nicolas Machiavel est chargé de cette mission.

Modestement pourvu de moyens financiers, d'assez mauvaise santé, regrettant d'être séparé de sa jeune femme Marietta qu'il vient tout juste d'épouser, Machiavel va être contraint de vivre trois mois dans la familiarité de César et dans l'inconfort des camps de Romagne. Le caractère du fils du pape et les événements extraordinaires auxquels il va assister feront, il est vrai, passer au second plan ses ennuis personnels : la correspondance de sa légation prend bien vite le ton le plus passionné. Sur ses souvenirs il bâtira une œuvre immortelle.

Voyageant par la poste pour gagner plus rapidement Imola, le secrétaire, arrivé le 7 octobre, est introduit, encore en costume de voyage, auprès du duc. Il le remercie d'avoir fait restituer aux marchands florentins les draps qui leur avaient été confisqués à Urbin. Puis il évoque la réunion de Magione. César, assurant qu'il n'a jamais approuvé les entreprises des condottieres ennemis de Florence, Vitellozzo Vitelli et les Orsini, se prétend assez fort pour faire face aux révoltés. Il ne croit pas à la solidité de leur confédération et il confie à

Machiavel que les Orsini et Petrucci cherchent déjà à se rapprocher de lui. Il n'est préoccupé, à vrai dire, que par un incident fâcheux survenu le jour même : à l'occasion de travaux de réfection de la forteresse de San Leo, des habitants du village, favorables à Guidobaldo d'Urbin, se sont emparés du château fort dont la porte avait été obstruée par des madriers, « en faisant retentir, ajoute-t-il, selon les uns, le nom de saint Marc, selon d'autres, celui des Orsini ou des Vitelli. »

La chute de San Leo, capitale historique de la dynastie de Montefeltre, se révèle en effet de grande conséquence. La nouvelle, répandue de montagne en montagne, entraîne le soulèvement de toutes les places. En trois jours le duché tout entier revient à Guidobaldo, son ancien maître. Le château d'Urbin est pris d'assaut par les paysans qui, aidés des citadins, tournent contre la forteresse les canons laissés sur la place. Le gouverneur parvient à grand-peine à s'échapper et à se réfugier à Forli avec un convoi de quinze mules chargées de trésors.

Frappé de front par la malchance, César fait bonne figure. Il montre à Machiavel un avis venu de France et daté du 4 octobre : le roi et le cardinal d'Amboise ont donné ordre à Chaumont d'Amboise, gouverneur du Milanais, d'envoyer sans délai trois cents lances au Valentinois pour seconder ses desseins contre Bologne. S'il en est requis, le gouverneur viendra lui-même jusqu'à Parme avec trois cents autres lances. Et César d'ajouter : « Si l'on a réagi de la sorte lorsque je demandais des forces pour attaquer Bologne, on agira bien autrement lorsque j'en solliciterai contre ceux qui, pour la plupart ennemis déclarés du roi, ont toujours tâché de lui nuire en Italie... Leurs projets tourneront à mon avantage. Il ne pouvait rien m'arriver de plus utile pour fortifier mes Etats. Je distinguerai mes amis de ceux dont je dois me méfier. Si les Vénitiens prennent le parti de mes ennemis, ce que je ne pense pas, ils combleront mes vœux et ceux de Sa Majesté. » L'audience se termine par un appel à Florence pour qu'elle conclue une alliance — appel que la seigneurie va s'ingénier a laisser sans réponse avec l'aide de Machiavel.

Lutte armée entre César et les condottieres rebelles

Dès son arrivée, l'envoyé de Florence s'efforce d'évaluer les troupes de César. Après la chute d'Urbin, Michelotto Corella a reçu l'ordre de les regrouper à Rimini et Ramiro de Lorca celui de renforcer les garnisons de Romagne. Au début d'octobre, le Valentinois dispose de 2 500 fantassins, auxquels doivent s'ajouter 800 hommes enrôlés dans le Val de Lamone et 1 000 mercenaires que doit recruter Michelotto, soit 4 300 fantassins. Il envoie lever un millier de mercenaires, des Gascons en Lombardie et des Suisses. Ces forces offensives seront appuyées par une armée de réserve de 5 000 Romagnols. Quant à la cavalerie, sa base est formée de la compagnie de 100 lances de César et de trois compagnies de 50 lances commandées par trois capitaines espagnols. Des chevau-légers sont amenés par des seigneurs italiens comme Gaspare San Severino, plus connu sous le nom de capitaine Fracassa, et Ludovic Pic de La Mirandole.

A la fin du mois, l'armée du Valentinois compte d'après le dénombrement envoyé par Machiavel à Florence, 5 350 fantassins, dont 600 Gascons et Allemands. Elle doit encore s'accroître de 3 000 Suisses. Le nombre des hommes d'armes est de 340 (soit avec les servants d'armes, environ 1 300 hommes). En y ajoutant les cinq compagnies françaises (peut-être 2 000 hommes au total) promises par Louis XII et qui arrivent alors sur le territoire de Faenza, ce sont 840 unités de cavalerie lourde (3 300 hommes) qui sont déjà réunies et auxquelles s'adjoindront, d'après Machiavel, au moins 150 autres hommes d'armes levés en Lombardie. D'autres unités de cavalerie, environ 500 chevau-légers et des lances détachées, viennent s'y agréger. La force de feu est bonne. L'artillerie est jugée par Machiavel aussi importante à elle seule que celle de toutes les autres puissances de l'Italie réunies.

La situation de César face aux condottieres révoltés n'est donc pas aussi mauvaise qu'ils le pensent. Elle est cependant compromise par une initiative intempestive de Michelotto Corella et de Ugo de Moncada. Sur le chemin de Rimini, ils portent secours aux commandants des forteresses de Pergola et Fossombrone assiégées par les habitants. Par représailles ils exterminent la population, sans épargner les femmes et les enfants. Le Valentinois s'en réjouit et déclare à Machiavel : « Cette année les astres ne semblent pas favoriser les rebelles. » Mais il déchante bientôt. Ayant décidé de porter secours au duc Guidobaldo, Vitelli et les Orsini s'avancent vers Urbin. Ils accrochent à Calmazzo, près de Fossombrone, le 17 octobre, Corella et Moncada. Bien qu'ils aient 100 lances et 200 chevau-légers, les capitaines de César sont battus. Ugo de Moncada est fait prisonnier. Le jour même, les condottieres rebelles arrivent, triomphants, à Urbin. Paolo Orsini écrit à Venise pour annoncer cette victoire au duc exilé. Guidobaldo reprend le chemin de sa capitale : il y entre bientôt au milieu des acclamations de son peuple.

Vitellozzo Vitelli se met à la disposition de Guidobaldo pour reprendre les places de son duché. Oliveretto de Fermo, accompagné de Gianmaria Varano, investit Camerino. Giampaolo Baglioni se porte devant Fano où il assiège Micheletto. Giovanni Bentivoglio, après quelque hésitation, relance l'hostilité des Bolonais contre les Borgia : il ordonne aux professeurs de droit canon de l'université d'aller dans les églises exhorter la population à ne pas tenir compte de l'interdit lancé contre la ville par le pape.

L'effritement de la conjuration

Venise qui avait soutenu l'action des confédérés leur fait soudain faux bond : il a suffi pour cela d'une lettre de Louis XII menaçant de traiter la Sérénissime en ennemie si elle s'opposait « à l'entreprise de l'Eglise ». Le retrait du soutien vénitien fait réfléchir certains des confédérés. Pandolfo Petrucci envoie à César son secrétaire pour négocier un arrangement. Paolo Orsini vient lui-même à Imola, le 25 octobre, et en repart, le 29, avec le texte d'un traité : César s'y engage à protéger les Etats des condottieres qui s'allieront à lui et promettront de le servir et de servir l'Eglise. Quant au sort des Bentivoglio, il en sera délibéré en petit comité composé du Valentinois, du cardinal Orsini et de Pandolfo Petrucci : la décision prise par ce comité devra être acceptée par tous.

Machiavel, un instant surpris par cette sorte de capitulation, reçoit de César la confidence qu'il se moque de cette « association de banqueroutiers ». « J'attends mon tour », murmure-t-il.

Le Valentinois a quelque mérite à ne pas bouger. Il faut, pendant la longue attente imposée à ses troupes, continuer de les payer sans leur offrir les habituels pillages de villes : Alexandre VI débourse jusqu'en décembre 60 000 ducats pour régler les soldes de l'armée de son fils. Dans les consistoires et les réceptions d'ambassadeurs il dénonce l'action des condottieres et il magnifie le roi Louis XII qui soutient César. Pour marquer son hostilité au roi d'Aragon, alors en lutte contre la France dans le royaume de Naples, il enferme sa belle-fille Sancia au château Saint-Ange. L'inconduite de la jeune femme fournit le motif commode de son incarcération : elle continue de la justifier par ses provocations, passant son temps à interpeller, du haut du rempart, les Espagnols de sa connaissance. Son jeune époux, le duc Gioffré de Squillace, ne fait guère bonne figure : le pape lui ayant demandé de passer en revue une compagnie de cent hommes d'armes, il se révèle incapable de les équiper ! Cependant, malgré ces ennuis domestiques, le vieux pape ne songe qu'à flatter les puissances qui peuvent aider César, Florence, Ferrare et Mantoue : il verse à François de Gonzague 40 000 ducats sur la dot attribuée à la fille de César — un bébé — et promet le chapeau cardinalice au frère du marquis.

Le temps qui passe ne profite pas aux condottieres. Leurs actions, aussi violentes que celles de leurs adversaires, les font haïr pareillement. Lorsque Oliveretto de Fermo prend possession de Camerino avec Gianmaria Varano, il massacre tous les Espagnols qu'il y trouve. A ce massacre Michele Corella répond avec cruauté : s'étant saisi à Pesaro du jeune Piero

Varano qui se rendait à Camerino, il le fait étrangler sur la place publique. Transporté dans l'église voisine, le jeune homme reprend vie. Un moine espagnol qui le veille s'en aperçoit et appelle des soldats pour terminer l'opération. Plus tard reconnu à Cagli, le moine sera mis en pièces par la foule scandalisée.

Les rebelles traitent avec César

Revenu vers ses alliés avec le projet de traité proposé par le Valentinois, Paolo Orsini les réunit dans l'église du petit village de Cortocetto non loin de Fano. Il montre que les assurances données offrent un moyen raisonnable de régler le différend. Cependant certains estiment difficile de se mettre à nouveau au service de César pour défaire ce qu'ils viennent de réaliser : ils refusent de chasser une seconde fois Guidobaldo d'Urbin. C'est la raison qu'invoque Vitelli pour rejeter l'accord qui, en outre, lui enlève la possibilité de poursuivre sa vengeance contre Florence. Mais l'opposant le plus décidé est Baglioni : il refuse d'examiner les conditions proposées et invite les confédérés à se rappeler avec quel personnage diabolique ils vont traiter. S'ils ne sont pas tout à fait déments, ils doivent comprendre que leur seul espoir est dans leurs armes. Mais Paolo Orsini, beau parleur, réussit à rallier tous les autres en leur montrant que, s'ils persistent dans leur hostilité, ils seront bientôt totalement et dangereusement isolés. En effet, au début de novembre, le Valentinois s'est déjà réconcilié séparément avec les Orsini et Pandolfo Petrucci. Il a reçu Antonio Galeazzo Bentivoglio, envoyé en négociateur par son père Giovanni à l'instigation d'Hercule d'Este : un traité garantissant les Borgia et les Bentivoglio a été élaboré. Le 23 novembre, ce traité est signé au Vatican. Le roi de France, Florence et Ferrare en sont les garants. Bologne fournira à César cent lances et deux cents chevau-légers pour une ou deux campagnes par an. Elle lui versera 12 000 ducats au titre d'une *condotta* de cent lances que le Valentinois s'engage à mettre à sa disposition pour cinq ans.

Cette alliance des Borgia et des Bentivoglio réduit à néant le grief qui avait provoqué la rébellion des condottieres. Il n'y a donc plus aucune difficulté de principe pour qu'ils donnent leur signature au traité qui les réconcilie eux aussi avec César.

Le 27 novembre, Paolo Orsini rapporte à Imola le document signé par tous, y compris Vitellozzo Vitelli. Le 29, en application des promesses contenues dans le traité, il gagne Urbin, en compagnie du président de Romagne, pour en reprendre possession au nom du Valentinois. Guidobaldo voit ses sujets accourir pour lui offrir bijoux, or et argent afin d'organiser une ultime résistance. Mais il connaît les limites de ses moyens. Il accepte de se retirer moyennant la promesse de conserver quatre forteresses du Montefeltre : San Leo, Majuolo, Sant'Agata Feltria et Saint-Marin. Au milieu des larmes de tous, il quitte sa petite capitale pour se rendre à Città di Castello chez son ami l'évêque Vitelli, première étape de son exil.

César est de nouveau duc d'Urbin. Il charge les condottieres réconciliés avec lui de reconquérir quelques petites villes. La première doit être Sinigaglia que Giovanna de Montefeltre tient au nom de son jeune fils Francesco Maria della Rovere, neveu de Guidobaldo d'Urbin. Pendant qu'ils se dirigent vers cette place, César prend, le 10 décembre, la route de Cesena, sa capitale. Il répartit ses troupes dans les garnisons de Romagne afin de diminuer le poids que représente l'entretien des soldats pour chaque place, « ce qui n'empêche pas, écrit Machiavel, que le pays souffrît gravement cet hiver-là ». Pour éviter la disette, le duc a acheté à Venise trente mille boisseaux de blé qui sont bien vite consommés. Il faut se résoudre à saisir les céréales entreposées dans les greniers privés de Cesena. Ces problèmes ardus de ravitaillement servent de prétexte au licenciement, le 20 décembre, de trois des compagnies de lances françaises qui reprennent la route de Lombardie : César ne garde avec lui que deux compagnies de cinquante hommes chacune.

La réduction apparente des troupes qui entourent le duc conjure les craintes que Vitelli et les autres condottieres confédérés entretiennent encore à son égard : ils ignorent l'arrivée, tenue secrète, de mille mercenaires suisses. En fait, le Valentinois peut à tout instant réunir autour de lui une armée de treize mille hommes, chiffre fort important que la dispersion dans les garnisons dissimule aux yeux des espions des condottieres. On peut estimer que, dès ce moment, César a les moyens d'attirer les anciens rebelles dans un traquenard et de les exterminer.

Exécution de Ramiro de Lorca

Le 22 décembre, à Cesena, on danse pour le départ des Français et on fête un événement inattendu, l'arrestation du cruel Ramiro de Lorca : elle survient à son retour de Pesaro où il était allé en mission officielle pour se procurer du grain. Après trois jours de prison, il est condamné à mort pour avoir commis des malversations — il aurait exporté hors du pays de grandes quantités de ce blé qu'il devait ramener. Mais la faute qui lui vaut la peine capitale est qu'il a trahi et s'est entendu avec les condottieres pour attirer César dans un piège. Le 26 décembre, au petit matin, les Cesenates découvrent, sur la place de la forteresse, posé sur une claie, son corps décapité revêtu de ses riches vêtements, enveloppé dans un manteau pourpre et les mains gantées. Sur une pique près du corps est empalée sa tête à la barbe noire. On a laissé à côté du cadavre le billot ensanglanté et le couperet du bourreau.

L'exécution d'un des plus fidèles serviteurs de César frappe les imaginations. Machiavel en tire la leçon : « La raison de sa mort n'est pas connue au juste, en dehors du fait que le prince l'a voulu ainsi, ce qui montre qu'il peut faire et défaire les hommes à sa volonté, conformément à leurs mérites. » Plus tard, dans le traité du *Prince,* au chapitre VII, le secrétaire florentin donnera une autre explication : « La tyrannie de son serviteur Ramiro avait été nécessaire pour asseoir la domination de César puis, le temps passant, le Valentinois sachant que la rigueur d'abord exercée avait excité quelque haine, et désirant éteindre ce sentiment dans les cœurs pour qu'ils lui fussent entièrement dévoués, il voulut faire voir que si quelques cruautés avaient été commises, elles étaient venues non de lui, mais de la méchanceté de son ministre. »

Le piège de Sinigaglia

Le jour même de l'exécution de Ramiro, laissant sur la place le corps mutilé, César quitte Cesena. Le 29, il est à Fano où il reçoit les envoyés de la ville d'Ancône qui l'assurent de leur loyauté. Un messager de Vitellozzo Vitelli vient lui annoncer la reddition de Sinigaglia aux mains des condottieres : Giovanna de Montefeltre est partie par mer pour Venise. Seule la citadelle tenue par Andrea Doria résiste encore : son commandant prétend ne vouloir la rendre qu'à César lui-même. Le duc annonce qu'il viendra le lendemain. C'est ce que souhaitent les condottieres : César, une fois entré dans la place sera une proie facile, pris entre la citadelle et leurs forces qui entourent Sinigaglia. Pour les mettre en confiance, il leur fait savoir qu'il veut s'installer dans la ville. Il prie Vitelli de déplacer les soldats qui s'y trouvent : Oliveretto de Fermo prend ses quartiers dans les faubourgs tandis que Vitellozzo et les Orsini campent dans les petites localités voisines. Les condottieres sont persuadés qu'ils ont la supériorité sur le plan militaire. Ils s'imaginent que César, depuis le départ des Français, ne dispose que d'une armée réduite. En réalité, d'après Machiavel, le Valentinois est sorti de Cesena avec dix mille fantassins et trois mille cavaliers : il les a soigneusement divisés en petits groupes pour qu'ils cheminent sur des routes parallèles jusqu'à Sinigaglia. S'il vient entouré de telles forces, c'est qu'il connaît, par les aveux de Ramiro de Lorca, les intentions des condottieres. Il a décidé de retourner le piège contre ses auteurs. Alors a lieu ce chef-d'œuvre de tromperie que Paul Jove appellera *il bellissimo inganno*, « l'admirable stratagème ».

A l'aube du 31 décembre, César arrive devant le faubourg de Sinigaglia, séparé de la ville par le canal de la petite rivière Misa. Il constate que seuls y sont cantonnés les soldats d'Oliveretto, mille fantassins et cent cinquante cavaliers, qui lui rendent les honneurs. L'avant-garde de César, forte de deux cents lances et commandée par Michelotto Corella, prend position sur le pont du canal. Elle se dispose en deux files entre lesquelles passent l'infanterie et le gros de la cavalerie ducale. Le contrôle du pont interdit aux troupes des condottieres de se replier sur la ville. Une cuirasse remplace l'habituel pourpoint de César pour qu'il soit protégé des traits qui pourraient être tirés contre lui. Surpris de ces précautions qui ruinent leur projet, Francesco Orsini, duc de Gravina, Paolo et son fils s'avancent sans armes. Vitellozzo Vitelli les suit. Monté sur une mule il porte une cape noire doublée de vert : il s'est décidé à venir à contrecœur, ayant eu l'intuition d'un proche malheur, et il n'a pas eu le temps de prendre sa cuirasse et de faire apprêter son cheval.

Faisant montre d'une grande affabilité, César demande aux condottieres de se joindre à lui. Sur la grand-place, Oliveretto parade à la tête d'un contingent, mais sur un signe de César, Michelotto Corella le prie de renvoyer ses soldats dans leur cantonnement et de rejoindre ses compagnons qui chevauchent avec le duc.

Pour héberger César, Michelotto avait préparé le palais Bernardino, pourvu d'une porte sur la façade et d'une autre à l'arrière. César invite les condottieres à l'accompagner dans sa demeure. A peine entrés, ils sont mis en état d'arrestation par des soldats venus par l'arrière. Le Valentinois sort du palais et, calmement, fait disperser l'escorte dont ses hôtes n'ont plus besoin. Il donne l'ordre d'attaquer dans les environs les soldats de Vitelli et des Orsini. Il fait pourchasser ceux d'Oliveretto dans le faubourg de Sinigaglia, livré au saccage et au pillage. La nuit même, pendant la débâcle de leurs troupes, Oliveretto et Vitelli, après un jugement sommaire, sont étranglés par Michelotto dans le palais Bernardino. Oliveretto avait tenté d'éviter cette mort ignominieuse en se plongeant une dague dans le cœur. Vitellozzo avait simplement prié César de solliciter du pape une indulgence plénière pour le salut de son âme. A l'aube, les corps sont portés à l'église voisine de l'hôpital de la Miséricorde. Contre les Orsini, gardés en état d'arrestation, César ne veut rien faire avant de savoir si son père, le pape, a pu arrêter à Rome Giulio Orsini et le cardinal Giambattista : aussi décide-t-il de les mener enchaînés à sa suite.

« Un haut fait digne d'un Romain »

D'un seul coup, le Valentinois s'est débarrassé de ses anciens généraux devenus ses pires ennemis. Il fait venir Machiavel pour s'en réjouir car « ces hommes, dit-il, étaient aussi de féroces ennemis de Florence ». Le lendemain, 1er janvier 1503, la forteresse s'étant rendue après la fuite d'Andrea Doria, le Valentinois envoie des messages aux diverses puissances pour les informer de ce qu'il a fait : il a été, affirme-t-il, obligé de se venger à l'avance d'une perfidie dont il devait être la victime. Il demande à chacun de rendre grâces à Dieu qu'il ait pu ainsi mettre fin aux calamités dont l'Italie avait souffert du fait de ces hommes malfaisants.

A coup sûr, il y a beaucoup de vérité dans ce jugement sur des aventuriers qui étaient véritablement gens de sac et de corde à l'exception peut-être de Vitellozzo qui n'avait agi, au départ, que pour venger son frère. Aussi ne faut-il pas s'étonner de voir un peu partout l'affaire de Sinigaglia provoquer l'admiration. En France, Charlotte d'Albret est horrifiée de l'acte de son mari, mais Louis XII juge que c'est « un haut fait digne d'un Romain ». La réussite est mise en général au compte de la bonne fortune de César, mais Machiavel, dont la légation touche à sa fin et qui a vécu, au côté de César, toutes les péripéties préalables, démontre, dans sa clairvoyante réflexion sur le piège de Sinigaglia, qu'il résulte du plus intelligent des calculs : il porte la marque du génie du Valentinois, sa *virtú*, faite d'intuition, de réflexion et de courage, et nullement embarrassée par de vulgaires scrupules. L'exécution des condottieres couronne une carrière où le crime n'a jamais été pratiqué qu'à des fins hautement politiques et pour un bien supérieur. Recevant le message du Valentinois, la marquise de Mantoue, Isabelle de Gonzague, s'empresse de répondre, le 15 janvier, par une lettre de félicitations et, ajoute-t-elle, « parce que nous pensons que, après la peine et la fatigue que vous avez subies dans cette glorieuse entreprise, vous pourriez peut-être souhaiter vous accorder un peu de récréation, j'ai pensé à vous envoyer un cent de masques par mon messager Giovanni ».

Occupation des terres des rebelles

Pourtant, le temps des réjouissances n'est pas encore venu pour César. Après l'arrestation des condottieres, il lui faut s'emparer de leurs possessions. Il prend la route de Città di Castello où il rétablit le pouvoir de l'Eglise romaine. Il pousse ensuite sur Pérouse où Giampaolo Baglioni a réuni Guidobaldo d'Urbin, Fabio Orsini, Annibale et Venanzio Varano, ainsi que le neveu de Vitelli. L'approche du duc suffit à disperser tout ce monde. Baglioni s'enfuit à Sienne auprès de Pandolfo Petrucci. Pérouse prête serment d'allégeance et César y installe comme représentant son secrétaire Agapito Gherardi pendant qu'il envoie un autre de ses fidèles occuper Fermo, débarrassée de la tyrannie d'Oliveretto.

Près de Pérouse, les soldats de César s'emparent de Penthésilée Baglioni, femme de Bartolomeo Alviano, condottiere de Venise. On l'enferme dans la forteresse de Todi avec ses enfants et ses suivantes, pour servir éventuellement d'otage, mais, à la suite de protestations reçues par le pape de l'ambassadeur vénitien, le Valentinois donne l'ordre de la libérer. Cet incident révèle son extraordinaire capacité à calculer les risques et les avantages d'une situation. Toujours il s'efforce de choisir le moment favorable pour agir. On en voit une autre preuve dans le traitement infligé aux deux Orsini faits prisonniers à Sinigaglia. Se dirigeant à travers le territoire de Pérouse vers Sienne, d'où il veut chasser Pandolfo Petrucci, César traîne avec lui le duc de Gravina et Paolo Orsini. Leur sort est plus délicat à régler que celui d'Oliveretto et de Vitellozzo. Ils ne peuvent être punis tant que le chef de leur famille, le cardinal Giambattista, demeure en liberté, et le pape tarde à s'emparer de lui.

Arrestation du cardinal Orsini
Exécution de ses parents

Le pape Alexandre joue en fait à merveille le rôle qui lui revient. Il invite le cardinal Orsini aux divertissements de fin d'année : banquets en compagnie de jolies femmes et défilés de masques, dont une brochette de trente travestis, affublés de nez « en forme de priapes », organes sexuels masculins. Rassuré sur son sort, Giambattista croit bon de féliciter le pontife pour la prise de Sinigaglia. Il se rend au Vatican et entre pour attendre le pape dans la chambre du Perroquet. Aussitôt il est arrêté et transporté prisonnier au château Saint-Ange. Avec lui sont incarcérés Rinaldo Orsini, archevêque de Florence, Bernardino Alviano, frère du fameux condottiere Bartolomeo et Giacomo Santa Croce, ami des Orsini, qui sera peu après libéré sous caution. Les biens du cardinal sont saisis Sa mère, une vieille femme de quatre-vingts ans, est chassée de son palais de Monte Giordano et jetée à la rue, sans rien d'autre que les vêtements qu'elle porte et deux servantes : personne ne veut se compromettre à lui donner asile. Ces mesures provoquent dans Rome une véritable panique : l'évêque de Chiusi en meurt d'effroi.

Averti de l'arrestation du cardinal, César fait aussitôt étrangler Paolo Orsini et le duc de Gravina. L'exécution a lieu, le 18 janvier, à Sartiano, près de Castel della Pieve. Le Valentinois s'enfonce ensuite dans le territoire de Sienne, mettant à mal les petites villes de Pienza, Chiusi, San Quirico. Le 27 janvier, il adresse un ultimatum aux Siennois, leur donne vingt-quatre heures pour chasser Petrucci et, effectivement, obtient gain de cause. Il peut repartir pour Rome, passe par Acquapendente, Montefiascone, Viterbe qu'il pille : il n'a aucun respect pour les biens de l'Eglise romaine et préfère donner satisfaction à ses soudards plutôt que provoquer des mutineries.

Campagne contre les Orsini

A Rome, Alexandre VI a envoyé Gioffré se saisir des biens des Orsini, mission que le jeune homme se montre incapable de mener à bien. Le pape souhaite que César prenne la relève et écrase cette fois les divers membres de la puissante famille et leurs alliés, notamment les Savelli, et parmi eux Silvio, le correspondant du mystérieux auteur du pamphlet contre les Borgia. Le plus puissant de ces seigneurs est Giangiordano Orsini, retranché dans son château de Bracciano. C'est par lui qu'il faudrait commencer. Mais César se dérobe à l'invite de son père car Giangiordano est l'ami du roi de France. Le Valentinois se prétend lié par le serment de l'ordre de Saint-Michel qui lui interdit d'attaquer un seigneur qui est son confrère. Il se dérobe encore quand Alexandre lui demande d'assiéger Pitigliano qui appartient au fameux condottiere Niccolo Orsini, autrefois capitaine général de l'Eglise et maintenant général de la République de Venise. Il sait qu'il lui faut être plus que jamais prudent : le roi de France vient de prendre l'initiative d'une ligue entre Sienne, Lucques, Florence et Bologne, destinée à borner l'ambition de César. Aussi le Valentinois s'en tient-il à ce qui lui semble possible : il décide d'assiéger la place de Ceri, située sur une petite colline à l'est de Cerveteri. Giulio Orsini, le frère du cardinal, en assure la défense au nom de Giovanni Orsini, le seigneur du lieu.

Mort tragique du cardinal Orsini

A ces atermoiements de César le pape répond par une rigueur accrue envers son prisonnier, le cardinal Giambattista Orsini. Au milieu des divertissements du carnaval, il reçoit la visite de la vieille mère du captif qui sollicite l'autorisation de préparer et servir elle-même la nourriture à son fils malade au château Saint-Ange : la pauvre femme se garde bien de dire qu'elle craint qu'on ne lui donne du poison. Pour acheter la permission qu'elle sollicite, elle fait remettre au pontife 2 000 ducats et une très belle perle par une maîtresse de son fils, qui vient au Vatican déguisée en cavalier. Mais il est trop tard pour prendre soin du prélat. Il s'éteint le 22 février. Comme le bruit court qu'il a bu du poison, Alexandre ordonne de transporter le corps vers sa sépulture, exposé dans une bière ouverte, pour que l'on puisse constater l'absence de ces taches que l'on croit habituelles en cas d'empoisonnement. Mais cette mise en scène et l'attestation des médecins, n'impressionnent guère l'opinion publique. On se souvient que le cardinal était considéré par les Borgia, avec Pandolfo Petrucci, comme l'âme de la conjuration des condottieres. En conséquence son élimination était un acte politique nécessaire. Le journal de Burckard s'arrête sur la dramatique mort du cardinal Orsini pour ne reprendre que six mois plus tard, le 12 août. Les dépêches des ambassadeurs et les chroniques permettent heureusement de combler cette fâcheuse lacune due sans doute à un voyage du cérémoniaire à Strasbourg. Des faits importants ne cessent en effet de se produire dans la Ville éternelle.

Dernières séquelles de la révolte des condottieres

Le siège de Ceri donne à César l'occasion de déployer un matériel nouveau, notamment des machines sophistiquées dessinées par Léonard de Vinci : balistes, passe-volants, catapultes, ainsi que des plates-formes inclinées permettant aux soldats d'accéder sans risque aux remparts. Le 6 avril, après un mois de siège, la place capitule par composition. Giulio Orsini reçoit un sauf-conduit pour se retirer avec ses soldats à Pitigliano.

Au nord de Rome, les troupes du pape s'emparent des fiefs des Savelli et notamment de Palombara qui, sur un sommet isolé en avant du Monte Gennaro, garde l'entrée de la Sabine, non loin de la frontière du royaume de Naples. Silvio Savelli est ainsi mis hors d'état de nuire. Pour marquer la fin des hostilités, Alexandre se montre généreux : il reçoit à Rome

Giulio Orsini, venu en compagnie du Valentinois, et le traite honorablement. Malgré le sang répandu, la réconciliation prend corps dans l'intérêt futur de César.

Pendant qu'est réglé le sort des Orsini et de leurs alliés, le fils du pape, bien qu'absent, affermit son pouvoir en Romagne grâce à des commissaires spéciaux qu'il nomme dans chacune des villes. Le duché d'Urbin, où des rébellions éclatent çà et là, est placé sous la ferme autorité de Pedro Ramirez, un officier espagnol. Le Valentinois tire parti du désordre pour remettre en cause la convention conclue avec Guidobaldo : il fait attaquer les forteresses qui avaient été conservées par le duc déchu. Ottaviano Fregoso et Palmerio Tiberti assiègent Majuolo et San Leo pendant que Ugo de Moncada campe devant Cagli. Camerino est tenu en respect. Annibale et Venanzio Varano, qui auraient pu un jour s'échapper et tenter de reprendre la seigneurie de leur père, sont étranglés en février à Cattolica par un neveu de Michelotto Corella.

Préparatifs de l'intervention de César dans la guerre de Naples
Décès suspect du cardinal Michieli
Création de nouveaux cardinaux

La victoire complète qu'il a remportée sur ses ennemis rend César disponible pour répondre à l'appel de son allié le roi de France, qui subit de lourds revers dans le royaume de Naples. Stuart d'Aubigny, défait en Calabre, a été capturé par les Espagnols. Le duc de Nemours, battu à Cerignola le 28 avril 1503, s'est enfermé dans le Château-Neuf de Naples qui subit un long siège avant de se rendre, le 12 juin. Un peu plus au nord, les Français tiennent bon à Gaète. Louis XII envoie dans le royaume de Naples le marquis de Saluces pour dégager les places. Pendant ce temps il se prépare à attaquer Fontarabie, et même Barcelone et Valence. Il a donc besoin de l'intervention de tous ses alliés en Italie : il leur demande de se joindre à la nouvelle armée qu'il y envoie sous la conduite de M. de La Trémoille. Florence, Ferrare, Mantoue donnent tout de suite leur accord. Mais Alexandre VI et son fils hésitent. Cependant tout est prêt pour que César puisse participer à la nouvelle campagne de Naples. Son père y a veillé. Il s'est procuré l'argent nécessaire par ses procédés habituels. En mars il a créé huit nouveaux postes de dignitaires au Vatican, en exigeant le versement de 760 ducats par chaque candidat. Michelotto a recensé un certain nombre de soi-disant marranes susceptibles de payer de lourdes amendes. Le 10 avril, à la mort du cardinal vénitien Giovanni Michieli, le pontife a fait saisir toute sa fortune, soit 150 000 ducats, ainsi que nombre d'objets précieux et une fort belle vaisselle d'argent. Cette mort a tout de suite été jugée suspecte car le cardinal n'avait été malade que deux jours et sa maladie avait été accompagnée de violents vomissements. A cette occasion l'ambassadeur Giustiniani écrivit au Conseil des Dix : « C'est l'habitude du pape d'engraisser ses cardinaux avant de les empoisonner pour hériter de leurs biens. »

Plus que pour d'autres morts rapides et utiles pour le pape, on a quelques présomptions que le décès de Michieli a été provoqué par le poison. En 1504, sous Jules II, le secrétaire du cardinal, Asquinio de Collorado, condamné à mort, avouera avant d'être exécuté, avoir administré du poison à Michieli sur l'ordre d'Alexandre et du Valentinois. Mais ces déclarations arrachées par la torture ou par de fausses promesses doivent être reçues avec précaution. L'art de la fabrication des poisons n'était guère au point : les mélanges réunissaient des substances vénéneuses qui, ayant longuement macéré ou ayant été portées à ébullition, perdaient la plupart du temps leurs propriétés nocives. Il n'est certes pas exclu que les Borgia aient employé la poudre verte de cantharide (*cantarella*) ou la poudre blanche (arsenic), administrées soit par forte dose ou comme poison lent, mais le nombre des cas dans lesquels ils réussirent ne peut pas avoir été très important. Il était plus sûr d'étrangler ou de percer de coups de dague l'individu que l'on souhaitait éliminer.

L'argent du riche cardinal vénitien ne suffisant pas, le pape crée, le 31 mai, neuf nouveaux cardinaux. Ce sont, tout d'abord, ses familiers : le protonotaire Juan Castelar, évêque de Trani ; le gouverneur de Rome Francisco Remolines,

évêque de Sorrente ; Giacomo Casanova, secrétaire et chambellan du pape, et Francisco Loriz, évêque d'Elne et futur
patriarche de Constantinople. Les cinq autres promus appartiennent aux grandes puissances amies des Borgia. Ce sont
François Soderini, évêque de Volterra ; Melchior de Meckau,
évêque de Bressanone (ou Brixen) dans le Tyrol ; Nicolas de
Flisco, évêque de Fréjus en Provence ; l'évêque de Leon en
Espagne, Francisco de Sprats et le protonotaire Adrien
Castellesi de Corneto, évêque de Hereford en Angleterre,
puis de Bath et Wells. Cinq d'entre eux sont espagnols,
dont deux parents du pape et un ami de jeunesse de César,
Francisco Remolines. L'évêque de Volterra, venu en légation
auprès du Valentinois, est le frère du gonfalonier à vie de
Florence. Les nouveaux princes de l'Eglise ont, estime-t-on,
payé de 120 à 130 000 ducats pour leurs chapeaux rouges.

Que pouvait-on faire de tout cet argent ? Lever de nouvelles
troupes ; les habiller d'uniformes rouge et jaune avec le nom
de César brodé sur la poitrine et le dos ; les faire défiler devant
le pape : c'est le plaisir que le Valentinois donne à son père en
avril en présentant sous les fenêtres du Vatican cinq cents
hommes de ce corps d'élite. Mais César n'est pas disposé à les
envoyer lutter au côté des Français. Il estime que Louis XII
est maintenant en mauvaise posture et il prépare son rapprochement avec l'Aragon par des entretiens cachés avec Gonzalve de Cordoue. Le secrétaire particulier du pape, Francesco Troches, qui est au courant de ces tractations, furieux de
n'avoir point été créé cardinal, s'enfuit de Rome à la mi-mai,
sans doute pour livrer ces secrets au roi de France. Rattrapé
sur un navire en route vers la Corse, il est ramené à Rome et
secrètement étranglé, non sans avoir eu auparavant une heure
d'entretien avec César dans une prison du Transtévère.

La rumeur ne tarde pas à se répandre de la perfidie du
Valentinois à l'égard de la France. Mais Alexandre y oppose
le meilleur des démentis en annonçant au consistoire, le
28 juillet, que César va rejoindre l'armée française à Naples
avec cinq cents cavaliers et deux mille fantassins.

Le souper dans la vigne du cardinal de Corneto
Maladie et mort du pape

La veille du jour fixé pour le départ de César pour Naples, le soir du 5 août, le pape et son fils vont souper dans la vigne d'Adrien Castellesi de Corneto, érudit et humaniste récemment nommé cardinal. Ils s'attardent à jouir de la fraîcheur de la nuit, ce qui est fort imprudent car la malaria frappe les Romains et autour du pape les victimes sont déjà nombreuses. Rodrigue, petit-neveu du pontife qui commande sa garde, homme de forte corpulence, tombe victime de l'épidémie. La malaria emporte aussi Jean Borgia, le cardinal-archevêque de Monreale, qui est obèse. Alexandre, regardant tristement les convois funèbres de sa fenêtre, confie à l'ambassadeur Antonio Giustiniani que « le mois est mauvais pour les gens gras » : il fait le rapprochement avec lui-même. C'est alors qu'un hibou vient s'abattre à ses pieds : « Mauvais présage, c'est un mauvais présage ! » s'écrit-il avant de se retirer dans sa chambre. Les suites du banquet chez le cardinal de Corneto devaient réaliser ce présage. Dans la semaine qui suit ces agapes, Alexandre et son fils ne se sentent pas bien. Le 11 août suivant, lors du service célébré pour l'anniversaire de son élection pontificale, tous les ambassadeurs notent l'agitation du pape. Le Valentinois remet son départ. Le 12, Alexandre est pris d'une violente fièvre. Il vomit de la bile. Le 15, on le saigne : Burckard note qu'on lui tire treize onces de sang, volume considérable s'agissant d'un homme de soixante-douze ans. Légèrement soulagé, il demande à quelques cardinaux de venir auprès de son lit pour jouer aux cartes. Son médecin fidèle, l'évêque de Venosa, le veille jour et nuit.

César, alité dans son appartement, subit lui aussi les attaques de la fièvre tierce. Il souffre violemment de l'estomac et vomit. Pour éteindre sa fièvre on le plonge dans une jarre d'huile remplie d'eau glacée, ce qui lui fait tomber la peau sur tout le corps. Il semble se remettre mais l'état du pape empire le 17 août. Le 18, on n'a plus d'espoir de sauver le Saint-Père Le vieillard se confesse à l'évêque de Carinola, son compatriote de Valence, Pedro Gamboa. Il reçoit l'extrême-onction. Burckard note qu'il ne demande à voir ni César, ni Lucrèce, ni Gioffré. Peut-être, sur son lit de mort, s'efforce-t-il, par piété et crainte du Juge éternel, d'écarter de sa pensée ceux pour qui il a si passionnément œuvré, faisant passer leur bien avant celui de la Chrétienté... Vers l'heure des vêpres, Alexandre VI rend le dernier soupir.

Averti de la mort de son père, César, toujours alité, donne ses ordres à Michelotto Corella qui oblige, sous la menace, le cardinal camerlingue Giacomo Casanova à lui remettre les clés du trésor pontifical : il s'empare de 200 000 ducats d'argenterie et de bijoux ainsi que de deux coffrets contenant 100 000 ducats en or. Les serviteurs du palais saccagent, suivant la coutume, les appartements pontificaux.

Un spectacle diabolique

Pendant que voleurs et sacrilèges se livrent au pillage, Burckard habille le corps qu'il fait porter dans la chambre du Perroquet, mais il ne se trouve personne pour le veiller et réciter l'office des morts. Le lendemain le cadavre est déposé sur une civière derrière la balustrade du maître-autel de Saint-Pierre. Le visage est noirâtre et gonflé. La langue dont le volume a doublé, sort de la bouche. « C'était un spectacle hideux », écrit Burckard. « Il est monstrueux et horrible, noir comme le diable », note de son côté Giustiniani. On se met à murmurer des histoires horrifiques. Le démon serait venu dans la chambre mortuaire, sous la forme d'un singe, chercher l'âme du pape.

Le marquis François de Gonzague, qui se trouve alors à Viterbe avec les troupes qu'il commande pour le roi de France, rapporte les bruits les plus invraisemblables, le 22 septembre, à son épouse Isabelle : « Tandis que le pape était malade, il commença à parler de telle sorte que ceux qui ne comprenaient pas ce qu'il disait pensaient qu'il délirait, bien qu'il fût tout à fait lucide. Il criait : " Je vais venir, c'est juste, mais attends encore un peu ! " Ceux qui étaient dans le secret racontèrent qu'après la mort d'Innocent pendant le conclave, il avait fait un pacte avec le Diable, achetant la papauté contre la promesse de son âme. Entre autres conditions, il avait été stipulé qu'il devait vivre pour profiter du trône de Saint-Pierre pendant douze ans, ce qu'il fit avec addition de quatre jours. On dit qu'il vit sept diables dans la chambre quand il fut sur le point de mourir. Quand il fut mort, le corps commença à bouillir et la bouche à écumer comme un chaudron sur le feu, et cela dura aussi longtemps qu'il fut hors de terre. Il gonfla aussi de façon extraordinaire, cessant d'avoir forme humaine, et il n'y avait aucune différence entre la longueur et la largeur du cadavre. »

Cependant, dans la chaleur d'août, la dépouille se décompose rapidement. Le soir du 19 il faut l'enterrer provisoirement dans la chapelle des Fièvres. Six portefaix y amènent le corps et s'efforcent de l'enfermer dans un cercueil qui se révèle trop petit. Les porteurs, aidés de deux charpentiers, font sauter la mitre qui les gêne, couvrent le cadavre d'un vieux drap et l'obligent à entrer dans la boîte à coups de poing. Pas un cierge n'est allumé, aucun prêtre n'assiste à ce barbare ensevelissement. Dans la lettre qu'il adresse à son épouse, François de Gonzague note qu'on avait fait à Mantoue un enterrement plus honorable pour la femme naine d'un estropié boiteux !

Les diverses phases de la maladie du pape et l'aspect de son cadavre semblent alors autant d'indices d'empoisonnement. La rumeur court la ville. On remarque qu'Adrien de Corneto et ses autres invités, dont trois cardinaux, ont également été malades. On en déduit qu'ils ont absorbé eux aussi du poison. Pierre Martyr d'Anghiera, qui séjourne en Espagne, raconte, comme s'il y avait assisté, la scène du banquet fatal et le remède fantastique que le médecin Torrella aurait imposé à César : se plonger dans les entrailles palpitantes d'une mule éventrée ! Paul Jove reprend le récit du banquet et change simplement le remède en parlant d'immersion dans de l'eau glacée. Guichardin et, après lui, la plupart des historiens répètent la même fable : en accord avec le pape, César aurait envoyé au cardinal de Corneto du vin empoisonné qui ne devait être servi qu'à leur hôte et qui, par inadvertance du sommelier, avait au contraire été versé à tous. Selon une autre version, Adrien de Corneto aurait lui-même empoisonné le pape : sur la base de ce soupçon, il sera plus tard privé de la pourpre cardinalice par Léon X.

Au xxe siècle, Portigliotti reprit de plus belle la thèse de l'empoisonnement. La *cantarella* aurait été responsable de la mort du pape. Il l'identifiait comme étant de l'arsenic : or l'arsenic préserve les cadavres de la décomposition. La dégradation rapide du corps du pape prouverait donc que le poison, si poison il y eut, n'avait pas été le fameux poison des Borgia. L'hypothèse d'une épidémie de malaria, associée sans doute à l'indigestion de plats mal préparés, semble plus plausible pour expliquer la maladie du pape et celle de la plupart des convives du fameux banquet.

Le mauvais sort frappait à l'improviste César. Privé de l'appui pontifical, se trouvant entouré de tous ses ennemis, incapable à cause de sa maladie de prendre des initiatives, il voyait s'évanouir ses belles espérances. La chance qui l'avait élevé au rang de souverain le précipitait dans l'abîme du néant. Sa devise orgueilleuse *Aut Caesar, aut nihil*, « César ou rien » semblait plus que jamais préfigurer son destin.

TROISIÈME PARTIE

Les lueurs du couchant

CHAPITRE PREMIER

Le fauve solitaire

Les troubles de Rome

Dans ses appartements du Vatican, situés au-dessus des chambres pontificales désertées, le duc de Valentinois et des Romagnes gît misérablement, accablé par la fièvre et par le désespoir qui lui torture l'âme devant la catastrophe inattendue qui le frappe. Non qu'il ait omis d'envisager l'éventualité de la mort de son père : au contraire, il l'avait prise en considération et avait dressé en conséquence ses plans d'avenir, comme il le confia à Machiavel un mois plus tard. Mais il n'avait pas prévu que le jour où son père mourrait, il serait lui aussi sur le point de périr.

Quels étaient les plans de César ? Nous n'avons guère d'indices à ce sujet. Peut-être avait-il l'intention de se faire octroyer à titre héréditaire une sorte de vicariat laïc du Saint-Siège sous la forme d'une royauté feudataire, semblable à celle de Naples. Elle aurait réuni la Romagne, les Marches et le duché d'Urbin récemment conquis. Mais ce calcul était irréaliste. A la haine des seigneurs dépossédés, s'ajoutait la crainte des grandes puissances, Florence, Venise et la France, peu désireuses de pérenniser le pouvoir d'un nouveau prince remuant, toujours avide d'expansion.

Pour le moment, la nouvelle de la mort d'Alexandre agite les Romains qui répandent dans la ville pamphlets et libelles au contenu injurieux contre le défunt et sa famille. Au loin,

Città di Castello, Pérouse, Urbin, Camerino, Piombino, voient se déchaîner des mouvements populaires contre les représentants de César. Mais c'est surtout dans la campagne romaine que se manifeste une opposition violente suscitée par les Orsini et les Colonna. Les Orsini accourent de toutes parts et réoccupent leurs terres. Silvio Savelli reprend possession de son palais romain. Il ouvre les prisons et en fait sortir les captifs que les Borgia y ont enfermés. Prospero Colonna arrive du royaume de Naples à marche forcée.

Pour essayer de dominer la situation, le Valentinois tente d'empêcher ses ennemis de faire front commun. Sur le conseil de son secrétaire Agapito il rappelle à Prospero Colonna un arrangement convenu précédemment et fondé sur le mariage du petit duc de Sermoneta, Rodrigue Borgia, fils de Lucrèce, avec une Colonna. Par contre, nul accommodement n'est possible avec les Orsini qui agitent le peuple : aussi Michelotto Corella, pour leur donner un avertissement, fait-il mettre le feu à leur palais de Monte Giordano. César, capitaine général de l'Eglise, dispose au Borgo d'une armée de douze mille hommes. Certes, il peut prendre des initiatives. Mais la vacance du Saint-Siège entraîne automatiquement le transfert du pouvoir au Collège des cardinaux. Le lendemain de la mort du pape, dix-neuf d'entre eux se réunissent dans l'église de la Minerve : le gouverneur du château Saint-Ange, l'Espagnol Francisco de Roccamura, évêque de Nicastro, vient les assurer de son obéissance. Il fait tirer au canon pour dégager le pont Saint-Ange des soldats espagnols qui l'occupent. Le conseil des cardinaux est pourtant favorable à César dans sa majorité. Le 22 août, le Valentinois est confirmé dans ses dignités. Il est chargé de la sécurité publique jusqu'à l'élection du nouveau pontife. Des messages sont adressés aux barons romains pour les prier, suivant la coutume, de se retirer de Rome pendant la tenue du conclave prochain. Mais les événements se précipitent. Le même jour, Prospero Colonna fait son entrée à Rome et s'installe dans le palais dont il a été banni depuis si longtemps. Le soir, le Capitole est illuminé par les clients des Colonna. Les quartiers traditionnellement fidèles à leur famille retentissent de cris de joie. Les Orsini, bien entendu, se portent immédiatement vers la partie de la ville qui leur est dévouée. Ils occupent avec deux mille hommes les environs de la porte San Pancrazio. De là ils malmènent les partisans des Borgia, et mettent le feu à une centaine de maisons d'Espagnols.

Heureusement, le 1er septembre, sans doute parce qu'elles constatent que leurs forces s'équilibrent, les diverses factions prennent le parti d'obéir au Sacré Collège. Les troupes armées s'éloignent au-delà d'une vingtaine de kilomètres de Rome. L'armée des Français, en route pour Naples, s'engage à ne point descendre des collines qu'elle occupe.

Retraite de César
Le premier conclave de 1503
Election de Pie III

César essaie de rester à Rome en prétextant de sa mauvaise santé mais, pour ne pas indisposer les cardinaux, il se résigne à quitter la ville le 2 septembre. Sa sortie s'effectue, comme d'habitude, avec magnificence. Treize chariots portent ses canons et ses bombardes. Cent fourgons sont chargés de ses bagages. Escorté par sa cavalerie, lui-même a pris place dans une litière tendue d'étoffe cramoisie portée par douze hallebardiers. Faible, émacié, le visage violacé et couvert de pustules, on ne reconnaît plus en lui le bel athlète blond qui naguère défiait les taureaux et les lutteurs de Romagne. Il conserve du moins le clinquant et le panache de sa dignité. Derrière lui, conduit par un page, vient son cheval de bataille, revêtu d'un caparaçon de velours noir et or, brodé à ses armes surmontées de la couronne ducale. Les ambassadeurs de la France et de l'Espagne lui font cortège. Il est accompagné de sa mère, Vannozza Cattanei, et de son frère Gioffré. Sancia a été extraite du château Saint-Ange et remise à Prospero Colonna qui doit la conduire au royaume de Naples.

Ayant superbement refusé d'accorder une audience au cardinal Cesarini à la porte de Rome, César gagne Népi, fief de sa famille, où il se tient étroitement informé de ce qui se passe dans la Ville éternelle. Il a fait promettre par serment aux onze cardinaux espagnols de voter suivant ses indications. L'arrivée des princes de l'Eglise s'échelonne du 30 août au 10 septembre, pendant que l'on célèbre durant neuf jours, jusqu'au 13, les cérémonies rituelles des funérailles pontificales. Les derniers venus, le 10, sont Georges d'Amboise, cardinal de Rouen, Ascanio Sforza qui a été libéré par Louis XII contre la promesse de voter pour Amboise, et enfin Louis d'Aragon, très lié avec Ascanio Sforza. Le roi de France a conclu secrètement un accord avec César le 1er septembre : le Valentinois a promis de servir Louis XII contre n'importe qui, sauf l'Eglise, et de lui obéir comme un vassal ; en contrepartie, le souverain s'est engagé à aider le Valentinois à reconquérir les territoires qu'il pourrait perdre à la suite de la mort d'Alexandre VI. Les Français se croient assurés du vote des onze cardinaux espagnols. C'est compter sans le désir quasi unanime, des vingt-deux cardinaux italiens (sur trente-sept participants au vote — chiffre jamais atteint lors des élections précédentes) : ils souhaitent voir élire l'un de leurs compatriotes mais diverses factions les divisent, au grand dam de Julien della Rovere qui, revenu à Rome au bout de dix années d'exil, espère bien tirer profit de la conjoncture, « pour le bien de la religion et la paix de l'Italie », comme il le confie à l'ambassadeur de Venise.

Eloignés de César, les cardinaux espagnols se donnent un chef en la personne de Bernardino de Carvajal. Il est maintenant fort improbable qu'ils votent pour le cardinal d'Amboise. On s'en aperçoit lors des scrutins du 21 septembre : Carvajal obtient douze voix et Amboise treize, mais Julien della Rovere en a quinze, Carafa quatorze et Riario huit. Georges d'Amboise se rend compte qu'il n'a aucune chance d'être élu. Le soir même, avec Ascanio Sforza et les cardinaux florentins Soderini et Médicis, s'étant assuré l'accord des cardinaux espagnols, il met en avant le nom du cardinal Francesco Piccolomini-Todeschini, un octogénaire infirme qui ne semble pas devoir vivre longtemps. Ce pape de transition est élu le lendemain, 22 septembre, à l'unanimité, moins sa propre voix : il prend, en mémoire de son oncle, le nom de Pie III.

Un pontificat de vingt-sept jours

Le nouveau pape devait indirectement son élection au Valentinois. Il le reconnut en venant au secours de César dont les territoires subissaient partout les attaques de ses ennemis. Pendant les funérailles d'Alexandre et les travaux du conclave, les Vénitiens avaient fourni des troupes à Guido-baldo de Montefeltre et lui avaient permis de se rendre maître, le 24 septembre, de la forteresse de San Leo : il était sur le point de chasser Pedro Ramirez, qui tenait Urbin au nom de César. Les Florentins, de leur côté, avaient aidé Giampaolo Baglioni à faire déguerpir de Magione les partisans du Valentinois et Giacomo Appiano à rentrer à Piombino. Baglioni avançait sur Camerino en compagnie du dernier survivant des Varano. Les Vitelli, réinstallés à Città di Castello, célébraient leur retour en portant en triomphe dans les rues un veau d'or pour effacer le souvenir du taureau rouge des Borgia. Sur la côte de l'Adriatique, Bartolomeo Alviano avait rétabli Pandolfo Malatesta à Rimini et Giovanni Sforza à Pesaro. Heureusement Cesena, solidement fortifiée, pouvait tenir bon, protégée par l'armée de Dionigi di Naldo, forte d'un millier de vétérans.

C'est dans ce triste contexte que Pie III accorda à César, à la demande des cardinaux espagnols, la permission de rentrer à Rome. Le 3 octobre, le duc est accueilli par les cardinaux d'Amboise, d'Albret, Sforza et San Severino. Il n'est accompagné que de cinq cents fantassins et cent cinquante chevaux. Il a envoyé le reste de ses soldats à Louis XII pour participer à la campagne de Naples. Encore miné par la fièvre, il reçoit l'ambassadeur vénitien Giustiniani venu le visiter dans son palais de San Clemente. Malgré sa faiblesse physique, il se montre plus optimiste que jamais, parle avec arrogance et assure qu'il va rentrer bientôt en possession de tous ses Etats et dignités. Peu après, en effet, une bulle en date du 8 octobre le confirme dans la charge de vicaire de l'Eglise et de gonfalonier. Le 12, les diverses villes de Romagne lui renouvellent leur serment. Le 13, Pie III envoie un bref à Florence : il demande qu'on laisse libre passage au Valentinois pour aller châtier les tyrans qui ont repris pied dans ses territoires. Mais, le 14 octobre, la chance de César tourne : Gonzalve de Cordoue fait proclamer dans Rome, à son de trompe, un édit qui défend aux capitaines espagnols de servir sous la bannière de César et leur enjoint de se rallier à lui pour arrêter Louis XII dans sa marche sur Naples. Obéissant à l'appel, les soldats de César le quittent en grand nombre, tel Ugo de Moncada, appelé à devenir plus tard l'un des meilleurs généraux de Charles Quint. Un traité secret a été conclu par l'Espagne avec Alviano, Baglioni et les Orsini pour s'emparer de la personne du duc ou le poursuivre « jusqu'à la mort ». Averti, César cherche à s'échapper de Rome le 15 octobre. Deux de ses compagnies ayant déserté, c'est seulement avec soixante-dix chevau-légers qu'il se heurte aux Orsini qui gardent la porte du Verger. On le poursuit jusqu'au Vatican où, menacé d'être assiégé, il estime plus prudent de se rendre par le passage couvert au château Saint-Ange. Il amène avec lui les deux « infants romains », Rodrigue et Jean, ainsi que ses propres enfants illégitimes, Girolamo et Camilla. Les Orsini et Alviano mettent à sac son palais. Heureusement, César a pris la précaution de le vider de ses objets précieux qu'il a confiés au cardinal d'Este pour les porter à Ferrare. Contre les troupes qui cernent le château Saint-Ange, il appelle au secours Michelotto et Taddeo della Volpe, le chef du contingent qu'il a envoyé aux Français : Taddeo parvient à franchir le pont Saint-Ange en repoussant les Orsini et rejoint son maître. Rien n'est encore perdu, semble-t-il.

Or, à ce moment crucial, le principal soutien de César lui fait défaut. La santé de Pie III décline rapidement depuis une malencontreuse intervention chirurgicale subie le 27 septembre : le chirurgien Ludovico de San Miniato avait pratiqué deux douloureuses incisions sur la jambe gauche du pontife sans reconnaître la nature du mal, un ulcère au tibia gauche. La fièvre, provoquée par l'infection, ne peut être conjurée. Ayant reçu l'extrême-onction dans la nuit du 17 octobre, le vieillard s'éteint le lendemain, après vingt-sept jours de pontificat.

Le second conclave de 1503
Election de Jules II

Tout de suite après la mort du pape les marchandages reprennent leur cours. Cette fois Julien della Rovere est bien décidé à s'imposer. César croit un moment pouvoir l'en empêcher. Le 26 octobre, il accueille au château Saint-Ange Machiavel, envoyé en mission par Florence pour observer la situation à Rome au moment du nouveau conclave. Il lui déclare qu'il va, avec les voix espagnoles, s'efforcer de faire élire Georges d'Amboise. Mais c'est une fanfaronnade. Le cardinal d'Amboise se rend compte lui-même que sa candidature rencontre une trop forte opposition italienne et espagnole. Il se rallie à la candidature de Julien della Rovere que son long séjour en France, au temps de son exil sous Alexandre VI, peut faire passer pour favorable aux Français. Le 29 octobre, Julien signe un traité avec César et les cardinaux espagnols. Il promet, quand il sera élu, de confirmer le Valentinois dans sa charge de gonfalonier de l'Eglise et capitaine général, de le favoriser et confirmer dans la possession de ses Etats, à charge pour César de se tenir pleinement à sa disposition. Machiavel est consterné d'apprendre que le Valentinois, contre de simples promesses, a assuré à Julien les votes des cardinaux de son parti. Dès ce moment l'élection du cardinal della Rovere semble pratiquement acquise.

Le conclave s'ouvre le 31 octobre. Chacun des trente-huit cardinaux s'engage, s'il est élu, à respecter les termes d'une « capitulation » qui soumet les actes du futur pontife à la sanction de la majorité des membres du Sacré Collège. Julien della Rovere dit à l'ambassadeur de Venise ce qu'il pense, pour sa part, de cet engagement forcé : « Vous voyez le misérable état auquel nous a réduits la charogne laissée par Alexandre VI, grâce au nombre des cardinaux. La nécessité force les hommes à faire ce qu'ils détestent quand ils dépendent des autres, mais, une fois libres, ils agissent différemment ! » Il importe avant tout de gagner ; et le cardinal de Saint-Pierre-aux-Liens ne ménage ni les serments, ni les promesses de dignités et bénéfices, comme l'avait fait son prédécesseur.

A la première heure de la nuit, la majorité des cardinaux vient saluer dans sa chambre le cardinal della Rovere comme le futur pape. Le cérémoniaire Burckard révèle alors combien il a partie liée avec Julien della Rovere : il présente son hommage à celui dont il a toujours secrètement soutenu les intérêts contre les Borgia. En récompense il obtient la promesse de l'évêché d'Orta qui sera assortie du don d'une mule harnachée, d'une cape et d'un rochet, afin qu'il tienne dignement son rang d'évêque ! Le 1er novembre, le scrutin n'est plus qu'une formalité. Le cardinal de Saint-Pierre-aux-Liens est élu au premier tour. Il prend le nom de Jules II, plus par référence à Jules César qu'à l'obscur pontife du nom de Jules Ier. On voit à plusieurs signes qu'il a depuis longtemps préparé son pontificat. A peine installé sur son trône, il se fait apporter l'anneau pontifical du Pêcheur déjà gravé à son nom. Le lendemain matin ses armoiries déjà peintes sont placées un peu partout dans la ville. Il distribue les faveurs promises, crée quatre nouveaux cardinaux à sa dévotion et comble le fidèle Burckard : en plus de l'évêché d'Orta il lui confère celui de Civita Castellana, en lui conservant bien sûr son office et ses copieux bénéfices !

Ayant passé de peu la soixantaine — il est né en 1443 — et surmonté de nombreuses épreuves — y compris les attaques de la goutte et du « mal français », c'est un rude adversaire que va trouver le Valentinois en ce pontife qu'on surnommera « le Terrible ».

Les tromperies de Jules II
La saisie des places de Romagne
Arrestation de César

Rien ne semble tout d'abord annoncer un quelconque conflit entre les deux hommes. César est confiant dans les promesses du pape. Il croit, note Machiavel très étonné, « que la parole d'autrui sera mieux tenue que la sienne propre ». Le 3 novembre, sur l'invitation de Jules II, il quitte le château Saint-Ange : il vient loger au Vatican dans un appartement de neuf chambres que le pape lui a attribué au-dessus de la salle des audiences. Chaque soir, dit-on, le duc et le pontife bavardent amicalement ensemble. Ils envisagent une union de famille : la fille de César, Louise, épouserait, au lieu du fils du marquis de Mantoue, le neveu du pape, Francesco Maria della Rovere, jeune seigneur de Sinigaglia. Le Valentinois croit à la sincérité du Saint-Père, car de tous les bâtards qu'il a eus ne subsiste qu'une fille, Felicia della Rovere — Raffaello, le dernier des garçons, étant mort un an auparavant — et Jules II a reporté toute son affection filiale sur son neveu.

Le duc a reçu pour sa sûreté la ville d'Ostie, où des bâtiments armés sont amarrés dans le port. Il attend d'être nommé gonfalonier du Saint-Siège avant de s'embarquer pour Gênes. Il veut y récupérer un capital de 200 000 ducats que gardent pour lui des banquiers : il destine cette somme à lever en Lombardie les mercenaires qui rétabliront son pouvoir dans son duché de Romagne.

La conjoncture internationale est favorable à cette intervention. Français et Espagnols s'affrontent sur le Garigliano, laissant le champ libre à César pour arrêter les progrès des Vénitiens en Romagne. Le 3 novembre, le pontife publie des brefs destinés aux villes du duché du Valentinois : il leur ordonne de rentrer dans l'obéissance. Il demande aux Florentins de donner un sauf-conduit au duc pour qu'il puisse traverser la Toscane avec son armée. Il se montre en apparence fidèle à sa promesse de rétablir le Valentinois dans ses possessions. Mais la réalité est tout autre. Il l'avoue sans ambages à Machiavel. Ce qui lui importe c'est d'éliminer les Vénitiens. Il ne peut le faire qu'avec les troupes de César, mais il a l'intention de se débarrasser de lui lorsque le terrain aura été déblayé. Il veut rétablir en Romagne la seule domination du Saint-Siège. Averti de ces intentions, Machiavel conseille à la seigneurie florentine de surseoir à l'expédition du sauf-conduit destiné à César. Le pape a d'ailleurs laissé entendre qu'il pourrait peut-être se servir du capitaine du Valentinois resté en Romagne, Dionigi di Naldo, qu'il essaie d'attirer à son service.

Le 10 novembre, le pontife tient le même langage à Giustiniani, ambassadeur de Venise. S'il veut que la Sérénissime abandonne ses entreprises en Romagne, c'est pour y rétablir le pouvoir de Rome et nullement celui de César. Il précise avec fermeté ce qu'il compte faire à l'égard du Valentinois : « Encore que nous lui ayons promis quelque chose, nous ne comptons pas que notre promesse aille au-delà de la conservation de sa vie, de son argent et de ce qu'il a volé, dont la plus grande partie a été dissipée. Nous avons l'intention que ses Etats fassent retour à l'Eglise et nous souhaitons avoir l'honneur de recouvrer ce que nos prédécesseurs ont aliéné à tort. »

Mais la Sérénissime ne tient aucun compte de cet avertissement. Ses troupes continuent de progresser vers Faenza et Machiavel, effrayé, montre au pape que, s'il n'agit pas, il va être réduit à n'être que « l'aumônier des Vénitiens ». Jules II se sert habilement de cette conjoncture pour désorienter César. Alors que la situation empire dans la Romagne, le Valentinois reste sans directive du pape. Il attend dans le désœuvrement et bientôt l'angoisse un signal qui ne vient pas. Lui, si résolu d'ordinaire, semble avoir perdu son bon sens. « Il ne sait plus ce qu'il veut », d'après son cousin le cardinal-évêque d'Elne. Le cardinal florentin Soderini le trouve « changeant, hésitant et soupçonneux, incapable de prendre une décision ». C'est que, contrairement à ce qui se passait sous le règne de son père, il ignore le dessous des cartes. En vérité, le pape cherche à ruiner son énergie et à abattre sa résistance morale, tout en lui prodiguant des marques publiques de faveur et d'affection : le texte de ses brefs recommande aux Romagnols de lui rester fidèles et de l'aimer, comme il le fait lui-même, « à cause de ses vertus distinguées et de ses mérites exceptionnels ».

Bien qu'il s'efforce de rester patient, le refus du sauf-conduit de Florence fait sortir le Valentinois de sa réserve. Le 13 novembre, toujours confiant dans le soutien pontifical, il demande à Jules II de le laisser partir. A Ostie, il compte disposer de cinq galères qui le conduiront avec son état-major à Gênes d'où il pourra gagner la Romagne par Ferrare. Le 19, il quitte Rome, sans savoir que Jules II vient d'envoyer en Romagne une série de brefs fort différents de ceux du 3 novembre : le pape, jetant bas le masque, désapprouve ouvertement Alexandre VI d'avoir conféré à son fils le vicariat pontifical. Il exhorte toute la population à se rallier à la bannière de l'Eglise.

Le 22 novembre, au moment où il s'apprête à embarquer à Ostie, César voit arriver les cardinaux Remolines et Soderini qui lui ordonnent de la part du pape de livrer les mots de passe qui ouvrent les forteresses romagnoles. Le prétexte avancé est la nécessité d'organiser la résistance face aux Vénitiens avant l'arrivée du duc. César, offusqué par cette mesure qui ruine à l'avance son expédition, refuse. Aussitôt le capitaine de la flotte pontificale l'arrête en application d'ordres secrets donnés par Jules II. Le pape rompt le dernier engagement contenu dans le traité qu'il avait conclu avec César : le 24 novembre, il nomme un gouverneur de Romagne à sa dévotion. C'est Giovanni Sacchi, archevêque de Raguse. Cette mesure autoritaire met un terme définitif à l'existence de la Romagne comme duché indépendant. Les habitants de Cesena ne s'y trompent pas ; à la lecture de l'acte par Antonio del Monte, ils se soulèvent et hurlent qu'ils exigent le retour de leur duc.

Captivité du Valentinois à Rome

Le Valentinois, refusant toujours de donner les mots de passe, est ramené prisonnier à Rome le 29 novembre : il est enfermé au Vatican dans l'appartement du cardinal d'Amboise. Le même jour, à la requête du pape, Michelotto Corella, Taddeo della Volpe et les autres officiers du duc sont arrêtés en Toscane. Leurs troupes sont désarmées. Jules II fait mettre à la torture Michelotto « afin de découvrir toutes les cruautés, vols, meurtres, sacrilèges et autres crimes qui ont été commis contre Dieu et les hommes pendant les dix dernières années dans Rome ». L'homme de main de César prouve à cette occasion son extraordinaire sang-froid. N'ayant livré aucun renseignement de valeur, il n'est condamné qu'à l'emprisonnement : il sortira du cachot de la Torre di Nona en 1506 et sera, sur la recommandation de Machiavel, recruté par Florence afin de constituer dans cette ville une milice semblable à celle de Romagne.

Mis au courant de la torture et de l'interrogatoire infligés à son confident, César constate qu'il est trahi et que tout est perdu. Contraint de céder à l'inévitable, il donne au pape les mots de passe exigés. Pedro de Oviedo, son serviteur, accompagne Carlo de Moncalieri, camérier secret, chargé de prendre possession des forteresses. Forli, qui craint le retour des Riario, refuse de recevoir les émissaires. A Cesena, où les deux hommes parviennent avec peine à travers l'épaisse neige d'un rude hiver, Pedro Ramirez, le gouverneur de la *Rocca,* se saisit d'Oviedo et le fait pendre aux créneaux, comme traître et mauvais serviteur, sans lui permettre de se confesser.

Cette nouvelle met le pape en fureur. Il ordonne à Giorgio Costa, cardinal de Lisbonne, et à San Giorgio, cardinal d'Alexandrie, de s'emparer de César et de l'enfermer dans un cachot du château Saint-Ange. Une délégation des cardinaux espagnols, prévenus à la hâte, obtient à la place qu'on le transfère dans la tour Borgia du Vatican : on lui affecte les deux chambres qu'occupait Bisceglie lorsqu'il l'avait fait étrangler. L'ambassadeur Cattaneo rapporte que César verse des larmes pendant qu'on l'y mène.

Les cardinaux Francisco Remolines de Ilerda et Pier Luigi Borgia, archevêque de Valence, s'enfuient à Naples avec les deux « infants romains » et les enfants naturels du Valentinois. Ils vont demander à Gonzalve de Cordoue un sauf-conduit pour César au nom du Roi Catholique. Jules II, pendant ce temps, confisque tous les biens du duc. Il annonce qu'il va s'en servir pour dédommager ceux qui ont à se plaindre de lui. Guidobaldo d'Urbin demande une indemnité de 200 000 ducats, Florence, la même somme et les Riario, neveux du pape, 50 000 ducats. La ruine matérielle de César est consommée. Le duc d'Urbin, collectionneur passionné, veut avant tout récupérer sa belle bibliothèque. Le Valentinois se fait introduire auprès de lui, encadré par la garde pontificale. Il implore le pardon de sa victime. D'après le témoignage d'Ugolini, « il plonge dans deux révérences profondes en accusant sa jeunesse, les mauvais conseils qu'il avait reçus, les méchantes actions et le caractère entièrement perverti du pape et de ceux qui l'avaient poussé à l'entreprise. Il maudit la mémoire de son père. Il promet de rendre tout ce qu'il a pris à Urbin, à l'exception des tapisseries de l'*Histoire de Troie* qu'il a données au cardinal de Rouen. » Le spectacle est étrange pour qui a connu César, sa morgue et son orgueil au temps de sa splendeur. Mais il s'explique aisément lorsqu'on se souvient de la souplesse et du manque de scrupules du Valentinois : il prépare l'avenir car il croit que la fortune est volage et lui permettra de se rétablir, peut-être avec l'aide de son ancienne victime. Mais cette fois il se trompe : on ne fait que rire de lui.

C'est sans doute l'un des participants à cette séance humiliante du Vatican qui, peu après, met en scène à Urbin l'histoire des Borgia. La représentation — une véritable revue d'actualité à la gloire de Guidobaldo — aura lieu le 19 février suivant dans le palais d'Urbin. D'après la chronique d'Ugolini, les scènes montrent la conquête du duché d'Urbin, l'accueil courtois fait à Lucrèce sur le chemin de Ferrare, puis la surprise de Guidobaldo et sa retraite forcée. Un tableau au noir montre ensuite la mise à mort des condottieres à Sinigaglia et enfin la vengeance divine, la mort du pape Alexandre et la rentrée triomphale de Guidobaldo dans ses Etats. Cette tragi-comédie sans concession est l'une des premières expressions littéraires de la légende noire des Borgia. Elle prend la suite des pamphlets cruels qui se sont succédé durant tout le pontificat d'Alexandre VI, avec cette fois la volonté de stigmatiser à jamais la mémoire du pape et de sa famille.

Dans son malheur, le Valentinois a pourtant la satisfaction de reconnaître ses vrais amis. Quand Machiavel vient le visiter, il le trouve couché sur son lit, regardant en silence les gens de sa suite jouer aux échecs — comme Alexandre sur son lit de mort regardait les cardinaux jouer aux cartes. De temps en temps quelque cardinal espagnol vient s'entretenir avec lui. Giovanni Vera, son ancien précepteur, est l'un des plus fidèles. César commente les événements, se raille de ses ennemis avec une ironie mordante, rie de ceux qui ont peur de lui alors qu'il est malade et enchaîné. Ses partisans au loin lui restent souvent fidèles : son capitaine Taddeo della Volpe, prisonnier à Florence, refuse d'échanger sa liberté contre un engagement au service de la République ; son trésorier, Alessandro Francio, garde à sa disposition les 300 000 ducats qu'il avait placés dans des banques de Florence et Gênes. Mais ne pouvant, lui naguère si actif, ni bouger ni communiquer à l'extérieur, le duc s'étiole. « Peu à peu, il s'achemine au tombeau », écrit Machiavel à la seigneurie après la dernière visite qu'il lui rend.

Un compromis libérateur

La chance n'a pas dit son dernier mot. Le 3 janvier 1504, parvient au Vatican la nouvelle de la grande victoire de Gonzalve de Cordoue : le 28 décembre, il a contraint, à l'embouchure du Garigliano, les Français à faire retraite. Le 1er janvier 1504, Gaète, où ils s'étaient réfugiés, capitule. La nouvelle en vient, le 4, à Rome ainsi que celles de la fuite éperdue des Français et de la mort de Pierre de Médicis, noyé à la traversée du fleuve frontière. Ces événements qui assurent le pouvoir des Rois Catholiques sur Naples raffermissent le parti espagnol à Rome. Diego de Mendoza, ambassadeur d'Espagne, intercède en faveur du duc prisonnier. Un compromis est établi le 19 janvier : César renonce à ses prétentions sur son duché en échange de sa liberté ; il fera rendre sous quarante jours les places fortes de Romagne encore tenues par ses capitaines. Le 29, le pape signe l'acte. Le 14 février, il laisse partir le duc pour Ostie. Le Valentinois y séjournera jusqu'à l'accomplissement du traité sous la garde de Carvajal, cardinal de Santa Croce. L'attitude de Gonzalve de Miramonte, commandant la forteresse de Forli, provoque une dernière difficulté : il demande au pape une indemnité de 15 000 ducats pour lui remettre la place. Le 6 avril, César s'engage à verser lui-même l'argent demandé. Il fait remarquer que rien n'empêche plus sa libération et son départ prévu pour la France à bord des galères pontificales qui sont à quai. Mais aucun ordre ne vient de Rome. Aussi, Carvajal, inquiet des desseins cachés que le pape peut nourrir à l'égard de César, prend la responsabilité de le libérer le 26 avril après lui avoir fait signer l'engagement de ne jamais porter les armes contre Jules II.

César à Naples
Nouvelle captivité au Château-Neuf

Gonzalve de Cordoue avait envoyé à Ostie trois galères et une fuste, bâtiment à rames léger, avec un sauf-conduit pour le royaume de Naples. César n'hésite pas. Il s'embarque et il est rapidement transporté jusqu'à Ardea. Débarquant ses chevaux, il gagne Naples par la plage. Le 28 avril, ses amis et ses parents l'accueillent à bras ouverts. Il y a là les cardinaux Borgia et Loriz, Gioffré de Squillace et sa femme Sancia — qui vit dans son propre palais, séparée de son mari et que César essaiera vainement de réconcilier avec son époux. Gonzalve reçoit César au Château-Neuf. Il lui fait part d'un projet qu'il avait monté contre Florence avec le défunt Pierre de Médicis. César pourrait participer à cette expédition en la faisant bénéficier de ses amitiés et son influence à Pise, Sienne et Piombino. Le Valentinois accepte volontiers : il aura ainsi la possibilité de se venger des Florentins dont il s'aperçoit maintenant qu'ils l'ont constamment trompé. Il se met à rassembler une petite armée. Il envoie même Baldassare da Scipione, son capitaine, lever des hommes d'armes à Rome. Il est décidé à passer ensuite de Toscane en Romagne sans observer le serment que le cardinal de Carvajal lui a fait prêter à Ostie. Mais Jules II veille. Avisé des intentions de César, il se plaint au Roi Catholique de ce que le Valentinois a failli à ses promesses : la forteresse de Forli ne s'est pas encore rendue comme promis. Le roi Ferdinand, soucieux de garder l'amitié du pape, donne alors ordre à Gonzalve d'arrêter celui à qui il vient d'offrir l'hospitalité.

Pris entre sa parole — il avait accordé un sauf-conduit à César — et l'obéissance à son roi, le Grand Capitaine choisit son devoir. Le 26 mai au soir, la veille du départ de l'expédition — les milices sont prêtes, les rendez-vous donnés, les bombardes chargées sur les galères —, le duc vient prendre congé de Gonzalve au Château-Neuf. Il gagne ensuite ses quartiers et donne congé à Pedro Navarro, son aide de camp. « Mais, dit le gentilhomme, je suis ici, Monseigneur, pour vous tenir compagnie cette nuit et je n'ai pas le droit de dormir ! » Comprenant brusquement qu'il est sous surveillance, César pousse un cri : « Santa Maria, je suis trahi ! Comme le seigneur Gonzalve est cruel envers moi ! » Nuñez de Ocampo, châtelain de la forteresse, lui demande son épée et met une sentinelle à sa porte. Une fois encore, César est prisonnier. Le scandale est grand dans le monde parmi les tenants des traditions chevaleresques. Le capitaine Baldassare da Scipione, à qui César avait confié son sauf-conduit pour ne point l'égarer, jette un défi à tout homme qui niera la félonie du roi Ferdinand d'Aragon et de la reine Isabelle de Castille. Mais il ne se trouve personne pour relever un tel défi. César est payé de la monnaie qu'il a servie aux autres. Dans la chambre forte qu'il occupe, *il forno,* le four, derrière une double rangée de barreaux, il peut se remémorer amèrement sa maxime : « Il est bon de tromper ceux qui sont passés maîtres en perfidie. »

Trois mois s'écoulent pendant lesquels on use de toutes les pressions sur lui pour obtenir qu'il donne ordre à ses derniers partisans d'abandonner les places de Romagne où ils s'accrochent encore. A Forli, Gonzalve de Miramonte s'y refuse toujours. Ce n'est que le 10 août, après avoir obtenu des otages et l'assurance de la consignation des 15 000 ducats promis dans une banque de Venise, qu'il sort de la forteresse, la lance en arrêt, au-devant de ses deux cents archers en armure complète. La bannière de César Borgia flotte au vent. Les cris « Le duc, le duc ! » fusent de toutes parts. Le gouverneur pontifical et un gentilhomme envoyé par Lucrèce assistent à la cérémonie de reddition. Ainsi finit la domination de César sur la Romagne. De cruelles vengeances se déchaînent partout, notamment à Camerino et Pesaro. Les partisans de César sont exterminés. Le duc au loin apprend la nouvelle, impuissant. A vingt-neuf ans, sa carrière semble définitivement ruinée.

Le Valentinois et les Rois Catholiques

Le sort personnel de César est entre les mains des Rois Catholiques. Leurs sentiments à son égard sont extrêmement hostiles. Ils n'oublient pas qu'il est l'ami du roi de France, leur propre ennemi, et que le pape, qu'ils tiennent à ménager, l'abhorre. Ils avaient déjà donné des consignes à leur ambassadeur à Rome dès qu'ils avaient appris que César s'était réfugié à Naples. « Nous regardons avec un profond déplaisir la venue du duc et non pour des raisons politiques seulement. Car, comme vous le savez, nous tenons cet homme en horreur pour la gravité de ses crimes, et nous n'avons aucune espèce de désir qu'un homme de telle réputation soit considéré comme étant à notre service, même s'il venait à nous chargé de forteresses avec des hommes et de l'argent. Nous ·avons écrit à Gonzalve de Cordoue, duc de Terranova, qu'il nous envoie le duc, lui fournissant deux galères pour le voyage, de façon qu'il ne puisse s'enfuir ailleurs ; ou bien Gonzalve pourrait l'envoyer au roi des Romains ; ou en France, pour rejoindre sa femme. Vous voudrez bien expliquer à Sa Sainteté avec quelle amertume nous ressentons l'affront qui lui serait fait si le duc de Valentinois était reçu à Naples, et l'assurer qu'il n'y sera pas hébergé, pas plus qu'il ne sera autorisé à passer en d'autres provinces où il pourrait devenir nuisible à la paix de Sa Sainteté. »

La violation du sauf-conduit et l'arrestation de César se justifient aux yeux des souverains espagnols par le fait que toutes les places de Romagne n'ont pas été remises au pape. Mais, lorsque cette clause est remplie, il leur faut un autre motif pour retenir le duc prisonnier. Ils le trouvent cette fois dans leurs propres royaumes : la duchesse de Gandie, veuve de don Juan, introduit une instance judiciaire contre son beau-frère. Elle l'accuse du meurtre de son mari et du duc de Bisceglie. César doit donc être jugé en Espagne. Le 20 août, il est transféré du Château-Neuf à Ischia puis embarqué à bord d'une galère sous la garde de son ennemi personnel, Prospero Colonna. Toute une flottille entoure le navire pour plus de sûreté.

Le soulagement est grand à Rome. En France on se scandalise : n'était-il pas convenu que César serait libéré contre la remise de Forli ? « La parole du Roi d'Espagne a aussi peu de valeur que la foi carthaginoise ! » s'écrie Louis XII. Mais ce sont de vaines paroles.

La prison de Chinchilla

En septembre 1504, César aborde au Grao de Valence d'où était parti soixante-quinze ans auparavant Alonso Borja, fondateur de la grandeur de sa famille. L'ancien cardinal de Valence ne fait que traverser, quasiment inconnu, son ancienne ville épiscopale. Il est enfermé dans le château fort de Chinchilla, sur une montagne, à vingt kilomètres au sud-est d'Albacete. D'abord tenu au secret avec un seul serviteur, il est, le temps passant, pourvu, sur ordre royal, de huit personnes de service, car les interventions se multiplient en sa faveur : celles des cardinaux espagnols auprès de Jules II qui s'en fait l'écho auprès du roi Ferdinand ; celles du roi Jean de Navarre poussé par sa sœur Charlotte d'Albret, la femme de César ; celles surtout de Lucrèce qui, de Ferrare, s'entremet sans relâche en faveur de son frère, écrivant au pape et au marquis de Mantoue, François de Gonzague, son beau-frère, afin qu'ils sollicitent du Roi Catholique la mise en liberté du prisonnier.

L'instruction du procès traîne en longueur, peut-être à cause de la mort d'Isabelle la Catholique, le 26 novembre 1504 : la souveraine était plus disposée que son mari à venger la duchesse de Gandie. Huit mois s'écoulent. En mai 1505, manquant d'argent, César demande à son beau-frère, le roi Jean de Navarre, de réclamer à Louis XII le versement de la dot jamais payée de 100 000 livres qui avait été promise à Charlotte d'Albret. Mais le roi, irrité contre César, décide de le priver des avantages qu'il lui avait octroyés dans son royaume ! De toutes parts les perspectives se ferment, mais le Valentinois refuse de se laisser abattre par l'adversité. Au cours de son emprisonnement, ayant éliminé les séquelles de sa longue maladie, il a recouvré sa vigueur d'antan : il décide de s'évader.

Logé au sommet de la plus haute tour du château, celle de l'Hommage, il découvre en contrebas les toits de la petite ville de Chinchilla. Sous un prétexte quelconque il fait venir Gabriel Guzman, commandant de la forteresse, et lui demande de lui nommer les bâtiments depuis la plate-forme de la tour. Guzman lui tourne le dos et se penche entre les créneaux. César se jette alors sur lui, le plaque à terre et essaie de le précipiter du haut des murailles. Mais l'autre est plus fort et a le dessus. Il se dégage. Pour se justifier César prétend avoir voulu éprouver sa force comme il le faisait naguère avec les paysans romagnols. Mais l'explication ne convainc personne. Ordre est donné de le transférer en Castille, dans le château fort de Medina del Campo, la *Mota*, à la fois forteresse et résidence royale

Longue captivité et évasion de Medina del Campo

Dans ce château vit la reine titulaire de Castille, Jeanne, mais d'étrange façon : l'esprit aliéné, perpétuellement mélancolique, elle se confine dans une salle basse où elle ne quitte pas le coin de l'âtre. Sa mère Isabelle, prévoyant le cas où sa fille lui succéderait sans avoir retrouvé la raison, a décidé que la régence de Castille serait exercée par Ferdinand d'Aragon, à condition toutefois qu'il ne se remarie point. Or, âgé de cinquante-quatre ans, Ferdinand décide de mettre la France dans son jeu en épousant une princesse de dix-huit ans, Germaine de Foix, nièce du roi de France : la jeune fille lui apporte en dot la moitié du royaume de Naples, précédemment cédée à Louis XII par le traité de Grenade. Le souverain français reconnaît à Ferdinand la possession de la Navarre espagnole, en stipulant qu'à sa mort elle reviendra à Gaston de Foix, le frère de la fiancée. Le traité d'alliance est signé à Blois, le 12 octobre 1505 ; le mariage sera célébré à Duenas, le 18 mars 1506. Mais avant la cérémonie, la question de la régence de Castille est de nouveau agitée. Les Cortes — ou Etats généraux — de Castille, réunis à Toro, décident en majorité que Ferdinand gardera la régence, mais une forte minorité, ayant à sa tête don Rodrigo Alonso Pimentel, comte de Benavente, se déclare pour l'archiduc d'Autriche, Philippe le Beau, époux de Jeanne la Folle. Quittant les Flandres, le prince, appuyé par son père, l'empereur Maximilien, vient réclamer la régence en application du testament d'Isabelle la Catholique.

Le Valentinois prisonnier suit ces événements avec le plus vif intérêt. Il va, en effet, y trouver un rôle à jouer et peut-être une nouvelle chance de rétablir sa fortune. Ferdinand d'Aragon, ayant accueilli à Saragosse, en octobre 1505, sa nouvelle épouse française, est contraint de partir pour Naples où l'attitude de Gonzalve de Cordoue lui est devenue suspecte. Il veut remplacer le Grand Capitaine par son fils Alphonse d'Aragon, archevêque de Saragosse, mais Gonzalve s'emploie à retarder la passation des pouvoirs. Décidant d'agir contre lui par les armes, Ferdinand imagine d'employer César Borgia contre le rebelle. Il charge don Pedro de Ayala de demander à Philippe le Beau de lui livrer le Valentinois. Or Philippe compte utiliser César contre Ferdinand au cas où son beau-père ne lui reconnaîtrait pas ses droits à la régence de Castille. Il se dérobe en répondant qu'il doit s'adresser aux Cortes de Castille pour savoir si César est le prisonnier du roi Ferdinand ou de la reine Jeanne la Folle. De toute façon, César devra rester en Castille et attendre d'être jugé sur la plainte de la duchesse de Gandie. Rien n'est encore décidé pour l'emploi futur du Valentinois lorsque, le 25 septembre 1506, l'archiduc Philippe meurt, brusquement, en pleine jeunesse, à l'âge de vingt-huit ans. Le commandant de la forteresse de Medina del Campo, don Bernardino de Cardeñas, est alors placé dans une situation délicate. Le roi Ferdinand d'Aragon, qui se trouve à Naples, va reprendre la régence effective de Castille et il peut vouloir se venger sur le commandant du refus qu'il lui a opposé quelques mois auparavant, au nom de Philippe le Beau, de livrer César. Cardeñas propose donc à l'ambassadeur de Ferdinand de lui remettre le Valentinois.

César, averti par le commandant, ne tient pas à être livré à la discrétion de Ferdinand. Il profite du relâchement de la garde qui le surveille pour s'évader de façon spectaculaire, le 25 octobre 1506. Il est cette fois encore, comme à Chinchilla, logé au sommet du donjon qui domine de profonds fossés. L'aumônier du Valentinois assure les liaisons avec l'extérieur où le comte de Benavente, chef de l'opposition aux Cortes, combine l'évasion. Un serviteur du geôlier introduit des cordes dans le donjon. On voyait encore au temps de Brantôme la fenêtre d'où elles avaient été tendues elle se trouvait à une hauteur vertigineuse. Un serviteur descend le premier mais la corde est trop courte : il saute et se brise les os ; resté sur place il sera plus tard appréhendé par le gouverneur, don Gabriel de Tapia, et mis à mort. César est plus heureux. Il descend à son tour mais, alors qu'il approche du but, l'alarme ayant été donnée, la corde est coupée et il tombe brutalement au fond du fossé. Trois hommes l'y attendent, l'aumônier, son majordome et un complice, don

Jaime. Bien que blessé et les mains en sang, il réussit à monter
sur le cheval qui lui a été préparé. Il galope jusqu'à Villalon,
situé dans les domaines du comte de Benavente

La fuite vers la Navarre

Un mois passe avant que César soit remis de ses blessures.
Ses amis le cachent soigneusement car des ordres stricts ont
été lancés pour son arrestation : sa tête est mise à prix pour
10 000 ducats par un édit signé de la reine Jeanne la Folle.
Avec deux guides il prend la route du nord : ils se font passer
pour des marchands de grain rentrant de Medina del Campo ;
ils disent, dans les conversations d'étapes, qu'ils ont encaissé
de l'argent avec lequel ils reviennent sur la côte pour régler un
nouvel arrivage de blé. Cette histoire, montée en accord avec
Benavente, doit expliquer l'abondance d'argent dont ils
disposent. César veut gagner au plus vite la cour de son beau-
frère le roi Jean de Navarre, à Pampelune. Mais il se garde de
prendre la route directe de Burgos : pour échapper aux
recherches il se dirige sur Santander. Les trois compagnons,
crevant leurs chevaux, y entrent le 29 novembre.

Pendant qu'on prépare leur souper, César se met en quête
d'un bateau qu'il veut louer pour se rendre à Bernico d'où l'on
peut gagner la route de Navarre. Il prétend auprès du loueur
qu'il doit gagner ce petit port pour y retrouver la barque
chargée de blé, venue de France, qui l'y attend. Or le prix
élevé qu'il propose intrigue le marin : il prévient le chef de la
police qui vient interroger les étrangers. Le procès-verbal
n'omet aucun détail : les trois hommes sont assis devant une
table chargée de trois poules et d'une grosse pièce de viande.
Ils sont interrogés séparément mais aucun ne se trouble : ils
répètent toujours l'histoire de la barque de blé. Comme ils
proposent en caution cinquante écus d'or et même l'un d'entre
eux comme otage, le policier les laisse partir. Tous ces détails
et les dépositions des témoins se trouvent consignés dans le
rapport dressé ultérieurement, le 16 décembre 1506, par le
corregidor du comté de Biscaye, Cristobal Vasquez de Acuña

chargé d'enquêter sur la fuite du duc de Valentinois. Un
habitant de Castrès a vu les trois hommes laisser leurs
chevaux. Il décrit l'un d'entre eux comme étant « de carrure
double, très laid de visage, avec un grand nez et le teint
basané ». L'aubergiste, quant à lui, a noté que l'un des trois
restait toujours silencieux, enveloppé dans sa cape. C'était un
homme de taille moyenne, trapu, avec les narines larges et de
grands yeux. Ses mains blessées étaient enveloppées d'un
linge. Ce sont là des portraits instantanés, précieux dans leur
naïveté, qui nous livrent l'impression que pouvait donner
César aux gens simples.

L'interrogatoire terminé, les voyageurs ayant rapidement
fini leur dîner s'entendent avec Francisco Gonzalez, le patron
de la barque. Ils font descendre son prix de cinquante à vingt-
six ducats. Après une traversée mouvementée à cause de la
tempête, les trois hommes sont contraints de débarquer à
Castro Urdiales, un endroit perdu, où l'on ne peut accéder
d'ordinaire que par la mer. Ils doivent y rester deux jours dans
une *posada* avant de trouver des mules au monastère voisin de
Santa Clara. L'éprouvant voyage continue — narré par le
rapport du corregidor qui a retrouvé tous les témoins —, de
Durango où ils changent de montures jusqu'aux dernières
villes de Guipuzcoa. Enfin, à la frontière, un homme attend le
Valentinois et le guide à travers la Navarre jusqu'à Pampelune
où il entre le 3 décembre.

Les ressources d'une nouvelle carrière

Est-ce l'aube d'une nouvelle carrière ? César, semble-t-il,
s'est entendu avec Benavente pour passer de Navarre dans les
Flandres et rencontrer l'empereur Maximilien. Dans l'eupho-
rie de son équipée réussie, il écrit à sa famille, à Lucrèce et à
Alphonse d'Este ainsi qu'au marquis de Mantoue, un de ses
plus fréquents correspondants : la lettre adressée à ce prince,
le 7 janvier, est scellée du cachet aux doubles armes de France
et de Borgia avec la légende « César Borgia de France, duc
des Romagnes ». Une autre lettre envoyée au cardinal

Hippolyte d'Este s'enquiert du sort des biens meubles de César : en décembre 1503, au moment de sa disgrâce, le Valentinois avait confié au prélat les armes, pierres précieuses et œuvres d'art de son palais, mais lors de leur transfert à Ferrare les Florentins avaient fait main basse sur ces richesses et n'avaient consenti à les rendre, dans l'été de 1504, que contre une copieuse rançon. Giovanni Bentivoglio avait lui aussi confisqué une partie de ces objets, remis ensuite à Ferrare : comme Jules II avait sommé le seigneur de Bologne de restituer « les biens dérobés à l'Eglise », il s'agissait sans doute là des pièces d'orfèvrerie que Michelotto Corella s'était fait donner par le cardinal Casanova à la mort d'Alexandre VI. César ne pouvait malheureusement espérer disposer des objets qu'il avait déposés à Rome dans le palais du cardinal Remolines, tapis d'Orient, tapisseries des Flandres, meubles et statues : les douze caisses et quatre-vingt-quatre balles qui les contenaient devaient être confisquées par Jules II à la mort du cardinal en mai 1507.

Le secrétaire de César, Federigo, qui avait porté ses lettres en Italie, en décembre 1506, était chargé d'observer la situation de la péninsule. Le marquis de Mantoue, engagé au service du pape, venait de renverser la domination de Bentivoglio à Bologne. Mais la Romagne n'avait pas oublié son duc, et peut-être César trouverait-il à s'y employer avec plus de profit que dans les Flandres. Aucune indication ne devait jamais venir, le pape ayant fait arrêter Federigo à Bologne.

Dans l'incapacité de disposer de ses biens meubles et aussi des dépôts assez copieux qu'il avait faits dans les banques de Gênes (Jules II y ayant mis opposition), César se souvient alors qu'il est prince français, duc de Valentinois et seigneur d'Issoudun. Il lui reste à toucher les annuités des revenus de ses fiefs. Il n'a par ailleurs obtenu aucun résultat à la suite de sa revendication, en mai 1505, de la dot de sa femme. Aussi, en janvier 1507, envoie-t-il son majordome, Requesens, à Louis XII pour réclamer son dû et demander au roi l'autorisation de prendre rang à sa cour et le servir. Or, bien loin de répondre favorablement à ces demandes, le roi, par lettres patentes datées de Bourges le 18 février, retire au Valentinois la seigneurie d'Issoudun et son grenier à sel : le souverain entend punir César d'avoir menacé son alliée Florence, accepté le protectorat de Pise et tenté de chasser de Bologne son protégé Giovanni Bentivoglio. Il lui reproche surtout de n'avoir pas participé au recouvrement du royaume de Naples et d'avoir, bien au contraire, favorisé et aidé ses adversaires. Pour tous ces « mauvais tours » et cette « grande ingratitude », il ordonne que les profits et émoluments autrefois conférés à César soient dorénavant acquis à la couronne. C'est un sévère règlement de compte et un non moins douloureux camouflet qui sont infligés au Valentinois. Ayant repris toute sa combativité, se trouvant dans la pleine force de la jeunesse (il entre dans sa trente et unième année), César cherche alors à se venger de tous ceux qui lui ont nui, le Roi Catholique, Jules II, et enfin Louis XII qui ne reconnaît plus les dettes innombrables qu'il a contractées envers lui. Or, dans l'étroite sphère du royaume de son beau-frère, le roi Jean de Navarre, il trouve à œuvrer contre ces divers ennemis. La Navarre est menacée du côté de l'Espagne par Ferdinand d'Aragon et du côté de la France par Louis XII. Cette situation résulte du règlement compliqué de la succession au trône, marquée par la rivalité des familles d'Aragon et de Foix. Jean d'Albret, qui a succédé à François Phoebus de Foix, doit faire face à une opposition puissante. Luis de Beaumont, comte de Lerin et connétable de Navarre, en est le chef. Il se bat pour que le royaume revienne à Ferdinand d'Aragon.

César au siège de Viana

Le roi Jean de Navarre nomme César capitaine général de ses armées et l'envoie combattre le comte de Beaumont. C'est un adversaire redoutable. Très petit, il est réputé pour sa férocité. Son épitaphe au monastère de Veruela en garde mémoire : « Dans un corps si petit jamais on ne vit autant de force. » Aucun scrupule ne l'arrête : il déchaînera pour satisfaire ses ambitions trois guerres successives en Navarre, ne reculant pas devant l'appel de l'étranger. Il sera condamné par contumace à la peine de mort pour crime de lèse-majesté. Pour le moment, il occupe la forteresse de Viana d'où il faut le déloger. Le roi Jean se porte avec César devant la place. Ils s'appuient sur la ville qui est fidèle pour mettre le siège devant le château séparé des maisons par une lande sauvage creusée de ravins.

Le Valentinois a sous ses ordres mille cavaliers, deux cents hommes d'armes et cinq mille fantassins, de l'artillerie de siège et de campagne. Il investit le château qui est mal approvisionné en vivres. Le comte de Beaumont a constitué un camp à quelque distance, à Mendavia, sur la route de Logroño. Il dispose d'une armée de deux cents lances et six cents fantassins pour harceler les assiégeants. Profitant d'un violent orage qui, dans la nuit du 11 mars, disperse les sentinelles de César, Beaumont réussit à conduire un convoi de soixante bêtes de somme chargées de farine dans un creux près de la ville. Il fait entrer ces vivres dans la forteresse par la porte qui prendra ensuite le nom de *Puerta del Socorro*. Il renouvelle par deux fois son va-et-vient d'approvisionnement sans être repéré. A l'aube, alors qu'il s'en retourne avec une forte escorte, il se heurte à un renfort de Castillans qui arrive par la route de Logroño. Les nouveaux venus sont envoyés au roi de Navarre par son allié, le duc de Najera, ami du comte de Benavente. Ils donnent l'alarme dans la ville. César, surpris dans son sommeil, revêt à la hâte son armure et saute en selle, sans attendre qu'on le suive.

Une mort héroïque et solitaire

Jurant et blasphémant, le Valentinois pique droit sur l'ennemi par la porte de la Solana qu'on vient de lui ouvrir, atteint l'arrière-garde et tue trois hommes. Beaumont, se retournant, aperçoit ce furieux, isolé comme un fauve solitaire, et lance contre lui un groupe de cavaliers. Luís Garcia de Agredo et Pedro de Allo, à la tête de cette petite troupe de vingt hommes, attirent le Valentinois dans un repli de terrain, hors de la vue de la garnison de Viana et des troupes de

Beaumont. Seul contre eux, le Valentinois combat en héros. Frappé sous l'aisselle il est désarçonné, percé de part en part et s'affaisse sanglant. Ses agresseurs le dépouillent de ses armes et de sa brillante armure. Ils s'emparent de son cheval et rejoignent leur maître, laissant le cadavre nu sous une grosse pierre.

Beaumont, ayant aperçu entre les mains de ses hommes la merveilleuse cuirasse, comprend que la victime est un grand prince. Il ordonne aussitôt d'aller chercher le cadavre et de le porter sous sa tente à Mendavia. Mais ses cavaliers, avant d'arriver au lieu du combat, entendent les clameurs des gens du roi de Navarre. Ils se retirent prestement, ramenant un jeune écuyer qu'ils ont trouvé errant dans la plaine et donnant les signes d'un violent désespoir. Conduit à Beaumont, il fond en larmes quand on lui montre l'armure étincelante : il avoue que le matin même il l'a remise à son maître, Monseigneur César Borgia de France, duc des Romagnes.

Cependant le roi Jean de Navarre a découvert le corps de son beau-frère, nu et ensanglanté. Il le fait recouvrir d'un manteau et transporter à Viana. La dépouille est déposée dans l'église paroissiale de Santa Maria où sont célébrées des obsèques somptueuses. Dans le cours de la même année 1507, un tombeau monumental y est érigé. On y voit des bas-reliefs de marbre représentant les rois de la Bible dans l'attitude de la douleur. La pompeuse épitaphe due au poète Soria sera peu après insérée dans le *Romancero español*, recueil de poésie castillane publié en 1511. Ces vers chantent l'illustre mémoire du fils du pape Alexandre VI :

> *Aquí yace en poca tierra*
> *El que toda le temía,*
> *El que la paz y la guerra*
> *En la su mano tenía,*
> *O tu, que vas a buscar*
> *Cosas dignas de loar,*
> *Si tu loas lo más digno*
> *Aquí pare tu camino;*
> *No cures de más andar.*

« Ci-gît dans un peu de terre
Celui que toute entière elle craignait,
Celui qui la paix et la guerre
Au creux de sa main tenait.
Ô toi qui t'en vas rechercher
Des choses dignes d'être louées,
Si tu veux vanter le plus digne
Ici arrête ton chemin :
Tu ne dois pas aller plus loin ! »

Mais aujourd'hui l'église de Viana est vide. A la fin du XVIIᵉ siècle, un évêque de Calahorra a fait détruire le tombeau pour effacer le souvenir de celui que la légende noire environnait d'un halo sulfureux. Cette profanation faisait écho au forfait commis deux cents ans auparavant à l'encontre du malheureux Pedro de Aranda, évêque de Calahorra, enfermé en 1498 au château Saint-Ange jusqu'à ce que mort s'ensuivît. Quelques ossements enterrés au bas des marches de l'église, deux pilastres aux gracieuses arabesques Renaissance provenant du tombeau, encastrés dans le maître-autel, c'est peu de restes que garde la terre d'Espagne de celui qui, pendant tant d'années, avait fait trembler le monde.

CHAPITRE II

La belle dame de Ferrare

La destinée aventureuse de César éclipse quelque peu celle, plus classique, de Lucrèce. Pourtant la vie de la jeune femme apporte constamment un contrepoint aimable à la partition héroïque de la vie du Valentinois.

Les hommes de la famille d'Este

Entre Ferrare, le Vatican et l'état-major du duc de Romagne, l'éloignement entraîné par le mariage de 1502 n'a pas rompu les liens de l'affection comme le montre l'échange fréquent d'émissaires et de messagers. Quotidiennement, d'ailleurs, Beltrando Costabili, l'ambassadeur d'Hercule d'Este, donne au pape des nouvelles du jeune ménage. Il transmet en retour à Ferrare des informations sur la réalisation des promesses et avantages financiers auxquels Rome s'est engagée.

Ce sont ces questions matérielles qui risquent de gâter les rapports. On en a un indice lorsque, à la mi-février, les cavaliers du duc de Valentinois qui ont accompagné Lucrèce rentrent fort dépités d'avoir été renvoyés avec désinvolture.

La cour des Este, après les brillantes fêtes du mariage, a vite repris son style de vie parcimonieux dans le sombre château aux murs épais, entouré de fossés aux eaux stagnantes. Certes, Lucrèce est convenablement traitée par son beau-père, le duc

Hercule, qui l'a parée des bijoux de sa défunte épouse Eléonore d'Aragon, et par son mari Alphonse, qui lui rappelle à bien des égards son frère César : c'est un homme brun, à la forte carrure, aux yeux à la fois tendres et durs, aux lèvres voluptueuses, passionné de canons, de chevaux, de chiens et de tournois. Il joue de la viole et aime à modeler et peindre des faïences, mais ses goûts artistiques se bornent là. Il a hérité des Este et de son grand-père, le terrible Ferrante de Naples, une tendance à la bizarrerie et à la cruauté qui étonne : on l'a vu, avant la mort de sa première femme, Anna Sforza, se promener nu dans Ferrare au grand scandale de ses sujets ; une autre fois il a lâché sur la place du Dôme, encombrée par la foule, un taureau furieux poursuivi par des chiens, provoquant ainsi des accidents mortels qu'il s'amusait à regarder du balcon du palais. Son frère le cardinal Hippolyte, fameux pour ses aventures amoureuses, est, sous le vêtement ecclésiastique, aussi cruel que lui. Mais, pour le moment, Lucrèce n'a guère l'occasion d'approfondir sa connaissance. Il réside à Rome où il vient d'amorcer une idylle avec la volage princesse Sancia d'Aragon : elle est sa cousine « de la main gauche » puisque le roi Alphonse, père naturel de Sancia, était le frère d'Eléonore d'Aragon, mère d'Hippolyte. Autres enfants d'Hercule d'Este, les princes Sigismond et Ferrante et le bâtard Giulio sont aussi passionnés que leurs frères.

Telle est la famille dans laquelle est entrée Lucrèce. Ses nouveaux parents n'ont rien d'exceptionnel, comparés aux princes et aux ecclésiastiques qu'elle a côtoyés à Rome et dans ses autres résidences. Mais une certaine lassitude et l'avarice marquée du duc Hercule, qui n'ajoute pas un ducat aux 10 000 proposés pour la pension de Lucrèce, mettent la jeune femme de mauvaise humeur. Seuls trouvent grâce à ses yeux quelques membres de l'aristocratie auxquels l'unit une passion commune pour les belles-lettres : elle est venue de Rome avec une petite bibliothèque personnelle qui comprend, outre les Evangiles et les lettres de sainte Catherine de Sienne, les œuvres de Dante et de Pétrarque. Les premiers privilégiés qu'elle admet dans son petit appartement privé — trois pièces

tapissées d'azur et d'or donnant sur un jardinet mélancolique
— sont des transfuges de la cour d'Isabelle d'Este, sa belle-
sœur, femme du marquis de Mantoue, François de Gonzague.

Une société choisie de poètes

Nicolas de Correggio, neveu illégitime du duc Hercule, mari
de Cassandra, fille du célèbre Bartolomeo Colleoni, condottiere de Venise, a été pour Isabelle l'arbitre des élégances.
Poète, chansonnier, metteur en scène de comédies antiques, il
restera au côté de Lucrèce jusqu'à sa mort, en 1508, et son fils
offrira à la fille du pape l'hommage de son dernier recueil de
poèmes. Tito Vespasiano Strozzi, issu d'un rameau de la
fameuse famille florentine de ce nom, est, quant à lui, l'un des
vieillards les plus honorés du duché. C'est un grand dignitaire,
membre du tribunal suprême des « Douze Juges », mais il est
aussi l'un des plus célèbres poètes latins de Ferrare. Son fils
Ercole, boiteux de naissance, rachète son infirmité par une
œuvre poétique élégante et mélancolique qui plaît fort aux
dames. Un jour, Lucrèce lui donne, en récompense de ses
vers, une rose qu'elle a baisée. Aussitôt le jeune Strozzi
improvise un quatrain célèbre :

« Epanouie sur le sol de la joie, rose cueillie de sa main,
Pourquoi ton vermeil s'emplit-il de lumière ?
Vénus t'a-t-elle colorée, ou les lèvres de Lucrèce
Dont le baiser t'a donné une pourpre nouvelle ? »

Pareille prouesse éveille la hargne d'Alphonse : son irritation redouble lorsqu'il apprend que Lucrèce envoie Strozzi à
Venise où le poète lui achète à crédit des étoffes précieuses —
satin blanc, beige, fauve, turquoise, incarnat, taffetas, bro-
carts d'or, velours, mousseline — et même commande à
Messer Bernardino, ciseleur vénitien, un berceau pour son
futur bébé !
Un autre membre de la petite cour personnelle de Lucrèce
est l'ancien maître à rimer de la marquise de Mantoue,

Antonio Tebaldeo, savant universel qui a suivi des cours de médecine à l'université de Bologne avant de venir corriger les vers d'Isabelle et fabriquer les sonnets que désire signer le marquis. Lucrèce n'avait eu aucune peine à l'agréger à son cercle. Le poète, se plaignant de recevoir à Mantoue de la viande pourrie, le vin le plus infect et un traitement de misère, était entré au service du cardinal Hippolyte d'Este qui l'avait légué à sa belle-sœur en partant pour Rome.

Scènes intimes : le bain et le banquet

La jeune femme fait alterner les joies de l'esprit et celles du corps. La nuit appartient à son seigneur et maître, Alphonse, qui ne se dérobe jamais à son devoir conjugal. Le jour, après les récitals de poésie et les parties de chasse avec le vieux duc Hercule, c'est la cérémonie du bain. Cette scène intime est décrite à la marquise Isabelle d'Este, par Bernardino Prosperi, qu'elle a chargé d'observer les faits et gestes de sa belle-sœur.

La caMériste Lucia prépare les poudres, les braseros, les résilles d'or et les peignoirs mauresques pendant que chauffe l'eau aromatisée. Quand le bain est à point, Lucrèce et sa favorite Nicole entrent ensemble dans le grand cuvier dont Lucia entretient la chaleur. Elles rient et plaisantent, jouissent longuement de l'odorante baignade, puis, nues sous leurs peignoirs colorés, leurs amples chevelures retenues par les résilles précieuses, se reposent, allongées sur des coussins, environnées de l'effluve des brûle-parfum. Cet art de vivre, délicat et voluptueux, joue comme un charme sur le fruste mari de Lucrèce : peu à peu, de l'assiduité conjugale forcée, Alphonse passe à l'affection et à l'amour surmontant les persiflages des esprits mesquins portés à dénigrer son union avec la fille d'un pape.

Un soir, Lucrèce décide de confondre les envieux. Elle convie toute la famille d'Este à un repas dans son appartement. Elle expose à cette occasion toute son argenterie : la garniture de crédence offerte par le cardinal Ascanio Sforza pour son premier mariage avec le seigneur de Pesaro ; puis des flacons, un grand bassin doré, une boîte décorée de feuilles en relief, une salière délicatement ouvragée aux armes d'Aragon ; d'autres objets encore avec l'ours des Orsini ou le blason de Francisco Gacet, le chanoine de Tolède que son père lui avait donné comme intendant. Les pièces sont ornées des armes des Borgia. On voit partout des taureaux de toutes tailles, gravés ou en relief, ou se détachant comme des statuettes sur les anses et les couvercles, et autour d'eux l'inscription : *Alexander Sextus Pontifex Maximus.*

Soucis de politique et de santé

Le déploiement de richesses, auquel s'exerce Lucrèce, a pour but de dénoncer une fois encore la ladrerie du duc de Ferrare : n'est-il pas scandaleux qu'une princesse, ayant apporté un pareil train de maison, doive se contenter d'une pension de 10 000 ducats ? Or Hercule fait la sourde oreille. Il tient bon jusqu'en juin où Lucrèce, enceinte, obtient de s'installer à Belriguardo, la plus belle villégiature de la maison d'Este. Elle y apprend la victorieuse marche de son frère César sur Urbin, le 24 juin, et la fuite de Guidobaldo de Montefeltre. Or, comme elle se sent maintenant intégrée à la famille d'Este, égale par ses richesses à celle des Montefeltre, elle est saisie d'un sentiment de crainte : César ne va-t-il pas se retourner contre le duché de Ferrare ? La honte, aussi, l'envahit lorsqu'elle se rappelle l'accueil chaleureux que lui a récemment prodigué Elisabeth, la femme de Guidobaldo : aussi déclare-t-elle bien haut à ses familiers qu'elle donnerait volontiers 25 000 ducats pour n'avoir jamais connu la duchesse. Elle est désolée d'apprendre le pillage systématique du palais d'Urbin. Par ailleurs, la prise de Camerino ne lui semble pas de bon augure : ne va-t-elle pas provoquer l'entrée en scène de Venise ? Déjà les seigneurs lésés par César se rassemblent dans le Milanais pour obtenir l'aide de Louis XII de France. Alphonse et son beau-frère, François de Gonzague, hésitent sur le parti à prendre. Il faut aller à Milan pour connaître l'opinion du souverain. Gonzague, poussé par Isabelle d'Este, prendrait volontiers la défense de Guidobaldo de Montefeltre, qui lui a demandé refuge à Mantoue où se trouve déjà sa femme Elisabeth, la propre sœur du marquis François.

Les intérêts politiques interfèrent étroitement avec les relations familiales. A ce moment crucial, Lucrèce pourrait intervenir et persuader son mari Alphonse et son beau-père Hercule de rester au côté de César qui demeure l'allié privilégié du puissant roi de France. Mais son mauvais état de santé l'en empêche. Parvenue au terme d'une pénible grossesse, elle vient de rentrer à Ferrare lorsque, à la mi-juillet, elle est victime d'une épidémie qui frappe toute la population. César lui envoie les médecins Gaspare Torrella, évêque de Santa Giusta, et Niccolo Martini. Alexandre VI fait partir de Rome Bernardino Bongiovanni, évêque de Venosa, son médecin personnel. Cinq praticiens de Ferrare, dont le gynécologue Lodovico Bonacciolo, surveillent la malade. Alphonse d'Este, sur le point de quitter Ferrare pour se rendre auprès du roi Louis, choisit de rester au chevet de sa femme.

Une nuit, César arrive à l'improviste. Il s'entretient longuement avec sa sœur dans le dialecte de Valence. Peut-être lui promet-il alors que sa nouvelle conquête, Camerino, sera donnée en fief au mystérieux « infant romain », Jean Borgia, qui passe à ce moment-là pour son propre fils et qui est en réalité l'enfant bâtard de Lucrèce. César, après s'être arrêté deux jours dans la capitale des Este, entraîne son beau-frère Alphonse auprès du roi de France. Pendant leur absence, l'épidémie oblige à s'aliter la plupart des dames de Lucrèce, de sa cousine Angela Borgia à sa négresse, Caterinella. La mort frappe la dame Ceccarella, Napolitaine, et le médecin Corri, le plus âgé des praticiens ferrarais. Au début de septembre, Lucrèce est au plus mal. Enfin, le soir du 5, elle est prise de convulsions et se renverse en gémissant : elle met au monde une petite fille de sept mois, mort-née. La fièvre puerpérale se déclare. Lucrèce est à l'article de la mort. Ces nouvelles alarmantes hâtent le retour des voyageurs partis à la cour de France et qui ont, d'ailleurs, obtenu gain de cause : le renouvellement de l'alliance entre le souverain français et le Valentinois. Le 7 septembre, Alphonse, César et son beau-frère, le cardinal d'Albret, arrivent au château de Ferrare. Le Valentinois réussit à distraire la malade et à la faire rire en lui tenant la jambe pendant la saignée ordonnée par les méde-cins. Le 8, rassuré par une légère amélioration, il quitte brusquement sa sœur et Ferrare, car il est inquiet des troubles qui agitent le duché d'Urbin. Mais la malade ne se remet pas rapidement. Elle convoque son secrétaire, un homme de confiance du duc de Valentinois, et huit religieux pour ajouter un codicille au testament qu'elle a rédigé avant de quitter Rome : les espions d'Hercule d'Este parviennent à savoir qu'il concerne son fils, Rodrigue de Bisceglie. Ce geste, qui suit l'entretien nocturne avec César au sujet de Jean Borgia, montre combien, éloignée de ses enfants, elle continue de se préoccuper de leur sort : ainsi se trouve récusée l'accusation de légèreté et de sécheresse de cœur que certains avaient pu faire peser sur la jeune femme en la voyant se consoler si rapidement de la rupture dramatique de ses précédentes unions.

Le 20 septembre, enfin, Lucrèce est hors de danger. Le pape s'en réjouit et il approuve la décision prise en commun par Lucrèce et Alphonse de se séparer pendant la convales-cence de la jeune femme. Le 9 octobre, dans une litière traînée par deux chevaux blancs, Lucrèce s'en va faire retraite, hors des murs du sombre château de Ferrare, dans le monastère des Clarisses du *Corpus Domini*. Le même jour, son mari prend la route de Notre-Dame de Lorette pour accomplir un vœu prononcé pendant la maladie de son épouse. La tranquillité du ménage et celle de la dynastie d'Este contrastent avec l'atmosphère orageuse qui règne autour de César : il est menacé par ces condottieres qui viennent de conclure contre lui la ligue de Magione. A la fin de l'automne, alors que le Valentinois prépare le piège de Sinigaglia, le couple ferrarais est de retour dans sa capitale. Laure de Gonzague raconte, le 18 décembre, à la toujours curieuse Isabelle de Mantoue une visite qu'elle vient de faire à

Lucrèce. La duchesse la reçoit parée d'un collier de très belles perles, les cheveux coiffés à la façon habituelle avec une superbe émeraude sur le front et un bonnet vert, brodé d'or. Lucrèce désire avant tout, dit-elle, « entendre parler de vos toilettes et particulièrement de la façon dont vous vous coiffez ». Elle offre en échange à la marquise quelques-unes de ses chemises espagnoles. Mais Laure ajoute qu'elle se préoccupe aussi de sujets plus austères et qu'elle s'intéresse vivement aux détails de l'accord survenu entre César et les seigneurs de Mantoue pour l'union de la fille du Valentinois, Louise, avec l'héritier du marquisat.

Problèmes d'argent

En effet, les affaires de son frère préoccupent Lucrèce au plus haut point. Elle s'efforce de lui venir en aide pour qu'il puisse payer ses soldats. L'argent de Rome ne peut couvrir ses dépenses, ni les trésors qu'il a saisis dans les coffres de l'indélicat Ramiro de Lorca — des bijoux, des objets précieux, et même des chasubles tissées d'or et la mitre de pierreries de l'évêque de Fossombrone. Aussi les prêts que peut lui consentir sa sœur sont-ils les bienvenus. Elle réussit à lui faire passer 1 500 ducats, fournis par Gianluca Castellini, puis 1 000 autres : elle se trouve dans une période de largesse car, après sa terrible maladie, son beau-père Hercule d'Este a porté sa pension de 10 à 12 000 ducats, bien que, l'esprit méfiant, il ait précisé qu'il en paierait la moitié en argent liquide et l'autre en ravitaillement pour l'entretien de la petite cour de sa bru. La pingrerie du duc n'empêche pas Lucrèce de profiter de la vie : en janvier 1503, elle demande à son favori, Ercole Strozzi, d'offrir un ballet dans son palais de Ferrare. A cette brillante soirée, où un banquet somptueux suit le bal, on note la présence de toute la jeunesse de la maison d'Este, Lucrèce, Alphonse, Ferrante, Giulio et même le prince Sigismond, d'ordinaire plus sauvage. Mais le vieux duc Hercule boude ce divertissement et s'embarque solitaire pour Belriguardo, emportant pour les éplucher les registres des comptes de l'Etat !

La rencontre avec Bembo : un délicat amour

C'est dans la demeure de Strozzi que Lucrèce rencontre le Vénitien Pietro Bembo. Il s'était lié à Ercole Strozzi, en 1497, lorsqu'il avait accompagné à Ferrare son père, haut magistrat de la République de Venise. Alors âgé de vingt-sept ans, il faisait déjà figure de savant et de prince des humanistes. Il avait étudié à Venise et à Messine. Il avait eu pour maître le célèbre Constantin Lascaris. L'université de Ferrare lui avait fait fête et il s'y était lié avec tous les jeunes gens appelés à prendre une immense importance dans la littérature et les sciences : les Strozzi, le cicéronien Sadolet, le poète Ludovic Arioste, Celio Calcagnini et Antonio Tebaldeo.

A la mi-octobre 1502, invité par ses amis Strozzi, Bembo s'installe dans leur belle villa d'Ostellato dont le jardin descend jusqu'au bord de la lagune. Il est venu pour un long séjour, transportant de Venise dans une grande barque sa riche bibliothèque où abondent les œuvres des philosophes et poètes antiques, grecs et latins. Ostellato devient un lieu à la mode, animé de joutes oratoires et de récitals de poésie. Tous les beaux esprits de Ferrare y accourent bientôt.

Adepte de la nouvelle philosophie inspirée par Platon qui croit à l'intervention constante d'un dieu bon au secours de l'humanité, Bembo exprime dans la vie comme dans son œuvre cette doctrine optimiste. A la manière de Pétrarque, il chante la nature et l'amour dans de délicates élégies latines mais aussi italiennes qui émeuvent profondément le public féminin. Le charme ne va pas tarder à opérer sur Lucrèce. Au prestige intellectuel le poète joint celui de la beauté physique. Bel homme de trente-deux ans, libre et galant, il impressionne la jeune duchesse par son aisance et l'affabilité joyeuse qu'il déploie dans le monde. Il fait partie de ces boute-en-train indispensables aux fêtes qui se succèdent alors dans Ferrare.

Au bal donné par Ercole Strozzi répond celui de Bernardino Riccio, favori d'Alphonse, puis un autre encore dans le palais de Diane d'Este, suivi par une seconde fête de grand style chez Ercole Strozzi. Le duc Hercule, malgré son avarice, avait été contraint de s'associer aux réjouissances. A son retour de Belriguardo il avait fait mettre en scène, suivant son habitude, des comédies antiques, les *Ménechmes* et l'*Eunuque*. Désormais Lucrèce était devenue l'animatrice de la vie mondaine. En avril 1503, elle organise elle-même l'accueil d'Isabelle d'Este venue de Mantoue en visite familiale. Elle la promène dans la ville, esquisse pour elle des danses espagnoles au son du tambourin et organise des joutes musicales entre les compositeurs de Modène et de Ferrare. Pour cette réception, elle dépense tant d'argent qu'elle est obligée d'emprunter sur ses bijoux. Un moment, elle envisage de se faire donner par son père les revenus de l'évêché vacant de Ferrare pendant une année entière pour pouvoir rentrer dans ses frais ! Le temps qui s'écoule semble stabiliser la situation de la famille Borgia comme si la papauté était devenue leur bien et leur royaume. Lucrèce ne voit aucun mal à profiter de l'existence exaltante qui s'offre à elle. Elle se livre avec Bembo à un délicat échange de correspondance : il nous reste sept lettres d'elle en italien et deux en espagnol à la Bibliothèque ambrosienne de Milan, accompagnées d'une mèche de cheveux merveilleusement blonds. L'un d'eux, dérobé au XIXe siècle par un visiteur français se trouve aujourd'hui pieusement conservé au cabinet des manuscrits de la Bibliothèque nationale de Paris, mais le Français n'avait fait qu'imiter Lord Byron : venu en Italie méditer sur cette correspondance amoureuse, le poète anglais s'était approprié comme une relique l'un de ces cheveux qu'il estimait « les plus beaux et les plus blonds qu'on puisse imaginer ». La mèche accompagnait sans doute une lettre à laquelle répondit Bembo, le 14 juillet 1503 : « Je suis enchanté que vous trouviez chaque jour un nouveau moyen d'accroître ma flamme, comme vous l'avez fait aujourd'hui avec ce qui naguère encore ornait votre front éblouissant. »

Les relations entre Lucrèce et le poète, avant d'arriver au don de ce gage, sont passées par un long crescendo. Une première pièce en vers latins, poésie de convention, célèbre un beau bracelet en forme de serpent qui orne le poignet de la belle dame. Puis, par jeu, les deux correspondants transcrivent en vers ce qu'ils voient l'un et l'autre dans leur boule de cristal. Bembo s'enflamme ; son globe lui est maintenant plus cher que toutes les perles de l'océan Indien : il y a vu le visage de son amour. Une élégie compare Lucrèce à Hélène de Sparte enlevée par Pâris. Mais supérieure à celle-ci, elle ne laisse pas sa grâce physique étouffer son génie.

> « Si tu déclames en langue vulgaire,
> tu sembles une beauté née en terre d'Italie.
> Si de ta plume sortent des poèmes,
> les Muses, semble-t-il, n'en font pas de plus beaux.
> Si de ta main d'ivoire, tu pinces harpe ou cithare,
> tu redonnes la vie aux musiques de Thèbes.
> Si tu chantes le Pô et ses ondes voisines,
> le courant se conforme au charme de tes notes.
> S'il te plaît de danser de tes pieds si agiles,
> ô combien je redoute qu'un dieu te contemplant,
> ne vienne t'enlever du cœur de ton château
> et t'emporter, sublime, d'un vol léger en l'air
> pour te sacrer déesse dans un astre nouveau. »

Le 3 juin, envoyant deux sonnets à Lucrèce, Bembo se décrit lui-même en train de composer dans l'embrasure d'une petite fenêtre qui s'ouvre sur le jardin d'Ostellato : « Je ne puis rien dire de nouveau, écrit-il. Tout au plus pourrais-je narrer la vie paisible que je mène, la solitude, les ombres des arbres, le calme, choses que j'aimais autrefois et qui me paraissent aujourd'hui ennuyeuses et moins belles. Que signifie cela ? Est-ce le début d'une maladie ? Je voudrais que Votre Altesse consulte son petit livre afin de savoir si ses sentiments correspondent aux miens... » Sans doute ce « petit livre » est-il un recueil de sentences et de prophéties, servant, à la manière d'une clé des songes, à découvrir le sens des visions poétiques.

Au bout de quelques mois, il n'y a plus de doutes. L'amour courtois et platonique s'est changé en passion. En juin,

perdant toute prudence, Lucrèce répond par des vers compro-
mettants, des stances de l'Espagnol Lopez de Estuñiga :

> *Yo pienso si me muriese*
> *Y con mis males finase*
>   *Desear,*
> *Tan grande amor fenesciese*
> *Que todo el mundo quedase*
>   *Sin amar.*

> « Je pense que si je mourais
> et qu'avec mes maux finissait
>   le désir,
> un si grand amour s'éteindrait
> et le monde entier resterait
>   sans aimer. »

Cette déclaration enflammée est suivie, en juillet, de l'envoi
de la mèche de cheveux. Lucrèce s'est confiée à deux de ses
dames en qui elle a toute confiance, sa jeune cousine, Angela
Borgia, et Polissena Malvezzi. Elles conviennent d'adopter un
code avec lequel Lucrèce marquera sa correspondance : le
sigle F.F. signera ses lettres. Seul Ercole Strozzi est au courant
en dehors d'elles. Il est prudent de se garder de la jalousie
d'Alphonse et de la suspicion d'Hercule : à Ferrare on
conserve le souvenir de terribles vengeances de maris trompés
au sein même de la famille d'Este. Bembo, de son côté,
adressera ses lettres à l'une des femmes de Lucrèce, appelée
Lisabetta. Le poète se plie au rite. Il consacre beaucoup de
temps à ces missives au moment où il compose ses célèbres
dialogues sur l'amour, *Gli Asolani*. Mais au début d'août il
tombe gravement malade dans la maison d'Ercole Strozzi.
Abandonnant toute prudence, Lucrèce se rend, le 11 août, au
chevet du poète. Le lendemain le malade se prétend guéri par
cette visite salutaire : « J'ai tout à coup, écrit-il, recouvré la
santé comme si j'avais bu un élixir divin. A ce bienfait vous
avez ajouté ces chères et douces paroles pleines d'amour, de
joie et d'un réconfort qui me versait la vie... Je baise cette

main, la plus douce qui ait jamais été baisée parmi les hommes. Je ne dis pas la plus belle parce que rien de plus beau que Votre Seigneurie n'a jamais pu naître ! »

Mais la jeune femme ne peut rester à côté de « Messer Pietro » dans Ferrare envahie par la peste. Elle part pour Belriguardo, tout près d'Ostellato. Sa joyeuse cour de dames et de seigneurs s'installe à Medelana. Don Giulio, le beau bâtard, y courtise assidûment Angela Borgia.

Mort d'Alexandre VI
Lucrèce et César dans la tourmente

Durant ce séjour agréable de Medelana, Lucrèce reçoit, le 19 août, la terrible nouvelle de la mort de son père, le pape, portée par le cardinal Hippolyte, qui a chevauché à bride abattue depuis Ferrare sous le dur soleil. C'est aussitôt le déchaînement d'une douleur forcenée. La jeune femme pleure le seul être qui a veillé sur elle depuis son enfance et l'a élevée au rang de princesse. Elle écarte de son esprit tout ce qui lui a procuré peur et humiliation, les rumeurs infamantes de crimes et de vices, la violence de César favorisée par la faiblesse du pontife. L'amour filial est le plus fort. Lucrèce, endeuillée, s'enferme dans sa douleur mais aucun des membres de sa famille d'adoption ne s'y associe. Don Alphonse, homme réaliste et sans imagination, fait une courte visite à son épouse et vite s'enfuit : les larmes et le chagrin l'indisposent. Le duc Hercule n'est pas trop marri : il était sur le point de se brouiller avec le pape. Alexandre en effet avait omis d'inclure son favori Gianluca Castellini parmi les nouveaux cardinaux. Aussi, dans une lettre à son ambassadeur de Ferrare, déclaret-il franchement qu'il n'est pas triste de cette disparition. Bien au contraire : « Pour l'honneur de Dieu et le bien universel de la Chrétienté, nous avons plusieurs fois désiré que la Divine Bonté et Providence nous pourvût d'un pasteur bon et exemplaire et qu'il ôtât tant de scandale de son Eglise ! »

Le cardinal Hippolyte espère que la mort du pape va lui donner le moyen de briller dans le futur conclave. Il a obtenu une dernière faveur du pontife défunt : l'évêché de Ferrare, mais à condition d'en verser pendant deux ans les revenus à Lucrèce comme celle-ci l'avait demandé. Et bien que fort galant à l'égard de sa belle-sœur — et de ses dames, dont la belle Angela — il a été désagréablement surpris par cette mesure.

Le plus sincère des amis et le plus réconfortant se trouve être Pietro Bembo. Encore malade il rend visite à Lucrèce, mais ne parvient pas à trouver les mots capables d'exprimer sa profonde sympathie. Aussi se résout-il à lui écrire :

« Hier, je vins à Votre Altesse pour vous dire la part que je prends à votre malheur et vous consoler dans la mesure de mon pouvoir. Mais je ne pus faire ni l'un ni l'autre. Car, lorsque je vous vis dans cette chambre obscure, étendue en cette robe noire, désolée et en larmes, l'émotion m'étreignit le cœur si fort que je restai là, debout, impuissant à parler et à trouver ce que je pouvais bien dire. J'avais moi-même besoin de consolation, alors que j'étais venu en donner, et je m'en allai, l'âme déchirée par ce spectacle pitoyable, muet tout à la fois et balbutiant, comme vous l'avez remarqué sans doute ou auriez pu le remarquer...

« Connaissant mon dévouement et ma fidélité, vous savez, par votre douleur, quelle doit être la mienne. De votre sagesse infinie, vous tirerez la consolation qui vous est nécessaire sans que d'autres vous l'apportent. »

D'autres lettres suivent invitant Lucrèce à recourir à l'affection de son ami : « Ces infortunes ne m'ébranlent, ni n'affaiblissent mes ardentes et constantes pensées, mais me renforcent et m'enflamment encore plus à vous servir chaque jour. » La constance du poète est enfin récompensée. Lucrèce lui avoue qu'elle l'aime. Bembo ne se tient plus de joie. Le 5 octobre, il lui écrit qu'il aurait sacrifié n'importe quel trésor pour entendre l'aveu qu'elle lui a fait la veille. Il déplore qu'elle ne l'ait fait plus tôt. Le feu, continue-t-il, dans lequel F.F. et son sort l'ont jeté, est le plus ardent et le plus pur qui ait jamais brûlé dans le cœur d'un amant. Il espère qu'en s'efforçant d'éteindre cette flamme dans son propre sein, la jeune femme en sera, elle aussi, brûlée.

Dans une autre missive l'exaltation atteint son paroxysme :
« Ma seule espérance est de pouvoir contempler une fois
encore ma chère moitié sans laquelle non seulement je suis
incomplet, mais complètement anéanti. »

Mais ces lettres sont trop fréquentes. Elles éveillent les
soupçons d'Alphonse. Le 7 octobre, il annonce qu'il va venir
chasser à Ostellato. Il a besoin de la villa de Strozzi pour loger
sa suite. Il force ainsi Bembo à quitter les lieux, et donc la
proximité de Medelana où réside encore Lucrèce : la jeune
femme ne peut revenir à Ferrare où rôde toujours la peste. En
décembre, le poète est appelé à Venise au chevet de son jeune
frère Carlo, gravement malade. Il le trouve mort en arrivant.
Saisi de douleur, il cherche un réconfort dans l'amour de
Lucrèce : « Soyez sûre que dans la tristesse comme dans la
joie, je serai toujours le fidèle héliotrope et que vous serez
toujours mon soleil. » Peu après il lui envoie un agnus-Dei,
médaille de cire bénite, qu'il a porté sur sa poitrine. Il la prie
de le passer à son cou la nuit, pour l'amour de lui, afin qu'il
incarne sa présence « sur le doux reposoir de son cœur ». Il
jure qu'il reviendra après Pâques. Mais il ne revint pas et la
correspondance amoureuse cessa, remplacée par de sages
lettres officielles, soit que les protagonistes de l'idylle eussent
changé de sentiments, soit que la jalousie d'Alphonse eût été
trop menaçante. Le dernier témoignage de l'amour du poète
viendra beaucoup plus tard, en février 1505, lorsqu'il fera
remettre à Lucrèce par son imprimeur Alde Manuce un
exemplaire des *Asolani,* ses dialogues sur l'amour, superbement dédiés à la belle dame de Ferrare.

Grâce à son aventure romantique avec Bembo, Lucrèce
occupe une place d'honneur dans la très élégante culture de
son temps. Mais les événements de Rome se chargent de lui
rappeler que la violence occupe le devant de la scène du
monde. Son frère César en subit les conséquences car, cette
fois, ce n'est pas lui qui dirige le cours de l'histoire. La mort
d'Alexandre VI, le très court pontificat de Pie III et les
incertitudes du début du règne de Jules II laissent le Valentinois désemparé et bientôt réduit à la défensive face aux
seigneurs qu'il a spoliés en Romagne. Il ne peut même plus

espérer le secours du roi Louis XII de France pour qui les Borgia ne représentent plus rien. Le souverain exprime clairement son opinion à son allié le duc de Ferrare : il lui suggère de renvoyer Lucrèce qui n'a pas encore donné d'héritier à son fils ! Les motifs ne manqueront pas, fait-il remarquer, pour justifier la répudiation, y compris l'argument d'un mariage imposé. Mais ni Hercule, ni son fils ne retiennent ce conseil d'ami : en dehors de l'attachement réel qu'ils ont conçu pour Lucrèce, le divorce serait infamant pour eux et cette considération les arrête, autant que la perspective d'avoir à rembourser la colossale dot de la jeune femme.

Dans cette conjoncture hostile Lucrèce prend sans hésiter le parti de son frère. Elle sait que le seul support de la grandeur des Borgia demeure le duché de Romagne conquis par César. Il importe de maintenir la domination de son frère qui est sa meilleure garantie. Mais Venise entre en action, soutient les anciens princes et les aide à reprendre leurs territoires. N'ayant que très peu d'argent à sa disposition, Lucrèce réussit cependant à lever mille fantassins et cent cinquante archers qu'elle envoie à Pedro Ramirez. Ce renfort fait merveille à Cesena et Imola tenues hors d'atteinte des Vénitiens. Mais le fidèle lieutenant de César ne peut empêcher Giovanni Sforza de se réinstaller à Pesaro. Lucrèce apprend avec indignation que son ancien mari se livre à des vengeances mesquines : il fait même exécuter l'humaniste Pandolfo Collenuccio, venu naguère porter à César les propositions d'alliance d'Hercule d'Este.

Alors que la situation se dégrade et que Jules II tente de se faire remettre les forteresses par persuasion ou par crainte, Lucrèce encourage la résistance aux ordres de Rome. Il se peut qu'elle ait conseillé au commandant de Forli les demandes excessives et l'exigence d'une indemnité qu'il oppose au terrible pontife. En tout cas, la dame de Ferrare est représentée lors de la retraite honorable qu'obtient la garnison. Le soutien donné à ces capitaines, qu'il considère comme des rebelles, irrite violemment Jules II. Mais quand il s'en plaint à Ferrare, Hercule affirme qu'il n'y participe pas : tout est payé par sa bru. Cependant, le duc laisse faire et même favorise secrètement ces entreprises : il préfère voir la Romagne dominée par de petits seigneurs, amis ou ennemis de César, plutôt que par le pape ou par le redoutable voisin de Ferrare, la République de Venise. Par l'aide qu'elle apporte à son frère, Lucrèce fait ainsi le jeu de son beau-père et de Ferrare.

Le sort des petits ducs romains

Un autre mobile que l'intérêt de César pousse Lucrèce à tenter de sauver les vestiges de la grandeur des Borgia. C'est la défense de l'avenir de ses enfants. Les deux petits ducs romains, Jean et Rodrigue, ses fils, voient leur situation compromise à la mort de leur grand-père Alexandre VI. Avant l'ouverture du premier conclave, ils sont conduits dans le château Saint-Ange auprès de César. Leur tuteur, François Borgia, cardinal de Cosenza, s'apprête à les amener à Ferrare dès que les routes, alors encombrées par les troupes qui se sont retirées de Rome, seront redevenues praticables. Or le jeune Rodrigue, et peut-être les autres enfants (il y a dans la forteresse les enfants naturels de César), souffrent de l'épidémie de malaria qui règne alors dans la ville. La fièvre les empêche de partir. Par ailleurs, Hercule d'Este, dès l'élection du nouveau pape Pie III, estime qu'il n'y a pas lieu de faire venir les petits princes à Ferrare. Il croit préférable de vendre tous leurs biens en Italie et de les envoyer se former dans une cour étrangère, qui pourrait être la cour d'Espagne, d'où sont venus leurs ancêtres. Ils pourraient ensuite se fixer soit en Italie, soit en Espagne. Cette argumentation s'applique particulièrement à l'enfant légitime, Rodrigue, qui appartient par son père à la famille royale d'Aragon. Hercule, considérant que Lucrèce n'a pas encore d'enfant de son mariage avec Alphonse d'Este, craint que le jeune duc de Bisceglie, s'il vient à Ferrare, ne trouble de façon malencontreuse l'ordre de succession à la couronne ducale.

La jeune femme est contrainte de s'incliner. D'autres soucis l'accaparent. Après l'élection de Jules II, elle assiste à la ruine de César et s'efforce d'enrayer la désagrégation du duché de Romagne, mais elle ne peut sauver Camerino qu'elle avait fait conférer au petit Jean de Népi. Elle donne son accord au cardinal de Cosenza pour que les petits princes soient conduits à Naples où, en avril 1504, César les rejoint avec un sauf-conduit de Gonzalve de Cordoue. Les enfants sont confiés à Sancia d'Aragon, la tante du jeune Rodrigue. Elle vit séparée de son mari Gioffré mais possède un beau palais et un train princier. Elle est fort bien en cour auprès de Gonzalve de Cordoue dont elle est devenue l'égérie. César ne peut guère s'occuper des jeunes princes. Il est absorbé par les préparatifs de sa revanche. Lorsque, en mai 1504, Gonzalve le fait arrêter et l'embarque, au mois d'août suivant, pour les prisons d'Espagne, de nouvelles dispositions sont prises, en accord avec Lucrèce, pour l'entretien et l'éducation des enfants. Ils sont conduits à Bari auprès d'Isabelle d'Aragon, veuve de l'ancien duc de Milan, Gian Galeazzo Sforza. La princesse se charge d'assurer leur éducation.

Lucrèce ne devait pas revoir Rodrigue, mort de maladie en août 1512, à l'âge de treize ans. Nous savons que sa douleur fut extrême : elle se retira immédiatement en apprenant la nouvelle, le 7 septembre, dans le monastère de San Bernardino. Durant toutes les années de séparation avec son fils, elle avait, de loin, veillé sur lui avec tendresse. Elle s'occupait depuis Ferrare de nommer des intendants dans le duché de Bisceglie. Elle surveillait leur gestion et ne craignait pas de les sanctionner : en dix ans quatre intendants se succèdent, prêtant serment entre les mains de Gonzalve de Cordoue puis du cardinal Pier Luigi Borgia. Les livres de comptes de Lucrèce révèlent les cadeaux qu'elle fait à ceux qui veillent sur le petit prince : des chemises brodées par la gouvernante, de petites épées de bois doré pour les pages, six équipements de lévrier pour le cardinal Pier Luigi Borgia, des masques pour le carnaval destinés à la duchesse de Bari et une poupée pour sa fille avec un trousseau qui reconstitue en miniature les toilettes de Lucrèce.

Lorsque Rodrigue atteint ses neuf ans elle choisit, avec Isabelle d'Aragon, un précepteur, Baldassare Bonfiglio, à qui elle envoie un costume convenable à bandes de velours et de satin noir et des valises bourrées de livres neufs. A diverses reprises, elle espère pouvoir faire venir Rodrigue à Ferrare. Un pèlerinage à Lorette, prévu pour la fin d'août 1506, lui permettrait de rencontrer la duchesse de Bari et le petit duc, et peut-être de revenir avec eux jusqu'à Ferrare. Mais on découvre alors une conjuration montée contre Alphonse d'Este par don Giulio et le voyage est annulé...

Maintenant que Rodrigue est mort, il ne reste plus à Lucrèce qu'à liquider la petite cour du jeune duc. Elle envoie deux hommes d'affaires dans le royaume de Naples. Comme les territoires pontificaux sont devenus zone ennemie, ils doivent les contourner et mettent quatre mois à parvenir à Bari : ils distribuent de belles indemnités au gouverneur Bonfiglio, au page Ferrante, au maître d'hôtel Onofrio, au valet de chambre Pedro et aux deux écuyers. Ils inventorient les tapisseries, les vêtements, l'argenterie et même les chevaux qu'ils expédient à Ferrare et, avant de repartir, ils font chanter un service funèbre dans la basilique de Saint-Nicolas.

Des années de vaine tendresse s'évanouissent ainsi dans la douleur. L' « infant romain », Jean Borgia, a heureusement plus de chance que Rodrigue. L'accession de Lucrèce au rang de duchesse régnante de Ferrare après la mort d'Hercule d'Este, le 25 janvier 1505, lui est bénéfique. La jeune femme parvient à convaincre Alphonse que l'enfant a besoin d'elle. Au mois de juin, elle réussit à le faire venir à Ferrare. Elle le place chez Alberto Pio de Carpi, neveu et élève du grand savant Pic de La Mirandole, feudataire du duché de Ferrare. Ce seigneur veut se faire pardonner d'avoir hébergé un chapelain de don Giulio d'Este pourchassé par le cardinal Hippolyte pour un délit indéterminé. Aussi accepte-t-il volontiers de recevoir à Carpi le soi-disant « fils du duc de Valentinois ». L'enfant est élevé dans ce milieu humaniste et cultivé. Devenu un bel adolescent il sera plus tard, en 1517, accueilli à la cour de Ferrare mais on le présentera comme le frère de Lucrèce, car l'ombre du Valentinois est alors réprouvée : sa filiation n'est-elle pas d'ailleurs établie par une bulle tout à fait authentique d'Alexandre VI ?

Ayant réglé les dispositions nécessaires à l'entretien et à l'éducation de Jean, la duchesse de Ferrare fait retraite pour préparer un nouvel accouchement qu'elle espère plus heureux que les précédents. Son attente est comblée. Le 19 septembre 1505, à Reggio, elle donne naissance à un garçon, qui aura donc le privilège d'hériter de la couronne ducale. On lui impose le nom papal d'Alexandre. Mais le bébé, qui est de faible constitution, refuse de s'alimenter. Il meurt au bout de vingt-cinq jours. Ce décès prématuré, qui vient après la série de fausses couches dont a souffert Lucrèce, pourrait faire douter de ses capacités à assurer la descendance. Mais elle prouvera bientôt le contraire en dotant son mari d'une famille nombreuse...

Les enfants de César

Le souci que procurent à Lucrèce ses rejetons ne lui fait pas oublier les enfants de son frère César. Elle entretient une correspondance suivie avec Louise, la fille de Charlotte d'Albret. Orpheline de mère en 1514, la jeune fille est placée à la cour de France sous la tutelle de Louise de Savoie, la mère de François Ier. Elle a été fiancée dès le berceau à Frédéric, fils du marquis de Mantoue. Le prince, lorsqu'il vient en France en 1516, découvre une jeune fille petite et laide avec un nez disgracieux et un vilain signe sur le front. Aussi renonce-t-il à l'épouser en prétextant que sa dot est insuffisante. Sa laideur n'empêche pas Louise de contracter de beaux mariages, le premier avec Louis de La Trémoille, en 1517, et le second après la mort de son mari à la bataille de Pavie, avec Philippe de Bourbon, baron de Busset, lointain parent de la famille royale.

Les enfants illégitimes, que César avait amenés avec lui pour les soustraire à la vindicte pontificale au début du règne de Jules II, ont été conduits du royaume de Naples à Ferrare en même temps que l' « infant romain », Jean de Népi. Aussi, le cœur généreux, s'efforce-t-elle de leur assurer une situation digne de leur rang. Le fils, Girolamo, est marié par ses soins dans une famille noble de Ferrare. Devenu veuf il convole de nouveau avec Isabella Pio, fille du seigneur de Carpi : ses deux filles porteront les noms d'Ippolita et de Lucrezia en l'honneur de la maison ducale. Lucrèce déplore sans doute le tempérament violent que Jérôme tient de son père. D'un caractère tout différent, doux et très pieux, la fille naturelle du Valentinois, Camilla, liée à Lucrèce par des goûts communs pour l'art et la poésie, est placée par sa tante dans le couvent de San Bernardino qu'elle vient de fonder à Ferrare. Elle y prend le nom de sor Lucrezia et donnera jusqu'à la fin de sa vie l'exemple de toutes les vertus. Lucrèce s'occupe encore d'un autre bâtard des Borgia, que l'on voit apparaître sous le nom de Rodrigue lorsque, à treize ans, en 1515, il est légitimé par le pape Léon X : la bulle le dit « né du Pontife Romain et d'une femme célibataire ». L'enfant, prétendu fils d'Alexandre VI, pourrait avoir été en fait celui de Francesco Borgia, cardinal de Cosenza, mort en 1511. La duchesse de Ferrare, en veillant à son éducation, aurait ainsi payé une dette de reconnaissance envers son cousin défunt qui avait apporté, comme tuteur, des soins vigilants au petit duc de Bisceglie. Cet obscur Rodrigue devait mourir en 1527, pourvu d'un modeste bénéfice ecclésiastique.

Lucrèce devient duchesse
Sa liaison avec François de Gonzague

Le monde de l'enfance et de la jeunesse auquel préside Lucrèce ne lui fait pas négliger les devoirs de sa charge. Ses sujets de Ferrare apprécient la majesté de sa première apparition de duchesse au balcon du palais. C'était peu après la mort du vieux duc Hercule, le 23 janvier 1505. Alphonse avait reçu l'épée et le sceptre des mains du vieux Tito Strozzi, doyen des Douze Juges, dans la salle de la Grande Cheminée. Puis il avait parcouru à cheval la ville toute blanche de neige avant de recevoir dans la cathédrale la couronne ducale. Lucrèce, saluée par les principales dames de l'aristocratie, assistait de haut à cette fête. Elle était vêtue d'une robe de brocart doré et cramoisi et d'un ample manteau de moire blanche doublé d'hermine. Les bijoux des Este scintillaient de toutes parts sur sa chevelure, son front, sa poitrine. Après la réception et le banquet qui avait suivi, on avait célébré les funérailles d'Hercule et la cour avait pris le deuil. Une nouvelle vie commençait où Alphonse mit tout de suite sa marque. Maniaque et soucieux de l'ordre, il chercha à éloigner de Lucrèce les Espagnols qui restaient dans son entourage. Sous prétexte d'intimité il fit construire un passage intérieur qui lui permit d'accéder à tout moment des appartements officiels à la retraite personnelle de la duchesse, ces trois pièces qui étaient son propre univers.

Lucrèce fait bonne figure dans cette nouvelle situation qui l'oblige à être perpétuellement en représentation. C'est alors qu'elle trouve soutien et consolation auprès de son beau-frère François de Gonzague, marquis de Mantoue. Lors de son passage à Ferrare en 1504, le marquis a eu de longues conversations avec elle à propos du malheureux sort fait à César Borgia. Il s'est proposé pour assurer les liaisons avec le Valentinois et son rôle a été rendu indispensable par la longue incarcération du duc en Espagne. Surmontant les sujets de tension existant entre les cours de Mantoue et de Ferrare l'affection fraternelle de Lucrèce explique et excuse auprès de son mari les liens privilégiés qu'elle entretient avec le marquis. Lorsque, à la mi-octobre 1505, la jeune femme quitte Reggio, désemparée par la mort de son nouveau-né, le petit Alexandre, elle trouve en chemin l'hospitalité de François de Gonzague dans la forteresse de Borgoforte. Elle passe deux jours en tête à tête avec son beau-frère. L'homme qu'elle avait autrefois connu dans l'éclat de ses succès militaires, quelque peu fanfaron et foudre de guerre, se révèle délicat et rempli d'attentions à son égard. Ensemble ils rédigent un message destiné au roi d'Espagne pour, une fois encore, demander la libération de César. Puis Lucrèce accompagne François qui revient à Mantoue. Elle découvre dans la bruine légère le palais dominant les lacs que forment les retenues du fleuve. Au seuil de la demeure, Isabelle accueille Lucrèce. Elle lui fait les honneurs de ses salons. Elle lui montre ses collections fameuses de statues, médailles et tableaux. Elle lui ouvre sa belle bibliothèque. Pendant deux jours, elle impose à Lucrèce la revue générale de ses richesses d'art avec l'intention appuyée de démontrer sa supériorité. Cette attitude contraste singulièrement avec l'amabilité et la générosité du marquis. Le 31 octobre, les deux femmes se séparent avec froideur. Gonzague, pour éviter à Lucrèce de garder un mauvais souvenir de ce bref séjour, lui offre son bateau le plus rapide pour rentrer à sa résidence de Belriguardo.

Terrible vengeance du cardinal Hippolyte
Complot de don Giulio et don Ferrante

Dans son beau palais de Belriguardo, Lucrèce retrouve sa cour bouleversée par un terrible drame provoqué par la jalousie. Il ne s'agit pas de celle qu'Alphonse aurait pu concevoir à son propos : certes, renseigné par ses espions, il est au courant des rapports amicaux que son épouse a établis avec Gonzague, mais on l'a assuré qu'il n'a rien à craindre de ce rival car, tout attrayante que soit son apparence physique, le « mal français » l'a rendu impuissant ! Tel n'est pas le cas du bâtard d'Hercule, don Giulio d'Este. Il est depuis longtemps amoureux d'Angela Borgia, la cousine de Lucrèce, et, en cet automne de 1505, la jeune fille, âgée de dix-huit ans, est enceinte de ses œuvres. Or le cardinal Hippolyte courtise la belle. Il est éconduit. Angela ose lui dire que les yeux de Giulio valent plus que toute sa personne. Le terrible ecclésiastique se venge d'effrayante façon. Le 1er novembre, courant sus à don Giulio, il fait percer ses yeux à coups de dague.

Lucrèce vient d'arriver de Mantoue à Belriguardo lorsqu'on y porte Giulio ensanglanté. Les médecins s'affairent. Le 6 novembre, le duc Alphonse fait transporter son frère à Ferrare. Il est affreux à voir, avec son œil gauche démesurément gonflé — on a réussi à le sauver — et l'œil droit crevé et privé de paupière. Le cardinal mérite de recevoir une punition exemplaire : mais le châtiment d'un prince de l'Eglise étant réservé au Saint-Siège, l'engagement de poursuites contre lui permettrait à Jules II d'intervenir dans les affaires de la maison d'Este. Aussi Alphonse se contente-t-il d'exiger que le cardinal présente des excuses à don Giulio.

Le bâtard défiguré estime que l'on se moque de lui et prépare, dès ce moment, une vengeance proportionnée à l'offense, d'autant qu'à la suite du scandale, il perd définitivement sa maîtresse. La famille se ligue contre lui. Angela accouche, en décembre, sur le bateau qui la ramène de Belriguardo à Ferrare avec Lucrèce. On fait disparaître le bébé en le confiant à une nourrice obscure. Pour mieux consoler la jeune mère, on la dote de nombreux biens et on la marie au petit seigneur de Sassuolo dans l'Apennin de Modène, Alessandro Pio. Lucrèce, qui garde à sa cousine une tendre affection, donne un éclat exceptionnel à ses épousailles. Elle pare la mariée d'une superbe robe de drap d'or. Tout Ferrare est convié à des bals et des comédies gaillardes inspirées des contes de Boccace : les noces coïncident avec le carnaval de 1506.

Dans la ville en fête, le pauvre borgne don Giulio se tient à l'écart. Il rumine sa vengeance contre le cardinal Hippolyte, auteur de sa ruine, et contre le duc Alphonse, qu'il accuse d'avoir aggravé son malheur. Son frère, don Ferrante, par haine pour ses aînés, épouse sa querelle. Les mécontents ne manquent pas, ni les hommes de main tout prêts contre finance à passer à l'action. On trouve parmi eux un colosse blond, d'origine gasconne, qui fait profession de prêtrise et qu'on nomme Jean le Chantre : il a les faveurs d'Hippolyte et d'Alphonse, à qui il sert d'entremetteur. Un jour, au cours d'une partie de débauche, le duc se laisse ficeler nu par le Gascon sur le lit d'une courtisane : il serait facile de l'égorger, mais l'ordre n'en a pas été donné car l'on veut recourir à un moyen plus discret, comme le poison. Ce perfectionnisme est fatal aux conjurés : leurs préparatifs sont dévoilés à Hippolyte. Le 3 juillet, les surprenant réunis, il fait capturer tous les membres du complot. Torturés, ils avouent avoir projeté de tuer le duc ; ils sont tout de suite décapités et écartelés sur la grand-place de Ferrare. Seuls Giulio et Ferrante, graciés par leur frère au moment de monter à l'échafaud, voient leur peine commuée en prison perpétuelle. Enfermés dans deux cachots du château, ils y resteront le temps de règne de deux générations de ducs d'Este. Don Ferrante y mourra en 1540, à soixante-trois ans, après quarante-trois années de réclusion. Don Giulio en sortira dix ans plus tard, en 1550, à l'âge de soixante-douze ans. La prison l'avait préservé des accidents, de la guerre, des attentats et des vengeances qui lui auraient certainement ravi la vie s'il avait conservé la liberté : il battra ainsi le record de longévité des familles princières, atteignant en 1561, lors de sa mort, l'âge respectable de quatre-vingt-trois ans !

Ercole Strozzi, agent de liaison amoureuse

Dans l'été de 1506, la découverte du complot de don Giulio et son terrible châtiment donnent à Lucrèce un salutaire avertissement. Prudente de nature, elle s'efforce de cacher autant qu'elle le peut l'affinité qui la rapproche de son beau-frère Gonzague. Pour dissimuler sa correspondance elle a recours une fois encore à Ercole Strozzi. Le poète écrit au marquis sous le pseudonyme de Zilio. Tous les noms qui figurent dans les lettres sont travestis : Gonzague est Guido et Lucrèce, Barbara ; le duc Alphonse, Camillo et le cardinal Hippolyte, Tigrino ; Isabelle d'Este, Lena. Strozzi se prête d'autant plus volontiers à ce manège qu'il s'estime gravement lésé par le mari de Lucrèce : à la mort de son père, Tito Vespasiano Strozzi, Alphonse a fait pression sur Ercole pour qu'il rende les domaines que le vieux juge tenait d'Hercule Ier en récompense de ses services.

La correspondance travestie trouve son épilogue au carnaval de 1507. Gonzague rend visite à la Cour de Ferrare. Il est du devoir de la duchesse de l'accueillir avec honneur. Au cours d'un bal, elle danse avec lui la première danse avec un tel entrain que, le soir même, elle fait une fausse couche. Mais le plaisir qu'elle éprouve d'avoir revu le marquis l'aide à se remettre avec une rapidité qui stupéfie tout le monde : on la voit, peu après l'accident, faire les honneurs de sa Cour à cinq jeunes cardinaux qui se sont échappés du siège de Bologne mené par Jules II afin de participer à un bal masqué organisé par le cardinal Hippolyte. Le 22 février, la duchesse est assez valide pour présider un bal et un souper au palais ducal, avant de recevoir ses intimes dans une réunion privée animée par sa favorite, Nicole et son mari Bighino Trotti, mais aussi par Barbara Torelli, la maîtresse d'Ercole Strozzi, Giovanna de Rimini et la belle Angela Borgia.

Un chant funèbre pour César

Un mois après les fêtes mémorables de Ferrare, le 20 avril, un cavalier espagnol fatigué et poudreux se présente au château. Le duc est en voyage. La duchesse reçoit le messager : c'est Juanito Garcia, le page du duc de Valentinois. Témoin de la mort de son maître devant Viana, il est venu l'annoncer à Lucrèce.

La terrible nouvelle pétrifie de douleur la jeune femme. Puis elle se reprend. Elle continue de recevoir les suppliques que, ce jour-là, les Ferrarais apportent à leur duc. Sa journée de souveraine terminée, elle se retire au monastère du *Corpus Domini*. Pendant que sur son ordre les cloches de Ferrare égrènent les sonneries de deuil, elle médite la fin tragique de ce frère qui a été pour elle, tout au long de sa vie, l'instrument du destin. C'était grâce à lui, à sa valeur mais aussi à ses crimes qu'elle occupait aujourd'hui un trône prestigieux. Si elle avait souffert, si elle s'était révoltée, toujours elle avait accepté ses décisions, dont souvent elle était le jouet, en reconnaissant qu'elles visaient un bien supérieur : la grandeur du clan, la fortune des Borgia. Ce destin elle l'avait accepté. Son père mort, son frère abattu, elle avait relevé le défi : elle avait tenté de sauver l'héritage de Romagne, elle avait usé de toute sa persuasion pour faire libérer César — et elle avait réussi ! De nouveau le prince allait pouvoir prendre son envol. Le plan était prêt, l'alliance avec l'empereur en cours de constitution, la Navarre s'offrait comme le tremplin d'une nouvelle gloire... Hélas la mort avait tranché le fil de cette destinée à laquelle elle avait rêvé d'accrocher son avenir et celui du duché de Ferrare, un avenir où César Borgia aurait été le fédérateur des princes italiens, libérant les peuples des tyrannies locales et des menaces étrangères.

Lucrèce, très tôt mûrie par les épreuves, habituée à subir des sacrifices cruels et à se plier à l'intérêt des autres, n'avait jamais eu ni le temps, ni l'occasion d'exprimer ses opinions comme son frère l'avait fait devant Machiavel. Au lieu de la taxer de légèreté et de mollesse, en la cantonnant dans le rôle d'amoureuse et de bête à plaisir, il convient de se souvenir dans quelle estime la tenait son père pour lui avoir confié à diverses reprises des postes de gouvernement. Elle savait s'élever à de hautes considérations. La mort de son frère en fut l'occasion : la preuve s'en trouva dans le beau chant funèbre qu'elle commanda à Strozzi. Le Valentinois y était peint comme le héros envoyé par la Providence pour faire l'unité de l'Italie et lui restituer la gloire de la Rome antique. C'était la plus belle oraison qui pouvait être prononcée en l'honneur du ténébreux César.

La naissance de l'héritier de Ferrare

La roue de fortune tourne en faveur du pape Jules II. Il a décidé la ruine des Bentivoglio de Bologne qu'il obtient le 10 novembre 1507. Alphonse d'Este et François de Gonzague, pris dans le tourbillon des événements, sont contraints de se plier aux volontés du terrible pontife. En se rendant, au mois d'août, sur le champ de bataille, le marquis revoit Lucrèce. Peu après l'on apprend à Ferrare que la jeune femme est de nouveau enceinte. Une grande allégresse la porte à tout préparer de longue date pour la naissance : le berceau, la layette, une tente aux rayures multicolores qui abritera le bébé, un lit d'accouchée avec un baldaquin de toile d'argent. La chambre où elle enfantera est tapissée de toile brun et or rehaussée d'un filet rouge. François de Gonzague est au courant de tous ces préparatifs grâce à Strozzi-Zilio, qui lui écrit souvent et vient aussi à Mantoue l'informer directement.

Des espions à la solde de la marquise Isabelle en avisent
Alphonse. Ces révélations jettent le trouble dans l'esprit du
duc. Le 2 avril 1508, alors que sa femme éprouve les premières
douleurs de l'enfantement, il décide de partir à l'improviste
pour Venise. Il avance un prétexte plausible : il ne veut pas
être le témoin d'une nouvelle et humiliante naissance malheureuse. Mais, le 4 avril au matin, un garçon vient au monde,
tout à fait viable. On lui donne le nom de son grand-père
Hercule : il sera plus tard le duc Hercule II. Alphonse rentre
immédiatement à Ferrare. Il trouve, comme on le lui a
rapporté, que l'enfant n'est pas beau avec son petit nez écrasé
mais qu'il est sain et bien constitué et, pour le faire constater
publiquement, il le montre nu aux ambassadeurs venus le
féliciter. Mais la politique commande : le père comblé doit
repartir, cette fois pour la France, ce qui ne déplaît pas à
Lucrèce, bien au contraire.

Strozzi vient lire à la duchesse les premiers vers du petit
poème qu'il a composé en l'honneur du nouveau-né. Il
apporte aussi des nouvelles de François de Gonzague. Le
marquis s'estime offensé de n'avoir pas été prévenu officiellement de la naissance du jeune Hercule : seule sa femme
Isabelle a reçu une lettre de ses frères Alphonse et Hippolyte.
Comment pourrait-il dans ces conditions venir à Ferrare ? Le
fidèle Strozzi-Zilio insiste pourtant beaucoup au nom de sa
maîtresse : « Si vous veniez, elle aurait plus de plaisir que si
elle recevait 25 000 ducats. Je ne sais comment vous exprimer
la passion qui la tient. » Une autre lettre précise que Barbara
(Lucrèce) aurait voulu écrire de sa main mais que ses yeux ne
peuvent se fixer sur la page à cause de la faiblesse qui résulte
de son accouchement. Elle souhaite que Gonzague se réconcilie avec Alphonse pour pouvoir lui rendre visite. La lettre est
sans doute interceptée car, au mois de mars 1508, un
mystérieux personnage, désigné par la lettre M... dans la
correspondance de Zilio, vient trouver Lucrèce et s'offre
comme intermédiaire pour aller à Mantoue parler avec
Gonzague de cette réconciliation. Il s'y rend en effet. Il
présente au marquis un petit portrait de Lucrèce : or,
apparemment, la jeune femme ne l'a chargé d'aucune com-

mission de ce genre. Sans doute veut-on attirer Gonzague à Ferrare et le confondre en prouvant ses relations intimes avec Lucrèce. L'espion — il ne fait plus de doute que c'en est un — est peut-être Masino del Forno, un familier du cardinal Hippolyte. Strozzi, Lucrèce et Gonzague redoublent de précautions après cet incident. Ils brûlent leurs lettres après en avoir pris connaissance. Mais leurs relations sont maintenant connues, d'autant qu'Isabelle les a elle-même dénoncées à son frère le duc Alphonse. L'intrigue est trop avancée et la passion des protagonistes trop exacerbée pour qu'elles n'aboutissent pas bientôt à un drame.

Le meurtre d'Ercole Strozzi

A l'aube du 6 juin 1508, l'on découvre à un carrefour de Ferrare, près du mur fortifié du palais Romei, le cadavre d'Ercole Strozzi. Il a été percé de vingt-deux coups de poignard... Sa canne est posée près de lui. Il est chaussé de ses éperons. Nulle trace de sang ne tache le pavé. Il est hors de doute qu'il s'agit d'un assassinat froidement perpétré. Le corps a été traîné là du lieu où s'est déroulée l'exécution.

Chacun s'attend à ce que le duc ordonne une enquête. Strozzi appartient à l'une des premières familles de la ville. On le sait protégé de la duchesse. Il a fait partie de la magistrature des Douze. Certes le duc Alphonse a exigé de lui la restitution de certains biens naguère dévolus à son père, mais il ne s'est pas pour autant brouillé avec le poète. Or nul ordre ne vient du palais. Des funérailles fastueuses réunissent dans la cathédrale tous les intellectuels ferrarais mais aucun officiel n'y paraît. Lucrèce ne sort pas de son appartement pour honorer la mémoire de son ami. Tout se passe comme si la peur la tenaillait. Les seuls proches de Strozzi se hasardent à faire entendre leurs plaintes : les plus véhémentes viennent de Barbara Torelli, la compagne d'Ercole. Treize jours auparavant elle a donné naissance à une petite fille. A défaut de la protection de Lucrèce, elle espère obtenir celle de François de Gonzague. Les frères d'Ercole Strozzi eux-mêmes écrivent au marquis pour lui demander de les aider à tirer vengeance de l'abominable crime. Gonzague offre une récompense de 500 ducats à qui donnera des informations sur l'assassin, mais cette prime alléchante n'intéresse apparemment personne : nul ne se manifeste. Le marquis, pour consoler Barbara, tient par procuration sa petite fille sur les fonts baptismaux. C'est une piètre consolation. En fait tout le monde a peur et Barbara cède elle-même à la panique et quitte Ferrare.

Le temps passant, on n'oubliera pas ce meurtre mystérieux. Les hypothèses les plus diverses seront formulées. L'une des plus vraisemblables retiendra la culpabilité de l'ancien mari de Barbara, Ercole Bentivoglio, que la jeune femme avait fui à cause de sa brutalité. Furieux d'être privé de la dot de Barbara et des biens revenant à ses enfants, Ercole aurait poussé à la vengeance Gian Galeazzo Sforza, époux de l'une de ses filles. Ils auraient décidé d'atteindre Barbara à travers son amant. L'exécuteur avait peut-être été indiqué par Alessandro Pio, le mari d'Angela Borgia. Pio était en rapport avec Masino del Forno, l'espion qui, peu auparavant, avait tenté d'entraîner Gonzague dans un piège et qui pouvait fort bien avoir été l'auteur de l'assassinat de Strozzi. Or, on ne pouvait inculper cet homme sans mettre au jour les services spéciaux qu'il rendait au duc. Alphonse avait forcément appris le projet de Bentivoglio et Sforza. Il n'avait pu qu'y donner son accord. Le meurtre de Strozzi le débarrassait opportunément d'un espion à la solde du marquis de Mantoue et interrompait en même temps, par la disparition de l'intermédiaire, la correspondance amoureuse entre Lucrèce et François de Gonzague. Quelques années plus tard, Paul Jove écrira qu'il était notoire que « le juge avait voulu ignorer les coupables ». La terreur avait imposé le silence.

Ferrare et Mantoue dans le tourbillon des guerres
Le jeu du pape Jules II

Très affectée par l'assassinat de son confident, Lucrèce est cependant prompte à sortir de son abattement. Elle ose renouer ses rapports avec Gonzague par l'intermédiaire de Lorenzo, l'un des frères d'Ercole Strozzi. Cette fois encore le langage des lettres est déguisé : « faucon » signifierait « amour » ; et « fauconnier », Lucrèce. La duchesse se distrait de son chagrin dans les voyages. Pour sa villégiature d'été, elle se rend à Reggio où elle retrouve le poète Bernardo Accolti, dit l'Arétin, qu'elle avait protégé autrefois à Rome au temps du duc de Bisceglie. En septembre, elle regagne Ferrare sans avoir revu Gonzague. Le marquis, comme son beau-frère Alphonse, est pris dans le tourbillon des guerres. La ligue de Cambrai, conclue le 10 décembre 1508, unit contre la République de Venise la France, l'Angleterre et l'empereur Maximilien. Jules II, n'ayant pu obtenir des Vénitiens la restitution des places de Romagne qu'ils occupent depuis la chute de César Borgia, s'associe à la ligue le 23 mars 1509. Alphonse d'Este y est déjà entré. Il espère pouvoir reconquérir sur Venise la Polésine, région de Rovigo revendiquée par Ferrare. François de Gonzague, lui aussi, a adhéré à l'alliance contre les Vénitiens. Il compte bien, quant à lui, récupérer des territoires qu'il revendique autour du lac de Garde.

La campagne se présente sous les meilleurs auspices. Jules II, pour profiter de l'artillerie ferraraise, la meilleure d'Italie, nomme Alphonse d'Este gonfalonier de l'Eglise. Son mari partant pour la guerre, Lucrèce est chargée du gouvernement qu'elle exerce avec un conseil de dix citoyens. Elle suit avec passion le mouvement des armées. Les immenses forces de Venise — 50 000 hommes — sont, après une bataille de quatre jours, battues le 14 mai 1509 à Agnadel. Mais François de Gonzague qui, dans la suite de la victoire, occupe le territoire vénitien, est capturé le 9 août, enchaîné et porté jusqu'à Venise sous les quolibets de la foule : « Rat en cage ! Turco — cri de ralliement des Gonzague — est pris ! Pendez le traître ! »

Lucrèce, accablée par cette mésaventure, bien qu'elle soit encore très fatiguée par une nouvelle grossesse, assiste le prisonnier de son mieux et lui fait passer des secours.

Les mois qui suivent sont plus favorables. Le 25 août, la duchesse donne naissance à un bel enfant qui sera plus tard le cardinal Hippolyte II d'Este. En décembre, elle a la satisfaction de voir son mari et son beau-frère, le cardinal, arrêter sur le Pô une flotte vénitienne qui remontait le fleuve en dévastant le pays sur les deux rives. Dix-huit galères et cinq navires chargés de vingt-huit gros canons et de cent quarante petites bouches à feu sont capturés d'un coup. Ce succès aide les négociations menées à Venise par Isabelle, marquise de Mantoue. Elle réussit à faire libérer son mari en donnant son fils Frédéric en otage au pape : Jules II veut s'assurer que le marquis une fois libre ne se retournera pas contre lui.

Les deux principautés sœurs de Ferrare et Mantoue n'ont jamais connu la situation dans laquelle les plonge bientôt la volonté de fer du pape Jules II. Se rendant compte que l'anéantissement de Venise est mauvais pour l'Italie, le pontife monte une Sainte Ligue qui renverse tout le système d'alliance précédent. Son ennemi n'est plus Venise, mais la France qu'il faut bouter hors d'Italie. Alphonse d'Este, qui refuse de trahir Louis XII, est démis de sa charge de gonfalonier de l'Eglise que le pape donne à son beau-frère François de Gonzague ! Le marquis de Mantoue retrouve de plus la charge de capitaine général de l'armée vénitienne qu'il avait autrefois exercée contre Charles VIII au moment de la bataille de Fornoue.

Jules II lance l'interdit sur Ferrare et fulmine l'excommunication contre le duc. Lucrèce, toujours associée au gouvernement de l'Etat, apprend avec horreur que François de Gonzague est chargé par le pape d'assiéger sa ville. Or, en accord avec sa femme Isabelle qui n'oublie pas qu'elle appartient à la famille d'Este, le marquis trouve un prétexte pour ne pas marcher contre Ferrare : il feint une grave maladie. Le duc Alphonse se défend vaillamment, aidé par le contingent français dont fait partie le chevalier Bayard. La défaite de Jules II à La Bastide, le 11 février 1511, sauve Ferrare.

Retour de fortune et conversion de Lucrèce

La dureté des événements qu'ils ont subis ensemble a réconcilié Alphonse et Lucrèce. A Ferrare, la duchesse reçoit ses défenseurs victorieux avec grand honneur, fêtes et banquets. « Elle était belle, bonne, douce et courtoise à toutes gens », écrit le Loyal Serviteur, chroniqueur des hauts faits de Bayard. Il ajoute : « S'il est une chose certaine, c'est que, encore que son mari fût un sage et vaillant prince, ladite dame lui a rendu de bons et grands services par sa gracieuseté. »

Louis XII, huit ans auparavant, avait déclaré à l'ambassadeur de Ferrare que « Madame Lucrèce n'était pas la femme qu'il fallait à don Alphonse ». Il doit maintenant reconnaître qu'il s'est trompé. Lucrèce est de la race des princesses dignes de rivaliser avec la reine de France. Pendant l'absence de son mari elle l'a remplacé dans le gouvernement de l'Etat tout en menant de front ses tâches de bonne mère de famille.

C'est l'époque où il lui faut être plus vigilante que jamais afin de préserver ce qui reste des biens de ses deux fils aînés, les petits ducs romains. Dans sa haine contre les Borgia, Jules II a décrété la spoliation complète des enfants. Le vieux cardinal de Cosenza, François Borgia, pour en avoir avisé Lucrèce, est jeté en prison par le pape. Il réussit à s'échapper. Avec Bernardino Lopez de Carvajal, cardinal-évêque de Sabine, et Guillaume Briçonnet, cardinal-évêque de Palestrina, il s'enfuit à Pise. Retrouvant là le cardinal René de Prie, les princes de l'Eglise convoquent un concile devant lequel ils citent Jules II, qu'ils accusent de simonie et autres crimes : contre cette assemblée schismatique, le pontife brandit les foudres du Saint-Siège, excommunie et prive de leurs titres et dignités les cardinaux rebelles par deux bulles successives de juillet et octobre 1511.

Or la mort se fait l'auxiliaire du pape terrible. Avant de recevoir la seconde sentence qui le frappe, le cardinal François Borgia meurt d'apoplexie à Pise. Peu après, Jules II a la satisfaction d'apprendre le décès, en 1512, de deux autres Borgia auxquels Lucrèce est particulièrement attachée : le

cardinal Pier Luigi et le petit duc de Bisceglie. Le cardinal
résidant au royaume de Naples y veillait sur les intérêts du
petit duc Rodrigue. Il était mort en tombant de sa mule peu de
temps avant que son pupille ne fût lui-même atteint d'une
maladie fatale.

La défaite de La Bastide marque cependant le début des
revers de Jules II. Les Bentivoglio rentrent à Bologne. Le
peuple brise la statue colossale en bronze de Jules II, œuvre de
Michel-Ange qui orne la façade de la cathédrale. Avec les
morceaux, Alphonse d'Este fait couler un canon qu'il appelle
fièrement la Julienne. Lucrèce apprend avec plaisir la reprise
de Modène et des autres places qui ont été enlevées au duché
de Ferrare. A Pâques 1512, le succès paraît définitivement
acquis avec la victoire, à Ravenne, de Gaston de Foix, le
jeune neveu du roi de France, âgé de vingt-deux ans, sur les
Espagnols et les pontificaux — victoire qui coûte cher en vies
humaines : on déplore dix mille morts dont celle du jeune
général français.

A Ferrare, Lucrèce est de plus en plus souvent chargée du
gouvernement. Au début de 1513, son mari lui remet la
conduite des affaires et la défense de la ville pendant qu'il se
rend à Rome où il espère, à la suite d'une mission du poète
Ludovic Arioste, et profitant de la médiation de Fabrizio
Colonna, obtenir la levée de l'excommunication qui pèse sur
lui. Or Jules II l'a attiré dans un piège. Le pape énumère ses
conditions : Alphonse devra abdiquer sa souveraineté sur
Ferrare, renoncer à tous ses droits pour lui et les enfants de
Lucrèce en faveur du Saint-Siège et enfin s'exiler jusqu'à sa
mort dans la petite ville d'Asti en Lombardie. En attendant de
donner sa réponse, il sera tenu prisonnier. Heureusement,
Fabrizio Colonna, qui a engagé son honneur en assurant à
Alphonse qu'il pouvait venir impunément à Rome, fait évader
le duc et favorise sa fuite. Déguisé en cuisinier de Prospero
Colonna, Alphonse réussit à traverser le territoire pontifical
hostile et à revenir en hâte à Ferrare. Il trouve sa capitale
investie par l'ennemi. Tout le territoire est en passe d'être
occupé par les Vénitiens. Mais Lucrèce maintient l'ordre et le
moral dans la ville. Le redressement de la situation se fait

aisément après la réconciliation d'Alphonse avec les Vénitiens.

La grande chance de Ferrare est la mort de Jules II, le
21 février 1513. La duchesse et le duc, plus que jamais unis
par leurs terribles épreuves, font célébrer des actions de
grâces dans les églises. Le pape Léon X se réconcilie avec
Ferrare et Mantoue. Il a à ses côtés, comme secrétaire
particulier, Pietro Bembo, ancien ami de Lucrèce. Bembo
aura bientôt, dit-on, les pouvoirs d'un vice-roi. Il est promu
cardinal, ce qui ne l'empêche pas de continuer de sacrifier à
Vénus. Après des liaisons galantes avec des dames aux noms
poétiques, Aurore, Topaze, il vivra maritalement avec la
Génoise Morosina qui lui donnera trois fils.

Dans la paix revenue à Ferrare, après ces quatre dures
années où elle s'est dépensée bravement au service du duché,
Lucrèce ne peut que sourire des douces nouvelles qui viennent
de Rome, en se souvenant des ardeurs passées de son poète
vénitien. Elle-même a bien changé. Durcie par les épreuves,
elle verse dans la dévotion, porte un cilice sous ses chemises
brodées, renonce aux robes décolletées, écoute la lecture
d'ouvrages religieux pendant ses repas et fréquente assidûment les églises de Ferrare. Elle s'est agrégée au tiers ordre de
Saint-François et y a fait entrer le marquis de Mantoue.
Cependant le rythme de ses grossesses ne se ralentit pas pour
autant. En 1516, elle a trente-six ans. Elle a donné au duc
Alphonse, en quatorze ans de mariage, quatre fils, dont l'un
mourra bientôt, et une fille, et elle est enceinte d'un cinquième enfant. Ces naissances, alternant avec de très nombreuses fausses couches, l'ont affaiblie, mais n'ont pas altéré
sa beauté, si nous en croyons l'éloge que Ludovic Arioste
insère dans son *Roland furieux,* publié en 1515 : « Par sa
singulière beauté, par sa grande prudence elle surpasse toute
perfection. »

Sentimentalement, Lucrèce atteint à la sérénité. Le spectacle du monde l'y encourage. Le roi François Ier, victorieux à
Marignan, assure la protection du duché de Ferrare. Lorsque
le pape Léon X manifeste des intentions hostiles à l'égard des
Este, en 1518, il suffit pour les conjurer que le duc Alphonse

se rende à Paris. Du reste le pontife manifeste une grande sollicitude envers la mère de Lucrèce, Vannozza Cattanei, qui réside toujours à Rome.

La mort de Vannozza Cattanei

Agée maintenant de soixante-dix-sept ans, l'ancienne maîtresse d'Alexandre VI, continue de faire fructifier les biens qu'elle possède dans la Ville éternelle. La location de ses nombreux immeubles, l'exploitation de ses trois auberges, *le Lion, la Vache* et *l'Aigle,* situées au centre de Rome, les revenus qu'elle tire des troupeaux de moutons qui paissent dans la campagne proche, lui fournissent de confortables revenus. Elle a gardé des liens assez étroits avec ses enfants, Lucrèce, bien sûr, mais aussi Gioffré, remarié à Naples, après la mort de Sancia en 1506, avec une de ses cousines Maria de Mila d'Aragon. Vannozza ne sait pas écrire, aussi dicte-t-elle ses lettres à un secrétaire plus habitué au commerce qu'à la diplomatie comme le montre le style sec et dur de ses missives : la plupart, il est vrai, quémandent des faveurs. Ainsi, la vieille dame charge sa fille de demander au cardinal Hippolyte l'octroi de bénéfices dans son diocèse de Capoue en faveur de neveux d'Agapito Gherardi, ancien secrétaire du Valentinois. Elle remercie le cardinal en lui envoyant deux colonnes antiques déterrées dans l'une de ses vignes romaines. Une autre fois elle demande à Lucrèce de faire intervenir le duc Alphonse auprès du duc de Milan pour faire taire un certain Paolo qui dit du mal d'elle.

Honorée par tous comme une femme respectable, elle s'éteint, le 26 novembre 1518, après avoir légué ses biens à des congrégations pieuses, à l'hôpital de San Salvatore Laterano et aux enfants pauvres. Elle est enterrée solennellement à Sainte-Marie-du-Peuple. Par ordre de Léon X on lui rend des honneurs réservés d'ordinaire aux cardinaux.

La fin de Lucrèce

Lucrèce est à Ferrare avec ses plus jeunes enfants et ne peut se rendre à Rome pour les obsèques de sa mère. Alphonse est parti pour Paris, emmenant avec lui Jean, duc de Népi, l' « infant romain ». Nous ignorons de quelle manière la duchesse ressent la mort de sa mère : sans doute avec une noble résignation. Mais quelque temps après la Vannozza, François de Gonzague s'éteint, le 29 mars 1519, rongé par la syphilis. Lucrèce écrit une belle lettre de consolation à Isabelle d'Este. La foi y est proposée comme remède à la douleur d'une perte cruelle : « Il a plu à Dieu de le vouloir ainsi. C'est notre devoir de nous soumettre à ses décrets. »

Au printemps de 1519, rentrant à Ferrare, Alphonse trouve sa femme dans un grand état de fatigue, traits tirés, teint de plomb, yeux cernés. Alors qu'elle atteint le seuil de la quarantaine, sa nouvelle grossesse, la onzième en comptant ses fausses couches, s'annonce très difficile. Pour la réconforter, son époux lui conte l'opinion des Français à son égard : d'après eux, la bonne duchesse de Ferrare l'emporte par ses qualités sur l'orgueilleuse marquise de Mantoue ! Mais la malade sourit à peine. Elle passe presque toutes ses journées au lit. Pour alléger ses souffrances, les médecins Palmarino et Bonaciolo, pensent à hâter l'accouchement. Les contractions se déclarent brusquement. Le 14 juin, naît une petite fille malingre. On a à peine le temps de la baptiser des noms d'Isabelle-Marie qu'elle s'éteint. La fièvre puerpérale s'est emparée de Lucrèce. Après de longues journées de lutte, les médecins désespèrent de la sauver. Au cours des deux dernières années, elle est devenue très pieuse, se confessant quotidiennement et communiant trois à quatre fois par mois. Elle demande que l'on sollicite pour elle auprès du pape Léon X une indulgence plénière pour assurer son salut éternel. L'émotion est sensible dans la lettre que la Chancellerie ducale envoie en son nom à Rome : « Il me faut payer ma dette à la nature. Par une très grande faveur du tout miséricordieux Créateur, je sais que la fin de ma vie est proche et que dans quelques heures j'en serai délivrée. » La mort survient la nuit du 24 juin, après que la duchesse ait dévotement recu les derniers sacrement. Alphonse est à ses côtés. Il tient avec angoisse sa main, donnant le spectacle d'un époux éperdu de douleur au terme de dix-sept ans d'une union souvent houleuse. Il se confie à son neveu, le jeune marquis de Mantoue : « Il a plu au Seigneur notre Dieu de rappeler à Lui l'âme de la très illustre duchesse, notre épouse bien-aimée... Je ne puis écrire ces lignes sans pleurer, tant il m'est dur de me voir séparé d'une aussi chère et douce compagne, car elle m'était douce et chère par sa vertu et par la tendresse dont nous étions unis. »

Alphonse conduit le deuil dans l'église du *Corpus Domini* où Lucrèce est inhumée dans le caveau ducal auprès d'Eléonore, femme d'Hercule Ier. Mais le duc n'est ni d'humeur, ni de constitution physique à se confiner dans la déréliction. La tombe à peine refermée, il trouve consolation dans les bras de sa maîtresse, la belle Laura Dianti, fille d'un bonnetier de Ferrare.

L'image de Lucrèce s'estompe. Mais quelque chose d'elle survivra dans ses enfants. Le duc Hercule II, époux de Renée de France, fille de Louis XII, sera, par sa propre fille Anne d'Este, l'aïeul du duc Henri de Guise, le prince de la Ligue, à deux doigts de ravir, soixante années plus tard, le trône de France à Henri III. Le cardinal Hippolyte II, constructeur de la fameuse villa d'Este à Tivoli, chef-d'œuvre des palais italiens, sera l'un des mécènes les plus fastueux de la Renaissance. Tous deux mêleront à l'orgueil ombrageux des Este un formidable appétit de jouir des beautés du monde, en les faisant servir à la grandeur de leur famille, suivant l'illustre exemple de Lucrèce et de la lignée des Borgia.

CHAPITRE III
Un triomphe dans le Ciel

Pendant que sous le nom des Este de Ferrare, les enfants de Lucrèce font revivre en Italie la grandeur mondaine des Borgia, la branche espagnole de leur lignée offre, par un retournement prodigieux, le modèle des vertus chrétiennes en même temps que l'histoire exemplaire d'une famille de la meilleure noblesse à l'aube des temps modernes.

La mémoire du duc assassiné

La veuve du duc de Gandie assassiné, doña Maria Enriquez, cousine germaine du roi Ferdinand d'Aragon, s'était, à la mort de son mari, confinée dans la dévotion. Le pape, son beau-père, avait à sa demande érigé en collégiale la grande église qui s'élevait au pied du château ducal. De 1499, date de la bulle d'érection, à 1507, la duchesse avait transformé le sanctuaire en un pieux mémorial des Borgia. L'édifice, déjà long de cinq travées, en avait reçu cinq autres, abritant la nef et le chœur des chanoines. La décoration présentait sur le linteau de la porte de façade les armes des Borgia et des Enriquez. A l'intérieur, les frises et les clefs de voûte s'ornaient du taureau Borgia et de la double couronne à cinq rayons, identique à celle des appartements du Vatican. La tiare coiffait les armes d'Alexandre VI.

Le pape avait doté la collégiale d'une foule de reliques. Les plus insignes étaient contenues dans une superbe monstrance, œuvre d'art en argent doré et émaillé, où jouaient des angelots, des enfants musiciens et des dauphins : dans un disque de cristal, une épine de la couronne du Christ était plantée entre un morceau de sa tunique et un fragment de son linceul. C'était une allusion discrète à la mort tragique du duc, comme l'était un autre reliquaire précieux, contenant un fragment de la vraie croix. Les autres reliques étaient une main d'argent de sainte Anne, une autre de sainte Martine, un pouce de saint Erasme, un buste de saint Sébastien et enfin un diptyque d'argent doré avec vingt-deux compartiments remplis de vestiges de différents bienheureux.

En dehors de ce cadeau pontifical, l'église s'était enrichie d'un magnifique retable commandé par la duchesse pour décorer le chœur. Doña Maria avait fait disposer autour de la statue de la Vierge sept tableaux consacrés aux sept Joies de Marie. La dernière Joie, et la plus grande, la Mort ouvrant le Paradis, était placée au-dessus de l'effigie de Marie. Dix grandes statues couronnaient la structure : parmi elles, saint Jean-Baptiste et saint Jean l'Evangéliste rappelaient le duc assassiné et son fils ; saint Sébastien, l'un des saints protecteurs des Borgia, et saint Calliste, la mémoire du premier pape de la famille. La duchesse avait employé les meilleurs des artistes, le sculpteur valencien Damian Forment et le peintre Paolo da San Leocadio, originaire d'un village italien voisin de Reggio d'Emilia. Doña Maria n'avait pas ménagé son argent pour assurer la finition de l'œuvre. Elle avait dépensé la somme considérable de 60 000 sous valenciens pour le seul travail du peintre. En 1507 elle lui commanda encore deux retables pour l'église du monastère des Pauvres Clarisses où elle projetait de se retirer.

Elle avait également fait faire des tableaux de piété pour l'oratoire de son château. On pense qu'en faisait partie la peinture, aujourd'hui au Collège du Patriarche à Valence, qui représente une intercession de la Vierge en faveur de la victime d'un attentat : la Madone, entourée de saint Dominique et de sainte Catherine de Sienne, y domine les trois frères Borgia, le duc Jean, César et Gioffré. La duchesse aurait passé commande de cette œuvre au moment où, après la capture de César Borgia, elle s'efforçait de le faire juger pour l'assassinat de son frère.

Le duc Juan de Gandie est, croit-on, l'homme, couronné de roses comme un élu, agenouillé devant la Vierge qui lui tend la rose rouge du martyre. Derrière lui, son assassin à la mine farouche brandit un long coutelas. Aux pieds de Juan, sur le pavé, repose son bonnet ducal. Face à lui un homme barbu, dans la force de l'âge, est assez semblable par ses traits et son profil au portrait de César qui illustre l'*Eloge des hommes illustres* de Paul Jove. Il tend son épée, la poignée basse, comme s'il se repentait d'avoir commandé le meurtre. Derrière lui, le jeune homme — Gioffré — serait là comme un témoin à charge. Peut-être ce tableau venait-il d'être peint lorsque se produisit l'évasion du Valentinois. Bien qu'elle ne fût âgée que de vingt-huit ans, la duchesse renonça à poursuivre un procès inutile et reprit de plus belle ses exercices de dévotion. Elle ne sortait guère de son château de Gandie, qui était comme la capitale d'une sorte de petit royaume entre la sierra et la mer. Elle avait liquidé tous les biens de son mari en Italie et en avait tiré, pensait-on, 82 000 ducats d'or. Sa richesse augmentée des amples revenus de ses terres, admirablement cultivées par les paysans morisques, devait passer presque tout entière entre les mains de son fils. En effet, elle avait l'intention, qu'elle réalisa, de se retirer au couvent lors du mariage de Juan : elle prit le voile en 1509 au monastère des Pauvres Clarisses de Gandie, où elle finit ses jours, en 1537, sous le nom de sœur Marie Gabrielle. Sa fille Isabelle l'y avait précédée en 1507 : promise au duc de Ségovie à l'âge de huit ans, elle avait rompu ses fiançailles pour prononcer ses vœux sous le nom de Sœur Françoise de Jésus.

Juan II, le troisième duc de Gandie

Le troisième duc de Gandie était lui-même fort religieux. Sa dévotion au Saint-Sacrement était telle que, s'il rencontrait un prêtre portant l'Eucharistie à un malade, il se détournait de son chemin et l'accompagnait pour assister à la communion de l'affligé et le réconforter. Il se devait, il est vrai, de donner l'exemple sur ses terres peuplées de paysans qui gardaient la nostalgie de l'islam et qu'il fallait convaincre de la supériorité du christianisme. Mais son attitude était sincère : alors qu'il avait quatorze ans, le roi Ferdinand, pour l'empêcher d'abandonner le siècle et son duché, lui avait fait épouser doña Juana de Aragon, fille de son propre bâtard Alonso, à qui il avait donné l'archevêché de Saragosse. Ce prélat peu recommandable n'avait dit qu'une seule fois la messe, le jour de son ordination. Comme les évêques de la maison des Borgia, il se vouait aux plaisirs du monde et à l'avenir de ses enfants. Il avait engagé ses fils dans la carrière ecclésiastique : deux d'entre eux, Juan puis Ferdinando, devaient lui succéder sur le siège épiscopal de Saragosse.

L'union de Juan de Gandie et de la fille bâtarde de l'archevêque — petite-fille naturelle du roi Ferdinand — fut prolifique. Le 28 octobre 1510, après un an de mariage, naquit l'aîné de leurs enfants : il fut baptisé du nom de François, en l'honneur de saint François d'Assise que sa mère avait invoqué dans ses douleurs. Six frères et sœurs se succédèrent à un rythme tellement rapide que la jeune mère mourut et fut aussitôt remplacée par une autre grande dame, doña Francisca de Castro y Piños. Sept autres enfants vinrent alors au monde : le pieux duc de Gandie fut obligé de demander à l'Eglise de prendre en charge une partie de ses rejetons. Parmi ses fils, mis à part l'aîné, contraint de se vouer à la succession ducale, et deux autres garçons dont l'un fut vice-roi de Catalogne et l'autre mourut jeune, cinq firent carrière dans l'Eglise : deux comme cardinaux, un comme abbé, un autre comme archevêque de Saragosse, succédant ainsi à son grand-père et à ses deux oncles, et un autre, enfin, comme grand maître de l'ordre militaire de Santa Maria de Montesa. Quatre des filles épousèrent des grands d'Espagne et deux furent abbesses : l'une, à Madrid, du monastère royal des Carmélites déchaussées ; l'autre, à Gandie, du couvent des Pauvres Clarisses où s'étaient retirées sa grand-mère et sa tante

La pieuse jeunesse de François de Gandie

François, l'héritier du duché, avait, tout jeune, manifesté un goût si excessif pour la religion que ses très pieux parents en avaient été rebutés. Son père, qui lui avait pourtant montré l'exemple, se plaignait de lui voir afficher des dispositions qui étaient plus celles d'un clerc que d'un *caballero*. Sa mère, la fille de l'archevêque, le reprenait au milieu de ses ardeurs mystiques, en lui répétant qu'elle avait demandé au Ciel de lui donner un duc et non un moine. L'enfant allait avoir dix ans quand elle mourut. Il fut si malheureux de cette perte qu'il crut qu'il l'avait provoquée en mécontentant Dieu. Il se retira dans sa chambre et se donna la discipline.

Peu après, d'autres événements bouleversèrent le calme séjour du château de Gandie. Le fils de Jeanne la Folle et du défunt Philippe d'Autriche, l'archiduc Charles, avait été associé à la couronne de Castille puis avait succédé à son grand-père Ferdinand d'Aragon, mort en 1516. Elu empereur, en 1519, sous le nom de Charles Quint, il avait dû se rendre en Allemagne. Il avait laissé le pays aux mains de ses ministres flamands contre lesquels s'étaient dressés les Espagnols par les fameuses révoltes, dites des *Comuneros* en Castille et des *Germanias* dans le royaume de Valence. De violents combats s'étaient déroulés près de Gandie et Játiva. Le duc avait dû abandonner son château et s'enfuir par mer avec sa petite famille jusqu'à Peñiscola. De là, il avait gagné à cheval Saragosse où l'avait accueilli son beau-frère Juan qui venait de succéder comme archevêque à son père Alonso.

Le duc veuf, qui se préparait à prendre une autre épouse, chargea le prélat de parfaire l'éducation de son fils aîné : l'enfant reçut pendant trois ans une formation de lettré et de militaire. Pourvu d'une maison princière, entouré de nombreux serviteurs, il tenait dignement, dans la capitale de l'Aragon, son rang de cousin du souverain. Pour mieux faire état de sa parenté royale il rendit visite à sa bisaïeule, Maria de Luna, veuve de Enrico Enriquez, grand commandeur de

Léon : la vieille dame vivait, retirée fort loin au Sud, dans l'opulente ville de Baeza, au royaume de Grenade. Son palais était peuplé des religieuses de sa famille à qui elle avait offert l'asile pendant les troubles de Gandie. A peine arrivé, le jeune garçon tomba dangereusement malade. Pendant cette maladie qui dura près de six mois et l'obligea à demeurer allongé, une série de secousses sismiques ébranla la région. Transporté hors de la ville, François demeura couché quarante jours dans une litière déposée parmi les champs : il eut tout le loisir de méditer sur la fragilité des choses humaines. Mais ni de longues études, ni une retraite au désert ne convenaient à l'héritier d'un duc, maintenant âgé de treize ans. Il lui fallait paraître à la Cour : conformément à la coutume, il devait y exercer un emploi de page. C'est à Tordesillas qu'il se rendit. La malheureuse reine Jeanne la Folle s'y tenait enfermée auprès des restes de son mari, en compagnie de sa fille Catherine : la princesse, née en janvier 1507, quatre mois après la mort de son père, avait constamment vécu avec sa mère démente. Elle avait maintenant seize ans. François lui fut spécialement attaché. Contrairement à ce que l'on pourrait imaginer, servir à Tordesillas n'avait rien d'une pénitence : on continuait à entretenir autour de la souveraine le faste et le décorum royaux. Mais les rumeurs du monde et les bruits des intrigues politiques y parvenaient singulièrement estompés, le fils de la souveraine, Charles Quint, se réservant tout le pouvoir réel.

Dans le cadre de ce calme palais, orné, comme celui de Gandie, de décorations polychromes léguées par les Maures, les jets d'eau bruissant dans les patios fleuris berçaient seuls la mélancolie de la reine démente et l'insouciance de sa fille. Deux années durant, François y oublia ses malheurs familiaux. L'excès de sa piété s'adoucit en la compagnie de la jeune princesse. Mais, en 1525, Catherine dut quitter le royaume pour aller épouser le roi Jean III de Portugal. Son page, qui avait quinze ans, aurait bien voulu suivre sa maîtresse mais le duc son père l'empêcha de partir : il ne voulait pas que son héritier quittât le sol de l'Espagne. Depuis 1520, le duc de Gandie avait été inscrit par Charles Quint sur la liste des vingt Grands de première classe. Cet honneur donnait l'insigne privilège de rester couvert devant le roi et de s'entretenir avec lui comme avec un proche parent. Le duc souhaitait que son fils aîné, après l'entracte de Tordesillas aux allures de vacances, reprît le cours de ses études afin de pouvoir occuper plus tard une fonction supérieure dans l'Etat : aussi lui imposa-t-il de revenir à Saragosse sous la tutelle de l'archevêque. François y resta jusqu'à dix-sept ans pour étudier la rhétorique et la philosophie.

François de Gandie à la Cour
Première rencontre avec Loyola

Le jeune François était devenu un courtisan accompli. Excellent cavalier, habile chasseur, champion victorieux dans les tournois, défiant mieux que quiconque le taureau aux arènes, il ne se distinguait des autres jeunes gens que par son extrême modestie, la réserve avec laquelle il s'adressait aux femmes et son horreur des amours de bas étage et des jeux de hasard.

Ce comportement étrange de la part d'un Borgia était sans doute dû à la longue imprégnation piétiste de sa petite enfance, mais aussi à la gêne qu'éprouvait le jeune homme devant les allusions faites en sa présence aux vices de la cour de Rome : son maître Charles Quint était alors en guerre contre le pape Clément VII et il était de bon ton de dénoncer les débordements romains en rappelant ceux du temps d'Alexandre VI. François de Gandie s'effrayait d'apprendre que la vengeance divine frappait la Ville éternelle par la main de son roi. En cette année 1527, les soldats de Charles Quint avaient pris Rome d'assaut. Beaucoup d'entre eux, adhérant à la doctrine récente de Luther, entendaient punir le pape qu'ils considéraient comme l'Antéchrist. Des églises avaient été pillées, des prêtres tués, des nonnes violées et le pontife n'avait dû son salut qu'à sa prompte retraite derrière les fortes murailles du château Saint-Ange. Cet excès aussi effrayant pour ses victimes que pour celui qui l'avait commis —

l'empereur Charles Quint, défenseur naturel de la Chrétienté — troubla fortement le jeune François de Gandie. Il se persuada, dans son for intérieur, que le péché du monde — et les séquelles des péchés de sa famille — en étaient la cause. Une rencontre fortuite lui fit alors entrevoir le visage de celui qui allait l'aider à se réconcilier avec le Ciel.

François traversait à cheval Alcala de Henarès, en compagnie de jeunes nobles, lorsqu'il aperçut un homme que les gens de l'Inquisition traînaient en prison. Il s'arrêta pour le considérer, tant la physionomie du captif paraissait illuminée intérieurement. Il se fit expliquer son histoire.

Ignace de Loyola, gentilhomme basque, avait été blessé, en 1521, lors du siège de Pampelune par les Français. Ayant subi une douloureuse opération aux jambes, il était resté estropié. Devenu incapable de servir son roi, il avait choisi de servir Dieu. Durant une longue retraite à Manresa, en Catalogne, il avait rédigé un recueil d'exercices spirituels destinés à donner aux hommes, par une technique d'introspection et d'analyse, la connaissance de leurs fautes, la ferme volonté de ne pas y retomber et le désir de progresser dans l'amour divin. Or ce recueil et les actes de dévotion auxquels il avait associé de jeunes étudiants d'Alcala — notamment un culte marial instauré le samedi et rappelant fâcheusement le sabbat des juifs — avaient entraîné son arrestation par l'Inquisition. Loyola était d'autant plus suspect que Luther et nombre de ses imitateurs, en Espagne même, justifiaient leur révolte contre l'Eglise catholique par la nécessité d'instaurer un dialogue direct entre l'homme et son Créateur.

Il est probable que le jeune François de Gandie fut informé du motif de l'arrestation et qu'il en fut troublé. Le scandale du sac de la Ville éternelle ne pouvait que le rendre sensible à ce qui touchait, de près ou de loin, au novateur religieux allemand dont les sectateurs avaient trop bien servi à Rome la cause de l'empereur en se vengeant du pape.

Les multiples occupations du service de Cour effacèrent bien vite les inquiétudes du jeune François. Il perdit de vue l'étrange ermite : Ignace de Loyola, relâché à Salamanque par l'Inquisition, devait peu après se retirer en France et y jeter les bases d'un groupe de dévotion portant en germe le puissant ordre religieux des Jésuites.

Faveur impériale au jeune couple de Lombay

La Cour d'Espagne avait une nouvelle souveraine. En 1526, Charles Quint avait épousé à Séville la princesse Isabelle de Portugal. Au moment du sac de Rome, Philippe, le premier né du couple, était venu au monde à Valladolid. Charles avait fait proclamer son fils à Madrid puis à Monzon héritier des royaumes de Castille et d'Aragon. François de Gandie qui prenait part à tous les déplacements de la cour avait été remarqué pour sa belle prestance par Eléonore de Castro, issue d'une grande famille portugaise. La jeune fille tenait auprès de l'impératrice-reine l'office de dame d'atours. Lorsque la paix eut été rétablie entre l'empereur et le Saint-Siège, par le traité de Barcelone, le 29 juin 1529, Charles prit congé de son épouse Isabelle, qu'il avait nommée régente, pour aller se faire couronner empereur à Bologne par Clément VII, puis passer en Allemagne afin d'y régler le conflit religieux. Avant son départ, l'impératrice-reine lui proposa de marier le jeune Borgia à sa dame d'atours. On passa outre aux réticences du père de François qui ne souhaitait pas que son fils contractât mariage avec une étrangère. Sur le conseil de François, sincèrement épris d'Eléonore de Castro, Charles Quint manda à sa cour le vieux duc bougon calfeutré dans sa dévotion : c'était une manœuvre pour obtenir son consentement. Son fils savait qu'il consentirait à tout plutôt que de revenir parmi les courtisans : et c'est ce qui advint. L'accord paternel vint immédiatement.

L'empereur dota lui-même la fiancée. Il créa le futur époux marquis de Lombay et grand veneur. L'impératrice le nomma de plus son grand écuyer. Ce fut le début d'un mariage heureux et prolifique qui, en huit ans, donna naissance à cinq fils et trois filles. Les deux époux étaient devenus les amis les plus intimes de l'empereur et de l'impératrice. Isabelle n'avait aucun secret pour la marquise et son mari. Sans doute les consulta-t-elle lorsque, son mari absent, elle apprit les conditions misérables d'emprisonnement des petits princes français, le dauphin et son frère Henri, remis en otages à Charles Quint par François Ier : elle envoya alors au capitaine de la forteresse de Pedrazza de la Sierra la somme considérable de 2 000 ducats sur sa cassette personnelle pour améliorer leur sort.

Afin de faciliter son service, le marquis de Lombay avait reçu de Charles Quint le droit d'entrer dans l'appartement royal à toute heure du jour et de la nuit. François ne se cantonnait pas dans ses tâches familières. Il suivait son maître à la guerre où il fit preuve d'une belle vaillance. En 1535, il participa à la conquête de Tunis et La Goulette où il contracta une fièvre quarte qui le tint longtemps immobilisé. En juillet 1536, il accompagna Charles en Provence contre les Français, dans une expédition qui se révéla désastreuse : après deux mois, il fallut battre en retraite. François montra alors sa bravoure en risquant sa vie pour mettre à l'abri le poète Garcilasso de La Vega mortellement blessé lors de l'attaque d'un fort près de Fréjus.

Pendant les innombrables voyages de Charles Quint pour visiter ses Etats, le marquis de Lombay et sa femme tenaient compagnie à l'impératrice-reine. François, qui aimait passionnément la musique, composait des airs appelés à obtenir une grande renommée et à être plus tard exécutés comme des motets dans les églises. La chasse à l'oiseau qu'il organisait comme grand veneur lui permettait de faire valoir sa science de la fauconnerie. Mais il trouvait encore le temps de se livrer à l'étude. Charles Quint, ayant découvert au cours de ses campagnes la nécessité des mathématiques, de l'astronomie et de la cosmographie, avait demandé au célèbre Alonso de Santa Cruz de lui enseigner ces matières ainsi que la pratique de la mécanique horlogère dans laquelle excellait le savant. Mais comme l'empereur n'avait pas beaucoup de loisir, la plupart du temps, François de Lombay écoutait les leçons à sa place et les répétait à son maître. Le marquis se dépensait sans compter. Payant la rançon de cette activité menée avec passion, il fut victime d'une fatigue extrême qui le priva pendant un certain temps de l'usage de la parole. Au moment de l'accident, mourut, dans le monastère des Pauvres Clarisses de Gandie, sa grand-mère, sœur Marie Gabrielle, peu avant son frère Rodrigue qui venait d'être nommé cardinal. Dans la vie de don Francisco réapparaissait l'alternance des bonheurs mondains et des épreuves qui semblaient autant d'avertissements du Ciel.

Mort et funérailles de l'impératrice Isabelle

Après la trève de Nice, ménagée par le pape Paul III, et l'entrevue d'Aigues-Mortes avec François Ier, le spectre de la guerre européenne parût s'éloigner. Désireux d'obtenir des subsides contre le Turc, Charles Quint réunit les Cortes à Tolède. Jamais la vie ne fut plus brillante à la cour de Castille. Nobles et prélats rivalisèrent de magnificence dans la ville du Tage. Les superbes entrées des grands d'Espagne et les réceptions se succédèrent d'octobre 1538 à février 1539. L'impératrice Isabelle, très abattue par sa cinquième grossesse, y assistait malgré des indispositions chaque jour plus graves. Eléonore et son mari se dévouaient en vain pour lui apporter du réconfort. Le 1er mai, elle mourut à la suite d'un accouchement prématuré.

Charles Quint, très douloureusement affecté par la mort de son épouse, se retira, solitaire, dans le monastère hiéronymite de la Sisla. Auparavant, il avait donné ses ordres. Le marquis de Lombay devait, avec sa femme, conduire le corps à Grenade et le faire inhumer dans la chapelle royale que les Rois Catholiques, après la reconquête, avaient destinée à la sépulture de leur descendance. Le 2 mai, la dépouille, escortée de nobles et de prélats, quitta la ville. On avait sommairement préparé le corps avant de l'enfermer dans un cercueil de plomb. La marquise avait elle-même revêtu sa maîtresse de sa plus belle toilette. La procession funèbre fut un lent cheminement, interrompu par de pieuses étapes dans les cités qui jalonnaient l'itinéraire long de plus de cinq cents kilomètres. Au bout d'un mois on parvint à Grenade. Une formalité devait être remplie par les accompagnateurs du cadavre : avant de le délivrer au clergé de Grenade pour le descendre dans le caveau, chacun d'entre eux devait attester devant le cercueil ouvert que c'était bien là la dépouille de l'impératrice. On souleva le couvercle devant les notaires du lieu convoqués pour l'occasion. Or, la corruption avait commencé son œuvre. Les traits si harmonieux de la défunte étaient méconnaissables : on ne voyait qu'un amas confus de pourriture dégageant une odeur pestilentielle. Il ne se trouva aucun des gens du cortège pour jurer sur ces restes affreux qu'il s'agissait là du visage charmant qu'ils avaient tant de fois admiré. François seul attesta qu'il s'agissait bien de l'impératrice, non parce qu'il la reconnaissait mais parce que, durant tout le voyage, ses yeux n'avaient jamais quitté de vue le cercueil.

Cette horrible vision de la mort fit prendre au marquis une ferme résolution. Comme aucune vie terrestre ne pouvait échapper à cette fin effrayante, il décida qu'il se consacrerait sur la terre à préparer la vie de l'au-delà, en servant le seul maître qu'il ne pouvait perdre par la mort, Dieu. Il en fit le serment : *Nunca mas servire a señor que se me pueda morir.* Le lendemain de l'inhumation, l'oraison funèbre, prononcée aux obsèques solennelles dans la cathédrale, le renforça dans ces dispositions. Le prédicateur, un mystique, Jean d'Avila, surnommé l'Apôtre de l'Andalousie, se servit en effet de l'exemple d'Isabelle pour dénoncer la vanité des honneurs de la Cour et l'égarement de ceux qui oublient en chemin le terme du voyage terrestre.

Mais François était trop réaliste et trop conscient de ses responsabilités familiales pour faire retraite dans un monastère. Tout au plus, quand il revint à Tolède, demanda-t-il à Charles Quint la permission de se rendre à Gandie. L'empereur ne l'entendait pas ainsi. Voulant lui montrer dans quelle estime il le tenait, il le nomma vice-roi et capitaine général de Catalogne.

Le vice-roi de Catalogne

A vingt-neuf ans, le marquis de Lombay se trouvait investi d'une redoutable fonction de gouvernement. Il allait l'exercer pendant quatre ans, y manifestant la prudence et l'énergie que son maître, qui le connaissait bien, attendait de lui. Charles Quint avait le plus urgent besoin de mettre à la tête de ses Etats des personnes de confiance. Réconcilié avec François Ier, il avait sollicité du roi l'autorisation de traverser la France pour se rendre en Flandre : il voulait châtier les habitants de Gand qui s'étaient révoltés contre la régente des Pays-Bas, Marie de Hongrie, après avoir refusé de payer les contributions qui leur avaient été imposées. Le 7 octobre 1539, le souverain français avait envoyé à Tolède sa lettre d'invitation. Dès qu'il l'eut reçue, Charles Quint chargea de la régence de ses royaumes le prince Philippe — le futur Philippe II — alors âgé de douze ans. François de Borgia, pour sa part, alla prendre le gouvernement de Catalogne.

La nouvelle du départ de l'empereur ne rendait pas la tâche facile au nouveau vice-roi. La province regorgeait de brigands qui n'attendaient qu'un signal de vacance du pouvoir pour se soulever. Contre eux, il fallut mener une sorte de guerrilla. Pour accroître ses ressources, Charles avait donné à François de Borgia une commanderie de l'ordre militaire de Saint-Jacques (ou Santiago) et l'avait nommé membre du conseil de l'ordre composé des treize principaux commandeurs. Le marquis se considéra donc autant au service de Dieu que de l'empereur et il conçut sa mission comme une sorte de croisade. Il poursuivait les brigands dans leurs repaires, les faisait juger avec la dernière sévérité et les condamnait à mort ou aux galères. « Le pays, écrivait-il à Charles, a plus besoin de châtiment que de pardon. » Et dans une autre lettre : « J'en ai fait pendre six, les plus fameux. Le procès des autres suit son cours habituel : celui qui s'en tirera au meilleur compte peut être assuré qu'il passera le restant de sa vie aux galères ! » Mais, avant chaque exécution, il faisait assister le condamné par des religieux et, après la mort des condamnés, ordonnait de dire trente messes pour le salut de leur âme. Cette rigueur implacable ressemblait à celle avec laquelle l'Inquisition écrasait l'hérésie en Espagne.

En privé, le vice-roi abdiquait le décorum somptueux de sa charge. Il commençait sa journée en oraison, communiait une fois par semaine et, ses occupations terminées, se pliait à la règle de l'ordre de Saint-Jacques : il se retirait à l'écart pour réciter l'office et méditer sur les mystères du Rosaire. Il passait à genoux plusieurs heures de la nuit, s'imposait des pénitences et notamment celle de ne souper jamais — ce qui pouvait passer, il est vrai, pour une pratique de diététique car il était devenu maladivement obèse, éprouvant de ce fait de vives souffrances au cours de ses chevauchées répressives. Se moquant de lui-même et faisant allusion au poids de son armure, « Votre Majesté, écrivait-il à Charles, peut deviner ce que cela représente pour ma grosse bedaine ! ». Mais il ne se plaignait pas et se trouvait plutôt privilégié : « Maintenant, je vais chasser avec la justice de Dieu ! » Il appliquait cette justice divine dans ses expéditions policières, mais aussi dans des actes de pure charité : il était sans cesse prêt à aider les affligés et les misérables. Il réprima les désordres qui résultaient du passage des troupes allant s'embarquer à Barcelone pour l'Italie ou les Flandres. Il assura le ravitaillement de la province et fortifia les places au moment où les Français menaçaient le Roussillon. Dans cette période de troubles il apportait aux habitants la sécurité dont ils avaient le plus grand besoin.

Essor de la nouvelle Compagnie de Jésus

Au moment où François de Borgia, laïc aux allures de moine guerrier, rétablissait l'ordre public en veillant aux intérêts matériels et spirituels de ses administrés, l'institut modestement fondé dans une chapelle souterraine de Montmartre, le 15 août 1534, par Ignace de Loyola, l'ancien prisonnier de l'Inquisition d'Alcala, était parvenu à une reconnaissance officielle : le pape Paul III lui avait donné sa bulle de fondation le 27 septembre 1540. Organisée comme une milice, placée sous l'autorité d'un général, la « Compagnie de Jésus » différait des anciens ordres religieux par une finalité militante : la reconquête des âmes menacées par les dangers du siècle et la progression de la nouvelle religion réformée. Une gradation savante permettait d'éprouver la sincérité des adeptes : en dehors des trois vœux de chasteté, pauvreté, obéissance, ils n'étaient admis que très difficilement à prêter le vœu d'obéissance absolue à la volonté du pape. Le pontife disposait ainsi d'une armée infiniment plus dévouée et fidèle que toutes les armées temporelles. Ainsi commença l'assaut du monde par les Jésuites.

Elu général par ses compagnons le jour de Pâques, 17 avril 1541, Ignace de Loyola donna mission aux premiers membres de sa société d'œuvrer partout pour le service de l'Eglise. Un jour débarqua à Barcelone le Père Antonio Araoz : il s'entretint avec François de Borgia qu'il convainquit sans peine de favoriser l'action de la Compagnie. Les liens de la famille Borgia avec le Saint-Siège venaient alors d'être renoués par la nomination cardinalice, en 1539, d'un frère du vice-roi, Henri, qui prenait la place de son défunt frère le cardinal Rodrigue, mort en 1537, un an après sa promotion au cardinalat. Le pape Paul III, alors qu'il n'était que cardinal Farnèse et frère de la belle Julie, avait dû sa carrière à Alexandre VI. Il se trouvait maintenant uni aux Borgia non plus par l'appât des profits temporels mais par le souci partagé d'assurer le salut des hommes.

Le vice-roi obtint d'être informé de la progression de la Compagnie. Le roi Jean III de Portugal, frère de l'impératrice Isabelle, apportait aux Jésuites un soutien décisif. La fondation du collège de Coïmbra, la mission extraordinaire du Père François Xavier aux Indes, puis aux confins du Japon et de la Chine, ouvraient à la Chrétienté des perspectives que l'on n'aurait jamais osé rêver. L'Allemagne, largement gagnée à la doctrine de Luther, la Suisse ouverte à celle de Zwingli, puis de Calvin, étaient, comme la France, le terrain où devait se dérouler la bataille contre les réformés, maintenant qualifiés d'hérétiques. Les Jésuites étaient présents partout dans les diètes impériales, les villes d'Empire, les universités, avant d'être au concile œcuménique de Trente, les porte-parole de la papauté.

Le zèle chrétien de François de Borgia et l'incontestable réussite de son gouvernement de la Catalogne lui valurent, en 1542, le témoignage de satisfaction que Charles Quint lui décerna au moment de la réunion des Cortes d'Aragon à Monzon. L'empereur, alors désabusé et fatigué, se laissa devant lui aller aux confidences : il songeait à se retirer du monde, mais voulait auparavant régler les affaires en suspens. C'est pourquoi il était accompagné de son fils, don Philippe, qu'il avait fait proclamer son héritier à Valladolid et qu'il allait présenter à Saragosse, à Barcelone et enfin à Valence :dûment reconnu, le prince assurerait la régence de ces royaumes pendant que son père, l'empereur, se rendrait en Italie puis en Allemagne pour tenter de régler le conflit religieux.

François de Borgia devient duc de Gandie

En avril 1543, Charles revint à Barcelone pour s'embarquer. Il retrouva son ami le vice-roi qui était devenu duc de Gandie : son père était mort le 17 décembre 1542, mais François, retenu par ses fonctions, n'avait pu prendre possession de son fief. Au cours du séjour forcé de l'empereur bloqué dans le port par la tempête, il s'entretint longuement avec son maître. Tous deux évoquèrent, une fois encore, la vanité des biens terrestres. Charles transportait avec lui un portait de son « épouse angélique » afin de le remettre en Italie au grand Titien : le peintre devrait en faire de vivantes répliques que l'empereur souhaitait avoir près de lui.

Profitant des dispositions d'esprit de son maître, François osa alors émettre le souhait d'être déchargé de sa vice-royauté. Il fit valoir combien sa présence était nécessaire à Gandie, tant pour s'instruire des affaires de sa maison que pour exécuter le testament de son père, en réglant ce qu'il devait à ses vassaux et ses domestiques. Charles Quint voulut bien accepter mais à la condition que le nouveau duc retournerait aussitôt après à la Cour. Pour s'en assurer, il le nomma majordome de la princesse Marie de Portugal, fiancée au futur Philippe II. En même temps il donna à la duchesse de Gandie, Eléonore de Castro, le brevet de première dame d'honneur, et à deux de leurs filles, les titres de dames du palais de l'infante.

La venue de doña Maria tarda jusqu'à la fin de 1543 où, reçue par le prince d'Espagne à Salamanque, elle consomma avec lui le mariage qui n'avait été célébré jusque-là que par procuration. Le retard dans l'arrivée de l'infante, puis certaines objections faites par la reine de Portugal à la nomination de la duchesse qu'elle n'aimait pas, enfin, après la naissance de l'infant don Carlos, la mort de Marie de Portugal, le 12 juillet 1545, libérèrent le couple ducal de Gandie de la pesanteur du service de Cour.

François et Eléonore retrouvèrent avec plaisir leurs terres. Ils étaient venus en compagnie de leurs jeunes enfants qu'ils tenaient à élever eux-mêmes loin des intrigues et de la corruption des courtisans. Ce furent trois années de calme et de gestion patriarcale du duché de Gandie et du marquisat de Lombay. Ayant distribué d'amples récompenses aux anciens serviteurs de son père, le duc rebâtit l'hôpital de Gandie et le pourvut d'un nouveau mobilier. Il fortifia la côte où abordaient souvent des commandos de barbaresques venus razzier des esclaves avec la complicité des morisques qui cultivaient les terres. Préoccupé par la conversion des paysans de ses domaines, le duc s'était entretenu avec le Père Araoz de l'installation d'une mission de Jésuites. En attendant la venue des religieux, il s'efforça de faciliter l'exercice du service divin : il fonda un couvent de dominicains à Lombay. Il ne manquait pas, comme son père, de suivre avec dévotion les prêtres qui portaient le Saint Viatique aux malades.

Mort de la duchesse
Le duc devient secrètement Jésuite

La duchesse secondait admirablement son époux dans ses œuvres de charité, sans pour autant négliger ses devoirs mondains. On la voyait paraître avec grâce au côté de son époux dans les fêtes et réceptions qui animaient la petite capitale. Le château avait été agrandi et le fief augmenté par l'achat de justices et domaines voisins. Or, dans cette existence qui mêlait les soucis du Ciel et ceux de la Terre, la catastrophe survint en 1546 sous la forme d'une maladie de langueur qui frappa la duchesse. Les médecins ne savaient quel remède lui appliquer. Le duc chercha le salut de son épouse dans la prière.

Un jour qu'il demandait au Christ de son oratoire avec plus d'insistance que jamais la guérison d'Eléonore, la figure du Crucifié lui parut s'animer et il entendit distinctement des paroles, rapportées plus tard dans son procès de canonisation : *Si tu quieres que te deje a la Duquesa mas tempo en esta vida, yo lo dejo en tu mano. Pero te aviso que a ti no te conviene esto.* « Si tu veux que je te laisse plus longtemps la duchesse en cette vie, je te laisse en juger. Mais je t'avertis que cela ne te convient pas. »

Le duc invoqua Dieu dans une ardente prière : « Ô Seigneur, je ne puis rien faire de moins pour répondre à Ton infinie et gracieuse générosité que de T'offrir les vies de ma femme et de mes enfants, ainsi que la mienne propre, et tout ce que je possède dans le monde. C'est de Ta main que j'ai tout reçu. Je Te renvoie le tout, Te priant très gravement d'en disposer selon Ton bon plaisir. »

Il raconta cette vision à son confesseur. Il en retirait la conviction que la duchesse trouverait après sa mort la vie éternelle. Aussi assista-t-il avec courage son épouse dans ses derniers moments, en renouvelant à part lui le serment qu'il avait déjà fait à Grenade devant le cercueil ouvert de l'impératrice-reine.

La duchesse mourut le 27 mai 1546. Le duc, à trente-six ans, était encore chargé de famille. Il ne pouvait quitter le monde avant d'avoir organisé l'avenir de ses cinq fils et de ses trois filles. Il s'en ouvrit directement à Ignace de Loyola car, depuis son entrevue avec le Père Antonio Araoz, il avait noué avec le général des rapports amicaux. La réponse de Loyola mérite d'être citée. Elle instaure une nouvelle forme d'agrégation à la Compagnie de Jésus, l'engagement secret. Flatté de la demande du duc, le général l'avait immédiatement acceptée. Mais, en ce qui concernait le moment et la manière dont le nouveau Jésuite serait publiquement reçu dans la Compagnie, il avait prié Dieu de l'inspirer et donnait ainsi son avis :

« Il me semble qu'afin que vous acquittiez mieux de toutes vos obligations, ce changement doit se faire à loisir, et avec beaucoup de circonspection, à la plus grande gloire de Notre Seigneur. Ainsi, vous pourrez, peu à peu, régler vos affaires de telle sorte que, sans vous ouvrir à aucune personne séculière, vous vous trouviez en peu de temps dégagé de tout ce qui peut retarder l'accomplissement de vos saints désirs.

« Pour m'expliquer encore davantage et venir plus au détail, je suis d'avis que, puisque vos filles sont en âge d'être mariées, vous songiez à les pourvoir selon leur qualité, et que vous mariiez aussi le Marquis, s'il se présente un parti qui lui convienne. Pour vos autres fils, il ne leur suffit pas d'avoir l'appui de leur frère aîné, à qui le Duché demeurera : il faut que vous leur laissiez de quoi achever leurs études dans une des principales Universités, et de quoi vivre honnêtement dans le monde. Il est à croire, au reste, que, s'ils sont ce qu'ils doivent être, et, ce que j'espère, seront, l'Empereur leur fera des grâces proportionnées à vos services et suivant la bienveillance qu'il a toujours eue pour vous.

« Il est encore utile de faire avancer les bâtiments que vous avez commencés. Car, enfin, je souhaite que toutes les affaires de votre maison soient terminées quand on publiera votre changement. Cependant, comme vous avez de si bons principes dans les Lettres, je voudrais bien que vous vous appliquassiez sérieusement à l'étude de la Théologie, et j'espère que cette science vous sera avantageuse pour le service de Dieu. Je désirerais même que, si cela se peut, vous prissiez le degré de Docteur dans votre Université de Gandie. Mais, parce que le monde n'est pas capable d'une nouvelle de cette nature, je voudrais que cela se fît sans éclat, et qu'on en gardât le secret, jusqu'à ce que le temps et les occasions nous donnassent, avec la grâce de Dieu, une entière liberté. »

Le duc, qui avait secrètement émis, le 2 juin 1546, les vœux de chasteté et d'obéissance et celui d'entrer dans la Compagnie de Jésus, se mit tout aussitôt à l'œuvre. La sœur de son épouse, doña Juana de Menesses, s'occupa des plus jeunes enfants. En 1548, don Carlos, marquis de Lombay, âgé de dix-huit ans, épousa doña Magdalena de Centellas y Cardona, comtesse d'Oliva. En 1549, la fille aînée, Isabel, se maria avec don Francisco de Sandoval y Rojas, marquis de Denia et comte de Lerme. Les autres enfants devaient eux aussi trouver par la suite des situations mondaines enviables : Juan, vice-roi de Portugal, Alvaro, ambassadeur auprès du Saint-Siège, Fernando, chevalier de l'ordre de Calatrava, et Alonso, chambellan impérial ; pendant que la seconde fille, Juana, épouserait Juan Enriquez de Alamansa, marquis d'Alcanices, et la dernière, Dorotea, entrerait comme religieuse au couvent des Pauvres Clarisses de Gandie.

Le soin de ses enfants n'empêcha pas le duc de poursuivre la construction du Collège, appelé par Loyola Université, auquel il annexa son propre château. Il le dota de bourses et de logements pour les étudiants pauvres, les enfants des morisques et ceux des marranes qu'il espérait convertir à une pratique orthodoxe de la religion catholique. Le Père Pierre Le Fèvre, associé à Ignace de Loyola dans la création de la Compagnie, l'aida à jeter les bases de cette fondation dont le premier supérieur fut le Père André Oviedo qui se fixa à Gandie, assisté de cinq Jésuites.

L'entrée dans la Compagnie
Le voyage de Rome et l'ordination

Tous ses projets étant en bonne voie, le duc fit, le 1ᵉʳ février 1548, sa profession solennelle dans la Compagnie de Jésus, tout en ne changeant rien à son apparence et à son train de vie, sauf dans son emploi du temps consacré désormais plus à l'étude de la théologie qu'à la gestion de ses domaines.

En 1550, escorté de trente serviteurs, François se rendit à Rome pour gagner les indulgences de l'Année sainte avec son second fils, Juan, âgé de vingt-sept ans. La chevauchée avait l'allure d'une procession pieuse. Des pères de la Compagnie de Jésus encadraient le cortège. Le duc se confessait et communiait tous les jours. Mais il lui était malaisé d'exercer sur son corps durant les étapes dans les hôtelleries, les mortifications habituelles : ses gens, couchant à la porte de sa chambre, entendaient les coups de fouet pénitentiel — la discipline — qu'il s'infligeait et ils en comptaient chaque soir plus de cinq cents.

François fuyait tous les honneurs qu'on lui offrait en chemin. Mais, passant à Ferrare, il ne put refuser l'invitation de son cousin Hercule II, le fils de Lucrèce, qui le reçut avec des fêtes profanes et religieuses pendant quatre jours, ce que fit également pendant deux jours le duc Côme de Médicis à Florence. A l'arrivée à Rome, l'ambassadeur de l'empereur, le prince Fabrizio Colonna, plusieurs cardinaux et d'anciens serviteurs de la famille Borgia l'attendaient pour lui faire un triomphe. François avait demandé à Ignace de Loyola, qui résidait alors dans la maison des pères de la Compagnie, la permission d'entrer de nuit dans la ville. Mais le général la lui avait refusée : le duc, qui voulait s'humilier, fut contraint de recevoir là encore les honneurs du monde. Il se rattrapa en arrivant devant la résidence des Jésuites : il se jeta aux pieds d'Ignace qui attendait à la porte et lui baisa dévotement la main.

Le pape Jules III, qui venait de succéder à Paul III Farnèse, offrit vainement au descendant de son prédécesseur, Alexandre VI, un appartement dans son palais : le duc refusa en suppliant le Saint-Père de le laisser vivre parmi ses confrères. Cette modestie lavait en sa personne la superbe des anciens Borgia. Mais le contraste frappant entre cette attitude et la mémoire qu'on gardait de ses ancêtres eut pour résultat de le placer en pleine lumière. Le séjour de François à Rome, qui dura quatre mois, eut une importance considérable pour l'avenir de la Compagnie de Jésus. L'entrée au sein de l'ordre d'une personnalité de la qualité du duc de Gandie convainquit les membres de la curie, demeurés réticents, que l'avenir de la catholicité reposait en grande partie sur cet institut qui savait si intimement se mêler au siècle. Le duc, par ailleurs, aida l'essor mondial de l'ordre en attribuant des revenus abondants à la fondation d'une maison centrale de formation des Jésuites, le Collège romain, destiné à accueillir plusieurs centaines d'étudiants, pépinière des troupes d'élite de la Compagnie.

Au moment de partir de Rome, le 15 janvier 1551, François écrivit à Charles Quint pour être déchargé de toutes ses dignités afin d'entrer officiellement en religion. Sans attendre la réponse impériale, il revint en Espagne et alla visiter dans le Pays basque le château de Loyola : il s'y recueillit dans la chambre où était né Ignace. Il ne pouvait mieux désigner le nouveau maître qu'il s'était choisi. A Oñate, peu après, il reçut la lettre de Charles Quint qui approuvait sa décision : « Il n'est pas raisonnable, écrivait l'empereur, que je dispute la personne de mon serviteur au Souverain suprême auquel il désire si ardemment se donner. » Charles accordait donc à son ami son congé de la Cour et la permission de se démettre de tous ses titres en faveur de son fils aîné. François aborda sa nouvelle vie avec la même détermination qu'il avait apportée comme vice-roi à ses campagnes militaires : il partait cette fois à la reconquête spirituelle du monde.

Le 23 mai 1551, il reçut l'ordination sacerdotale à Oñate, après avoir au préalable fait enregistrer par un notaire son acte formel de renonciation, déposé son épée et s'être fait tonsurer. Le duc de Gandie s'était changé en Père François de Borgia. Il ne devait à l'avenir faire allusion à son ancienne dignité ducale que dans de rares occasions. Ainsi lorsqu'il apprenait que la Compagnie de Jésus refusait d'admettre un novice qui lui semblait digne de l'être, il disait alors publiquement : « Je remercie Dieu du fond du cœur de m'avoir fait duc, car, assurément, il n'y avait rien d'autre en moi qui aurait pu pousser mes supérieurs à m'accepter ! » — ce qui, pour le

moins, attestait qu'il n'avait pas abdiqué, sous le strict habit
noir, son humour d'autrefois.

Il tint à célébrer sa première messe dans la chapelle du
château de Loyola, le 1er août 1551. Il y donna la communion
à son fils Juan. Depuis le pèlerinage à Rome, le jeune homme
n'avait pas quitté son père et il avait imaginé un moyen simple
de rester toujours proche de lui : il épousa Lorenza Oñaz de
Loyola, parente du saint général des Jésuites.

La seconde messe du Père François devait être dite en
public. L'événement fut annoncé longtemps à l'avance. Le
pape Jules III avait proclamé une indulgence plénière pour
tous ceux qui assisteraient à la messe du « saint duc ». On
choisit la petite ville de Vergara et la date du 15 novembre
1551. Lorsque le jour arriva, le nombre des assistants était tel
qu'il fallut ériger l'autel en rase campagne près de l'ermitage
de Santa Anna. Commencé à neuf heures du matin, l'office se
termina entre deux et trois heures de l'après-midi, tant était
grand le nombre des communiants. On observa alors un
prodige. François prêchait en castillan et la plupart de ses
auditeurs ne comprenaient que le basque. Or, on s'aperçut
que la foule la plus éloignée de la chaire, qui ne pouvait rien
entendre ni comprendre, pleurait d'émotion. Quand on inter-
rogea ces gens pour savoir la cause de leur émoi, ils dirent
qu' « ils sentaient au-dedans de leurs cœurs des inspirations de
Dieu et qu'ils y entendaient de certaines paroles muettes qui
leur faisaient comprendre celles du prédicateur, quoique sa
voix ne vînt pas jusqu'à eux. »

Missions royales pour François de Borgia

Après avoir, malgré lui, inauguré brillamment son sacer-
doce, François vécut quelque temps dans un pauvre ermitage
d'Oñate où il fut astreint aux humbles travaux des novices.
Mais le monde ne l'avait pas oublié. De nombreuses
demandes de prières et de conseils spirituels lui étaient
adressés par ceux qu'il avait naguère fréquentés à la Cour.
Beaucoup pensaient que sa place était à Rome. En mai 1552,

le pape Jules III lui réserva un chapeau de cardinal pour être agréable à Charles Quint. Il était difficile de concevoir qu'un prince du monde, et de surcroît un Borgia, ne gardât pas son état en entrant dans les ordres. François repoussa l'offre. Il n'aspirait qu'à devenir profès, ce qui eut lieu le 22 août 1554, lorsqu'il prononça le vœu majeur d'obéissance. Dès lors il se tint prêt à agir, au commandement du général de Loyola, sur tous les fronts où il serait mandé pour enseigner ou pour prêcher, devant le peuple ou devant la Cour.

En avril 1554 et en mars 1555, deux missions le conduisirent à Tordesillas auprès de la reine Jeanne, de plus en plus engloutie dans les ténèbres de la démence. Il assista la vieille souveraine sur son lit de mort et sa présence rendit à la malheureuse au moment d'expirer, le 12 avril 1555, quelques éclairs de lucidité. C'est pendant ce séjour qu'il apprit sa nomination de commissaire de la Compagnie pour les provinces d'Espagne et de Portugal. Son activité décupla. En 1555, il ouvrit le premier noviciat à Simancas. Il créa vingt collèges en Espagne à l'appel des principaux seigneurs et des villes. Il était tout autant sollicité au Portugal : en 1553, il avait été reçu à Lisbonne comme prédicateur de la Cour par le roi Jean III et la reine Catherine, dont il avait été autrefois le page à Tordesillas.

De grands changements étaient en cours dans le monde. L'empereur Charles Quint, déçu par le piètre résultat de son action autant contre les réformés d'Allemagne que contre le roi de France, perclus de douleurs multiples, perpétuellement travaillé par des crises de goutte, d'asthme et d'hémorroïdes était devenu à cinquante-quatre ans un vieillard avant l'âge. Il décida d'abdiquer en faveur du prince Philippe. Sa décision fut prise à Bruxelles dans les derniers jours de 1553. Philippe en apprit la nouvelle en janvier 1554, en même temps que celle de la conclusion de son propre mariage : veuf de Marie de Portugal, il devait épouser Marie Tudor, fille d'Henri VIII d'Angleterre et reine de ce pays.

Philippe d'Espagne avait manifesté envers le Père François de Borgia une grande sollicitude. Il avait même demandé pour lui, à Rome une promotion cardinalice, comme son père l'avait fait précédemment. Lorsque le prince partit pour l'Angleterre il laissa le gouvernement à sa sœur l'infante Jeanne, veuve de l'héritier du Portugal. La princesse était une dévote du Père Borgia : c'est à sa demande qu'il alla assister à Tordesillas sa grand-mère, la reine folle. Dès lors, et tout au long des années qui suivirent, le Père resta le directeur spirituel des gouvernants. Cette tâche, toujours délicate, car elle débouchait forcément sur des conseils concernant la politique, se révéla particulièrement difficile lorsque le nouveau pape Paul IV Carafa, auquel les Jésuites devaient obéissance absolue se déclara hostile à l'hégémonie de la Maison d'Autriche. Alors que l'empereur préparait pieusement son abdication, il l'avait violemment pris à partie ainsi que son fils Philippe, qualifiant l'un de débile et l'autre d'avorton, puis il les avait excommuniés tous les deux et leur avait déclaré la guerre dans l'été de 1556.

La situation devint tout à fait critique pour la Compagnie de Jésus, formée en majorité de sujets de Charles Quint : quand le 31 juillet 1556 mourut Ignace de Loyola, il fut impossible de réunir à Rome la congrégation qui devait lui donner un successeur et Jacques Lainez, vicaire général, ne fut élu pour succéder à Loyola que le 2 juillet 1558.

Abdication de Charles Quint
Visite de François de Borgia à Jarandilla

Les graves différends qui l'opposaient au pape ne firent pas renoncer l'empereur à un projet dont il avait entretenu son ami Borgia treize ans auparavant : après son abdication il avait décidé de se retirer du monde et avait choisi comme lieu de retraite le monastère de Yuste en Estrémadure, desservi par l'ordre des Hiéronymites auprès de qui il allait d'ordinaire se recueillir. Le prince Philippe avait été chargé de faire construire, sur les indications de son père, une vaste maison dans l'enceinte du couvent.

Le 25 octobre 1555, à Bruxelles, Charles Quint remit entre les mains de son fils l'ensemble de ses possessions des Pays-

Bas, puis, le 16 janvier 1556, ses royaumes de Castille, Aragon et Sicile. La trêve de Vaucelles, conclue avec Henri II, lui permit ensuite de transmettre à son fils la Franche-Comté de Bourgogne. A la mi-septembre de 1556, il put enfin s'embarquer pour gagner la terre d'Espagne. Le 28, il abordait à Laredo. Après avoir fait étape à Burgos et Valladolid, il arriva le 11 novembre à Jarandilla, à peu de distance de Yuste. Il s'y arrêta pour attendre l'achèvement de son logement dans le monastère, bénéficiant de l'hospitalité de don Garcia Alvarez de Toledo, comte d'Oropesa.

Le palais de Jarandilla, dominant le bassin du Tage, protégé des vents du nord par la sierra de Gredos, était une résidence plaisante, inondée de soleil dans les beaux jours de l'arrière-saison. Des appartements et des jardins on apercevait sur les hauteurs avoisinantes le couvent de San Jeronimo de Yuste, souvent environné d'un mince brouillard qui s'accrochait aux pentes de la montagne. L'empereur avait choisi ce lieu pour sa proximité relative de la Nouvelle-Castille et du sanctuaire réputé de Santa Maria de Guadalupe. Le 25 novembre 1556, il alla constater l'état d'avancement des travaux de sa maison. De plan très simple, l'édifice comportait quatre grandes pièces bien éclairées au rez-de-chaussée et à l'étage. La chambre de l'empereur ouvrait par un passage, décoré de faïences poly-chromes, dans le chœur de l'église. La vaste cuisine à la cheminée monumentale pouvait abriter la cinquantaine de serviteurs qui entouraient le souverain pendant la journée et qui trouvaient leur logement le soir dans le village voisin de Quacos ou à Jarandilla. Un calme prodigieux, des eaux courantes, un beau jardin d'orangers et de figuiers, coupé de la lande voisine par un petit bois — après toutes ses tribulations, l'empereur trouvait là une préfiguration du paradis auquel il aspirait.

Aux alentours de Noël 1556, alors qu'il était encore à Jarandilla, Charles invita François de Gandie à lui rendre visite. Il n'avait pas oublié les longues conversations qu'il avait eues avec lui. Il avait l'intention de faire renoncer l'ancien duc à la Compagnie de Jésus pour l'attacher à sa personne comme directeur spirituel et gagner grâce à lui son salut éternel. Il

voulait lui proposer d'entrer soit dans l'ordre des Hiéronymites, soit dans celui des chartreux. Prévenu à temps par la
régente Jeanne, François prépara sa défense et celle de la
Compagnie, de telle façon qu'après deux jours d'entretien
avec son ancien maître, il le convainquit de la supériorité de la
règle des Jésuites : chacun des membres de la Compagnie se
vouait exclusivement à faire avancer la gloire de Dieu et l'on
ne devait pas critiquer cette association sous prétexte qu'elle
était nouvelle. Il emporta la conviction de l'empereur. Charles
l'avait reçu avec une déférence exceptionnelle : le Père
François avait couché dans la chambre voisine de celle du
souverain et lui avait parlé couvert comme l'y autorisait sa
qualité de Grand d'Espagne. Ces détails suffirent à désamor-
cer l'opposition qui se manifestait contre les Jésuites dans les
hautes sphères du gouvernement, notamment à cause de leurs
liens privilégiés avec Rome : don Juan de La Vega, président
du Conseil de Castille, devint l'actif protecteur de la société.

Voyages de François de Borgia à Yuste
Mission au Portugal
Mort de l'empereur

   Charles Quint s'installa dans son habitation à San Jeronimo
de Yuste, le 5 février 1557. Il ne voyait que quelques fidèles.
François de Borgia était l'un de ceux-ci. En septembre,
Charles le chargea de porter ses condoléances à sa sœur
Catherine qui avait perdu son mari, le roi Jean de Portugal, le
11 juin 1557.
   Aimablement accueilli par la reine douairière, le Père
François resta avec elle une bonne partie du mois d'octobre
pour défendre une proposition secrète que l'empereur adressait à sa sœur. Le petit roi Sébastien n'avait alors que trois ans.
Au cas où il disparaîtrait prématurément Charles Quint
souhaitait que la couronne de Portugal revînt à son propre
petit-fils, don Carlos, né en 1545 de l'union du prince
Philippe, devenu Philippe II, et de l'infante Marie de Portugal. Le Père de Borgia obtint l'accord de la reine malgré les
réticences des grands.

Cette mission à la Cour de Portugal eut des conséquences d'importance considérable tant pour la Compagnie que pour le pays lui-même. François parvint à convaincre la reine douairière de confier l'éducation de l'héritier de la couronne à la Société de Jésus. Le Père Lainez chargea l'un des Pères portugais, Louis Gonzalve de Camara, d'être le mentor du jeune prince : or, l'influence de ce religieux sur un esprit faible, qui se révéla fantasque et chimérique, devait être fatale. Elle conduisit, en effet, le jeune roi à engager plus tard une folle croisade en Afrique du Nord. Il y laissa la vie sur le champ de bataille d'Alcazarquivir en 1578, ouvrant ainsi une tragique crise de succession qui aboutit à la mainmise de l'Espagne sur le Portugal. Rien, pour le moment, ne pouvait laisser prévoir cette fâcheuse issue : le Royaume Très Fidèle, riche du trafic des épices et des produits coloniaux, lançait sur les mers ses fructueuses expéditions et les Jésuites, formés à Coïmbra et ailleurs, participaient à cette extraordinaire épopée. Véritablement, leur Compagnie semblait voir triompher là son programme de conquête spirituelle du monde.

Après avoir visité les riches collèges et les maisons du Portugal, le Père de Borgia revint en Espagne riche d'espoir, mais il s'y trouva aux prises avec l'extraordinaire développement d'un mouvement de réforme religieuse, notamment à Séville et Valladolid. Le Grand Inquisiteur, Fernando de Valdès, archevêque de Séville, avait reçu des dénonciations qui accusaient les Jésuites de pactiser avec l'hérésie. Ces nouvelles attristèrent le vieil empereur dans sa retraite de Yuste. Il appela de nouveau son ancien ami. On était à la fin de l'été de 1558. Charles avait pris froid en s'exposant aux vents matinaux. Une violente attaque de goutte le terrassait. Ayant l'intuition de sa fin prochaine, il voulut faire célébrer en grande pompe un office des morts en mémoire de son père et de ses grands-parents. Puis il s'entretint longuement de la vie éternelle avec le Père de Borgia, qu'il nomma, aux côtés du futur roi Philippe et d'autres grands dignitaires, son exécuteur testamentaire.

Le Père parvint à rasséréner l'empereur et reprit le chemin

de Valladolid. Il y était à peine arrivé qu'il apprit que Charles s'était éteint le 21 septembre. Bartolomeo Carranza, le pieux archevêque de Tolède, ami de François de Borgia et aussi suspect que lui aux yeux de l'inquisiteur Valdès, avait assisté l'empereur sur son lit de mort. On inhuma le corps dans le caveau du chœur de San Jeronimo, sous le maître autel : il devait y reposer dix-sept ans jusqu'à son transfert dans la nécropole royale que le nouveau roi Philippe II fit aménager à l'Escorial. Au-dessus de la sépulture était suspendu le tableau du Titien, la *Gloire,* où, conformément à sa croyance et à celle de son ami Borgia, l'empereur était représenté avec l'impératrice, au seuil du Paradis, le visage serein et triomphant, prêt à entrer, au-delà de la mort terrestre, dans la vie éternelle.

Début du règne de Philippe II
Persécution de l'Inquisition contre François de Borgia
Poursuites contre ses frères

Devant toute la Cour réunie, le Père François de Borgia prononça l'oraison funèbre de celui qui avait été son ami. Tout de suite après, il partit pour une nouvelle tournée dans les établissements jésuites d'Espagne, particulièrement dans le royaume de Grenade où la conversion des anciennes populations musulmanes continuait d'être préoccupante. Ce retour vers le lieu où il avait pour la première fois ressenti l'appel du Ciel semblait marquer le début de nouveaux succès. Sur sa route, le Père rencontrait nobles et hommes du peuple venus lui demander conseil. Il faisait, disait-on, des miracles. La grande mystique sainte Thérèse d'Avila, que don Francisco de Salcedo avait mise en rapport avec François, le consulta pour guider sa vie intérieure. Les attaques qu'avait subies la Compagnie étaient déjouées grâce à la sympathie des amis du Père. Le nouveau règne semblait réserver à François les mêmes faveurs que celui de Charles : Philippe II le chargea, le 5 mai 1559, de rédiger un mémoire sur les personnes les plus capables de remplir les charges de l'Etat.

Or, brusquement, le ciel se couvrit. Au mois d'août 1559, le

Grand Inquisiteur Valdès publia à Valladolid un catalogue de livres prohibés. On y trouvait à côté des œuvres de célèbres prédicateurs comme Jean d'Avila et Louis de Grenade, un livre intitulé *Obras del Cristiano,* dont l'auteur était identifié comme étant François de Borgia, duc de Gandie. Il s'agissait en fait d'un recueil collectif d'œuvres de piété, publié en 1550, dans lequel avait été introduit un petit traité de dévotion édité précédemment par le duc, en 1548.

Rien n'arrêtait alors le zèle de l'Inquisition qui poursuivait aussi bien les hommes suspects d'hérésie que les livres, comme le montraient les deux grands autodafés de Valladolid, le 21 mai et le 8 octobre 1559. Nul, quel que fût son rang, n'était à l'abri de la persécution : bientôt l'archevêque de Tolède lui-même, Bartolomeo Carranza, allait être arrêté et subir un long et pénible procès pour avoir rédigé un catéchisme qui semblait privilégier les relations mystiques entre l'homme et son Créateur au détriment des rites.

Blessé dans sa réputation et craignant de tomber aux mains de l'Inquisition comme autrefois Ignace de Loyola, François de Borgia se réfugia au Portugal, à Evora, où il fut gravement malade. Il resta près de deux ans dans ce royaume, prêchant dans l'intervalle de ses rémissions et effectuant sa fonction de visiteur. Philippe II l'avait disgrâcié à cause du soupçon d'hérésie qui pesait sur lui mais aussi parce qu'il le tenait pour responsable de la mauvaise conduite de ses frères. Pedro Luís Galceran de Borgia, grand-maître de l'ordre de Montesa, avait renoncé à ses vœux pour se marier en 1558, tout en conservant les biens de l'ordre, ce qui l'avait brouillé avec le roi. Deux autres des frères de François, condamnés pour l'assassinat de don Diego d'Aragon, fils du duc de Ségovie, vice-roi de Catalogne, avaient échappé à la peine capitale en se dérobant à la police. Mais lorsque le Père se fut lui-même réfugié au Portugal, l'un des coupables, don Diego, extrait malgré la sauvegarde du monastère de Madrid où il se cachait, fut exécuté à Játiva en 1562 ; l'autre, don Felipe, également appréhendé, réussit à s'évader et à gagner l'Afrique. Cette recrudescence de la sévérité royale survenait au moment où François, lui-même lassé de son long exil au Portugal, était parvenu à s'en échapper. Le général des Jésuites, Lainez, avait obtenu deux brefs du pape Pie IV pour appeler son confrère à Rome. Le Père avait obtempéré sans solliciter la permission de Philippe II, disant qu'il en était dispensé par son vœu d'absolue obéissance au pontife. Le Roi Catholique n'était pas homme à pardonner un tel affront : il s'en était vengé sur les frères de François de Borgia.

François de Borgia vicaire général,
puis général de la Compagnie de Jésus
Un immense effort missionnaire

Lorsque François arriva à Rome, en septembre 1561, le général Lainez en était absent : il assistait, avec le cardinal Hippolyte II d'Este, cousin du Père de Borgia, au colloque de Poissy. Catherine de Médicis gouvernait la France au nom de son fils Charles IX. Elle voulait réconcilier calvinistes et catholiques. Mais son entreprise avait échoué. Lainez avait opiniâtrement défendu l'orthodoxie devant les représentants des réformés. Il avait tenté d'implanter la Compagnie en France, mais les traditions gallicanes l'en avaient empêché. Le général était reparti, sans rien obtenir, pour assister au concile de Trente, dont la dernière session allait s'ouvrir et doter enfin l'Eglise catholique du corps de doctrine qu'elle pourrait opposer aux protestants.

Plus que jamais, en l'absence du général, l'ordre avait besoin d'un chef pour parer aux attaques qui se produisaient dans tous les Etats contre l'orthodoxie. François de Borgia fut cet homme, successivement vicaire général, commissaire pour l'Italie, assistant pour l'Espagne et le Portugal. En toutes occasions, il mettait en avant les intérêts de l'Eglise et ne transigeait jamais : on le vit quand il refusa d'approuver le mariage que son propre fils Alvaro, âgé de vingt-sept ans et ambassadeur à Rome, voulait contracter avec sa nièce, âgée de quatorze ans, fille de sa sœur Juana. Alvaro fut obligé de demander lui-même la dispense à Pie IV qui la donna en blâmant l'attitude trop sévère du Père François.

La rigueur et l'autorité de Borgia constituaient à l'évidence les qualités qu'il fallait posséder pour gouverner la Compagnie. Alors qu'il assistait le Père Lainez sur son lit de mort, le 19 janvier 1565, le moribond, après avoir perdu l'usage de la parole, dirigea vers François un regard appuyé qui fut interprété comme une désignation : aussi fut-il élu vicaire général. La congrégation générale, qui se tint ensuite, le nomma général de la Compagnie le 2 juillet 1565.

Le gouvernement de François de Borgia comme troisième général des Jésuites coïncida presque entièrement avec le pontificat de saint Pie V (janvier 1566-mai 1572) : le cardinal dominicain Ghislieri, très attaché à la pureté de la foi, avait été Grand Inquisiteur, mais, contrairement aux membres de l'Inquisition d'Espagne, il sut, devenu pape, se servir admirablement des Jésuites. Il leur imposa des règles nouvelles qui répondaient aux aspirations de François de Borgia : il porta l'oraison quotidienne à une heure de durée et soumit les religieux à la récitation de l'office en commun.

Un énorme effort fut dépensé pour organiser sur des bases solides l'enseignement des collèges : deux programmes définirent les matières du cycle primaire et du cycle secondaire. Le général procura un nouveau siège au Collège romain. Il donna à la Compagnie l'argent nécessaire pour acquérir le terrain où le cardinal Alexandre Farnèse, petit-fils de Paul III, allait construire la grande église romaine de la Compagnie, qui porta le nom de *Gesù*. Parallèlement, dans chaque province de l'ordre, un noviciat était créé : le plus renommé fut celui de Saint-André-du-Quirinal, à Rome, d'où sortirent de très ardents apôtres. Le nombre des Jésuites, d'un millier à la mort d'Ignace de Loyola et de deux mille huit cents sous le Père Lainez, atteignit sous Borgia celui de quatre mille religieux, établis dans cent trente maisons et dix-huit provinces.

Cette immense armée, sous l'impulsion de l'ancien duc, se répandit dans la terre entière. L'objectif de la lutte était de faire triompher partout l'orthodoxie romaine. Pour donner l'exemple, les Jésuites étaient présents sur tous les terrains. Ils étaient sans cesse disponibles pour dispenser les soins spirituels, agissant en dehors du cadre paroissial traditionnel : à

Rome ils furent chargés comme pénitenciers pontificaux d'entendre les confessions dans toutes les langues à la basilique Saint-Pierre. Ils soignaient et assistaient les malades et apportaient les secours de la religion aux mourants. Ils accompagnèrent les soldats comme aumôniers et les explorateurs comme missionnaires : de 1566 à 1572, trois expéditions destinées à l'évangélisation partirent d'Espagne vers la Floride, mais les Jésuites qui en faisaient partie furent exterminés par les Indiens ; trois autres expéditions vers le Pérou, de 1560 à 1572, furent plus heureuses, ainsi que la première mission des Jésuites vers la Nouvelle-Espagne, qui arriva à Mexico la veille de la mort de François de Borgia.

Violentes attaques contre les Jésuites
Le scandale de Munich

Le Père général se réjouissait d'ouvrir au Christ des terres lointaines où, pourtant, la souffrance et la mort étaient au rendez-vous des soldats de Dieu, quand ce n'était la mesquinerie des luttes entre ordres religieux qui venait parfois ruiner les efforts des missionnaires.

Les Jésuites, en effet, bien que protégés par Pie V, subissaient de toutes parts des attaques. Dans l'Empire, la plus violente eut lieu à Munich. Les Luthériens, pour ruiner la réputation de sainteté fondée sur la chasteté qu'affichaient maîtres et élèves des collèges jésuites, répandirent le bruit, en 1565, que les jeunes écoliers étaient soumis à la castration. Cette accusation fut portée au moment où le provincial des Jésuites, Pierre Canisius, était légat pontifical dans l'Empire. Aussi une enquête publique fut-elle ordonnée par Albert, duc de Bavière. L'accusateur, Jean Kessel, un élève de quatorze ans, renvoyé de l'établissement pour mauvaise conduite, s'exhiba nu devant les médecins et les chirurgiens qui dressèrent procès-verbal : ils constatèrent qu'effectivement l'élève était dépourvu de testicules, mais on ne voyait aucune cicatrice ni aucune marque de mutilation. L'explication était simple : elle fut donnée par le chirurgien du duc. Les testicules

étaient repliés dans le ventre de l'enfant et plusieurs inspirations et pressions sur l'abdomen les firent ressortir ! Bien
entendu, l'accusation tomba d'elle-même, mais la rumeur
n'avait pas impunément été répandue et les réformés gardè-
rent l'argument prêt à resservir.

Canisius luttait sur tous les plans : apostasie à Prague du
recteur du collège jésuite ; publication à Magdebourg d'un
énorme pamphlet hostile au Saint-Siège, *Les Centuries,* rédigé
sous la direction de Mathias Flach Francovitch, dit Illiricus ; et
encore le bruit que Canisius était devenu luthérien. La seule
façon de répliquer était de fonder des collèges — ainsi à Hall
dans le Tyrol avec l'aide des filles de l'empereur Ferdinand, en
Pologne, en Transylvanie —, et de publier les hauts faits de
l'histoire de l'Eglise : ce furent les remarquables *Annales
ecclesiastici.*

Le grand affrontement de 1571 entre Turcs et Chrétiens
Mission du cardinal Alexandrin et de François de Borgia
en Espagne et au Portugal

Vint le moment où il fallut faire front à un danger extérieur
qui menaçait l'ensemble de la Chrétienté. Le nouveau sultan
Sélim II avait lancé en 1570 contre les Chrétiens une expédition d'anéantissement. Le pape Pie V reprit avec une farouche
détermination l'attitude de ses prédécesseurs du siècle précédent. Il conçut le projet de réunir sous la bannière de l'Eglise
les monarques de la catholicité entière. Il désigna comme
légats *a latere,* le cardinal Commendone pour aller en Allemagne et en Pologne, accompagné du jésuite Francisco Tolet,
et le cardinal Alexandrin, son propre neveu, Michele Bonelli,
pour aller en Espagne, au Portugal et en France. Le cardinal
Alexandrin demanda à son oncle que François de Borgia fît
partie de son ambassade. Le Père général était surchargé des
soucis de la Compagnie et malade. Il savait que partir était
signer son arrêt de mort. Mais il avait juré l'obéissance
absolue au Saint-Père. Il se mit en route, le 30 juin 1571, dans
le brillant cortège du cardinal Alexandrin.

La situation était explosive au sud de l'Espagne, dans l'ancien royaume de Grenade. Les morisques se révoltaient périodiquement contre les agents du Roi Catholique. En 1569, la répression avait atteint son paroxysme. Philippe II avait décrété la démolition des bains turcs, l'abandon de la langue arabe et des vêtements traditionnels des Maures. La réplique avait pris des proportions gigantesques : attaque de Grenade et d'Almeria, partout, dans les campagnes, profanation des églises, massacres des prêtres et religieux. Le frère du roi, don Juan d'Autriche, avait conduit contre les révoltés une puissante armée. L'amiral de Castille avait bloqué le littoral avec sa flotte pour empêcher la venue des secours d'Afrique. Enfin en 1571, le duc d'Arcos avait anéanti les Maures dans une bataille décisive et Philippe II avait déporté les survivants et leurs familles, convertis d'office, à travers tout le royaume : réduits à la misère et frappés par une terrible épidémie les malheureux ne trouvèrent souvent pour les soigner que les Pères Jésuites qui, dès la fondation de leur ordre, s'étaient fait un devoir d'être compatissants pour les « nouveaux chrétiens » d'origine islamique ou juive. François de Borgia retrouvait une Espagne divisée où s'exerçait l'arbitraire des persécutions pour la foi — un pays galvanisé par une lutte de tous les instants contre l'ennemi de religion au dedans et au dehors.

A Barcelone, où le cardinal Alexandrin et le Père arrivèrent le 30 août 1571, les Catalans accueillirent avec joie leur ancien vice-roi dont ils se rappelaient les capacités d'homme de guerre et de gouvernement. En son honneur l'Inquisition, qui avait autrefois condamné ses écrits, les publia comme un hommage à son orthodoxie.

A Valence, ses enfants attendaient leur père. Il y avait là ses fils, le duc Carlos, et son frère Alonso, son petit-fils Francisco, marquis de Lombay, son gendre, le marquis de Denia. Il échappa à grand-peine à la fête qu'ils lui avaient préparée et gagna Madrid au plus vite. Il lui fallait s'acquitter de sa mission avec le cardinal Alexandrin, mission de pure forme puisque l'Espagne était décidée à être le fer de lance de la future croisade.

Don Juan d'Autriche était à Messine où se réunissait, sous la bannière de saint Pierre, une flotte colossale. Les plus grands marins du temps commandaient les escadres : le Génois Andrea Doria, le Romain Marcantonio Colonna, le Vénitien Barbarigo et le Castillan marquis de Santa Cruz. Le 7 octobre 1571, cette flotte de la Chrétienté, qui avait embarqué comme troupes spirituelles des Jésuites et des Capucins, infligea à l'Islam la décisive victoire navale de Lépante.

La réussite de la croisade ne mit pas fin pour autant à l'ambassade du cardinal Alexandrin et de François de Borgia. Au Portugal, il leur fallait régler un problème délicat qui touchait à la survie même de la dynastie. Le jeune roi Sébastien, à dix-sept ans, était entièrement sous la domination du jésuite Gonzalve de Camara qui l'avait élevé. Le religieux avait placé son frère, Martin de Camara, auprès du jeune homme comme favori et comme ministre. En 1568, lorsque Sébastien avait atteint sa majorité de quatorze ans, la puissance des Jésuites s'était révélée dans toute son ampleur. Sous leur influence les familles nobles avaient été obligées de restituer les biens dépendant d'ordres militaires qu'elles avaient accaparés. Le jeune homme ne rêvait que conquêtes outre-mer sur les infidèles. Mais ses pères spirituels estimaient urgent de régler auparavant la succession dynastique. Il fallait que l'adolescent prît femme, bien qu'on sût qu'il ne le ferait qu'à contrecœur, sur l'ordre exprès de son confesseur, car ni sa nature physique ni ses ardeurs mystiques ne l'y prédisposaient.

La reine Catherine, sa grand-mère, avait des préférences pour l'une ou l'autre de ses petites-nièces, filles du Très Catholique Empereur Maximilien II : la couronne portugaise pourrait ainsi rester liée à la Maison D'Autriche. Mais de ces deux princesses l'une épousa Philippe II, l'autre Charles IX. Le seul parti princier convenable demeurait celui de la princesse française Marguerite de Valois, fille de Catherine de Médicis et sœur du roi Charles IX. Le Père Borgia fit valoir au jeune souverain que le pape Pie V s'y était rallié, pensant que cette union rattacherait la France au camp de la catholicité. Sébastien accepta enfin, par pure résignation chrétienne.

Vaine négociation à la Cour de France

On était au cœur de l'hiver. La négociation bien engagée au Portugal pouvait être continuée par la voie diplomatique. Cependant François de Borgia redoutait les difficultés que rencontrerait la légation pontificale en France car on disait la princesse engagée au prince protestant de Navarre. Il avait obtenu du roi d'Espagne un vaisseau pour rentrer en Italie. Mais le cardinal Alexandrin reçut de Rome l'ordre de poursuivre sa mission. Il se remit en route, le 2 janvier 1572, et donna l'ordre au général des Jésuites de le rejoindre. François, perclus de douleurs, dut, par des chemins écartés, franchir les Pyrénées en évitant les domaines de l'hérétique Jeanne d'Albret, reine de Navarre. Il gagna Blois deux jours après le légat. Le jeune roi vint à cheval à sa rencontre pour lui faire honneur. Mais l'ambassade romaine arrivait trop tard. Conformément à un article secret de la paix de Saint-Germain-en-Laye, conclue avec les protestants le 8 août 1570, Catherine de Médicis et son fils préparaient le mariage de la princesse Marguerite avec Henri de Béarn, roi de Navarre, le jeune chef du parti réformé. Il n'était guère possible de rompre les pourparlers au bénéfice du roi Sébastien. L'entrée du royaume dans la ligue contre le sultan était hors de question, à cause des liens qui unissaient la France aux Turcs depuis François Ier, et elle était inutile du fait de l'éclatante victoire de Lépante. Par ailleurs, on ne voulait pas entendre parler de la réception du concile de Trente dans le royaume. Aussi l'audience royale du 8 février se révéla-t-elle particulièrement décevante.

Catherine de Médicis, qui se prétendait en possession de droits ancestraux sur le Portugal, essaya de faire monter les enchères. Elle avait écrit au Père François pendant son séjour à Lisbonne : pour étayer la candidature du roi Sébastien à la main de Margot, elle aurait volontiers accepté de voir offrir la main d'une infante espagnole à son fils le duc d'Anjou, futur

Henri III. Mais comme nulle proposition de ce genre ne lui avait été présentée, abandonnant à Blois le cardinal légat et le général des Jésuites, elle se rendit à Chenonceaux où venait d'arriver la reine de Navarre. Le 14 février, les deux dames abordèrent la dernière phase de la négociation du mariage de leurs enfants. Au bout de dix jours, les échos parvenus à Blois ne laissaient subsister aucun doute : malgré les rudes exigences de Jeanne d'Albret, le mariage entre le jeune hérétique et la princesse, objet d'horreur pour la Cour de Rome, était pratiquement décidé.

Le 24 février, l'ambassade du Saint-Siège prit congé des souverains. Alexandrin se retira dignement, accompagné de l'évêque Antonio Maria Salviati, nonce pontifical, en refusant de recevoir les présents royaux, des vases d'or et d'argent. Mais, au moment où il s'éloignait, Catherine retint le Père François et lui demanda comme une grâce de lui laisser l'humble chapelet qui pendait à sa ceinture. Les représentants du pape partaient l'esprit rempli de confusion. Bien qu'ils eussent essuyé un refus poli, on ne leur avait pas caché la méfiance dans laquelle la reine mère et certains de ses conseillers tenaient les protestants : peut-être les choses changeraient-elles un jour en France...

La mort au bout du chemin

Le cardinal-légat et le général des Jésuites se séparèrent à Lyon. Alexandrin était rappelé d'urgence au Vatican où il trouva son oncle, le pape Pie V, allongé sur son lit de mort. Le Père François ne pouvait se presser autant. Il s'était arrêté en se rendant à Blois dans une église profanée, ouverte à tous les vents, pour dire la messe en l'honneur de la Vierge, le jour de la fête de la Purification. Il faisait très froid et il avait contracté les germes d'une pleurésie. Comme il avait négligé de se soigner, la maladie empira. Il était dans sa soixante et unième année et son organisme était très affaibli par les fatigues et les macérations. A Saint-Jean-de-Maurienne il fut obligé de s'aliter. Averti, le duc de Savoie envoya ses gens pour le prendre en litière et l'amener à Turin. Le duc avait préparé des réceptions pour faire honneur à son hôte mais François n'eut pas la force d'y assister. Il se fit porter dans une barque sur le Pô et se rendit, à deux lieues de la capitale du Piémont pour y passer la Semaine sainte et les fêtes de Pâques. Puis il descendit le fleuve. Refaisant le chemin autrefois parcouru par Lucrèce, en quatre jours il arriva à Ferrare.

Le duc Alphonse II d'Este, son petit-cousin, avait envoyé au-devant de lui, à l'entrée de son duché, un magnifique brigantin. Le Père s'y embarqua. Il se fit conduire au collège que les Jésuites avaient à Ferrare. Mais il était trop malade pour se contenter des soins superficiels qu'il pouvait y recevoir. Alphonse l'installa dans une de ses maisons de plaisance où il appela les médecins les plus habiles, pendant qu'il faisait faire des prières devant le Saint-Sacrement dans toutes les églises de la ville.

Les premiers mois de l'été passèrent sans aucune amélioration pour le malade. Sur son lit de douleur, il apprit qu'en France un sursaut, sans doute aidé par Catherine de Médicis et finalement autorisé par le roi, avait dressé les catholiques contre les protestants qu'ils accusaient de vouloir prendre le pouvoir à l'occasion du mariage d'Henri de Navarre et de Marguerite. Ce terrible massacre du jour de la Saint-Barthé-lemy, le 24 août 1572, aurait peut-être été évité si François avait pu marier le roi Sébastien, pupille des Jésuites, à la princesse française. Mais ces spéculations de politique terres-tre étaient désormais bien loin de l'esprit du malade...

Il se savait perdu et ne songeait qu'à assurer son entrée dans l'autre monde. Il se fit conduire en litière à Lorette auprès de la maison de la Vierge qu'y avaient portée, croyait-on, les Anges, puis il revint à Rome où un nouveau pape, Grégoi-re XIII, était monté sur le trône de saint Pierre. On l'installa, moribond, dans la maison professe. Il était à deux jours de sa mort. Il s'éteignit le 30 septembre 1572 à minuit, réconforté par ses compagnons et par son frère Thomas, futur archevê-que de Saragosse. Son humilité et son abaissement lui avaient donné un pouvoir sur les hommes qu'aucun de ses ancêtres Borgia n'avait possédé et qui lui avait assuré la préséance sur les plus grands souverains du monde. Il mourait déjà reconnu comme un prince dans l'Eternité.

L'entrée dans la vie glorieuse

La vie glorieuse ne faisait que commencer pour François ae Borgia. A son enterrement, le 1ᵉʳ octobre, tout Rome défila dans la maison professe : cardinaux, prélats, seigneurs, gens du peuple. Transporté en 1617 dans l'église du Gesù, son corps n'y resta pas longtemps. Sur les instances du cardinal-duc de Lerme, premier ministre du roi Philippe III d'Espagne et petit-fils du Père François, et à la demande du cardinal Gaspard de Borgia, ambassadeur d'Espagne, la dépouille, à l'exception d'un bras resté au Gesù, fut transportée à Madrid Béatifié par Urbain VIII, le 21 novembre 1624, le nouveau Bienheureux fut alors exposé dans une magnifique église madrilène construite par son petit-fils, le cardinal-duc. Des processions conduisirent ses restes pendant huit jours, en grande liesse, d'un sanctuaire à l'autre à travers Madrid. La châsse précieuse où reposait le corps était portée par quatorze grands d'Espagne, parmi lesquels on distinguait les ducs d'Osuna, de Sessa, de Penaranda, de Villa-Hermosa, de Lerme et de Hijar, le prince de Squillace et le marquis de Castel Rodrigo. D'autres grands seigneurs soutenaient le dais d'or, d'autres encore les cordons de la châsse. Ils étaient tous ses descendants : on compta en tout quarante-six gentils-hommes, de la plus haute noblesse d'Espagne, dont il était l'aïeul, le bisaïeul ou le trisaïeul. Les chevaliers de Santiago, le Conseil des treize commandeurs, tous les conseils royaux, les magistrats et le peuple suivaient le cortège. C'était véritable-ment un triomphe dans le Ciel que l'on célébrait, mais aussi le triomphe de toute une race dans laquelle se reconnaissait la très fière, très ombrageuse et très catholique Espagne.

Mais François n'avait pas encore été hissé à la fine pointe de la pyramide des honneurs célestes. Quarante-sept ans plus tard, devant l'afflux des témoignages d'intercessions miracu-leuses obtenues en invoquant le Bienheureux, le pontife alors régnant, Clément X, procéda, le 11 avril 1671, à sa canonisation. Sa fête, fixée au 3 octobre, devait célébrer, suivant le *Martyrologe romain* : « Saint François Borgia, général de la Compagnie de Jésus, illustre par l'austérité de sa vie, par le don d'oraison, par les dignités du siècle auxquelles il avait renoncé et par celles de l'Eglise qu'il avait refusées. »

Le sang des Borgia : grandeur et passion

Toute la vie du nouveau saint avait été la contrepartie éclatante de celle de son aïeul Alexandre VI. Mais la tapisserie s'était révélée aussi châtoyante à l'endroit qu'à l'envers. Les mêmes écheveaux la tissaient. Les fils multicolores des mêmes passions s'y entrecroisaient. Agir au présent, laisser libre cours à sa volonté et à son amour, faire tout céder devant son idéal : chacun des Borgia s'était comporté de semblable façon. Seul avait varié leur but : Dieu ou l'Homme, mais toujours une voix intérieure, impérative et despotique, les avait invités au dépassement d'un sort médiocre. Chacun avait parcouru sa route avec la même obstination, la chair déchirée par les épines du plaisir ou de la macération. Ils avaient été les explorateurs de l'impossible : l'avènement d'un univers de charité pour François, un royaume italien pour César...

Modèles ou repoussoirs pour leurs contemporains, ils eurent le privilège de leur fournir à volonté les repères marquant la voie à suivre ou les écueils à éviter. Ils avaient été la quintessence de la société, l'élément qui en résumait l'essentiel. Ils avaient parfaitement reflété vertus et vices de leur temps, accentuant dans leurs traits ce que le respect humain s'ingéniait chez la plupart à dissimuler hypocritement. Ils s'étaient affichés comme une humanité libérée.

L'aboutissement avait été surhumain. Après l'apothéose céleste vint la retombée, ou plutôt l'extinction somptueuse des feux du couchant. La branche issue du duc de Gandie assassiné brilla encore quelque temps dans les hautes dignités laïques et religieuses. Des vice-royautés, des cardinalats jalonnent une longue théorie de grands d'Espagne qui aboutit à don Mariano Tellez-Giron, mort le 2 juin 1882 sans descendance. Ce très haut et très noble seigneur cumulait alors trois principautés, huit duchés, dix marquisats, seize comtés, une vicomté et de multiples ordres de chevalerie. Il était à lui seul dix fois Grand d'Espagne de première classe.

Mais quelques patriciens du nom de Borgia, descendant de branches collatérales, se perpétuent aujourd'hui encore en Italie : ils attestent l'extraordinaire vitalité du sang de ces aventuriers de haut vol qui, partis du royaume de Valence, il y a six cents ans, firent retentir le monde du bruit de leurs exploits.

ÉPILOGUE

Les Borgia au fil du temps

La fortune posthume des Borgia est liée à celle de Nicolas Machiavel : ils entrent véritablement dans l'immortalité grâce à son traité *De principatibus*, « Des principautés ». Ce court mémoire de vingt-six chapitres, rédigé en quelques mois, entre juillet et décembre 1513, est écrit pour donner des conseils aux dirigeants politiques en se référant aux actes de prestigieux acteurs de l'histoire. En fait le personnage le plus souvent évoqué est, au côté d'Alexandre VI, César Borgia : en son honneur la postérité changera le titre de l'œuvre qu'elle nommera *Le Prince*.

Froidement et intelligemment conçu comme un mode d'emploi pour prendre le pouvoir et le conserver, le traité de Machiavel est depuis cette époque le livre de chevet de ceux qui ont l'ambition de dominer leurs semblables. Il leur apprend à passer outre aux préceptes de la morale, aux lois et aux coutumes, pour assouvir leurs volontés. Le grand homme des Borgia, élevé à une stature surhumaine, leur est proposé comme le modèle dont il faut suivre l'exemple. Le « machiavélisme » aurait pu s'appeler, dès sa naissance, le « borgianisme ».

Au récit parfois incroyable du comportement de César et de son père Alexandre VI un texte apportait sa caution : c'était le *Journal*, dit encore *Liber notarum* ou *Diarium* du cérémoniaire pontifical Jean Burckard. Les archivistes du Vatican avaient soigneusement conservé cet ouvrage après la mort de son auteur en 1506. Il leur était en effet d'une utilité quotidienne : il fournissait les détails les plus fins sur les règles du rituel romain, la place respective des dignitaires durant les offices, l'ordre des processions, les instruments et les ornements pontificaux suivant les fêtes liturgiques — toutes précisions consignées avec minutie dans ce véritable « livre de sacristain ». Mais dans les descriptions des cérémonies, Burckard avait malignement intercalé le récit des excès et scandales, les rumeurs qui parcouraient le Vatican, les vers et les pamphlets qui inondaient Rome sous Alexandre VI.

Une telle mine d'informations ne peut pas rester longtemps secrète. Elle recoupe trop bien les chroniques du temps. Les historiens ne tardent pas à mettre en œuvre ce matériau. Le *Journal* sert de source pour l'*Histoire des vies des pontifes,* publiée à partir de 1505 comme suite de l'œuvre de Bartolomeo Sacchi, dit Battista Platina. Il nourrit la réflexion critique des grands écrivains, vite captivés par l'histoire des Borgia. Francesco Guicciardini (Guichardin), dans son *Histoire d'Italie,* écrite de 1537 à 1540, charge César et son père d'une lourde responsabilité dans les malheurs de l'Italie pour y avoir appelé les envahisseurs étrangers. Aussi insiste-t-il dans son récit sur « l'incroyable allégresse » des Romains qui viennent contempler à Saint-Pierre le cadavre d'Alexandre VI : « Ils ne pouvaient rassasier leurs yeux en voyant mort un serpent qui, avec son ambition immodérée et sa perfidie pestilentielle, et avec toutes ses pratiques d'horrible cruauté, de monstrueuse lubricité et d'extraordinaire avarice, vendant sans distinction les choses sacrées et profanes, avait infecté le monde entier ; et pourtant il avait été exalté, avait connu une prospérité très rare et quasiment continuelle, de sa première jeunesse jusqu'au dernier jour de sa vie, désirant toujours plus et obtenant davantage. Son exemple permet de confondre ceux qui affirment qu'avec de faibles yeux humains on peut découvrir la profondeur des jugements de Dieu et qui prétendent que ce qui arrive aux hommes, en bien ou en mal, découle de leurs mérites ou de leurs vices. » C'est là une constatation désabusée : les vrais châtiments ou récompenses ne seront peut-être infligés aux hommes que dans l'au-delà...

Un autre historien fameux, Paolo Giovio (Paul Jove), évêque de Nocera, auteur d'une *Histoire de son temps*, et des *Vies et Eloges des hommes illustres*, le tout publié à partir de 1550, raconte les faits les plus scandaleux sans les juger, de même qu'Onofrio Panvinio, lorsqu'il réédite l'*Histoire des vies des pontifes* (1557). Geronimo Zurita, auteur des *Annales d'Aragon* (1590), dont le tome consacré à Ferdinand le Catholique reproduit nombre d'événements concernant les Borgia, n'en est pas gêné : les descendants du duc de Gandie donnent alors l'exemple d'une réussite mondaine liée à la plus parfaite moralité.

Le monde de la Contre-Réforme, plus culpabilisé et instruit par l'exemple des vertus de saint François Borgia, professe la croyance qu'après le désordre d'une génération, une autre peut réparer ses excès par la pénitence. Certains écrits servent ce propos en forçant les traits sombres. C'est le cas de la *Vita del duca Valentino* de Tommaso Tomasi, éditée seulement en 1655, un siècle après sa composition, et, de nouveau, en 1670, avec des interpolations dues à l'aventurier Gregorio Leti.

Le *Journal* de Burckard connaît alors une vogue extraordinaire parmi les érudits. Un grand nombre de copies sont réalisées, le cérémoniaire étant considéré, sur la foi d'Onofrio Panvinio, comme une source majeure. Le savant Etienne Baluze s'en procure un exemplaire pour les collections de Colbert et les moines de la Congrégation de Saint-Maur font de même pour la bibliothèque de leur monastère de Saint-Germain-des-Prés. L'érudit Denys Godefroy, en 1649, reproduit quelques extraits du *Diarium*, se rapportant à Savonarole, parmi les preuves de son édition des *Mémoires de Commines*. Son fils Théodore édite, en 1684, dans son ouvrage documentaire intitulé *Histoire de Charles VIII*, les passages qui se rapportent aux relations entre ce roi et Alexandre VI.

Désormais, rien ne peut plus s'écrire sur les Borgia et leur temps, sans qu'il soit fait allusion à cette « Bible » qu'est devenu le recueil de notes journalières du cérémoniaire pontifical. La grande histoire de l'Eglise, commencée au XVIe siècle par le cardinal César Baronius, bibliothécaire du

Vatican, sous le titre d'*Annales ecclesiastici,* étant arrivée au temps de la Renaissance, l'Oratorien Odorico Rinaldi en assure la continuation en s'inspirant largement de Burckard (1646-1677), tout en dissimulant les excès trop criants.

Le Grand Siècle ne semble guère choqué par la libre société qui, au temps d'Alexandre VI, mariait si bien la foi et la licence des mœurs. Mais tout change radicalement avec la révocation de l'édit de Nantes par Louis XIV, en 1685. Cet événement provoque une rupture au sein de la communauté scientifique européenne. Le grand savant universel Godefroi-Guillaume Leibniz, à la fois mathématicien, juriste, philosophe et historien, avait cru à la réconciliation des catholiques et des protestants. Déçu, il verse dans la polémique. Conservateur de la bibliothèque du duc de Hanovre-Brunswick, il possède parmi ses collections de Wolfenbuttel, une copie de Burckard : il en publie des extraits, pris parmi les plus scandaleux, sous le titre de *Specimen Historiae Arcanae, sive anecdotae de vita Alexandri VI Papae* (Hanovre, 1696). Le succès est extraordinaire : une seconde édition est immédiatement publiée. Dans son commentaire, le savant souligne que « l'on n'avait jamais vu de Cour plus souillée de crimes que celle d'Alexandre VI où régnaient l'impudicité, la perfidie et la cruauté, trois vices capitaux, tous trois couronnés de scélératesse et couverts du sacré voile de Religion ». Rome est l'école du scandale.

L'Anglais Alexandre Gordon emboîte le pas au maître. Sa *Vie du pape Alexandre VI et de son fils César Borgia,* est éditée à Londres, en 1729, puis publiée en français, en 1732 et 1751 : c'est, là encore, un grand succès de librairie. L'éditeur Pierre Mortier, fixé à Amsterdam, explique ses propres motivations dans un « Avertissement au lecteur ». Le récit des crimes, dit-il, est utile à l'homme car il lui donne l'amour de la vertu en lui inspirant l'horreur du mal. Et cette horreur est d'autant plus grande que celui qui commet ces excès se dit le chef de l'Eglise de Jésus-Christ. « Que l'homme soit sujet aux plus grands désordres par l'abus de sa Raison, c'est une conséquence qui suit nécessairement de la constitution de la nature humaine. Mais que l'Esprit de Dieu choisisse un scélérat pour le

Gouvernement de son Eglise, c'est là sans doute où, quelque foi que l'on ait, on a bien de la peine à s'empêcher de s'écrier avec l'Apôtre, ô *altitudo Divitiarum !*... Si les catholiques nous accusent comment protestants d'aimer à publier les infamies et les scélératesses des Papes, nous leur répondrons que, ne croyant point que les Papes soient élus par le Saint-Esprit pour être les vicaires de Jésus-Christ sur terre, nous justifions d'autant plus par l'Histoire de leurs actions les raisons que nous avons eues de nous soustraire à leur domination. »

L'auteur, quant à lui, campe puissamment ses personnages dans sa « Préface » : « Dans l'histoire des Borgia, écrit-il, le chef du Troupeau du Christ établit le Royaume des Ténèbres et élève l'Empire de Satan ; Lucrèce, fille d'Alexandre, est aussi fameuse par sa débauche qu'était Lucrèce la Romaine par sa chasteté ; César ne l'est pas moins par un double fratricide et un inceste commis avec sa propre sœur... Ce fils se montra digne d'un tel père par le parjure, le poison et l'assassinat qu'il employa à la destruction totale de ses ennemis. Mais à la fin, l'Univers vit un exemple mémorable de la mauvaise réputation qu'eurent ses crimes. Il fut avant sa mort exilé, il devint victime de la vengeance publique et fut forcé à se dépouiller de toute cette tyrannie, qu'on ne peut avoir trop en horreur, quel que soit à ce sujet le sentiment de Machiavel : de sorte que ce que les Anciens ont feint dans leurs tragédies a été réellement exécuté en lui, comme un exemple que la Providence divine en a voulu faire. » Contrairement à Guichardin, Gordon pense que la justice immanente a joué son rôle dans la tragédie des Borgia.

Historien sérieux, il cite ses sources, mais il met sur le même plan Burckard et Machiavel, Guichardin et Tommaso Tomasi Onofrio Panvinio et Pietro Bembo, devenu cardinal et auteur d'une *Histoire de son temps*. Mais comme il manque de détails intimes sur la vie et les amours du pape, Gordon ne craint pas de les emprunter à « une copie authentique d'un manuscrit tiré de l'original à Rome, qu'on a dit être dans la Bibliothèque du Vatican ». Mis à part cet emprunt quelque peu sujet à caution, les documents exploités, dont certains sont publiés intégralement dans l'Appendice — vingt-trois au total —, inspirent confiance : on y trouve des citations du *Prince* de Machiavel, un article du dictionnaire de Moreri sur la généalogie des Borgia, des passages de Guichardin, notamment le récit de la mort d'Alexandre VI, et nombre d'extraits de Burckard : les manifestes de Charles VIII et du cardinal Péraud, la convention signée entre Alexandre VI et le roi, les lettres du sultan Bajazet à Alexandre VI et les instructions données par le pape à Giorgio Buzardo, la fuite de César à Velletri, le meurtre du duc de Gandie, les relations avec Savonarole, la renonciation de César au cardinalat, l'accident survenu au pape, la lettre à Silvio Savelli. L'ouvrage est ainsi le premier exemple d'une étude référencée sur les Borgia.

Le publiciste français Pierre Bayle prend le même parti que Gordon dans son *Dictionnaire historique et critique,* publié en 1697 et réédité en 1702. Il cite soigneusement ses sources. L'édition dite *Supplément* ou *Continuation,* publiée en 1758 par Jacques-Georges de Chaufepié, les augmente en faisant figurer Gordon à côté des sources anciennes parmi lesquelles Tomasi est toujours reconnu comme une autorité digne de foi. La démarche est la même dans les *Annales d'Italie* (1744-1749) publiées par Luigi Antonio Muratori, éminent archiviste du duc de Modène.

Si l'on vise à l'objectivité sur le plan des sources, le récit lui-même est toujours passionné : chacun entend, en effet, dénoncer, à l'ère des philosophes, les crimes des Borgia et leur mépris de la morale privée et publique.

Voltaire exerce sur Alexandre VI la sagacité de son esprit dans l'*Essai sur les mœurs* (1756) : il met en doute l'empoisonnement du pontife et même l'usage du poison par les Borgia. Cependant il répète sans sourciller les accusations d'inceste à l'égard de Lucrèce et les crimes de César. Il reconnaît que certaines actions qui, à cette époque, ne choquaient pas, ont eu un résultat positif au regard de l'Histoire. « Alexandre VI laissa dans l'Europe une mémoire plus odieuse que celle des Néron et des Caligula, parce que la sainteté de son ministère le rendit plus coupable. Cependant c'est à lui que Rome dut sa grandeur temporelle... Son fils perdit tout le fruit de ses crimes que l'Eglise recueillit... Mais, ce qui est est singulier.

c'est que cette religion ne fut pas attaquée alors : comme la plupart des princes, des ministres et des guerriers n'en avaient point du tout, les crimes des papes ne les inquiétaient pas... Le peuple hébété allait en pèlerinage. Les grands égorgeaient et pillaient : ils ne voyaient dans Alexandre VI que leur semblable et on donnait toujours le nom de Saint-Siège au siège de tous les crimes. »

Frédéric II de Prusse, qui devait user de la même habileté sans scrupule que les princes de la Renaissance, écrit avant son avènement, en 1740, un *Anti-Machiavel* où il repousse vertueusement les conseils donnés par le secrétaire florentin à partir de l'exemple de César Borgia. Jean-Jacques Rousseau, théoricien du *Contrat social,* stigmatise, pour sa part, l'exploitation de l'homme par son prochain, mais il trouve utile que Machiavel rapporte longuement les procédés répréhensibles de César : le peuple sera ainsi informé des excès auxquels peuvent se livrer les grands et il apprendra à se protéger. L'histoire des Borgia met en garde les citoyens.

Il fallait s'attendre à trouver le même point de vue chez les historiens et publicistes de l'époque révolutionnaire. La tourmente passée, il devint à la mode de méditer les œuvres de Machiavel. Préfaçant la grande édition donnée à Paris en l'an VII, l'éditeur Guiraudet commence par exprimer des réserves à l'égard d'un écrivain qui a « donné des leçons aux despotes contre les peuples, sur l'art de river leurs fers ». Mais sa lecture révèle un auteur inspiré par « un patriotisme aussi éclairé qu'ardent ». Dans son « Discours sur la première décade de Tite-Live », le Florentin examine en effet les différentes formes de gouvernement. Il repousse la collusion entre la religion et le pouvoir telle qu'elle existait dans les Etats de l'Eglise : « Cette Rome qui fut autrefois le centre d'un Etat qui couvrait le monde de sa puissance et de sa gloire, se trouvait livrée à une succession de vieux monarques électifs, dont aucun ne pouvait former un Etat respectable... Qu'on juge de la puissance d'un souverain qui, tout à la fois vice-Dieu, prêtre, roi, législateur sacré, prophète, dispensait et la mort et la vie, liait les peuples et les individus de nœuds indissolubles que lui seul avait le droit et le pouvoir de délier à son gré ! Qu'on voyait, une triple couronne sur la tête, des clefs, un Dieu dans les mains, des princes, des empereurs à ses pieds, étendant sa main et son empire sur presque tout le globe, distribuant à tel ou tel peuple les mondes nouveaux qu'on pouvait venir à connaître et, en cela, bien autrement puissant que ces mêmes Romains dont il occupait la ville, destinée à être encore une fois la capitale de l'Univers. »

Machiavel, qui avait osé dénoncer le pouvoir et les crimes du « tyran de Rome », avait été flétri par le clergé international aux ordres de la papauté. La République française devait le venger : en détruisant la puissance des papes elle défendait en outre les intérêts de l'Italie, agissant comme Machiavel, qui, d'après Guiraudet, ne voulait que le bien de sa patrie par l'élimination des despotes nationaux et des oppresseurs étrangers. La République française s'était inspirée de son exemple. La nécessité d'assurer la sécurité extérieure « nous a dicté le besoin, continuait l'éditeur, de nous procurer successivement le Rhin pour limite depuis sa source jusqu'à son embouchure ; de nous donner pour alliées la Hollande et la Suisse et cette ligue de républiques depuis Bâle jusqu'à Naples... »

A la lumière de ces considérations, les Français révisent, certes, l'idée qu'ils se sont forgée sur Machiavel mais aussi leur opinion sur le duc de Valentinois. Ils partagent les regrets exprimés par le Florentin sur « la mort prématurée de quelques brigands heureux, sur celle également imprévue de cet Alexandre et de son affreux fils » : César n'avait-il pas en effet recherché la ruine de la tyrannie au bénéfice d'un Etat laïc où pourrait s'installer plus tard la liberté ?

La notion précieuse de relativité historique vient de naître. On voit plus clairement les intentions de Machiavel et on comprend mieux l'aventure de César Borgia : la vision que l'on avait traditionnellement de la terrible famille a considérablement évolué.

L'Empire français et la Restauration se méfient cependant des leçons de liberté que comporte l'histoire des Borgia. Plutôt que de réfléchir à leurs intentions politiques, on revient à la critique discrète de leurs mœurs, afin que le scandale ne rejaillisse pas sur les institutions qui ont refait surface après les événements révolutionnaires, l'Eglise et la Papauté. Le Saint-Siège a retrouvé, avec ses territoires, son aspect de monarchie tatillonne et réactionnaire. Il serait aisé d'en attaquer les vices en se référant à ceux des Borgia. Les poètes d'avant-garde ne vont pas y manquer.

Une nouvelle phase de célébrité commence pour Alexandre VI et ses enfants. d'autant que la Renaissance est plus que jamais à la mode. Après avoir cruellement stigmatisé la légèreté de la cour de François Ier dans *Le Roi s'amuse*, Victor Hugo choisit Lucrèce Borgia comme héroïne d'un drame représenté au théâtre de la Porte-Saint-Martin, à Paris, en février 1833.

Relisons la préface de cette pièce : « Qu'est-ce que c'est que *Lucrèce Borgia* ? Prenez la difformité *morale* la plus hideuse, la plus repoussante, la plus complète ; placez-la là où elle ressort le mieux, dans le cœur d'une femme, avec toutes les conditions de beauté physique et de grandeur royale, qui donnent de la saillie au crime ; et maintenant, mêlez à toute cette difformité morale un sentiment pur, le plus pur que la femme puisse éprouver, le sentiment maternel ; dans notre monstre, mettez une mère, et le monstre intéressera, et le monstre fera pleurer, et cette créature qui faisait peur fera pitié, et cette âme difforme deviendra presque belle à vos yeux... »

Victor Hugo invente de toute pièce une « contre-Lucrèce » mais essaie de se justifier : « L'auteur se taira devant la critique... Sans doute, il pourrait répondre à plus d'une objection... A ceux qui lui reprochent d'avoir exagéré les crimes de Lucrèce Borgia, il dirait : Lisez Tomasi, lisez Guicciardini, lisez surtout le *Diarium*. A ceux qui le blâment d'avoir accepté sur la mort des maris de Lucrèce certaines rumeurs populaires à demi fabuleuses, il répondrait que souvent les fables du peuple font la vérité du poète. » La pirouette est belle, en forme de pied de nez aux cuistres d'historiens. Et pour finir : le poète se félicite d'avoir donné à Lucrèce, la monstrueuse, des entrailles de mère. De cette façon, sa conscience se reposera tranquille et sereine sur son œuvre !

Le crime court partout dans ce drame avec une ampleur fantastique : « Je ne voyais Lucrèce Borgia que de loin [...], comme un fantôme terrible debout sur toute l'Italie, comme le spectre de tout le monde », s'écrie Gennaro, le fils caché de Lucrèce. Et, bien entendu, le poison des Borgia joue un rôle essentiel : « Un poison redoutable, dit Lucrèce, un poison dont la seule idée fait pâlir tout Italien qui sait l'histoire de ces vingt dernières années... Personne au monde ne connaît de contre-poison à cette composition terrible, personne, excepté le pape, M. de Valentinois et moi. »

Le poison et le poignard sont encore au rendez-vous avec Alexandre Dumas, qui donne aux Borgia la première place dans le premier tome de sa série, *Les Crimes célèbres*, éditée et rééditée sans cesse de 1839 à 1893. Le très célèbre Jacob Burckhardt, auteur de *La civilisation de la Renaissance en Italie*, croit encore fermement à l' « inexorable poison » : « Ceux que les Borgia ne frappaient pas de leur poignard, périssaient par le poison. » Jules Michelet a la même opinion : « Le père et le fils avaient coutume, quand ils avaient besoin d'argent, d'expédier un cardinal. » (*La Renaissance*). Mais on trouva soudain que c'était trop de sang. De tenaces historiens allèrent vérifier les pièces sur lesquelles se fondait l'accusation. Il en résulta de patientes recherches dans tous les dépôts d'archives et les bibliothèques, et surtout une fringale d'éditions de textes qui changèrent profondément l'optique sur l'époque.

Encouragés par cette réaction et pensant qu'il était temps d'opérer une réhabilitation complète des Borgia, certaines âmes pieuses estimèrent que le moment était venu d'intervenir. Un Cerri, en 1858, un abbé Ollivier en 1870, un Père Léonetti en 1880 publièrent de véritables récits hagiographiques sur... Alexandre VI : tout ce qu'on avait écrit précédemment était faux. Jamais le pape n'avait eu d'enfants. Ceux qu'on lui attribuait étaient ses neveux, fils d'un frère resté inconnu... ou encore il avait été marié avant d'entrer dans les ordres. Le comte Henri de L'Epinois, savant irréprochable et catholique convaincu, dut prendre la plume en 1881 dans la *Revue des questions historiques* pour réfuter sévèrement ces contre-vérités, comme l'avaient fait, en 1873, à propos de l'abbé Ollivier, le Père Matagne, dans la même revue, et les Pères Jésuites dans la *Civiltà Cattolica*. L'Epinois s'exprimait au nom de la science historique, mais, disait-il, il obéissait surtout « au besoin le plus impérieux de mon intelligence, celui de dire la vérité, toute la vérité, au risque de condamner un pape et une époque qui ont été pour l'Eglise une de ses plus grandes épreuves ».

Cette dispute s'inscrivait dans un vaste mouvement de redécouverte documentaire sur les Borgia. Giuseppe Campori avait consacré, en 1866, une étude à Lucrèce, sous un titre éloquent : *Una vittima della Storia*. Il y révélait nombre de documents tirés des archives des Este, à Modène. Le savant allemand Ferdinand Gregorovius, excellent connaisseur de l'histoire de Rome, y ajouta soixante-cinq documents fondamentaux, dont plusieurs pièces retrouvées à Rome mais aussi à Modène et à Mantoue : sa vaste biographie de *Lucrèce Borgia*, publiée à Stuttgart en 1874, traduite en français et italien en 1876, marquait véritablement une date dans l'approche scientifique de l'histoire des Borgia.

Cet ouvrage à peine paru, un prodigieux érudit, Ludwig von Pastor, entreprend courageusement d'écrire sur des bases renouvelées l'Histoire des papes depuis la fin du Moyen Age. Pendant trois siècles les archives secrètes du Vatican avaient été hors de portée des chercheurs. En 1888, le pape Léon XIII les ouvre enfin : il permet à Pastor de consulter les archives consistoriales et les bulles et brefs d'Alexandre VI, contenus dans cent treize volumes de la Chancellerie pontificale. Pastor confronte ces pièces avec une foule d'autres documents mal connus ou ignorés provenant de près de quatre-vingts bibliothèques et dépôts d'archives européens, principalement italiens. Son livre IX concernant Alexandre VI, publié en 1895, traduit et édité en France en 1898, sera plusieurs fois réédité et augmenté de suppléments jusqu'à la dernière édition donnée en italien par Angelo Mercati et Pio Cenci, en 1951. Dans cet ouvrage qui se veut objectif et sincère aucun des défauts du pape Alexandre VI n'est occulté. Pour trouver des explications à certains de ses comportements excessifs, il est fait appel à des documents très variés, parfois contradictoires, fournis par les éditions de textes qui se développent parallèlement aux œuvres de synthèse et parmi lesquelles il faut noter les *Diarii*, sortes de revues journalières d'actualité réunies par le Vénitien Marino Sanudo de 1496 à 1523 (publiés en cinquante-huit gros volumes, à Venise de 1879 à 1902) ; ou encore par Priuli, de 1494 à 1512 (publiés de 1912 à 1937). Un savant flamand, Peter De Roo, compile un nombre considérable de sources sur les Borgia, la plupart, il est vrai, déjà connues, dans son recueil en cinq volumes, *Material for a history of pope Alexandre VI*, Bruges et New York, 1924, réédité en Espagne en 1952.

Au début du xxᵉ siècle, la plupart des témoignages sur les Borgia ont été publiés ou ont fait l'objet d'éditions partielles. Parmi les témoins, on compte des diplomates ou des agents de renseignements, tels le Vénitien Giustiniani, l'évêque de Modène, Gianandrea Bocciaccio, les Ferrarais Beltrando Costabili, Gerardo Saraceni et Ettore Bellingeri, ou, à un échelon inférieur, Bernardino de Prosperi ou le prêtre de Correggio, qui informent Isabelle d'Este et les chroniqueurs de chacune des villes italiennes qui reproduisent des nouvelles se rapportant aux Borgia. Les origines hispaniques des Borgia ont porté les érudits de ce pays à étudier spécialement les deux papes de la famille : citons l'œuvre de Sanchis Sivera, *El obispo de Valencia Don Alfonso de Borja (Calixto III)*, 1429-1458, Madrid, 1926 ; et, tout récemment, les études du Catalan Miquel Batllori, notamment, *La correspondencia d'Alexandre VI ambels seus familiars y ambels Reis catòlicos*.

Parallèlement à ces études érudites, les œuvres sur les Borgia abondent, réflétant les méthodes historiques et les préoccupations du temps qui les voit naître.

Frédérick William Rolfe, dit le baron Corvo, publie en 1901 un ouvrage au style inspiré, *Chronicles of the House of Borgia*, récemment traduit en français (1984) : l'enthousiasme y remplace le sens critique et l'œuvre s'inscrit délibérément dans le courant de réhabilitation des Borgia. L'auteur tente de réaliser une œuvre de psychologie historique, ce qui est également le cas d'Emile Gebhart, *Les Borgia*, dans son essai,

Moines et Papes, Paris, 1907. La notion de relativité qui marque ce travail se retrouve chez Louis Gastine, auteur d'un roman historique sur Lucrèce, puis d'une étude historique sur César Borgia (Paris, 1911). L'auteur emploie comme outils le « sens psychologique » et « le contrôle et l'épuration qui se dégage de l'histoire comparée » : César est pour lui un pur produit de son milieu. Un peu plus tard, le médecin milanais Giuseppe Portigliotti, (*I Borgia*, Milan, 1921), analyse en psychiatre les caractères et les comportements de la famille. Dans son livre, alerte et fécond, les hypothèses extrêmes et les plus scandaleuses sont retenues comme les plus vraisemblables : du moins expose-t-il les diverses possibilités, au contraire des romanciers, avant tout tentés par une reconstitution colorée et dramatique tel Michel Zévaco, auteur d'un livre foisonnant, *Borgia* (Bucarest, 1907) où l'imagination se permet toutes les licences. Mais nous sommes là bien en dehors des limites du terrain de l'histoire.

A une époque plus récente les essais historiques de valeur ne manquent pas : ainsi ceux de Frantz Funck-Brentano (1932) ; Rafaele Sabatini (1937) ; Fred Berence (1937) ; Gonzague Truc (1939) ; J. Lucas-Dubreton (1952) ; Marcel Brion (1979), pour citer quelques noms très connus. Certains persévèrent dans la voie de la réhabilitation : se tenant, comme Giovanni Soranzo (Milan, 1950), dans un juste milieu ou faisant preuve d'une partialité regrettable comme Oreste Ferrara, *Il papa Borgia,* 1938 (réédition espagnole, 1943, et italienne, 1953).

Parmi les études consacrées à certains membres de la famille, des éclairages particuliers précisent la personnalité de César ; après Alvisi, qui l'a étudié comme duc de Romagne (1878), et Yriarte, qui l'a suivi jusqu'à son tombeau de Navarre (1889), Woodward a conté avec précision ses campagnes militaires (1913). Lucrèce, après Grégorovius, a trouvé son meilleur biographe en Maria Bellonci, dont l'ouvrage, réédité constamment de 1939 à 1970, a conquis le public le plus vaste. La famille entière a été étudiée par L. Collison-Morley, *Story of the Borgias*, Londres, 1934 (traduction française 1951), son jeu politique par Gabriele

Pepe, *La politica dei Borgia,* Naples, 1945, et son milieu par Emmanuel Rodocanachi, *Histoire de Rome. Une cour princière au Vatican pendant la Renaissance, Sixte IV, Innocent VIII, Alexandre VI Borgia, 1471-1503,* (Paris, 1925).

Utilisant avec objectivité les apports littéraires et scientifiques accumulés sur quatre siècles, il restait à montrer, dans son enchaînement, l'ascension patiente des Borgia et à mettre en lumière les liens établis entre les destins individuels pour parvenir à une finalité collective, acceptée par chacun des membres du groupe. Il était utile de marquer l'évolution des comportements et des mentalités face aux coups du hasard et de faire ressortir les interférences entre les passions privées et les vastes changements survenus dans la société.

Considérés au niveau de leur clan, qui forme un échantillon social parfaitement cohérent, bien qu'éclaté entre diverses catégories et nationalités, les Borgia offrent un spécimen remarquable de solidarité humaine : leur observation fait apparaître, mieux que ne pourrait le faire l'étude d'un seul personnage, les clés multiples d'un monde en gestation, à la recherche des valeurs individuelles et collectives qui seront celles de l'homme moderne.

Dans cette plongée au cœur du temps des Borgia, nous avons le privilège aujourd'hui de nous dégager, grâce à la critique historique, de l'*aura* ténébreuse forgée par les siècles Mais l'imagination nous est toujours d'une aide précieuse.

Hier, Arthur de Gobineau, magicien des *Scènes historiques de la Renaissance* (1877), nous captivait par les paroles superbes adressées par Alexandre VI à Lucrèce : « Les gens me disent à la fois votre père et votre amant ? Laissez, Lucrèce, laissez le monde, laissez cet amas de vermisseaux ridicules autant que débiles imaginer sur les âmes fortes les contes les plus absurdes !... Sachez désormais que, pour ces sortes de personnes que la destinée appelle à dominer sur les autres, les règles ordinaires de la vie se renversent et le devoir devient tout différent. Le bien, le mal, se transportent ailleurs, plus haut, dans un autre milieu... La grande loi du monde, ce n'est pas de faire ceci ou cela, d'éviter ce point ou de courir à tel autre : c'est de vivre, de grandir et de développer ce qu'on a en soi de plus énergique et de plus grand, de telle sorte que d'une sphère quelconque, on sache toujours s'efforcer de passer dans une plus large, plus aérée, plus haute. Ne l'oubliez pas. Marchez droit devant vous. Ne faites que ce qui vous plaît, en tant que cela vous sert. Abandonnez aux petits esprits, à la plèbe des subordonnés, les langueurs et les scrupules. Il n'est qu'une considération digne de vous ; c'est l'élévation de la maison de Borgia, c'est votre élévation à vous-même. »

Aujourd'hui, nous pouvons voir Lucrèce, Julie Farnèse, César, le duc Alphonse de Bisceglie, plus vivants que jamais, venir jusqu'à nous par la magie du cinéma. Le *Lucrèce Borgia* de Christian-Jaque (1953) est, comme le théâtre de Gobineau, bâti avec l'aide de la licence poétique sur les bases fournies par l'histoire. Martine Carol, Pedro Armendariz, Massimo Serato, Valentine Tessier et Christian Marquand incarnent à merveille le charme trouble des seigneurs et des dames de la cour pontificale.

Nous avons la chance de vivre à plusieurs vitesses. Nous savons mêler l'image et le son. Nous faisons surgir, consciemment ou non, à partir des références érudites, les apparences figurées peut-être contestables, mais tellement éloquentes, correspondant au mythe plusieurs fois séculaire. Ici encore notre approche n'est pas innocente. Il nous faut l'admettre et en profiter. Que les Borgia, dont le mythe et la réalité au lieu de s'estomper se sont vivifiés au fil du temps, nous fassent, aujourd'hui comme hier, réfléchir et rêver !

Annexes

L'Italie des Borgia

Famille Borgia
Tableau I
Les parents de Calliste III et Alexandre VI

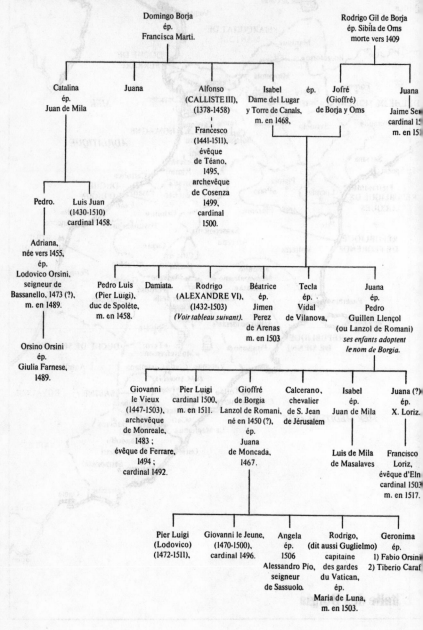

Domingo Borja
ép.
Francisca Marti.

Rodrigo Gil de Borja
ép. Sibíla de Oms
morte vers 1409

Catalina
ép.
Juan de Mila

Juana

Alfonso
(CALLISTE III),
(1378-1458)

Francesco
(1441-1511),
évêque
de Téano,
1495,
archevêque
de Cosenza
1499,
cardinal
1500.

Isabel ép. Jofré
Dame del Lugar   (Gioffré)
y Torre de Canals,   de Borja y Oms
m. en 1468,

Juana
Jaime Se⸱
cardinal 15⸱
m. en 15⸱

Pedro.

Luis Juan
(1430-1510)
cardinal 1458.

Adriana,
née vers 1455,
ép.
Lodovico Orsini,
seigneur de
Bassanello, 1473 (?),
m. en 1489.

Orsino Orsini
ép.
Giulia Farnese,
1489.

Pedro Luis
(Pier Luigi),
duc de Spolète,
m. en 1458.

Damiata.

Rodrigo
(ALEXANDRE VI),
(1432-1503).
(Voir tableau suivant).

Béatrice
ép.
Jimen
Perez
de Arenas
m. en 1503

Tecla
ép.
Vidal
de Vilanova,

Juana
ép.
Pedro
Guillen Llençol
(ou Lanzol de Romani)
ses enfants adoptent
le nom de Borgia.

Giovanni
le Vieux
(1447-1503),
archevêque
de Monreale,
1483 ;
évêque de Ferrare,
1494 ;
cardinal 1492.

Pier Luigi
cardinal 1500,
m. en 1511.

Gioffré
de Borgia
Lanzol de Romani,
né en 1450 (?),
ép.
Juana
de Moncada,
1467.

Calcerano,
chevalier
de S. Jean
de Jérusalem

Isabel
ép.
Juan de Mila

Luis de Mila
de Masalaves

Juana (?)
ép.
X. Loriz.

Francisco
Loriz,
évêque d'Eln⸱
cardinal 1503⸱
m. en 1517.

Pier Luigi
(Lodovico)
(1472-1511),

Giovanni le Jeune,
(1470-1500),
cardinal 1496.

Angela
ép.
1506
Alessandro Pio,
seigneur
de Sassuolo.

Rodrigo,
(dit aussi Guglielmo)
capitaine
des gardes
du Vatican,
ép.
Maria de Luna,
m. en 1503.

Geronima
ép.
1) Fabio Orsini⸱
2) Tiberio Caraf⸱

Tableau II

La descendance d'Alexandre VI

ALEXANDRE VI

– – – Descendance d'attribution douteuse – – –

D'une femme inconnue ou de Vannozza.
Pier Luigi, 1er duc de Gandie, (vers 1468 (?) - 1488).

D'une femme inconnue
Jeronima (ou Girolama) (1469-1483). ép. Giov. Andrea Cesarini.

D'une femme inconnue
Isabella (1470-après 1503) ép. Piero Matuzzi.

De Vannozza. Cattanei
César (1475-1507)

Juan 2e duc de Gandie (1476-1497), ép. Maria Enriquez d'Aragon.

Lucrèce (1480-1519) ép.

Gioffré prince de Squillace (1481-?) ép. 1) Sancia de Aragon, 1494, (v.1478-1506) 2) Maria de Mila d'Aragon. Princes de Squillace.

De Giulia Farnese.
Laura (?).

Rodrigo (?) (1502-1527)

— Liaison (?) Perotto Caldès (ou Caldéron) —

Giovanni, *Infans Romanus* duc de Camerino et de Népi, né en 1498, m. après 1548

César (1475-1507)

ép. Charlotte d'Albret, 1499.

Louise (1500-1553) ép. 1) Louis de la Trémoille ; 2) Philippe de Bourbon, 1530.

D'une femme inconnue.
Camilla, légitimée en 1529, m. en 1573.

Juan, 2e duc de Gandie

D'une femme inconnue.
Girolamo légitimé après 1537, ép.

Gaspare Gioffré

Juan 3e duc de Gandie, ép. 1) Juana de Aragon ; 2) Francisca de Castro.

D'une femme inconnue.
1) une Pizzabeccari, 2) Isabella Carpi.

Ippolita
Lucrezia

Rodrigo (dit aussi Luis) cardinal 1536, m. en 1537

Enrique cardinal 1539 m. en 1540

Autres enfants.

Francisco (saint François) 4e duc de Gandie (1510-1572), ép. Eleonora de Castro.

Carlos, 5e duc de Gandie.

Juan. Juana. Fernando. Autres enfants.

Alessandro (1505) Ercole II, duc de Ferrare (1509-1572) mari de Renée de France (1508-1559).

Ippolito Alessandro Eleonora cardinal 1535. (1514-1516) (1515-1575) abbesse du monastère Corpus Domini à Ferrare

Francesco Isabella Maria (1516-1578) (1519). marquis de Massalombarda

---

Lucrèce (1480-1519) ép.

1) Giovanni Sforza, 1493

2) Alfonso, d'Aragon, duc de Bisceglie, 1498 ;

3) Alfonso d'Este, duc de Ferrare. 1501.

Rodrigo, 2e duc de Bisceglie et duc de Sermoneta (1499-1512).

Alessandro (1505)

Alfonso II duc de Ferrare, (1533-1597)

Lucrezia ép. Ciriaco Mattei.

Sabba ép. Tuscia Colonna de Palestrina.

Alessandro Famille des Mattei Princes de Giovi.

Paolo ép. Flaminia Sforza de Santa Fiora.

Giustine ép. Gian Battista Pamphili. Camillo.

Gian Battista (INNOCENT X) (1644-1655).

Le Vatican
sous Alexandre VI Borgia

—————— État sous Alexandre VI Borgia

- - - - - - - Fortifications de l'époque
de la Renaissance

- - - -- - Modifications et adjonctions

Le Palais du Vatican
Plan au niveau du premier étage.

1 Accès à la basilique Saint Pierre
2 Chapelle Sixtine
3 Salle royale
4 Salle ducale
5 Chambre du Perroquet
6 Salle des Pontifes (Antichambre)
7 Salle des Mystères
8 Salle de la vie des Saints
9 Salle des Arts libéraux
10 Salle du Credo
11 Salle des Sibylles

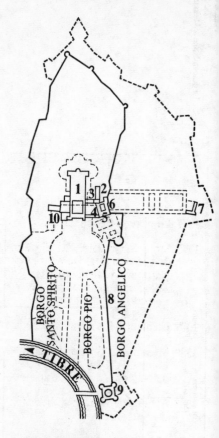

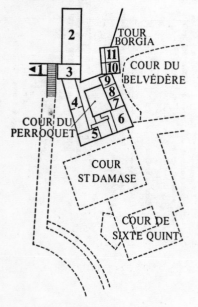

Situation d'ensemble

1 Ancienne basilique St Pierre
2 Chapelle Sixtine
3 Salle royale
4 Salle ducale
5 Chambre du Perroquet
6 Appartements pontificaux
7 Belvédère
8 Mur d'enceinte médiéval et passage
surélevé vers le Château Saint Ange
9 Château Saint Ange
10 Palais annexes
(Santa Maria in Particú)

Repères chronologiques

1377 Le pape Grégoire XI quitte Avignon et revient à Rome.

1378 Mort de Grégoire XI. Election contradictoire d'Urbain VI et de Clément VII. Début du Grand Schisme d'Occident.
Naissance à Játiva d'Alonso Borja.
Début des prédications de Vincent Ferrier au royaume de Valence.

1379 Clément VII s'installe en Avignon.

1380 Mort du roi Charles V de France. Avènement de Charles VI. Clément VII fait adopter Louis d'Anjou par la reine Jeanne Ire de Naples.

1381 Charles de Durazzo, champion du pape Urbain VI, s'empare de Naples.

1386 Mort de Charles de Durazzo. Ladislas devient roi de Naples

1387 Louis d'Orléans, frère de Charles VI, épouse Valentine Visconti de Milan.

1392 Folie de Charles VI, roi de France.
Etudes d'Alonso Borja à Lérida.

1394 Intervention de l'Université de Paris pour faire cesser le schisme. Mort de Clément VII. Election du cardinal Pedro de Luna qui devient le pape d'Avignon Benoît XIII.

1398 Les Etats de la Chrétienté s'entendent pour une soustraction d'obédience aux deux papes

Alonso Borja soutient la cause de Benoît XIII avec Vincent Ferrier.

1403 Benoît XIII fuit Avignon. Restitution d'obédience consentie par la France.

1404 Innocent VII succède au pape de Rome Boniface IX.
Mort de Philippe le Hardi duc de Bourgogne : Jean Sans Peur lui succède.
Début de construction de la Chartreuse de Pavie, et de la sculpture des portes de bronze de Ghiberti pour le baptistère de Florence.
Venise occupe Padoue, Vérone et Vicence.

1406 Grégoire XII succède à Innocent VII à Rome.
Florence occupe Pise.

1407 Jean Sans Peur assassine le duc Louis d'Orléans.
Jean Huss enseigne sa doctrine en Bohême.

1408 Seconde soustraction d'obédience aux deux papes.
Concile à Perpignan des partisans de Benoît XIII.

1409 Concile de Pise : les deux papes sont déposés. Election du pape Alexandre V.

1410 Mort d'Alexandre V. Election de Jean XXIII. Révolte des Hussites en Bohême.
Mort de Martin, roi d'Aragon ; interrègne de deux ans, puis désignation de Ferdinand, fils de sa sœur Eléonore.
Benoît XIII, installé à Barcelone intervient dans l'élection du nouveau roi d'Aragon. Faveur royal accordée à Alonso Borja.
Sigismond de Hongrie devient roi des Romains.
Première installation de Benoît XIII à Peñiscola.

1413 Jean XXIII, chassé de Rome par le roi Ladislas de Naples, traite avec l'empereur Sigismond et convoque un concile à Constance.

1414 Ouverture du concile de Constance. Arrestation de Jean Huss et procès devant le concile.

1415 Déposition de Jean XXIII. Renonciation de Grégoire XII, pape de Rome.
Convention entre Sigismond et le roi d'Aragon pour la déposition de Benoît XIII.

Défaite française d'Azincourt devant les Anglais. Formation de la ligue hussite en Bohême. Condamnation de Jean Huss. Rétractation de son disciple Jérôme de Prague.
Les Portugais prennent Ceuta en Afrique.

1416 Mort de Ferdinand Ier d'Aragon. Avènement d'Alphonse V.
Alonso Borja conseiller d'Alphonse V.

1417 Déposition de Benoît XIII. Martin V est élu pape par le concile.

1418 Massacre à Paris des Armagnacs — partisans de la famille d'Orléans — par les Bourguignons.
Henri V, roi d'Angleterre, occupe la Normandie.
Le Portugais Henri le Navigateur aborde à Madère.

1419 Les Hussites s'emparent de Prague. Fin du concile de Constance.
Benoît XIII s'installe définitivement à Peñiscola.
Assassinat de Jean Sans Peur sur le pont de Montereau.
Alliance de son fils Philippe le Bon, duc de Bourgogne, avec Henri V.
Mort de Vincent Ferrier.

1420 Traité de Troyes : Henri V d'Angleterre est déclaré régent du royaume et héritier de la couronne de France.
Croisade prêchée par Martin V contre les Hussites.
Jeanne II de Naples désigne comme héritier Alphonse V, roi de Sicile et d'Aragon, et l'appelle à son secours contre Louis d'Anjou.

1422 Mort de Henri V d'Angleterre et de Charles VI de France : accession au trône d'Henri VI et Charles VII.
Dernière promotion cardinalice par Benoît XIII.

1423 Premier siège de Constantinople par les Turcs (sultan Mourad II).
Mort de Benoît XIII.
Election de l'antipape Clément VIII (Gil Sanchez Muñoz).

1426 *Clément VIII se fait couronner pape à Peñiscola.*

1429 Abdication de Clément VIII. *Mission d'Alonso Borja à Peñiscola.*
Alonso Borja est nommé évêque de Valence.
Jeanne d'Arc délivre Orléans.
Sacre de Charles VII.

1430 Mourad II prend Salonique et Janina.
Convocation du concile de Bâle.
Mort de Martin V. Election d'Eugène IV.
Henri le Navigateur occupe les Açores.
Alonso Borja devient le précepteur de Ferrante, fils bâtard d'Alphonse V.

1432 *Naissance à Játiva de Rodrigue Borja, neveu d'Alonso.*

1433 L'empereur Sigismond est couronné à Rome par Eugène IV. Il érige Mantoue en marquisat.

1434 Mort de Louis III d'Anjou, héritier de Naples. Jeanne II donne le royaume à René d'Anjou, son frère.

1435 Mort de Jeanne II de Naples. Alphonse V d'Aragon dispute la couronne à René d'Anjou. Paix d'Arras entre Philippe le Bon, duc de Bourgogne, et Charles VII.
Echec de Mourad II devant Belgrade défendu par Jean Corvin Huniade, voïvode de Transylvanie.

1436 Charles VII chasse les Anglais de Paris.

1439 Transfert du concile de Bâle à Ferrare puis Florence. Union des Latins et des Grecs.
Les pères restés à Bâle déposent Eugène IV et élisent à sa place Amédée, duc de Savoie, qui devient Félix V.

1440 Frédéric d'Autriche devient l'empereur Frédéric III. Découverte de l'imprimerie.

1442 Alphonse V s'empare de Naples.
Participation d'Alonso Borja à l'organisation du royaume.

1443 *Alonso Borja négocie le ralliement d'Alphonse V au pape Eugène IV.*

1444 Terrible défaite des Chrétiens contre les Turcs à Varna. Mort de Ladislas III Jagellon, roi de Hongrie.
Alonso Borja devient cardinal.

1447 Mort de Filippo Maria Visconti, duc de Milan. Prise de pouvoir de son gendre Francesco Sforza. Alliance de Rome et de Naples contre Milan. Mort d'Eugène IV. Election de Nicolas V.

1452 *Couronnement à Rome de l'empereur Frédéric III qui se rend ensuite à Naples.*

1453 Echec à Rome du complot de Porcaro. Chute de Constantinople devant Mahomet II.

1454 Traité de Lodi : alliance de Milan et Venise.

1455 Début de la guerre des Deux Roses en Angleterre. Déposition
d'Henri VI.
*Mort de Nicolas V. Election d'Alonso Borja qui devient le pape
Calliste III. Organisation de la Croisade contre les Turcs.*

1456 Réhabilitation de Jeanne d'Arc. Premiers actes de népotisme
de Calliste III.
Rodrigue Borgia devient cardinal.
Héroïsme de Jean Huniade. Mahomet II lève le siège de
Belgrade.

1458 Mathias Corvin, fils de Jean Huniade, est élu roi de Hongrie.
Georges Podiebrad est proclamé roi de Bohême.
Mort d'Alphonse V. Son frère Jean II lui succède en Aragon et
son bâtard Ferrante à Naples.
Mort de Calliste III. Election de Pie II.

1459 Congrès de Mantoue pour la reprise de la croisade.

1461 Mort de Charles VII de France.
Avènement de Louis XI.
Découverte des mines d'alun de la Tolfa.

1464 *Mort de Pie II. Election de Paul II.*

1465 Ligue du Bien public : affrontement à Montlhéry des seigneurs
révoltés et de Louis XI.

1467 Charles le Téméraire devient duc de Bourgogne.

1468 Les nobles castillans imposent Isabelle comme héritière de son
frère Henri IV de Trastamare. Traité de Péronne entre
Louis XI et Charles le Téméraire qui prend et brûle Liège.

1469 Isabelle de Castille épouse Ferdinand d'Aragon. A Florence,
avènement de Laurent le Magnifique.

1471 *Mort de Paul II. Avènement de Sixte IV.* Mort de Georges
Podiebrad, roi de Bohême. Défaite d'Henri VI d'Angleterre
devant Edouard IV d'York.

1472 Guerre entre Charles le Téméraire et Louis XI. *Mission de Rodrigue Borgia en Espagne comme légat a latere.*

1475 *Naissance de César Borgia, aîné des enfants du cardinal Rodrigue et de Vannozza Cattanei.*

1476 Défaites de Charles le Téméraire à Grandson et Morat.

1477 Mort de Charles le Téméraire. Sa fille Marie épouse Maximilien d'Autriche, fils de l'empereur Frédéric III. *Légation de Rodrigue Borgia à Naples.*

1478 Conspiration des Pazzi. Sixte IV excommunie Laurent le Magnifique et lui déclare la guerre.

1479 Avènement de Ferdinand le Catholique comme roi d'Aragon. Ludovic le More usurpe le pouvoir à Milan.

1481 Mort de Charles du Maine, dernier prétendant angevin à la Couronne de Naples. Reprise de la guerre entre les Musulmans de Grenade et les Castillans. Les Turcs sont chassés d'Otrante. Institution de l'Inquisition en Espagne.

1483 Mort de Louis XI. Avènement de Charles VIII.

1484 Mort du pape Sixte IV. Election d'Innocent VIII. Refus d'obédience de Ferrante, roi de Naples.

1486 Massacre des barons napolitains. Début de la prédication de Savonarole à Florence.

1489 Innocent VIII se fait livrer le prince turc Djem (ou Zizim) par le Grand Maître des Hospitaliers, Pierre d'Aubusson. Les Vénitiens occupent Chypre.

1491 Charles VIII épouse Anne de Bretagne. Siège de Grenade par Ferdinand d'Aragon et Isabelle de Castille.

1492 Prise de Grenade. Mort de Laurent le Magnifique. *Mort d'Innocent VIII. Avènement de Rodrigue Borgia qui devient le pape Alexandre VI.* Traversée de l'Atlantique par Christophe Colomb. Découverte de l'Amérique (Antilles).

1493 *Mariage de Lucrèce Borgia et de Giovanni Sforza.* Partage des mondes nouveaux par Alexandre VI entre l'Espagne et le Portugal. Expulsion des Juifs d'Espagne. *Juan de Borgia prend possession du duché de Gandie en Espagne.*

Négociation du mariage de Gioffré Borgia avec Sancia d'Aragon.
César Borgia est nommé cardinal.

1494 Descente de Charles VIII en Italie. Chute du pouvoir des Médicis.
Traité de Tordesillas concrétisant le partage du Nouveau Monde entre l'Espagne et le Portugal. *Décoration des apparte ments pontificaux par Pinturicchio.*

1495 *Passage de Charles VIII à Rome. Remise au roi de l'otage Djem ; sa mort.*
Conquête de Naples par les Français. Bataille de Fornoue.

1496 *Campagne de Juan de Borgia et de Guidobaldo d'Urbin contre les Orsini. Prise d'Ostie par Gonzalve de Cordoue.*
Capitulation du vice-roi français de Naples, Gilbert de Montpensier, à Atella.
Giovanni Sforza s'enfuit du Vatican.

1497 *Meurtre de Juan de Gandie.*
Léonard de Vinci peint la *Cène* à Milan. Vasco de Gama commence sa navigation autour du monde.
Dissolution du mariage de Lucrèce Borgia et de Giovanni Sforza.

1498 Mort de Charles VIII. Louis XII devient roi de France.
Meurtre de Perotto Caldès au Vatican. Naissance du mystérieux infant romain Jean Borgia. Procès et mort de Savonarole. Mariage de Lucrèce Borgia avec Alphonse d'Aragon, duc de Bisceglie. César Borgia, réduit à l'état laïc, devient duc de Valentinois. Divorce de Louis XII.

1499 Mariage de Louis XII avec Anne de Bretagne et de César Borgia avec Charlotte d'Albret.
Campagne de Louis XII en Italie. Prise de Milan et Gênes.
Alphonse d'Aragon s'enfuit de Rome. Lucrèce est nommée gouverneur de Spolète.
Naissance de Rodrigue d'Aragon. Campagne d'Alexandre VI contre les Caetani : prise de Sermoneta.
Première campagne de César en Romagne : il s'empare d'Imola et de Forli.

1500 *Année Sainte à Rome.*
César Borgia devient gonfalonier de l'Eglise. Assassinat d'Alphonse d'Aragon. Seconde campagne de César en Romagne : prise de Pesaro et Rimini. Echec à Faenza

Naissance de Charles d'Espagne à Gand.
Découverte du Brésil par les Portugais.

1501 *César prend Faenza, Piombino et l'île d'Elbe. Campagne avec les Français à Naples : sac de Capoue. Alexandre VI s'empare des terres des Colonna. Mariage de Lucrèce et d'Alphonse d'Este.*

1502 *Troisième campagne de César en Romagne. Conquête du duché d'Urbin. Prise de Camerino. Renouvellement de l'alliance de César et de Louis XII. Rencontre de Lucrèce et de Pietro Bembo. Complot des condottieres. Le piège de Sinigaglia.* Début des hostilités entre Français et Espagnols dans le royaume de Naples.

1503 Défaites françaises de Seminara et Cerignole dans l'Italie du Sud. Perte de Naples. *Mort d'Alexandre VI Borgia.* Elections de Pie III, puis de Jules II.

1504 Capitulation des Français à Gaète.
Progression des Vénitiens en Romagne. Emprisonnement de César Borgia à Ostie puis à Naples. Son transfert en Espagne Captivité à Chinchilla. Mort d'Isabelle la Catholique.

1505 *Lucrèce devient duchesse de Ferrare. Transfert de César à Medina del Campo.* Louis XII reçoit l'investiture impériale du duché de Milan.

1506 Rébellion de Gênes contre Louis XII.
Complot de Giulio d'Este à Ferrare. Mort de Philippe le Beau, archiduc d'Autriche, époux de Jeanne la Folle, reine de Castille.
César Borgia s'évade de Medina del Campo.

1507 *Mort de César Borgia au siège de Viana dans le royaume de Navarre.* Louis XII reprend Gênes. Jules II s'empare de Bologne.

1508 *Naissance de l'héritier du duché de Ferrare, Hercule, fils d'Alphonse d'Este et de Lucrèce Borgia. Assassinat d'Ercole Strozzi.*

1509 Ligue franco-pontificale. *Alphonse d'Este devient gonfalonier de l'Eglise.* Victoire d'Agnadel contre les Vénitiens. *Capture de François de Gonzague.* Jules II réoccupe la Romagne

1510 Alliance de Jules II et des Vénitiens. *François de Gonzague devient capitaine général des Vénitiens. Excommunication d'Alphonse d'Este. Lucrèce gouverne Ferrare. Naissance en Espagne de François de Borgia.*

1511 Concile de Pise contre Jules II. *Excommunication des cardinaux rebelles.*

1512 Gaston de Foix est victorieux à Ravenne contre les Espagnols et les pontificaux. Elargissement de la Sainte-Ligue. Les Français quittent l'Italie.

1513 *Ultimatum de Jules II au duc de Ferrare. Mort de Jules II. Avènement de Léon X.* Les Français, battus à Novare, perdent le Milanais.

1515 Avènement de François Ier. Victoire de Marignan ; reprise du Milanais.

1516 Mort de Ferdinand le Catholique. Concordat de Bologne entre le Saint-Siège et la France.

1517 Martin Luther soutient en Saxe ses thèses contre les indulgences.

1519 *Mort de Lucrèce Borgia.* Charles d'Espagne est élu empereur sous le nom de Charles Quint.

1520 Léon X excommunie Luther. *Révoltes en Espagne contre les ministres flamands de Charles Quint.*

1521 Ferdinand Cortès conquiert le Mexique.

1522 Les Espagnols s'emparent du duché de Milan.

1525 Défaite française à Pavie, captivité de François Ier à Madrid.

1526 Traité de Madrid : captivité en Espagne des fils de François Ier. *Charles Quint épouse Isabelle de Portugal. François de Borgia, marquis de Lombay, devient un familier du couple impérial.*

1527 Sac de Rome par les troupes de Charles Quint.

1530 Couronnement de Charles Quint à Bologne. Erection en duché du marquisat de Mantoue.

1534 *Fondation à Paris de la Compagnie de Jésus par Ignace de Loyola*

1535 Création à Genève d'une république réformée. *Expédition de Charles Quint à Tunis avec la participation de François de Borgia.*

1536 *Invasion de la Provence par Charles Quint, actes de bravoure de François de Borgia.*

1538 Trêve de Nice et entrevue d'Aigues-Mortes entre Charles Quint et François Ier.

1539 *Mort de l'impératrice Isabelle de Portugal, épouse de Charles Quint. Charles Quint nomme François de Borgia vice-roi de Catalogne.* Il traverse la France pour aller mater la révolte de Gand.

1540 Approbation par le pape Paul III de la Compagnie de Jésus. *Premiers rapports de François de Borgia avec cet ordre*

1542 Premiers contacts de marchands portugais avec le Japon. *François de Borgia assiste aux Cortes d'Aragon à Monzon. Il devient duc de Gandie.*

1545 Le Jésuite François Xavier aborde en Extrême-Orient. *François de Borgia se retire à Gandie.* Ouverture du concile de Trente.

1546 *Mort de la duchesse de Gandie et conversion de François de Borgia* Mort de Luther. Les Jésuites débarquent au Brésil.

1547 Mort d'Henri VIII d'Angleterre et de François Ier. Avènement en France de Henri II. Victoire de Charles Quint à Mühlberg sur la ligue de Smalkalde.

1548 *Le duc François de Borgia entre dans la Compagnie de Jésus.* Les Jésuites arrivent au Maroc et au Congo.

1550 *François de Borgia à Rome et en Italie.* Paix franco-anglaise. Henri II reprend Boulogne. Ronsard publie les *Odes.*

1551 *François de Borgia devient prêtre.*

1552 Henri II de France occupe les Trois Evêchés lorrains.

1555 *François de Borgia assiste Jeanne la Folle sur son lit de mort.* Avènement du pape Paul IV Carafa, ennemi de Charles Quint.

1556 *Abdication de Charles Quint. Sa retraite à Yuste.* Mort d'Ignace de Loyola. Ouverture de collèges jésuites en Allemagne Bohême et Pays-Bas.

1558 Avènement de Sébastien de Portugal. *Remise de son éducation aux Jésuites.*

1559 *François de Borgia poursuivi par l'Inquisition en Espagne.* Mort de Henri II de France.

1561 *François de Borgia se retire à Rome.* Colloque de Poissy organisé par Catherine de Médicis.

1565 Mort du Père Lainez, général des Jésuites. *François de Borgia devient général.*

1566 Election du pape Pie V. Mort de Soliman le Magnifique. Œuvres mystiques de sainte Thérèse d'Avila. Révolte des Gueux aux Pays-Bas. *Difficultés des Jésuites en Allemagne.*

1570 Paix de Saint-Germain en France entre catholiques et protestants. Offensive de Sélim II contre les Chrétiens. *François de Borgia fait partie de la légation a latere du cardinal Alexandrin en Espagne, Portugal et France.*

1571 Victoire navale de Lépante des Chrétiens sur les Turcs. *François de Borgia négocie le mariage du roi Sébastien de Portugal.*

1572 *François de Borgia à la Cour de France. Dernier entretien avec Catherine de Médicis. Retour en Italie et mort à Rome.* Massacre de la Saint-Barthélemy.

Notes

I, Chapitre premier : *Valence et Aragon*
Le berceau espagnol des Borgia

Sur l'implantation des Borgia dans le royaume de Valence, l'essentiel des références se trouve dans E. Bertaux, *Etudes d'histoire et d'art*, Paris, 1911. Sur Játiva, voir Carlos Sarthou Carreres, *Datos para la Historia de Játiva*, s.l., 1976.

Sur saint Vincent Ferrier, voir sa *Vie* par Pietro Renzano Panormitano, dans Bzovius, *Annales ecclesiastici*, Cologne 1621-1630 ; Ludwig von Pastor, *Histoire des papes*, trad. française, t. II, Paris, 1888 ; H. Fages, *Histoire de saint Vincent Ferrier*, Louvain, 1901.

Sur le grand schisme, L. Gayet, *Le Grand Schisme d'Occident, Les origines*, Paris, 1889 ; L. Salembier, *Le Grand Schisme d'Occident*, Paris, 1921 ; S. Puig y Puig, *Pedro de Luna, ultimo papa de Aviñon*, Barcelone, 1920 ; article de R. Mols, dans *Dict. d'hist. et de géogr. eccl.* sur l'antipape Clément VIII.

Sur Alonso de Borja (Calliste III), J. Sanchis Sivera, *El obispo de Valencia Don Alfonso de Borja (1429-1458)*, Madrid, 1926 ; bibliographie dans *Dict. d'hist. et de géogr. eccl.* (E. Vansteenberghe).

Sur la conquête aragonaise de Naples : *Estudios sobre Alfonso el Magnánimo con motivo del quinto centenatio de su muerte*, Barcelone, 1960 ; J. Ametller Vinas, *Alfonso V de Aragón en Italia y la crisis religiosa del siglo XV*, 3 vol., Gérone, 1903 ; L. Montalto, *La Corte di Alfonso I di Aragona*, Naples, 1922 ; Alan Ryder, *The Kingdom of Naples under Alfonso the Magnanimous. The making of a modern state*, Oxford, 1976.

I, Chapitre 2 : *L'envol romain :*
le pontificat de Calliste III

Voir références ci-dessus à L. von Pastor et *Dict. hist. et géogr. eccl.* ; Ulysse Chevalier, *Répertoire des sources historiques du Moyen Age. Bio-Bibliographie,* t. I, Paris, 1905 ; Alfonso Vila Moreno, *Calixto III : un papa Valenciano,* Saragosse, 1979 ; J. Rius Serra, *Regesto ibérico de Calixto III,* vol. 1 (1455-1456), Barcelone, 1948 ; vol. 2 (1456-1457), Barcelone, 1958 ; F. Gregorovius, *Geschichte des stadt Rom im M. A.,* 2ᵉ éd., t. VII, 1894 ; trad. ital., *Storia della città di Roma nel Medio evo,* t. VII, Venise, 1875.

Sur la guerre contre les Turcs, A. Gegaj, *L'Albanie et l'invasion turque au xvᵉ siècle,* Louvain, 1937 ; Guglielmotti, *Storia della marina pontificia,* Rome, 1856.

Sur les arts et la littérature : E. Müntz, *La Bibliothèque du Vatican au xvᵉ siècle,* Paris, 1887 ; *Les Arts à la Cour des papes pendant le xvᵉ et le xvıᵉ siècle,* t. I, Paris, 1878 ; J. Heers, *La Vie quotidienne à la Cour pontificale au temps des Borgia et des Médicis,* Paris, 1986.

I, Chapitre 3 : *La carrière fortunée*
du cardinal Rodrigue

Sur la chancellerie pontificale, voir A. Giry, *Manuel de diplomatique,* Paris, 1894, à compléter par J. Ciampini, *De Sanctae Romanae Ecclesiae Vicecancellario illiusque munere...,* Rome, 1697 ; et *De abbreviatorum de parco majori sive assistentium S.R.E. Vicecancellario... antiquo statu...,* Rome, 1691 ; G. Moroni, *Dizionario di erudizione stor. eccl.,* VII, p. 154-194 ; Mario Tosi, *Bullaria e Bullatores della Cancelleria Pontificia,* Sienne, 1917 ; J. Le Pelletier, *Instruction... pour obtenir en cours de Rome toutes sortes d'expéditions,* Paris, 1686 ; P. Castel, *Traité de l'usage et pratique de la Cour de Rome,* Paris, 1717 ; *Taxe de la chancellerie romaine ou la banque du pape,* Rome, 1744 (cet ouvrage, assorti de commentaires polémiques, édite une taxe du xvıᵉ siècle ainsi que la liste des offices de la chancellerie, de la daterie et de la Chambre apostolique). A titre de comparaison voir J. Favier, *Les Finances pontificales à l'époque du grand schisme d'Occident,* Paris, 1966.

Sur les rapports du cardinal Rodrigue et de Pie II, voir Pastor, *Histoire des papes...,* t. III, Paris, 1892 ; notice *Alexandre VI* par P. Richard dans *Dict. hist. et de géogr. eccl.* ; Ulysse Chevalier, *Répertoire des sources historiques du Moyen Age, Bio-bibliographie,* t. I, Paris, 1905. La lettre de remontrance de Pie II à Rodrigue se trouve dans le registre des brefs du pape à l'*Archivio Segreto Vaticano :* voir référence dans P. De Roo, *Material for a history of Pope Alexandre VI.* Voir aussi les *Commentaires* de Pie II : *Pie II pontificis maximi commentarii...,* Francfort, 1614 ; J. Cugnoni, *Aeneae Sylvii Piccolomini... opera inedita,* Rome, 1883. Sur les ressources de la papauté après la chute de Constantinople, voir L. von Pastor pour les règnes de Pie II, Paul II et Sixte IV ; ajouter Jean Delumeau, *L'alun de Rome, XVᵉ-XIXᵉ siècle,* Paris, 1962.

Sur les rapports du Saint-Siège et de l'Espagne, voir A. Aguado Bleye, *Manual de Historia de España,* 6ᵉ éd., Madrid, 1954 ; Ballesteros y Beretta, *Historia de España y su influencia en la historia universal,* 3ᵉ éd., 1963 ; bon précis en français dans Albert Mousset, *Histoire d'Espagne,* Paris, 1947 ; Répertoire de documents dans Antonio de La Torre, *Documentos sobre las relaciones internacionales de los Reyes Catolicos,* Madrid, 1949-1952.

Sur la vie privée du cardinal Rodrigue Borgia : Jacopo Ammanati, *Epistolae et commentarii Jacobi Piccolomini, cardinalis Papiensis,* Milan, 1506. Sur les conditions matérielles, le luxe des habitations et les courtisanes romaines, voir L. von Pastor, Hist. des papes, t. V, 1898, et E. Rodocanachi, *Une cour princière au Vatican au temps de la Renaissance,* Paris, 1925.

Sur Vannozza Cattanei et les enfants naturels de Rodrigue, M. Menotti, *Documenti inediti sulla famiglia e la corte di Alessandro VI,* Rome, 1917 ; du même, *I Borgia, Storia ed iconografia,* Rome, 1917. L'inscription funéraire de la tombe de Vannozza, avec mention des enfants, est publiée par Forcella, *Iscrizioni delle chiese e degli edifici di Roma,* vol. VIII, p. 136 et 520. Sur les auberges que possédait Vannozza à Rome, voir U. Gnoli, « Alberghi e osterie romane della Rinascenza », dans la revue *Pan,* janvier 1935. Excellente mise au point de Léonce Cellier, *Alexandre VI et ses enfants en 1493,* dans *Ecole française de Rome. Mélanges d'Archéologie et d'Histoire,* t. 26 (1906) : publication de la bulle du 19 septembre 1493 établissant la primogéniture de César par rapport à Juan, futur duc de Gandie. Les principaux actes relatifs aux enfants du cardinal Rodrigue et à leurs dotations en Espagne sont publiés par L. Thuasne, *Johannis Burchardi Diarium,* t. III, Paris, 1885, d'après les Archives des ducs d'Osuna (aujourd'hui section XI de l'*Archivo historico nacional* de Madrid) ; autres documents en annexe de Ch. Yriarte, *César Borgia,* 2ᵉ éd., t. 2, Paris, 1930.

En ce qui concerne les enfants nés des liaisons du cardinal avec des femmes inconnues, voir F. Gregorovius, *Lucrèce Borgia,* pièces justificatives, nᵒ 1, contrat de mariage de Girolama Borgia (24 janvier 1482) avec mention de Pier Luigi et de Juan Borgia. Voir aussi *ibid.,* nᵒ 2, contrat de mariage entre Carlo Canale et Vannozza Cattanei (8 juin 1486) ; nᵒ 3, contrat de mariage entre Orsino Orsini et Julie Farnèse (20 mai 1489) ; nᵒ 4, contrat de mariage entre Lucrèce Borgia et don Cherubino Juan de Centelles (26 février 1491).

Sur Innocent VIII, bibliographie dans L. von Pastor, t. V ; voir

L. Thuasne, *Djem-sultan (1459-1495)*. *Etude sur la question d'Orient
à la fin du* xve *siècle,* Paris, 1892.

Sur Savonarole, voir, entre autres, P. Villari, *Jérôme Savonarole et
son temps... suivi d'un choix des lettres et poésies,* t. I et II, Paris,
1874 ; Roberto Ridolfi, *Savonarole,* Paris, 1957 ; Donald Weinstein,
Savonarole et Florence, Paris, 1973.

II, Chapitre premier :
Dans la compagnie des dieux

Bibliographie dans Pastor, t. V, à compléter par G. B. Picotti,
« Nuovi studi documenti intorno a papa Alessandro VI », dans *Riv.
storia della Chiesa in Italia,* 5 (1951). La source essentielle est le
Johannis Burchardi Diarium (Journal de Burckard), publié pour la
première fois intégralement en trois volumes par L. Thuasne en 1885
(jusque-là on n'en connaissait que des extraits) : cette édition
comporte cependant une lacune du 25 mai 1493 au 11 janvier 1494.
L'érudit Enrico Celani, ayant découvert un manuscrit complémen-
taire au Vatican (ms. 5632) qui comblait la lacune, a donné une
meilleure édition en 1907-1913 en deux volumes. Joseph Turmel a
traduit le texte en français et en a publié des extraits, avec notes, à
Paris, en 1932 : *Le Journal de Jean Burckard, évêque et cérémoniaire
du Vatican.*

Sur l'élection du cardinal Borgia, voir Giovanni Soranzo, *Studi
intorno a papa Alessandro VI (Borgia),* Milan, 1950 : *Studio primo ;*
Sur l'utilisation du journal de Burckard : *ibidem, Studio secondo.*

Sur l'apparence physique d'Alexandre VI : Sigismondo dei Conti
da Foligno, *La storia de suoi tempi,* Rome, 1883 ; Bernardino de
Carvajal, *Oratio de eligendi summo pontifice...,* 6 août 1492 ;
Hieronimo Porzio, *Portii Commentarium...,* Rome, 1493 ; sur les
portraits d'Alexandre VI, Ch. Yriarte, *Autour des Borgia,* Paris,
1891, qui étudie également les portraits de César et de Lucrèce.

Sur le projet de mariage de Lucrèce avec don Gaspare d'Aversa
(ou de Procida), Gregorovius, n° 7 (convention du 8 novembre
1492) ; voir aussi annulation (10 juin 1498), n° 15 ; contrat du mariage
de Lucrèce avec Giovanni Sforza de Pesaro (2 février 1493), *ibidem,*
n° 9. Récit des noces : lettre de Giandrea Bocciaccio au duc Hercule
de Ferrare, Rome, 13 juin 1493, *ibidem,* n° 10.

Les instructions du pape au duc de Gandie et à Genis Fira ainsi que
le détail des cadeaux apportés par le duc à son épouse sont publiés
par Sanchis y Sivera, *Algunos documentos y cartas privadas...,*
Valence, 1919 ; on y trouve aussi les lettres échangées entre le duc et
sa famille, contenant notamment une liste des achats faits en Espagne
par don Juan pour sa sœur Lucrèce : souliers, étoffes précieuses de
soie et velours, tissu d'or, et même un chapeau (*sombrero*) de velours

marron. Les minutes des remontrances faites par César à son frère ont été retrouvées par Maria Bellonci à l'*Archivio Segreto Vaticano, Archivum Arcis (A. A.)*, Armadio I-XVIII, 5021, fol. 3 et 4.

Sur les relations avec Ferrante et Alphonse II de Naples, voir F. Trinchera, *Codice Aragonese ossia lettere regie, ordinamenti ed altri atti...*, Naples, 1866 ; sur les préparatifs de l'invasion française, Ivan Cloulas, *Charles VIII et le mirage italien*, Paris, 1986. A noter de nombreuses pièces publiées par A. Gordon. Sur les noces de Gioffré Borgia et de Sancia, documents inédits dans *Arch. Segr. Vat., A.A.*, Arm. I-XVIII, 5020 et 5024 (liste de joyaux ; programme des fêtes). Détails dans Chabas, « Don Jofré de Borja y doña Sancha de Aragón », dans *Revue hispanique*, IX (1902).

Sur les rapports entre Alexandre VI et Giovanni Sforza, voir le bref du 15 septembre 1493, publié par Maria Bellonci, *Lucrezia Borgia*, dernière édition italienne, 1970, pièces justificatives, n° 1. La lettre de Lorenzo Pucci à son frère Giannozzo (Rome, 23-24 décembre 1493) est éditée par Gregorovius, n° 11, d'après les *Carte Strozziane*, filza 343, *Arch. di Stato di Firenze*.

Sur la décoration des appartements Borgia par Pinturichio, voir G. Lafenestre et E. Richtenberger, *Rome, le Vatican, les Eglises*, Paris, 1903 (description et bibliographie). Sur l'interprétation « totémique » des symboles, Francesco Papafava, *Le Vatican*, Paris, 1984. Voir aussi D. Redig de Campos, *Architecture, peinture, sculpture du Vatican*, Amsterdam, 1981. Sur la « redécouverte » des appartements Borgia, Evelyn March Philipp, *Pinturicchio*, Londres, 1901 et Ch. Yriarte, *Autour des Borgia*, Paris, 1891.

On possède une abondante documentation sur le séjour de Lucrèce à Pesaro et sur les lettres intimes du pape et de Julie Farnèse (*Archivio Segreto Vaticano, A.A.* ; Arm. I-XVIII, 5020 à 5027) : des exposés précis, mais orientés se trouvent dans G. Soranzo, *op. cit.*, *Studio terzo : Un prezioso carteggio papale degli anni 1493-1494 ; Studio quarto : Il presunto scandalo di Giulia Farnese e Alessandro VI.* Voir M. Bellonci, *op. cit.*, mise au point, p. 69 et 501 ; éd. n° 2, lettre de Jacopo Dragozio à César Borgia, sur la joute de beauté entre Julie Farnèse et Catherine de Gonzague.

Sur la capture et la libération de Julie Farnèse, lettre de Galeazzo di San Severino à Alexandre VI (décembre 1494), éditée par M. Bellonci, *op. cit.*, n° 3, d'après *Arch. Segr. Vat., A.A.*, Arm. I-XVIII, 5025 ; G. Soranzo, *op. cit.*, *Studio. quarto*. Sur la réception de Julie par le pape, (L. von Pastor, *op. cit.* vol. III, éd. allemande, appendice n° 28, et lettre de Giorgio Brognolo au marquis de Mantoue (29 novembre 1494), original à l'*Archivio Gonzaga*. La dépêche de Giacomo Trotti, en date du 21 décembre 1494, est citée par Fr. de Navenne, *Rome, le Palais Farnèse et les Farnèse*, Paris, 1914.

II, Chapitre 2 : *L'arme de la ruse*

Bibliographie dans Pastor, *op. cit.* Sur l'expédition de Charles VIII, voir I. Cloulas, *op. cit.* Rappelons l'importance du témoignage de Burckard (voir éd. de L. Thuasne, avec pièces justificatives : dépêches d'ambassadeurs). Voir documentation figurée dans H. F. Delaborde, *L'Expédition de Charles VIII en Italie. Histoire diplomatique et militaire,* Paris, 1888. Sur les chantiers de construction et fortification, voir E. Rodoconachi, *op. cit.* Les manifestes du cardinal Péraud (cardinal de Gurk) et le traité entre Charles VIII et Alexandre VI ont été de nombreuses fois reproduits depuis Gordon. Voir texte français du traité dans Burckard, éd. Thuasne, vol. II, p. 661, et texte latin dans Lunig, *Cod. it. diplomat.,* vol. II, p. 795.

Sur la fuite de César à Velletri, voir Sigismondo dei Conti, *op. cit.,* t. II, p. 101 et 143. Sur la mort suspecte de Zizim, voir L. Thuasne, *Djem-sultan,* Paris, 1892, et I. Cloulas, « Aux origines des guerres d'Italie : les malheurs du prince Zizim », dans *Historama,* n° 30 (août 1986), p. 10-18. Sur les réactions italiennes à propos de l'expédition, Anne Denis, *Charles VIII et les Italiens,* Paris, 1979.

Sur les catastrophes naturelles de l'hiver de 1495, voir Pastor, *op. cit.,* t. V, éd. franc., p. 455 *sq.* Sur l'apparition de la syphilis, Hesnaut, *Le « Mal français » à l'époque de l'expédition de Charles VIII en Italie,* Paris, 1886 ; Claude Quétel, *Le Mal de Naples. Histoire de la syphilis,* Paris, 1986.

II, Chapitre 3 : *Les enfants terribles*

Sur les scandales du Vatican, source essentielle : Journal de Burckard. Sur le ménage de la comtesse de Pesaro, B. Feliciangeli, *Il matrimonio di Lucrezia Borgia con Giovanni Sforza, signore di Pesaro,* Turin, 1901. Deux brefs d'Alexandre VI à Giovanni Sforza et à Lucrèce (8 et 9 mai 1495) sont publiés par M. Bellonci, *op. cit.,* n°s 4 et 5. Description de l'entrée à Rome de Gioffré et Sancia dans Burckard (éd. J. Turmel, p. 286-287). La liste des membres de la suite des princes de Squillace se trouve à l'*Arch. Segr. Vat., A.A., Arm. I-XVIII, 5024, fol. 127-128; voir sur les difficultés budgétaires de leur petite cour,* M. Bellonci, p. 504.

Sur Juan Ier de Gandie, importante mise au point par Miquel Batllori, « *La Correspondencia d'Alexandre VI amb els seus familiars i amb els reis catolics* », dans *Pensamiento politico,* éd. Institut historique de la Compagnie de Jésus, Rome, s. d. : introduction à la publication en cours des lettres des Borgia, contenues dans les volumes de l'*Archivum Arcis,* 5020 à 5027, étudiés par Soranzo. Sur la famille du duc, voir Chabas et Sanchis Sivera, *Algunos documentos y cartas privadas...* Valence, 1919. Notons en ce qui concerne le chef-lieu du duché : P. P. Solà et Cervos, *El palacio ducal de Gandia*, Barcelone, 1904 (monographie remarquablement illustrée). Sur la campagne de Juan en 1496-1497 contre les Orsini puis la marche contre Ostie avec Gonzalve de Cordoue, bibliogr. dans Pastor, t. V, éd. franç., p. 468-471. Sur la fuite de Giovanni Sforza à Pesaro, voir M. Bellonci, *op. cit.,* n° 7 (bref du 30 mars 1497). A noter, en ce qui concerne les possessions des barons romains, l'étude fondamentale de géographie politique de Jean Guiraud, *L'Etat pontifical après le grand schisme*, Paris, 1896.

Sur l'assassinat du duc de Gandie, voir également bibliographie dans Pastor, t. V, p. 472-486. Récit dans Burckard. Parmi les mobiles qui auraient incité César, plusieurs auteurs ont compté la jalousie amoureuse entre les deux frères qui se seraient disputé les faveurs de Lucrèce : voir Ignazio dell'Oro, *Il segreto dei Borgia*, Milan, 1938, reprenant des rumeurs qui sont reproduites dans Sanudo, *Diarii*, éd. 1879, vol. I, 1844-1846, et dans Malipiero, *Annali Veneti*, éd. 1843, p. 491.

Sur les obsèques du duc et la poursuite de l'enquête, lettres de l'ambassadeur florentin Alessandro Braccio, dans Thuasne, t. II, p. 669 *sq.*, pièces n°s 28, 29 et 30 (d'après l'*Arch. di Stato* de Florence, *Lettereai X di Balia*, X, 4, n° 54) : désignation de la commission de réforme. Voir la correspondance du pape avec Savonarole dans Ridolfi et dans Villari, *op. cit.*

Sur le divorce de Lucrèce et Giovanni Sforza, M. Bellonci, *op. cit.,* p. 535, n° 8 : bref d'Alexandre VI lui envoyant frère Mariano de Genazzano pour traiter de son divorce (26 mai 1497), d'après *Arch. di Stato* de Florence, *Diplomatico, Urbino*. Sur les interventions de Giovanni Sforza auprès de Ludovic le More, *ibidem*, p. 534, n° 6 : lettre demandant son aide pour récupérer sa femme (24 avril 1497) d'après *Arch. di Stato* de Milan, *Pesaro, Correspondenza*. Sur le divorce lui-même, Pastor, *op. cit.,* t. V, p. 499.

Sur Perotto Caldès et son meurtre, voir Thuasne, t. II, p. 433 et note 1. Récit des amours du chambellan avec Lucrèce et de la colère de César d'après Paolo Capello, ambassadeur vénitien (*Relazioni degli ambass. Veneti*, 2e série, t. III, p. 10 et 11), Sanudo, *Diarii*, t. I, col. 883, et le Bolonais Cristoforo Poggio, exploités par M. Bellonci, *op. cit.*, p. 119-121, qui suggère que « l'infant romain », Jean Borgia, est issu de ces amours. Voir l'épigramme de Sannazar dans Jacopo Sannazaro, *Le Rime*, Venise, 1538. Le dernier épisode de la lutte entre Alexandre VI et Savonarole est illustré par l'échange de lettres, insérées dans Burckard (et reproduites déjà par Gordon) : voir les ouvrages cités sur Savonarole et les pièces du *Procès de Savonarole*, éditées par Robert Klein, avec introd. de A. Renaudet, Paris, 1957.

Sur le nouveau mariage de Lucrèce avec Alphonse d'Aragon, voir Gregorovius, n° 16 (premier contrat : 20 juin 1498) ; marquis de Laurencin, *Relación de los festines que se celebraron en el Vaticano con motivo de las bodas de Lucrecia de Borgia con Don Alonso de Aragón*, Madrid, 1916. Récit de la « laïcisation » de César dans Burckard.

II, Chapitre 4 : *L'avènement de César*

On se reportera pour les orientations politiques d'Alexandre VI et de César à G. Pepe, *La politica dei Borgia*, Naples, 1945 et à G. Soranzo, *op. cit., Studio quinto.*

Sur les rapports entre Alexandre VI et Louis XII, L. G. Pélissier, *Sopra alcuni documenti relativi all'alleanza tra Alessandro VI e Luigi XII (1498-1499)*, Rome, 1895 ; « Documents sur les relations de Louis XII, de Ludovic Sforza et du marquis de Mantoue de 1498 à 1500 », dans *Bull. du comité des trav. hist. (1893) ; Documents relatifs au règne de Louis XII et à sa politique en Italie*, Montpellier, 1912 ; « Dépêches des ambassadeurs de Ferrare à la cour de Charles VIII et de Louis XII, aux Archives d'Etat de Modène », dans *Revue des Bibliothèques*, juin-juillet 1898. Voir encore R. de Maulde La Clavière, « Alexandre VI et le divorce de Louis XII », dans *Bibl. Ecole des Chartes*, 1896 ; B. Quilliet, *Louis XII*, Paris, 1986.

Le Père Anselme, *Histoire généalogique et chronologique de la Maison royale de France*, t. V, Paris, 1730, p. 516 à 520, a édité les lettres patentes d'aliénation, en faveur de César, des comtés de Valentinois et Diois (données à Etampes en août 1498), les lettres d'enregistrement au parlement de Grenoble (22 août 1498) ; l'arrêt d'enregistrement du 6 octobre 1498 ; les lettres d'érection du Valentinois en duché (octobre 1498) ; et l'arrêt d'enregistrement au parlement de Grenoble (15 novembre 1498). En avril 1499 le roi donna en outre à César les revenus du siège royal d'Issoudun et de la nomination des officiers du grenier à sel de cette ville, en reconnaissance de l'avance faite de 50 000 livres en argent et bijoux à l'occasion de son mariage (Arch. nat. de Paris X^{1A} 8610, ordonnances de Louis XII).

Sur l'itinéraire de César Borgia en France et en Italie, se reporter à Ch. Yriarte, *César Borgia. Sa vie, sa captivité, sa mort*, 2e éd., Paris, 1930. Citation de Brantôme tirée de la *Vie des hommes illustres, César Borgia*, éd. L. Lalanne, t. 2, 1866, p. 203-219.

Sur le mariage d'Albret et sa négociation, P. Anselme, *op. cit. ;* A. Luchaire, *Alain le Grand, sire d'Albret. L'Administration royale et la féodalité du Midi, 1440-1522*, Paris, 1879. Sur Charlotte, voir E. Bonnafé, *Inventaire de la duchesse de Valentinois, Charlotte d'Albret*, Paris 1878 (contrat de mariage et inventaire des biens d'après les Archives des ducs de La Trémoille). Cérémonie du mariage et rapports sur la nuit de noces dans Burckard, t. II, éd. Thuasne, citant Robert de La Mark, seigneur de Fleurange. Corres·

pondance et actes du mariage de César Borgia avec Charlotte d'Albret aux Archives des Pyrénées Atlantiques, à Pau : P. Raymond, *Inventaire-sommaire...*, *Archives civiles*, série E, Paris, 1867. Les articles E 104 à 107 renferment les lettres adressées à Alain d'Albret. L'article E 91 contient 5 pièces parchemin, 17 pièces papier et un registre relatifs notamment au contrat de mariage et au trousseau de Charlotte d'Albret ; on y trouve également la procuration donnée par César Borgia à son beau-frère, Jean d'Albret, roi de Navarre, pour réclamer à Louis XII une somme de 100 000 lires (signature de César Borgia) : la plupart de ces pièces ont été publiées dans les *Arch. histor. de la Gironde* (t. XVIII). Voir aussi le bibliophile Jacob, *L'Histoire du xvie siècle en France*, t. I, p. 177-181 et Ch. Yriarte, *César Borgia*, t. II, annexe, p. 324-325.

Sur les événements de la Cour de Rome, voir Burckard, t. II, éd. Thuasne, p. 548-552 ; fuite d'Alphonse d'Aragon, duc de Bisceglie (2 août 1499) ; sortie de Rome de Lucrèce et de Gioffré, partant pour Spolète (8 août 1499). Voir le bref de nomination de Lucrèce, dans Gregorovius, *Lucrèce Borgia*. Voir aussi Sanudo, *Diarii*, t. II. Voir récit du baptême du jeune Rodrigue dans éd. française de Burckard (J. Turmel) p. 302 sq. A propos de la ruine des Caetani, voir la protestation de Jacopo Caetani dans Gregorovius, pièce justificative n° 19 (7 février 1500).

Sur les campagnes de Romagne et les itinéraires de César, voir Odoardo Alvisi, *Cesare Borgia, duca di Romagna*, Imola, 1878 et également Yriarte et Woodward. Sur le triomphe de César à Rome (février 1500) voir Yriarte, *op. cit.*, p. 210, note 1, critiquant A. Gordon, qui a suivi de trop près Tommaso Tomasi.

Sur l'Année sainte 1500 et le grand jubilé romain, voir L. von Pastor, *Histoire des papes. Livre IX*, éd. française, t. VI, chapitre XI, *Alexandre VI et la religion*, p. 133 *sq.* : les informations proviennent le plus souvent de Burckard.

Sur l'accident dont le pape risque d'être la victime (29 juin 1500) et sur tous les événements de 1500, voir en Appendice du t. III de Burckard, éd. Thuasne, les dépêches du secrétaire florentin Francesco Capello, d'après l'*Archivio di Stato* de Florence : récit de l'assassinat d'Alphonse d'Aragon complétant Burckard et l'ambassadeur vénitien Paolo Capello. Sur la retraite de Lucrèce à Népi, lettres signées « La infelicissima » dans Gregorovius, *op. cit.*, pièces justificatives n°s 26 à 26ter.

Sur le projet de croisade, B. Feliciangeli, « Le proposte par la guerra contro i Turchi presentate da Stefano Taleazzo, vescovo di Torcello, a papa Alessandro VI », dans *Archivio Storico italiano*, t. 40 (1917), p. 12 s 9.

L'appréciation de Paolo Capello sur la santé physique et morale du pape se trouve dans sa relation d'ambassade adressée au sénat de Venise, éd. E. Alberi, *Relazioni...*, 2e série, vol. 3, p. 11.

II, Chapitre 5 : *La marche royale*

Une importante étude a été consacrée par Ch. Yriarte, *Autour des Borgia*, Paris, 1891, à *L'Epée de César Borgia*, p. 141 à 209 : analyse des thèmes figurés, à partir de l'observation de l'objet conservé au palais Caetani de Rome (collection du duc de Sermoneta) ; rapprochements avec des armes, spécialement des épées courtes ou dagues, conservées dans divers musées. L'artiste serait Ercole da Fideli, nom chrétien du Juif converti Salomone da Sesso, qui devint orfèvre du duc de Ferrare.

Sur la vie de César en Romagne et son entourage, Andrea Bernardi, *Cronache Forlivese, 1476-1517*, Bologne, 1897 ; Paolo Bonoli, *Istorie della città di Forli*, Forli, 1661 ; Biagio Buonaccorsi, *Diario*, Florence, 1518 ; Cesare Clementini, *Raccolto istorico di Rimini*, Rimini, 1617 ; Francesco Matarazzo, *Chronaca della città di Perugia, 1492-1503*, édité. par F. Bonaini et F Polidori dans *Archivio storico italiano*, Florence, 1852 ; B. Righi, *Annali di Faenza*, Faenza, 1841. Sur Pesaro et Pandolfo Collenuccio, voir Carlo Cinelli, *Pandolfo Collenuccio e Pesaro a suoi tempi*, Pesaro, 1880 ; W. M. Tartt, *Pandolfo Collenuccio : Memoirs connected with his Life*, 1868. Panorama de la littérature italienne dans E. Cecchi et N. Sapegno, *Storia della Letterature italiana*, édition de 1979, t. III, *Il Quattrocento* (Boiardo, Sannazaro et l'Arioste), t. IV, *Il Cinquecento* (comprenant Machiavel, Guichardin, Bembo et Baldassare Castiglione).

Sur l'ambiance des cours italiennes et le goût de l'amour courtois voir l'édition de Castiglione, *Il Libro del Cortegiano*, Milan, 1981, par A. Quondam et M. Longo.

Sur les poètes qui entourent César, voir O. Alvisi, *op. cit.*, avec citation de poèmes et épigrammes conservés à la *Biblioteca Malatestiana* de Cesena. La consultation des astrologues rapportée par Francesco Capello, le 26 septembre, est citée par L. Thuasne, éd. Burckard, t. III, p. 77 n. 1.

Sur les adversaires auxquels s'attaque César : Pier Desiderio Pasolini, *Caterina Sforza*, Rome, 1893 ; C. Monteverde, *Astorre Manfredi*, Milan, 1852 et G. Tonducci, *Storia di Faenza*, 1675. A consulter sur l'attitude de Venise dans la prise de Faenza, A. Bonardi, « Venezia e Cesare Borgia », dans *Nuovo Archivio Veneto*, vol. XX, part. II, p. 10-12, et les *Diarii* de Sanudo et Priuli. L'enlèvement de Dorotea Caracciolo (Ch. Yriarte, t. I, p. 286, *sq.*) occupe une grande place dans les *Diarii* de Sanudo (vol. III et vol. VII). Les campagnes de Romagne sont souvent citées dans *Le Prince* de Machiavel, chap. VII, XIII, XX, notamment. Voir dans l'éd. de Burckard par Thuasne, t. III, Appendice, p. 441 et 447, dépêches des envoyés de Florence à Rome, Francesco Capello, Luigi de Stufa et Francesco de Pepis.

Sur la campagne de Piombino, voir Yriarte ainsi que sur la campagne de Naples. Voir aussi A. Q. Pascale, *Raconto del sacco di Capova*, Naples, 1632 ; F. Granata, *Storia civile di Capua*, 1752.

Récit du « gouvernement » de l'Eglise par Lucrèce dans Burckard. Négociation et conclusion du mariage avec Alphonse d'Este dans Maria Bellonci, *op. cit.* : nombreuses références et pièces justificatives, tirées de l'*Archivio di Stato* de Modène, notamment dépêches de Gerardo Saraceni et Ettore Bellingeri ; récit de l'entrée des Ferrarais à Rome par Gianluca Castellini de Pontremoli ; lettres de Beltrando Costabili, ambassadeur d'Hercule d'Este à Rome. On se reportera aussi à L. von Pastor, éd. franç., t. VI, p. 102-103 (bibliographie).

Le bal des courtisanes au Vatican et la scène des étalons sont rapportés par Burckard, éd. Thuasne et Turmel.

Sur la dotation des enfants, voir M. Bellonci, *op. cit.* Les deux bulles du 1er septembre 1501 relatives à « l'infant romain » sont éditées dans les pièces justificatives de Gregorovius, nos 29 et 30, d'après les documents de l'*Archivio di Stato* de Modène. Voir aussi Burckard, éd. Thuasne, t. III, supplément à l'Appendice, mention de l'exemplaire conservé dans les *Archives d'Osuna*, à Madrid. Note bibliographique dans L. von Pastor, éd. franç., t. VI, p. 98-99. A noter la sollicitude de Lucrèce envers le petit Rodrigue : lettre à l'intendant Vincent Giordano, Nepi, 28 octobre 1500, dans Gregorovius, pièce justificative n° 25. Sur les adieux de Lucrèce à ses enfants, M. Bellonci, *op. cit.,* qui a donné le meilleur récit du voyage jusqu'à Ferrare (pièces justificatives complétant Gregorovius) : voir notamment la relation de la venue à l'improviste d'Alphonse d'après un rapport anonyme qui confirme la correspondance de Gianluca Castellini.

Sur la visite pontificale à Piombino, voir L. Thuasne, éd. de Burckard, t. III, p. 195-197, avec citation de Francesco Capello.

II, Chapitre 6 : *Les rendez-vous du Diable*

Le témoignage de Machiavel devient ici fondamental. En dehors des œuvres de réflexion politique comme *Le Prince*, on a eu recours aux dépêches de la légation de Romagne et au récit fameux du piège de Sinigaglia (aujourd'hui Senigallia) : *Descrizione del modo tenuto dal duca Valentino nello ammazzare Vitellozzo Vitelli, Oliverotto da Fermo, il signor Pagolo e il duca di Gravina Orsini.* On s'est servi particulièrement de l'édition italienne, Niccolo Machiavelli, *Opere*, a cura di Ezio Raimondi, Milan, 1969, et des éditions françaises de E. Barincou, *Œuvres complètes*, coll. La Pléiade, Paris, 1952, et *Toutes les lettres officielles et familières*, Paris, 1955. Voir sur Machiavel, Christian Bec, *Machiavel* (extraits thématiques des œuvres), Paris, 1985, et J. Heers, *Machiavel*, Paris, 1985 (biographie). La grande édition de T. Guiraudet, Paris, an VII, est intéressante pour sa préface (« Discours sur Machiavel ») et pour ses annotations.

Les biographes de César Borgia et notamment Yriarte fournissent les repères nécessaires sur les sièges des places de Romagne. On se reportera en outre, pour Urbin, à R. de La Sizeranne, *César Borgia et le duc d'Urbino, 1502-1503*, Paris, 1924 (bibliographie) et à Sigismondo dei Conti, éd. 1886, pour la prise de Camerino.

Sur la lettre à Silvio Savelli, bibliographie dans L. von Pastor, éd. franç., t. VI, p. 107-109, avec références aux divers pamphlets et épigrammes dirigés contre les Borgia.

Sur la conjuration des condottieres, leur participation à la reprise du duché d'Urbin, le traité avec César et le piège de Sinigaglia, nombreuse littérature et références : voir les éditions des œuvres de Machiavel et aussi les notes de L. von Pastor, éd. franç., p. 114-117. Voir aussi les considérations de G. Pepe, *La politica dei Borgia*, p. 199 *sq.*, et celles de G. Soranzo, *op. cit.*, *Studio quinto*, sur l'évolution des rapports entre César et Venise. Les dépêches de Giustiniani (ou Giustinian), ambassadeur de Venise à Rome (*Dispacci di A. Giustinian, 1502-1503*, éd. Pasquale Villari, 3 vol. Florence, 1876) et de l'ambassadeur de Mantoue, G. L. Cataneo, complètent Sigismondo dei Conti pour la campagne contre les Savelli et les Orsini. Voir lettre de César à Isabelle de Gonzague (1er février 1503) dans Gregorovius, pièce justificative n° 47, la remerciant pour l'avoir félicité du piège de Sinigaglia (réponse à la lettre d'Isabelle, 15 janvier 1503, *ibidem*, n° 46). Sur la mort du cardinal Michieli et le soupçon d'empoisonnement, L. von Pastor, éd. franç., t. VI, p. 120, ainsi que sur la dernière promotion cardinalice d'Alexandre VI. Le récit de Burckard sur la mort du pape peut être complété par Sigismondo dei Conti, t. II, p. 267, les dépêches de A. Giustinian, t. II, p. 108 et 459, et celle de G. L. Cataneo (*Archivio Gonzaga* à Mantoue). Voir aussi Appendice de l'éd. de Burckard par Thuasne, t. III, p. 449-450. La lettre de François de Gonzague à son épouse Isabelle (22 septembre 1503) dans laquelle il évoque la mort et les obsèques du pape est éditée par Gregorovius, *op. cit.*, pièce justificative n° 51. Bibliographie dans L. von Pastor, éd. franç., t. VI, p. 127-129, avec références aux ouvrages critiquant ou retenant l'hypothèse de l'empoisonnement.

III, Chapitre premier : *Le fauve solitaire*

Sur le pontificat de Pie III et les débuts de celui de Jules II, voir L. von Pastor, *op. cit.*, t. VI, p. 171 *sq.* (livre X). Voir aussi E. Rodocanachi, *Une cour princière au Vatican ..*, et *Le Pontificat de*

Jules II, Paris, 1928. Portrait physique et moral de Jules II dans Sanudo, *Diarii*, t. XI et XII. Ses rapports avec César Borgia sont observés par Machiavel (*Légations*) ainsi que par A. Giustinian, ambassadeur de Venise (*Dispacci...*), Francesco Capello, orateur florentin et Costabili, ambassadeur de Ferrare. Les inquiétudes de César, son incarcération à Ostie, la remise des places de Romagne et le départ pour Naples sont traités par L. von Pastor, éd. franç., p. 216-225, d'après les relations d'ambassadeurs et les registres des brefs du Vatican. Les documents espagnols concernant César ont servi à Ch. Yriarte, *op. cit.*, qui, pour partie, les reproduit en annexe. Le doc. n° 6 répertorie le dossier concernant l'union de César Borgia et de Charlotte d'Albret conservé aux Archives des Pyrénées-Atlantiques (Pau) : actes 13 et 14, relatifs aux tentatives de César pour reprendre les biens à lui autrefois conférés par Louis XII ; n° 7, extraits de la chronique de l'archiprêtre don Martin de Cantos relatifs à la forteresse de Chinchilla ; n° 8, liste du mobilier et objets précieux confiés par César au cardinal Hippolyte d'Este et saisis en janvier 1504 par Giovanni Bentivoglio (d'après le ms. 1439 de la *Biblioteca Universitaria* de Bologne) ; n° 9, lettre du roi don Juan de Navarre à Ferdinand le Catholique, 22 décembre 1505 (Madrid, *Academia de la Historia*, collection Salazar) ; n°s 10 et 11, dossier de l'enquête ouverte sur la fuite de César Borgia par don Pedro de Mendoza, comprenant le rapport et les interrogatoires rédigés par le corregidor Cristoval Vasquez de Acuña (*Archivo general de Simancas, Consejo de Estado* et *Camara de Castilla*).

Ch. Yriarte s'est surtout servi des *Annales d'Aragon* de Zurita. On peut compléter ses sources par : Francisco Javier Ortiz Felipe, *Cesar Borgia y Navarra*, 4e éd., Pampelune, 1983, et Antonio Onieva, *Cesar Borgia, su vida, su muerte y sus restos*, Madrid, 1945. Voir dans Gregorovius, *op. cit.*, pièce justificative. n° 56, lettre de César au marquis François de Gonzague (7 déc. 1506). Récemment la ville de Viana a érigé un monument couronné d'un buste en l'honneur de César Borgia.

III, Chapitre 2 : *La belle dame de Ferrare*

Maria Bellonci, *op. cit.*, édite de nombreux documents se rapportant à cette période de la vie de Lucrèce. A signaler parmi les plus importants :
— Lettre de Bernardino de Prosperi à Isabelle d'Este sur la mort d'Hercule Ier et l'avènement d'Alphonse et de Lucrèce (n° 21).
— Correspondance entre Lorenzo Strozzi et le marquis de Mantoue (n° 22) ; Gregorovius, *op. cit.*, a publié plusieurs lettres d'intérêt familial, notamment une lettre d'Isabelle d'Aragon demandant à Lucrèce de faire payer leurs gages aux serviteurs du défunt petit duc

de Bisceglie (n° 58bis), ainsi que les lettres de Vannozza Cattanei à sa fille Lucrèce et au cardinal Hippolyte d'Este.

— Deux lettres de Jean Borgia, « infant romain », sont publiées par Gregorovius (n°s 63 et 64).

— Sur le mystérieux bâtard Rodrigue de Borgia, deux lettres sont publiées par M. Bellonci (n°s 23 et 24).

— Voir aussi dans M. Bellonci, « Inventaire des joyaux de Lucrèce Borgia », Appendice, p. 555-578 (435 rubriques). Sur les informations secrètes reçues par Isabelle d'Este par l'intermédiaire du prêtre de Correggio et de Bernardino de Prosperi concernant la vie intime de Lucrèce, voir A. Luzio, *Isabella d'Este e i Borgia*, Milan, 1908.

— Sur le rôle d'Ercole Strozzi comme fournisseur de Lucrèce : I. Polifilo, *La guardaroba di Lucrezia Borgia*, Rome, 1903. Sur les maladies de Lucrèce : Gagnière, « Le journal des médecins de Lucrèce Borgia », dans *La Nouvelle Revue*, 1888.

— Sur les tragédies familiales des Este (conjuration de don Giulio), A. Luzio, *Isabella d'Este nelle tragedie della sua casa*, Mantoue, 1912 ; R. Bacchelli, *La congiura di Don Giulio d'Este*, Milan, 1958.

— Les lettres de Pietro Bembo, *Lettere giovanili di Messer Pietro Bembo*, Milan, 1558, ne forment qu'une partie infime de l'œuvre littéraire du grand écrivain : voir E. Bonora, *Pietro Bembo, La vita e gli studi*, dans *Storia della Letteratura italiana* d'E. Cecchi et N. Sapegno, 1979. Sur ses relations avec Lucrèce : B. Gatti, *Lettere di Lucrezia Borgia a Messer Pietro Bembo*, Milan, 1859 ; B. Morsolin, « Pietro Bembo e Lucrezia Borgia », dans *Nuova Antologia*, vol. 52, 1885 ; P. Rajna, *I versi spagnoli di mano di Pietro Bembo e di Lucrezia Borgia*, Madrid, 1925.

— Sur Ercole Strozzi, « Ercole Strozzi, poeta ferrarese », dans *Attie e Memorie della Deputazione ferrarese di Storia Patria*, XVI, 1906 ; *Poesie di Ercole Strozzi e di Tito Vespasiano Strozzi*, 1530.

— S. Baruffaldi, *Istoria di Ferrara*, Ferrare, 1700 ; *Notizie istoriche delle academie letterarie ferraresi*, 1787.

III, Chapitre 3 : *Un triomphe dans le ciel*

Sur la branche espagnole des Borgia, voir P. Anselme, *Histoire généalogique et chronologique*, t. V, p. 521-526.

Sur Maria Enriquez, veuve de don Juan I, et sur Juan II à Gandie, voir E. Bertaux, *Les Borgia dans le royaume de Valence*, Paris, 1911 (bibliographie et reproduction des tableaux de piété).

Documentation dans José Sanchis Sivera, *Algunos documentos y cartas privadas...*, Valence, 1919 ; Ximo Company, « Un assaig d'historiacó total de l'art : el retaule de la collegiata de Gandia », dans *Debats*, n° 10, décembre 1984 (*Institucio Alfons el Magnanim*, Valencia) ; du même, *Pintura del Renaiximent al Ducat de Gandia*, Valence, 1985.

Sur François de Borgia, voir la notice de C. de Dalmases, dans *Dict. hist. et géogr. eccl.* Une *Vie* ancienne, anonyme, a été réimprimée à Lyon et Paris, 1824. P. Ribadeneyra, *Vida del Padre Francisco de Borja*, Madrid, 1592 ; P. Suau, *Histoire de S. François de Borgia*, Paris, 1910 ; Adro Xavier, *El duque de Gandia. El noble Santo del Primer Imperio*, Madrid, 1943. Relations avec Charles Quint : voir M. Gachard, *Retraite et mort de Charles Quint au monastère de Yuste. Lettres inédites*, Bruxelles, 1855. Voir aussi les diverses biographies de Charles Quint et Philippe II. A propos de l'impératrice Isabelle, voir Annie Cloulas, « Les portraits de l'impératrice Isabelle de Portugal », dans *Gazette des Beaux-Arts*, 121e année, février 1979, p. 58-68.

Sur l'activité de François de Borgia en Catalogne, voir P. J. Blanco, *El virreinato di san Francisco de Borja en Cataluña*, Barcelone, 1921. Le banditisme, mal chronique du pays catalan aux XVIe et XVIIe siècles, a été bien étudié par P. Vilar, *La Catalogne dans l'Espagne moderne*, t. I, Paris, 1962, p. 575-584.

Sur la dernière mission de François de Borgia à la Cour de France : Ch. Hirschauer, *La Politique de saint Pie V en France*, Paris, 1922.

Sur l'action de François de Borgia comme troisième général des Jésuites, voir J. Crétineau-Joly, *Histoire religieuse, politique et littéraire de la Compagnie de Jésus*, t. I et II, Paris, 1844 ; A. Astrain, *Historia de la Compaña de Jesús en la Assistencia de España*, t. II, Madrid, 1905 ; F. Rodrigues, *História da Companhia de Jesús na Assisténcia de Portugal*, II, 1-2, Porto, 1938 ; H. Fouqueray, *Histoire de la compagnie de Jésus en France*, t. I, *Les Origines et les premières luttes*, Paris, 1910. Voir, à propos du Portugal, Velloso Queiroz, *Dom Sebastião*, Lisbonne, 1945, et F. de S. Loureiro de Mascarengas, *O Pº Luis Gonçalves de Câmara e Dom Sebastião*, Coimbra, 1973.

Sources

Les principales sources concernant les Borgia ayant fait l'objet
d'éditions (voir les Sources imprimées et la Bibliographie), nous nous
bornerons à signaler les instruments de recherche généraux concernant les dépôts d'archives susceptibles de fournir des compléments
d'information aux chercheurs.

Espagne
    Archives de la Couronne d'Aragon (Barcelone).
        Martinez Ferrando (J. Ernesto), *Indice cronologico de la
        coleccion de documentos ineditos del Archivo de la Corona de
        Aragón,* t. I, Barcelone, 1958 ; et Udina Martorell (Federico),
        id., t. II, Barcelone, 1973.
    Archives historiques nationales (Madrid).
        Sanchez Belda (Luis), *Guia del Archivo historico nacional,*
        Madrid, 1958 : XI. *Seccion de Osuna. Ducado de Gandia.*
    Archives générales de la Couronne de Castille (Simancas).
        Plaza (Angel de la —) *Guia del investigador,* Valladolid, 1962.
        Fondos de las secretarias de los Consejos : Estado, Flandes,
        Italia y Portugal. Correspondencia diplomatica.

France
    Voir l'indication des sources dans les ouvrages relatifs à
    Charles VIII et Louis XII.
    Orientation générale dans : *Archives Nationales. Etat général
    des fonds,* t. I, *L'Ancien Régime,* Paris, 1978.
    Les Archives Nationales possèdent deux bulles de Calliste III
    (L 322) et vingt-trois d'Alexandre VI réparties dans six séries
    (principalement en L 327).
    Les *Archives départementales des Pyrénées-Atlantiques* conser-
    vent des documents importants

Voir P. Raymond, *Inventaire-sommaire... Archives civiles. Série E :* t. IV, Paris 1867.

E 13 à 236 : *Titres de la famille d'Albret* (particulièrement : E 91, mariage de Charlotte et de César Borgia ; E 93 à 107, papiers concernant Alain d'Albret et le cardinal d'Albret).

E 513 à 593 : *Rois de Navarre* (particulièrement E 547 à 552 : documents concernant Jean et Catherine, roi et reine de Navarre, les affaires intérieures du royaume et les relations avec les souverains français et étrangers de 1494 à 1509).

Le cabinet des Manuscrits de la *Bibliothèque nationale* conserve plusieurs documents concernant Alexandre VI, en particulier :

Fonds français 2929 (brefs) ; 20929 et 25188 (bulles) ; 15493, 17213, nouv. acq. 5969 (extraits du Journal de Burckard) ; 2900, 2919, 19557 et 20631 (relations avec Bajazet II, instructions à Giorgio Buzardo, articles concernant Zizim, traité, copies de correspondance) ; 2918, 2919 et 5515 (relations avec Charles VIII) ; nouv. acq. 7973 (légitimation de l'infant romain).

Fonds italien 688, 1153, 1306 (conclave et élection d'Alexandre VI) ; 689 (relations avec les Farnèse) ; 1516 (Journal de Burckard).

Mélanges Colbert 377 et 413 (bulles).

Cinq cents Colbert 79 (royaume de Naples), 177 (duché de Milan), 363 (rapports avec Bajazet II).

Collection Dupuy 721 (approbation du traité d'Etaples entre la France et l'Angleterre) ; 727 (extraits du *Diario* de Stefano Infessura) ; 736 et 837 (épigrammes).

Concernant César :

Fonds français 22341 (supplique), 12186 (copie de sa *Vie* par Tommaso Tomasi).

Collection Clairambault 534 (contrats de mariage de César avec Charlotte d'Albret, et de Philippe de Bourbon-Busset avec Louise de Borgia) ; 975 (traduction française de sa *Vie* par Tommaso Tomasi).

Concernant Lucrèce :

Fonds français 22816, fol. 88 (fragment d'un des cheveux tiré de la boucle conservée à la Bibliothèque Ambrosienne de Milan).

Collection Dupuy 736 (épigramme).

Italie

On aura recours à : *Guida generale degli Archivi di Stato italiani,* t. I et II, Rome, 1981 et 1983 (Etat sommaire par dépôt d'archives), et à *L'Ordinamento delle carte degli Archivi di*

Stato italiani, Rome, 1910 (avec une préface de Pasquale Villari).

Pour Naples à la période aragonaise : J. Mazzoleni, *Le fonti documentarie e bibliografiche dal sec. X al sec. XX conservate presso l'Archivio di Stato di Napoli,* Naples, 1974.

Pour Mantoue (Archivio Gonzaga) : A. Baschet, *Ricerche di documenti d'arte e di storia negli archivi di Mantova,* Mantoue, 1866.

Pour Modène (Archives des Este, ducs de Ferrare et de Modène — *Archivio segreto estense*) : G. Ognibene, « Le relazioni della casa d'Este coll'estero (carteggio degli ambasciatori, agenti e corrispondenti estensi e carteggio dei principi esteri) », dans *Atti e memorie della Deputazione di Storia patria per le provincie modenesi,* série V, vol. III, Modène, 1903. F. Valenti, *Archivio di Stato di Modena. Archivio segreto estense. Sezione « Casa e stato ». Inventario,* Rome, 1953.

Pour Florence :
Archivio di Stato.
    Etat sommaire (sous la direction de G. Pansini) dans *Guida generale degli Archivi di Stato,* t. II, Rome, 1983.
Voir particulièrement : D. Marzi, *La cancelleria della Repubblica fiorentina con gli elenchi dei suoi ufficiali e registri,* Rocca San Casciano, 1910. *La carte Strozziane. Inventario,* Florence, 1884.
Archivi signorili acquisiti
Ducato di Urbino.
Section *Stato e governo.*
    (partie des Archives d'Urbin divisées en deux en 1638, l'autre partie se trouve aux Archives du Vatican).
Ducato di Camerino e famiglia da Varano (voir aussi les Archives conservées à Camerino : papiers Varano).
Carteggio dei segretari, dei duchi e dei principi di Urbino, voir : M. Morici, *L'archivio urbinate nel r. Archivio di Stato di Firenze,* extrait de : *Le Marche illustrate nella storia, nelle lettere e nelle arti,* I (1901). A. D'Addario, « L'archivio del ducato di Urbino », dans *Miscellanea in memoria di Giorgio Cencetti,* Turin, 1973.
Principato di Piombino.
    (archives transportées à Florence à la suite de la réunion de la principauté au grand duché de Toscane en 1815 ; une autre partie se trouve à l'*Archivio di Stato* de Pise) : voir L. Righetti, « Gli archivi dell'ex principato di Piombino », dans *La Nazione,* 2-3 sept. 1913.
Pour Rome (institutions municipales) : L. Cledat, « Les archives italiennes à Rome », dans Bibliothèque de l'Ecole des Chartes 36 (1875) ; A. François, *Elenco dei Notari che*

rogarino atti in Roma dal secolo XIV all'anno 1886, Rome, 1881 (dépôt des minutes du Capitole : notaire Camillo Beneimbene, chargé d'instrumenter les actes de la vie privée des Borgia).

— (institutions financières) : M. G. Pastura Ruggiero, *La Reverenda Camera Apostolica e i suoi archivi (sec. XV-XVIII)*, Rome, 1984.

Pour Milan :

— *Archivio di Stato : Guida generale degli, Archivi di Stato italiani*, t. II.

— *Biblioteca Ambrosiana.* Voir : A. Ratti (pape Pie XI), *Guida sommaria per il visitatore della Biblioteca Ambrosiana e delle collezioni annesse*, Milan, 1907.

Vatican : Voir *Sussidi per la consultazione dell'Archivio Vaticano*, vol. I, *Schedario Garampi. Registri Vaticani. Registri Lateranensi. Rationes Camerae. Inventario del fondo concistoriale*, Rome, 1936.

Sources imprimées

ADEMOLO (A.), *Alessandro VI, Giulio II e Leone X nel Carnevale di Roma. Documenti inediti (1499-1520),* Florence, 1886.

AMIANI (M.), *Memorie storiche della città di Fano,* Fano, 1757

AMMANATI (card.), *Epistolae et Commentarii,* Milan, 1506.

Archivum historicum Societatis Jesu, XLI (janv.-juin 1972) : documents publiés pour commémorer le IVe centenaire de la mort de s. François de Borgia.

ANSELME (P.), *Histoire généalogique et chronologique de la Maison royale de France,* t. V, Paris, 1730, p. 516-526, pièces justificatives d'érection du duché de Valentinois ; généalogie de la maison de Borgia et des ducs de Gandie.

AUTON (Jean d'—), *Chronique de Louis XII,* Paris, 1889-1895.

BARONIUS, *Annales ecclesiastici,* Bar-le-Duc, t. XXIX, 1876.

BERNARDI (A.), *Cronache forlivesi dal 1476 al 1517,* éd. D. Mazzantini, 2 vol., Bologne, 1895-1897.

BORGIA (François de), *Tratados espirituales,* éd. C. de Dalmases, Barcelone, 1964.

BRANTÔME (Pierre de Bourdeille, abbé de), *Œuvres complètes,* éd L. Lalanne, Paris, 11 vol. 1864-1882 : t. II, Paris, 1866, p. 203 219, *César Borgia.*

BURCKARD (Jean), *Burchardi Johannis diarium sive rerum urbanarum commentarii, 1483-1506,* 3 vol., éd. L. Thuasne, Paris, 1883-1885.

— *Liber notarum ab anno 1483 usque ad annum 1506,* éd E. Celani, Città di Castello, 1910-1911.

— *Le journal de Jean Burckard, évêque et cérémoniaire au Vatican,* trad. en français avec une introduction et des notes par Joseph Turmel, Paris, 1932.

BURSELLIS, *Annales Bononienses fratris Hieronymi de —*, Milan, 1733.

CAGNOLO (Niccolo), *Lucrezia Borgia in Ferrara. Memorie storiche estratte dalla cronaca ferrarese di N. Cagnolo di Parma*, Ferrare, 1867.

CAMBI (G.), *Istorie* dans *Delizie degli eruditi Toscani*, t. XXI-XXIII, Florence, 1785, s. q.

CAPPELLO (Paolo), *Relazione di Roma* dans Alberi (E.), *Relazioni degli ambasciatori veneti*, 2ᵉ série, vol. 3, Florence, 1846.

CASTIGLIONE (Baldassare), *Il Libro del Cortegiano*, nouv. éd. avec introd. de A. Quondam et notes de M. Longo, Milan, 1982.

CIACCONIUS (ou CHACON) (Alonso), *Vitae et regestae summorum pontificum*, Rome, 1601 ; continuation par Oldoini (Agostino), Rome, 1677.

COMMINES (Ph. de), *Mémoires*, éd. M. Dupont, t. II, Paris, 1843.
— *Lettres et négociations*, éd. J. B. Kervyn de Lettenhove, Bruxelles, 1867-1874.

CONTI (Sigismondo dei — da Foligno), *Le storie dei suoi tempi dal 1475 al 1510*, 2 vol., Rome, 1883.

Cronaca Sublacense del P. D. Cherubino Mirzio da Treveri, Monaco nella protobadia di Subiaco, Rome 1885.

Cronache della città di Perugia, éd. A. Fabretti, Turin, 1888.

Cronica di Napoli di notar Giacomo, éd. P. Garzilli, Naples, 1845.

DOLFI (Floriano), *Orazione di Fl. Dolfi, bolognese, per la difesa della patria contro Alessandro VI e Cesare Borgia*, Bologne, 1900.

Diario di ser Tommaso di Silvestro Notaro, éd. L. Fumi, Orvieto, 1891-1892.

Diario Ferrarese dall'anno 1409 sino al 1502, Muratori, *Scriptores*, t. XXIV, Milan, 1738.

DU MONT (J.), *Corps universel diplomatique du droit des gens*, Amsterdam, 1726-1731.

FORCELLA (V.), *Iscrizione delle chiese e d'altri edifizi di Roma*, 14 vol., Rome, 1869-1885.

GACHARD (M.), *Retraite et mort de Charles Quint au monastère de Yuste. Lettres inédites*, t. I et II, Bruxelles, 1854.

GASCA QUEIRAZZA (G.), *Scritti autografi di Alessandro VI nell'Archivum Arcis*, 1959.

GATTI (B.), *Lettere di Lucrezia Borgia a M. Pietro Bembo dagli autografi conservati in un codice della Biblioteca Ambrosiana*, Milan, 1859.

GHERARDI (Jacobo) da Volterra, *Diario romano dal 7 settembre 1479 al 12 agosto 1494*, éd. E. Carusi, Città di Castello, 1904.

GIOVIO (Paolo) (Paulus Jovius) (Paul Jove), *Vitae illustrium virorum*, 2 vol., Bâle, 1578.
— *Elogia virorum literis illustrum*, Bâle, 1577.
— *Elogia virorum bellica virtate illustrium*, Bâle, 1596.
GIUSTINIAN (Antonio), *Dispacci*, éd. P. Villari, Florence, 1886.
GRASSIS (Paris de), *Diarium*, éd. Doellinger, *Beitraege*, t. III, Vienne, 1882.
GRAZIANI, *Cronaca della città di Perugia secondo un codice appartenente ai Conti Baglioni*, Florence, 1850.
GUICCIARDINI (F.) (Guichardin), *Storia d'Italia*, 5 vol., Bari, 1929 ; nouv. éd. 3 vol., Milan, 1975.
— *Storia fiorentina dal 1378 al 1509*, Bari, 1931.

HURTUBISE (P.), *Correspondance du nonce Antonio Maria Salviati*, t. I, Rome, 1975.

INFESSURA (Stefano), *Diario della città di Roma*, éd. Oreste Tommasini, Rome, 1890.

LANDUCCI (L.), *Diario fiorentino dal 1450 al 1516*, éd. Jodoco del Badia, Florence, 1883.

MACHIAVELLI (Niccolo), *Lettere famigliari*, éd. E. Alvisi, Florence, 1883.
— *Opere*, éd. E. Raimondi, Milan, 1969.
— *Extraits thématiques*, éd. Ch. Bec, Paris, 1985.
— *Œuvres*, trad. par T. Guiraudet, 9 vol., Paris, an VII.
MALIPIERO (D.), *Annali Veneti (1457-1500)* éd. F. Longo, *Archivio storico italiano*, vol. VII, Florence, 1843.
MARIOTTI, *Saggio di memorie istoriche della città di Perugia*, Pérouse, 1806.
MARTYR (Pietro), *Opus epistolarum*, Amsterdam, 1670.
MATARAZZO (F.), *Cronaca della città di Perugia (1492-1503)*, éd. A. Fabretti, *Archivio storico italiano*, XVI, II, Florence, 1851.
MEDIN (Antonio et Lodovico), *Lamenti storici dei sec. XIV, XV, XVI*, Bologne, 1890.
Monumenta historica Societatis Jesu. Sanctus Franciscus Borgia, 5 vol., Madrid, 1894-1911.
MOREL-FATIO (A.), *Historiographie de Charles Quint. Première partie suivie des Mémoires de Charles Quint*, Paris, 1913.

PELICIER (P.), *Lettres de Charles VIII roi de France*, vol. 1-5, Paris, 1898-1905.
PELISSIER (L. G.), « sopra alcuni documenti relativi all'alleanza tra Alessandro VI e Luigi XII (1498-1499) », dans Archiv. della Soc. Roman. di storia patria, 18, 1895

PICCOLOMINI (Aenea), *Alcuni documenti inediti intorno a Pio II e a Pio III*, Sienne, 1871.

PLATINA (Battista) (Bartolommeo Sacchi, dit), *Vitae pontificum ad Sixtum IV*, Venise, 1479 ; et continuation : *Historia de vitis pontificum... Sixti IV, Innocentii VIII, Alexandri VI ac Pii III vita annexa*, Paris, 1505 ; PANVINIO (Onofrio), *Romani pontifices et cardinales S. R. E.*, Venise, 1557.

PRIULI (G.), *I Diarii*, Città di Castello, 1912 et 1919.

RIUS SERRA (J.), *Regesto ibérico de Calixto III*, vol. 1, Barcelone, 1948 ; vol. 2, Barcelone, 1958.

RONCHINI (A.), « Documenti Borgiani vell' Archivio di Parma ». dans *Atti e Memorie della Deput. di Storia per l'Emilia*, 1877.

ROO (Peter de —), *Material for a history of pope Alexandre VI, his relatives and his time*, 5 vol., Bruges et New York, 1924, trad. esp. : *Los Borjas de la leyenda ante la crítica histórica. Material para una historia del Papa Alejandro VI, sus deudos y su tiempo*, Valence, 1952.

SANCHIS SIVERA (José), *Algunos documentos y cartas privadas que pertenecieron al segundo duque de Gandia, Don Juan de Borja*, Valence, 1919.

SANNAZAR (Jacopo Sannazaro), *Rime*, Venise, 1538.

SANSI (Achille), *Documenti storici inediti tratti dall'Archivio communale di Spoleto*, Foligno, 1861.

SANUDO (Marino), *I Diarii dal 1496 al 1532*, Venise 1879-1903.
— *La Spedizione di Carlo VIII in Italia*, éd. R. Fulin, Venise 1873.

STROZZI (Ercole et Tito Vespasiano), *Poesie*, Paris, 1530.

TEDALLINI DI BRANCA (S.), *Diario Romano dal maggio 1485 al giugno 1524*, éd. P. Piccolomini, Città di Castello, 1907.

THEINER (A.), *Codex diplomaticus dominii temporalis Sanctae Sedis. Recueil de documents pour servir à l'histoire du gouvernement temporel des Etats du Saint-Siège, extraits des archives du Vatican*, t. III (1389-1793), Rome, 1862.

TRINCHERA (F.), *Codice aragonese ossia lettere regie, ordinamenti ed altri atti governativi dei sovrani aragonesi in Napoli*, 2 vol. Naples, 1866.

TUCCIA (Niccolo della), *Chronica di Viterbo*, Florence, 1879.

ZAMBOTTI (B.), *Diario ferrarese dal 1476 al 1504*, éd. G. Pardi, Bologne, 1937.

ZURITA (G.), *Anales de la Corona de Aragón*, t. IV et V, Saragosse, 1610.

Bibliographie

ADINOLFI (P.), *La Portica di s. Pietro ossia Borgo nell'età di mezzo. Nuovo saggio topogrofico dato sopra pubblichi e privati documenti*, Rome, 1859.
— *Roma nell'età di mezzo*, 2 vol., Rome, 1881.
ALVISI (E.), *Cesare Borgia, duca di Romagna*, Imola, 1878.
AMETLLER VINAS (J.), *Alfonso V de Aragón en Italia y la crisis religiosa del siglo XV*, 3 vol., Gérone, 1903.
ARCO (C. d'), « Notizie su Isabella Estense con documenti », *Archivio storico italiano*, app. 2ª, 1845.
ASTRAIN (A.), *Historia de la Compaña de Jesùs en la Asistencia de España*, t. II, Laínez-Borja, Madrid, 1905.

BACCHELLI (R.), *La congiura di don Giulio d'Este*, Milan, 1958.
BAGLION (Comte L. de la DUFFERIE), *Les Baglioni de Pérouse*, Poitiers, 1907.
BALLESTER JULBE (Constantino), *La Germania de Játiva. Cronicas del siglo XVI*, Murcie, 1920-1930.
BATLLORI (Miquel), « La correspondencia d'Alexandre VI amb els seus familiars i amb els Reis Catolicos », dans *Actes du Cinquième congrès d'Histoire de la Couronne d'Aragon*, vol. 2, p. 307-313.
BELLONCI (Maria), *Lucrezia Borgia*, 2ᵉ éd., Milan, 1970 ; trad franç., *Lucrèce Borgia*, Bruxelles, 1983.
— « La mamma ordina un corredo per Rodrigo », *L'Europeo* 10 janvier 1954.
BEMBO (Pietro), *Gli Asolani*, Venise, 1505.
— *Lettere giovanili di Messer Pietro Bembo*, Milan, 1558.
— *Opera historica*, Bâle, 1567.
BENDEDEI, *Lettera al pontefice Alessandro VI per gli sponsali di Lucrezia Borgia can Alfonso d'Este*, Ferrare, 1889

BÉRENCE (Fred), *Lucrèce Borgia*, Paris, 1937.

BERLINER (A.), *Geschichte des Juden in Rom von der oeltesten Zeiten bis zur gegenwart*, 2 vol., Francfort-sur-le-Main, 1893.

BERNALDEZ (A.), *Historia de los Reyes Catolicos don Fernando y doña Isabel*, 2 vol., Séville, 1870-1875.

BERTAUX (F.), *Les Borgia dans le royaume de Valence*, Paris, 1911.

BERTONI (G.), *La biblioteca estense e la cultura ferrarese al tempo di Ercole I⁰*, Turin, 1903.

— *L'Orlando Furioso e la Rinascenza a Ferrara*, Modène, 1919.

BETHENCOURT (de —), *Historia genealógica y heráldica de la Monarquia Española, Casa Real y Grandes de España*, vol. IV, *Gandia*, Madrid, 1902.

BLANCO (P. G.), *El virreinato di san Francisco de Borja en Cataluña*, Barcelone, 1921.

BOITEUX (M.), « Les Juifs dans le Carnaval de la Rome moderne, XVᵉ-XVIIIᵉ siècle », dans *Mélanges d'archéologie et d'histoire, Ecole française de Rome*, 1976.

BORGATI (M.), *Castel Sant'Angelo in Roma. Storia e descrizione*, Rome, 1890.

BOSCHI (G.), *Lucrezia Borgia*, Bologne, 1923.

BRADFORD (Sarah), *Cesare Borgia, his life and times*, Londres, 1976.

BRAUDEL (F.), *La Méditerranée et le monde méditerranéen à l'époque de Philippe II*, 2ᵉ éd., Paris, 1966.

BRION (M.), « Lucrèce Borgia, telle qu'elle fut », *Revue de Paris*, 1954.

— *Les Borgia*, Paris, 1979.

BURCKHARDT (J.), *Die Cultur der Renaissance in Italien*, 3ᵉ éd., 2 vol., Leipzig, 1877-1878.

CABANÈS (A.), *Le journal des couches de Lucrèce Borgia*, Paris, 1929 (*Dans les coulisses de l'Histoire*, 1ʳᵉ série).

CABANÈS (Dr.) et NASS (Dr. L.), *Poisons et sortilèges. Les Césars, envoûteurs et sorciers, les Borgia*, Paris, 1903.

CAMPORI (G.), « Una vittima della storia : Lucrezia Borgia », *Nuova Antologia*, vol. II, 1866.

CAPPELLETTI (L.), *Lucrezia Borgia e la Storia*, Pise, 1876.

CARTWRIGHT (J.), *Isabella d'Este, marchioness of Mantua, 1474-1539*, 2 vol., Londres, 1903.

CATALANO (M.), *Lucrezia Borgia, duchessa di Ferrara. Con nuovi documenti*, Ferrara, s. d.

CÉLIER (L.), « Alexandre VI et ses enfants en 1493 », *Ecole française de Rome. Mélanges d'archéologie et d'histoire*, 1906.

CERRI (D.), *Borgia, ossia Alexandro VI papa, e i suoi contemporanei*, Turin, 1858.

CHABAS (Roque), « Alejandro VI y el duque de Gandia », *El Archivo*, VII, Valence, 1893.
— « Don Jofré de Borja y Doña Sancha de Aragón », *Revue hispanique*, IX, 1902.
CHERRIER (C. de), *Histoire de Charles VIII, roi de France*, 2 vol., Paris, 1868.
CIAN (V.), *Un decennio della vita di Pietro Bembo*, Turin, 1885.
— *Caterina Sforza, a proposito della Caterina Sforza di Pier Desiderio Pasolini*, Turin, 1893.
CIPOLLA (C.), *Storia delle signorie italiane dal 1313 al 1530*, Milan, 1881.
CITTADELLA (L. N.), *Notizie amministrative, storiche, artistiche di Ferrara*, Ferrare, 1868.
— *Saggio di albero genealogico a di memorie su la famiglia Borgia, specialmente in relazione a Ferrara*, Turin, 1872.
CLOULAS (Ivan), *Charles VIII et le mirage italien*, Paris, 1986.
— « Aux origines des guerres d'Italie : les malheurs du prince Zizim », dans *Historama*, n° 30 (août 1986).
CLÉMENT (abbé), *Les Borgia. Histoire du pape Alexandre VI, de César et de Lucrèce Borgia*, Paris, 1882.
COLLISON-MORLEY (L.), *Histoire des Borgia*, Paris, 1934 ; nouv. éd., 1981.
COMPANY (Ximo), *Pintura del Renaiximent al Ducat de Gandia*, Valence, 1985.
CORVO (Frédéric ROLFE, dit le baron —), *Chronicles of the House of Borgia*, Londres, 1901 ; trad. franç., Paris, 1984.
COULET (N.), « La place des Juifs dans les cérémonies d'entrées solennelles au Moyen Age », dans *Annales, sociétés, civilisations*, 1979.
CROCE (Benedetto), *Versi spagnoli in lode di Lucrezia Borgia, duchessa di Ferrara e delle sue damigelle*, Naples, 1884.
— *La Spagna nella vita italiana durante la Rinascenza*, Bari, 1922.

DAVIDSOHN (R.), « Lucrezia Borgia, suora di penitenza », *Archivio storico italiano*, 1901.
DELABORDE (H. F.), *L'expédition de Charles VIII en Italie*, Paris, 1888.
DUHR (B.), *Geschichte der Gesellschaft Jesu in den Länder deutscher Zunge*, I, Fribourg-en-Brisgau, 1907.

EHRELE (F.) et STEVENSON (E.), *Gli affreschi del Pinturicchio nell'Appartemento Borgia*, Rome, 1897.
ESCOLANO (G.), *Decadas de la Historia del Reino de Valencia... aumentada y continuada por* D. Juan B. PERALES, Valence, 1878.

FEDELE (P.), « I gioielli di Vannozza », dans *Archivio della Società Romana di Storia Patria*, 1905.

FELICIANGELI (B.), *Il matrimonio di Lucrezia Borgia con Giovanni Sforza, signore di Pesaro*, Turin, 1901.

FERRARA (Orestes), *El papa Borgia*, Madrid, 1943; trad. ital., Milan, 1953.

FORGEOT (H.), *Jean Balue, cardinal d'Angers*, Paris, 1895.

FOUQUERAY (H.), *Histoire de la Compagnie de Jésus en France, des origines à la suppression (1582-1762)*, t. I, Paris, 1910.

FRIZZI (A.), *Memorie par la storia di Ferrara*, 5 vol., 1791-1809.

FUMI (L.), *Alessandro VI e il Valentino in Orvieto*, Siena, 1877.

FUNCK-BRENTANO (F.), *Lucrèce Borgia*, Paris, 1932.

GAGNIÈRE (A.), « Le journal des médecins de Lucrèce Borgia », dans *La Nouvelle Revue*, 54, 1888.

GALLIER (A. de —), *César Borgia, duc de Valentinois, et documents inédits sur son séjour en France*, Paris, 1895.

GARNER (J. L.), *Caesar Borgia. A Study of the Renaissance*, Londres, 1912.

GASTINE (L.), *César Borgia*, Paris, 1911.

GEBHART (F.), « Un problème de morale et d'histoire. Les Borgia », *Revue des Deux-Mondes*, Paris, 1888-1889, article repris dans : *Moines et papes. Essais de psychologie historique*, Paris, 1907.

GHIRARDACCI (C.), *Historia di Bologna*, Città di Castello, 1915.

GIANNONE (P.), *Historia civile del regno di Napoli*, t. III, Venise, 1766.

GILBERT (W.), *Lucrezia Borgia, duchess of Ferrara*, Londres, 1869.

GNOLI (U.), *Alberghi ed Osterie in Roma nel Rinascimento*, Rome, 1942.

GORDON (A.), *The Lives of pope Alexandre VI and Cesar Borgia*, Londres, 1729; trad. franç., Amsterdam, 1757.

GORI (F.), « Fortificazioni dei Borgia nella Rocca di Subiaco », dans *Archivio storico... della città e provincia di Roma*, vol. IV, Rome et Spolète, 1876-1883.

GOZZADINI (G.), *Memorie per la vita di Giovanni II Bentivoglio*, Bologne, 1839.

GREGOROVIUS (F.), *Lucrezia Borgia nach Urkunden und Correspondenzen*, Stuttgart, 1874; rééd Dresde, 1952.
— *Lucrèce Borgia, d'après les documents originaux et les correspondances contemporaines*, trad. Paul Regnaud, 2 vol., Paris, 1876.
— *Storia della città di Roma nel Medio Evo*, Rome, 1910.

GRIMALDI (N.), *Reggio, Lucrezia Borgia e un romanzo d'amore della duchessa di Ferrara*, Reggio Emilia, 1926.

GUERDAN (R.), *César Borgia : « le Prince » de Machiavel*, Paris, 1974.

GUGLIELMOTTI (A.), *Storia della Marina pontificia*, Rome, 1886.
GUIRAUD (J.), *L'Etat pontifical après le Grand Schisme*, Paris, 1896.

HAYWARD (F.), *L'énigme des Borgia*, Paris, 1956 (*Visages de l'Eglise*, 6).
HEERS (J.), *Machiavel*, Paris, 1985.
— *La vie quotidienne à la cour pontificale au temps des Borgia et des Médicis (1420-1520)*, Paris, 1986.
HERMANIN (F.), *L'appartemento Borgia in Vaticano*, Danesi, 1934.
HOEFLER (V. von), *Don Rodrigo de Borja und seine Sohne*, Vienne, 1889.

JAGOT (Dr.), *Le poison des Borgia*, Angers, 1909.

LABANDE-MAILFERT (Y.), *Charles VIII et son milieu (1470-1498). La jeunesse au pouvoir*, Paris, 1975.
LAURENCIN (Marquis de), *Relación de los festines que se celebraron en el Vaticano con motivo de las bodas de Lucrecia Borja con don Alonso de Aragón*, Madrid, 1916.
LEONETTI (A.), *Papa Alessandro VI secondo documenti e carteggi del tempo*, 3 vol., Bologne, 1880.
L'EPINOIS (H. de), « Le pape Alexandre VI », dans *Revue des questions historiques*, 29, 1881.
LETAROUILLY (P.), *Le Vatican et la basilique de Saint-Pierre de Rome*, 3 vol., Paris, 1882.
LITTA (Pompeo), *Famiglie celebri italiane*, 10 vol., Milan, 1819-1874 ; et suite, Turin, 1875-1886.
LUCAS-DUBRETON (J.), *Les Borgia*, Paris, 1952.
LUZIO (A.), *Federigo Gonzaga, ostaggio alla corte di Giulio II*, Rome, 1887.
— *Isabella d'Este e i Borgia*, Milan, 1916.
— « Isabella d'Este nelle tragedie della sua casa », dans *Atti e Memorie della R. Accademia Virgiliana di Mantova*, nuova serie, V, 1912.
LUZIO (G.) et RENIER (R.), *Mantova e Urbino. Isabella d'Este ed Elisabetta Gonzaga nelle relazioni famigliari e nelle vicende politiche*, Turin et Rome, 1893.

MANCINI (F.), « Lucrezia Borgia governatrice di Spoleto », dans *Archivio storico italiano*, 1957.
MARICOURT (R. de), *Le procès des Borgia considéré au point de vue de l'histoire naturelle et sociale*, Poitiers et Paris, 1883.
MATAGNE (H.), « Une réhabilitation d'Alexandre VI », *Revue des questions historiques*, 11, p. 466, 1870 et 13, p. 180, 1872.
MAUGAIN (G.) *Mœurs italiennes de la Renaissance La Vengeance* Paris, 1935.

MAULDE LA CLAVIÈRE (R. de), *La diplomatie au temps de Machiavel*, 3 vol., Paris, 1892-1893.
— « Alexandre VI et le divorce de Louis XII », dans *Bibliothèque de l'Ecole des Chartes*, 1896.
MENOTTI (M.), *I Borgia. Storia ed iconografia*, Rome, 1917.
— *I Borgia. Documenti inediti sulla famiglia e la corte di Alessandro VI*, Rome, 1917.
MOLLAT (G.), *Les papes d'Avignon (1305-1378)*, Paris, 1964.
MORSOLIN (B.), « Pietro Bembo e Lucrezia Borgia », dans *Nuova Antologia*, 52, 1885.
MÜNTZ (E.), *Les arts à la Cour des papes Innocent VIII, Alexandre VI, Pie III (1484-1503)*, Paris, 1898.

NARBONNE (B.), *La vie privée de Lucrèce Borgia*, Paris, 1953.
NAVENNE (F.), *Rome, le Palais Farnèse et les Farnèse*, Paris, 1914.
NEGRI (P.), « Le missioni di Pandolfo Collenuccio a papa Alessandro VI (1494-1498) », dans *Archiv. Soc. Rom. di Storia Patria*, vol. 33.

OLIVER Y HURTADO (Manuel), « Don Rodrigo de Borgia : sus hijos y descendientes », dans *Boletin de la Real Academia de la Historia*, déc. 1886, Madrid.
OLLIVIER (M. J. H.), *Le pape Alexandre VI et les Borgia*, Paris, 1870.
OLMOS Y CANALDA (E.), *Reivindicación de Alejandro VI, el papa Borja*, Valence, 1954.
ORTIZ FELIPE (Francisco Javier), *Cesar Borgia y Navarra*, Pampelune, 1983.

PALANQUE (J. R.) et CHELINI (J.), *Petite histoire des grands conciles*, Bruges, 1962.
PASCHINI (P.), *Roma nel Rinascimento*, Bologne, 1940.
PASCUAL Y BELTRAN (Buenaventura), *El gran papa español Alejandro VI en sus relaciones con los Reyes Católicos*, Valence, 1941.
PASINI FRASSONI, « I Borgia in Ferrara », *Giornale Araldico Genealogico Diplomatico*, Rome, janv.-févr. 1880.
PASOLINI (P. D.), *Caterina Sforza*, 2e éd., Bologne, 1897.
PASTOR (Juan), *Borja espiritu universal. Breve biografia de san Francisco de Borja*, Bilbao, 1970.
PASTOR (Ludwig von), *Geschichte des Päpste seit dem Ausgang des Mittelalters*, Fribourg-en-Brisgau, t. I (jusqu'à Pie II, 1464), 1901 ; t. II (1464-1484), 1904 ; t. III (1484-1513), 1899 ; t. VIII (Pie V, 1566-1572), 1920.
— trad. franç. sur la 1re éd. : *Histoire des papes depuis la fin du Moyen Age*, t. I et II, Paris, 1888 ; t. III et IV, 1892 ; t. V et VI, 1898 ; t. XVI (Pie V), 1934.

— trad. ital. : *Storia dei Papi*, trad. ital., éd. A. Mercati, Rome, 1912 ; supplément aux vol. II et III, Rome, 1931 ; vol. VIII (Pie V), Rome, 1951.

PELISSIER (L. G.), *Louis XII et Ludovic Sforza*, 2 vol., Paris, 1896.

PEPE (G.), *La politica dei Borgia*, Naples, 1940.

PERRENS (F. T.), *Histoire de Florence depuis la domination des Médicis jusqu'à la chute de la République (1434-1531)*, t. I à III, Paris, 1888-1890.

PICOTTI (G. B.), *La jeunesse de Léon X*, Paris, 1931.

— « Ancora sul Borgia », *Rivista di Storia della Chiesa in Italia*, VIII, n° 3, sept.-déc. 1954.

— « Nuovi studi e documenti intorno a papa Alessandro VI », *ibidem*, V, n° 2, 1951.

PISTOFILO BONAVENTURA, *Vita di Alfonso d'Este*, Modène, 1865.

PODESTA (B.), « Intorno alle due statue erette in Bologna a Giulio II », dans *Atti e Memorie Deputaz. storia patria*, t. VII, Bologne, 1808.

PORTIGLIOTTI (G.), *I Borgia*, Milan 1913.

— « Un ritratto tizianesco di Lucrezia Borgia » dans *Rivista d'Italia*, X, 1915.

PORZIO (C.), *La congiura de' Baroni del Regno di Napoli*, Florence, 1884.

QUILLIET (B.), *Louis XII*, Paris, 1986.

RAJNA (P.), « I versi spagnoli di mano di Pietro Bembo e di Lucrezia Borgia, serbati in un codice ambrosiano », *Homenaje ofrecido a Menendez Pidal*, vol. II, Madrid, 1925.

RENOUARD (Y.), *La Papauté d'Avignon*, Paris, 1962.

RIBADENEYRA (P.), *Vita del Padre Francisco de Borja*, Madrid, 1592.

RICCI (Corrado), *Pinturicchio*, Pérouse, 1915.

— *Il figlio di Cesare Borgia (Girolamo)*, Milan, 1918.

RODOCANACHI (Emmanuel), *Histoire de Rome de 1354 à 1471, L'antagonisme entre les Romains et le Saint-Siège*, Paris, 1921.

— *Histoire de Rome. Une cour princière au Vatican pendant la Renaissance. Sixte IV. Innocent VIII. Alexandre VI Borgia (1471-1503)*, Paris, 1925.

RODRIGUES (F.), *História da Companhia de Jesús na Assisténcia de Portugal*, II, 1560-1615, Porto, 1938.

ROLFE (Frederick-William-Serafino), voir CORVO (baron).

RYDER (Alan), *The Kingdom of Naples under Alfonso the Magnanimous. The making of a modern state*, Oxford, 1976.

SABATINI (R.), *The life of Cesare Borgia. A history and some criticism*, Londres, 1916.

— *César Borgia*, Paris, 1937 (trad. franç. G. Jean-Aubry).

SANCHIS SIVERA (José), *El cardenal Rodrigo de Borja en Valencia*, Madrid, 1924.
— *El obispo de Valencia Don Alfonso de Borja (Calixto III) (1429-1458)*, Madrid, 1926.
SARTHOU CARRES (Carlos), *Datos para la historia de Játiva*, 2ᵉ éd., 1976.
SIZERANNE (R. de La), *César Borgia et le duc d'Urbino*, Paris, s. d., 1924.
SORANZO (G.), *Studi intorno a papa Alessandro VI Borgia*, Milan, 1950.
SUAU (P.), *Histoire de s. François de Borgia*, Paris, 1910.

THUASNE (Louis), *Djem Sultan*, Paris, 1892.
TOMASI (Tommaso), *La vita del duca Valentino*, Montechiaro, 1655.
TOMMASINI (O.), *La vita e gli scritti di N. Machiavelli nelle loro relazioni col Machiavellismo. Storia ed esame critico*, Turin, 1883.
TONINI (L.), *Rimini nella signoria de'Malatesti*, Rimini, 1882.
TRUC (G.), *Rome et les Borgia*, Paris, 1939.

UGHELLI (F.), *Italia sacra, sive de episcopis Italiae*, éd. N. Coletus 10 vol., Venise 1717-1722.
UGOLINI (Fil.), *Storia dei conti e duchi d'Urbino*, Florence, 1859.

VILA MORENO (Alfonso), *Calixto III : un papa valenciano*, Sara gosse, 1979.
VILAR (Pierre), *La Catalogne dans l'Espagne moderne*, 3 vol., Paris 1962.
VILLARI (Pasquale), *Niccolo Machiavelli e i suoi tempi*, Florence, 1877.
— *Nuovi Studi sui Borgia*, s. d.
— *Jérôme Savonarole et son temps*, Paris, 1874.

WIRTZ (M.), « Ercole Strozzi poeta ferrarese », dans *Atti e Memorie della Deputazione ferrarese di storia patria*, XVI, 1906.
WOODWARD (W. H.), *Cesare Borgia. A biography with documents and illustrations*, Londres, 1913.

XAVIER (Adro), *El duque de Gandia. El noble santo del Primer Imperio*, 2ᵉ éd., Madrid, 1943.

YRIARTE (Ch.), *César Borgia, Sa vie, sa captivité, sa mort*, 2 vol., Paris, 1889.
— *Autour des Borgia*, Paris, 1891.

Index

Table des matières

TROISIÈME PARTIE
LES LUEURS DU COUCHANT

DANS LA MÊME COLLECTION

Achevé d'imprimer en octobre 1987
sur presse CAMERON
dans les ateliers de la S.E.P.C.
à Saint-Amand-Montrond (Cher)
pour le compte de la librairie Arthème Fayard
75, rue des Saints-Pères — 75006 Paris

Dépôt légal : octobre 1987.
N° d'Édition : 6720. N° d'Impression : 1888.

35.61.7763.05
ISBN 2-213-01991-6

Imprimé en France